Atlantis

肩をすくめるアトラス

第一部
矛盾律

アイン・ランド

脇坂 あゆみ 訳

目次

第一部　矛盾律

第一部　矛盾律

第一章　主題

「ジョン・ゴールトって誰？」

　夕闇がせまりエディー・ウィラーズには浮浪者の顔がよく見えなかった。浮浪者はなにげなくつぶやいただけだ。だが道の向こうの遠い夕日から黄色い光が浮浪者の目をとらえ、その目は嘲るように、じっと真直ぐにエディー・ウィラーズを見ていた。その問いが彼の内面の理由のない不安に向けられていたかのように。

「どういう意味だ？」エディー・ウィラーズは硬い声で訊いた。

　浮浪者は戸口の脇にもたれており、後ろではガラスの破片が空のぎらついた黄色を映している。

「お気に障りましたかね？」浮浪者が訊いた。

「そうじゃない」エディー・ウィラーズはぶっきらぼうに言った。

　彼はいそいでポケットに手を伸ばした。浮浪者は彼を呼びとめ、十セント玉をねだり、そうして時をつぶせば問題を先送りできるかのように繰り言を並べはじめたのだった。このごろ路上の物乞いは珍しくなく、説明をきく必要もなければ、この浮浪者の窮状をとくだん詳しく聞く気もない。

「コーヒー代だ」無表情な影に十セント玉を手渡しながら、彼はいった。

「どうも」浮浪者は素っ気なくいうと、少し顔を前に傾けた。その顔は風にさらされ、疲れとシニカルな諦めが刻まれていたが、目には聡明さがあらわれていた。

　この時間になるときまって理由のない恐怖にかられるのはなぜだろうと思いながら、エディー・ウィラーズは歩きつづけた。いや、恐怖じゃない。恐れるものなどない。ただ原因や対象のない漠とした大きな不安があるだけだ。その感覚になれたいまも、彼自身それを説明できないでいる。なのにあの浮浪者ときたら、あたかもエディーがそんなふうに感じていることを知っており、それが当然だと考えているかのように話したのだ。しかも原因まで見抜いているかのように。

　エディー・ウィラーズはつとめて肩を真直ぐに引いた。もうやめよう、あれこれ無駄なことを考えすぎだ、と彼はおもった。いつもこうだったろうか？　彼は三十二歳だ。さかのぼって考えようとした。いや、昔は違った。だが、いつはじまったのか思い出せない。こうした不安には不意に襲われることがあるが、近頃かつてなく頻繁だ。黄昏のせいだ、と彼はおもった。だから黄昏は嫌いなのだ。

　雲を背景に林立する摩天楼が古い名画のように土色に褪せてゆく。外壁はてっぺんから下まで黒くすすけている。高い塔の一つが十階分にもわたって長い稲妻形にひび割れている。ぎざぎざの尖塔が家々の屋根の上空にそびえ、片面はいまも夕日の輝きをとどめて明るいが、もう片方はその金箔がとうに剥がれ落ちていた。輝きは炎の影のように赤くおだやかだ。燃えさかる炎ではなく、消えかかった残り火のように。

　いや街じゃない、とエディー・ウィラーズは思った。街の景色はいつもと同じだ。

　早く会社に戻らなければ、と自分をいましめながら彼は歩きつづけた。帰っておこなわなければならないのは気の進まない仕事だが、やらなければ。後回しにしようとせずに、彼は足を早めた。

　彼は角を曲がった。扉の隙間のような、二棟のビルの暗いシルエットのあいだの狭い空間に、空に浮かぶ巨大なカレンダーのページがみえる。

市庁舎の塔をみあげれば日付がわかるようにと、去年、ニューヨーク市長がてっぺんにたてたカレンダーだ。さび色がかった夕日のなかで、街の上空から道行く人びとに日付を告げる白い長方形には、九月二日とあった。

エディー・ウィラーズは目をそむけた。あのカレンダーの見た目が好きになれない。それは無性に彼を不愉快にした。近頃の不安と似た感覚だ。

カレンダーが示唆していることをあらわした言いまわしがあった、と不意に彼はおもった。だが思い出せなかった。うろ覚えの文句を捜しながら、彼は歩いた。思い出すことも忘れることもできずに、彼は振り返った。屋根の上の白い長方形は決定的にきっぱりと、九月二日を告げている。

エディー・ウィラーズが通りに目を戻すと、ブラウンストーンの家の表階段に野菜籠があった。明るい金色のにんじんと緑色の新鮮な葱が積まれてある。開け放した窓には清潔な白いカーテンがはためいている。バスが巧みなハンドルさばきで角を曲がっていく。なぜか安心した気がしたが、そのあとふと、こういうものが虚ろな空間の下に無防備におかれていなければいいのに、とおもった。

五番街にくると、彼は通り過ぎる店のウインドーに目を注いだ。必要なものも買いたいものもないが、陳列された商品を眺めるのは好きだ。どの商品も人間によって、人間が使うために作られたものだ。にぎやかな街の眺めもいい。ウインドーが暗く空っぽの潰れた店は四軒に一軒もない。

そのときなぜか唐突に、ある楢の木のことが頭をよぎった。何がきっかけというわけでもない。だが楢の木とタッガート領で過ごした幼いころの夏を彼は思いだした。幼年時代のほとんどを彼はタッガート家の子どもたちと過ごし、自分の父親と祖父がかれらの父親と祖父の下で働いてきたように、いまかれらの下で働いていた。

楢の巨木はタッガート領のはずれのハドソン河を望む丘にぽつんと立っていた。七歳だったエディー・ウィラーズは、しょっちゅうやってきてはその木を眺めたものだ。それは何百年もそこに立っており、ずっとそこにある気がしていた。根は土に指を突っこんだように丘をきつく握り締めており、巨人が木のてっぺんをつかんだところで根を引っこ抜くことはできず、丘にくっついた地球全体を紐の先のボールのように振り回すことになるだろうと彼はおもっていた。楢の木の傍にいれば安心だった。それは何によっても変わることも脅かされることもない、強さの最大の象徴だった。

ある晩、楢の木が雷に打たれた。エディーは翌朝、真二つに割れて横倒しになった木の幹をトンネルの入口から暗闇を見るようにのぞきこんだ。幹は抜け殻にすぎなかった。芯はとうに朽ちてなくなり、中にはかすかな風の気まぐれでも飛び散る薄汚れた埃だけで何もなかった。生命力は尽きており、残された図体だけではもちこたえられなかったのだ。

何年もあとになって、子どもは死や苦痛や恐怖の最初の衝撃から守られるべきだと彼は聞かされた。だが彼はそんなものを怖いとおもったことはなく、衝撃は真っ暗な幹の穴をのぞきこみながら、ひっそりと立っていたときにやってきた。それはとほうもない裏切りであり、何が裏切られたのかがわからなかったのでよけいにたちが悪かった。それは彼自身でも、彼が信頼していたことでもなく、何か別のものであることは確かだった。彼は音もたてず、しばらくそこに立ちつくし、それから歩いて家に帰った。あのときも、あのあとも、そのことは誰にも言わなかった。

さびついた信号交換機のきしりを聞いて曲がり角で足を止めると、エディー・ウィラーズは頭を振った。自分に腹をたてていた。今夜楢の木のことを思い出す理由なんかない。もう意味のないことだ。ただ哀しみのかすかなうずき——痛みの滴が、ガラス窓に落ちた雨粒のように疑問符のかたちを描き、彼の内側のどこかでつかのま動いて消えていった。

幼年時代のいとしい思い出にどんな悲しみも添えたくはなかった。いま覚えているどの日も穏やかで燦然とした陽光に満ちあふれているようにおもわれた。現在にあのときの光線が差し込んでくる気がすることもある。光線というよりは、仕事に、わびしいアパートに、静かで真面目な暮らしにときおりひとときの輝きをくれるごく小さなスポットライトに近いだろうか。

十歳のある夏の日のことを思い出した。あの日、森の野原で、幼馴染の大切な仲間が大人になったらやることを語った。言葉は日差しのようにきつく熱っぽく、彼はうっとり聞き惚れていた。自分は何をしたいのかきかれてすぐさま「正しいこと」と答えた。「何を?」と彼女はたずねた。「わからない。探さなきゃ。きみが言ったようなことだけじゃなく。ただ仕事をして暮らしていくだけじゃなく。戦いに勝ったり、火事で人を救ったり、山を登ったり」と彼はいった。「何のために?」と彼女がきいた。「先週の日曜日に牧師さんが、自らのなかで最上のものを求めよって言っていたよ。自らのなかで最上のものって何だと思う?」と彼はいった。「わからないわ」「探さなきゃ」彼女は答えずに目を逸らし、そばの線路を見上げていた。

エディー・ウィラーズは笑みを浮かべた。二十二年前から「何か正しいこと」をやるという決意は変わっていない。いっぽう何が正しくて何のためにそれをやるのかを考える暇はなく、そうした疑問は次第に消えていった。だが人が正しいことをしなければならないのは当たりまえだとはいまも考えている。どうしてそうしたくない人びとがいるのか理解できないが、そういう人間がいることだけはわかるようになった。それは彼にとっていまも単純でありながら理解できないことだ。ものごとが正しくあるべきなのは単純なこと。そうではないことが理解できないことだ。正しくないことは確かなのだ。角を曲がり、タッガート大陸横断鉄道の超高層ビルにやってきたとき、彼はそんなことを考えていた。

通りを見下ろすビルは街じゅうでもっとも高い威風堂々たる建物だ。それを目にするたびにエディー・ウィラーズは微笑んでしまう。ずらりと連なる窓は近隣のビルとは対照的に壊れてはいない。崩れたり擦りきれたりした部分もなく空にそそり立っている。年月を越えて、手つかずのままたっているようだ。これからもずっと、とエディー・ウィラーズはおもった。

タッガートビルに入るといつも、彼はほっとして、安心感をおぼえた。ここは能力のある者のための場所だ。大理石の鏡をしきつめたエントランス。長い半透明の照明器具に固体光が散りばめられている。ガラスの仕切りの後ろには若い女性スタッフがタイプライターを前に何列にも並び、加速する列車の車輪のような音をたてながらキーを叩いている。それにこだまするように、かすかな振動がときおりビルの下から壁を通り抜ける。大ターミナルのトンネルから出て大陸を横断しては帰ってくる何世代も続いてきた列車の発着の響きだ。「タッガート大陸横断鉄道。太平洋から大西洋まで」とエディー・ウィラーズは心のなかでつぶやいた。幼い頃からの誇らしいスローガンは聖書のどんな戒律よりもずっと輝かしく神聖なものだ。太平洋から大西洋まで、永遠に――フロアの中央にあるタッガート大陸横断鉄道の社長ジェイムズ・タッガートのオフィスに向かってしみ一つない廊下を歩きながら、あらためて賛辞を捧げるごとく、エディー・ウィラーズは心の中で繰り返した。

ジェイムズ・タッガートは机に座っていた。年は五十がらみにみえ、青年期を経ることなく思春期からいっきに老けたような風貌だ。小さく気短そうな口をして、薄い髪がつるつるの額にはりついている。すらりとした長身の優雅な体躯は貴族の堂々たる所作にふさわしいものだったが、だらけた姿勢のために粗野な田舎者の体になり変わっていた。顔は青白くしまりがない。色が薄く曇った目は完全にとまることなくゆっくりと動き、存在が許せないようにあたりを見回している。虚勢を張ってぐったり疲れているようにみえた。実際は三十九歳だった。

タッガートは扉が開く音をきくと、不愉快そうに顔を上げた。

「邪魔だ、邪魔だ、邪魔だ」ジェイムズ・タッガートが言った。

エディー・ウィラーズは机に向かって歩いた。

「ジム、重要なことなんだ」声をあげずに、彼はいった。

「わかった、わかった。何の用だ？」

エディー・ウィラーズはオフィスの壁に掛かった地図を見た。ガラスで覆われた地図は色褪せている。何代のタッガートの社長が、何年の間この前に座ったことだろう、と彼はぼんやりとおもった。ニューヨークからサンフランシスコまで、この国の薄茶色の部分にはりめぐらされたタッガート大陸横断鉄道の赤い網は血管の組織に似ている。それは随分前に大動脈からあふれだした血液が、おのれの強い圧力で気ままに枝分かれし、国じゅうに流れだしたかのようだ。赤い流れの一つがワイオミングのシャイアンからテキサスのエルパソまで曲線を描いている。タッガート大陸横断鉄道のリオ・ノルテ線だ。その先に最近つけ足された新しい線のために赤い流れはエルパソ以南にも延びていた。だがその点で目を止めると、エディー・ウィラーズは急いで地図に背を向けた。

ジェイムズ・タッガートを見て、彼はいった。「リオ・ノルテ線のことだ」タッガートの視線が机の端へ動いたことに彼は気づいた。「また事故があった」

「鉄道事故は毎日おこる。そんなことで私の邪魔をしにきたのかね？」

「ジム、僕の言いたいことはわかっているはずだ。リオ・ノルテ線はもう寿命だ。レールがもうダメなんだ。端から端まで」

「いまに新しいレールになる」

　エディー・ウィラーズは答えがなかったかのように続けた。「あのレールはダメだ。あんなところで列車を走らせても無駄だ。顧客にも愛想をつかされてるぜ」

「この国で赤字路線がない鉄道会社はないように思えるが。我々だけじゃない。国の事情だ。一時的な国のな」

　エディーは黙って彼をみつめた。タッガートが気に食わないのは、エディー・ウィラーズがこうして相手の目を真直ぐに見る癖だ。エディーの目は青く、大きく見開かれており、相手を問いつめるようだ。頭は金髪、几帳面さとあからさまな戸惑いを帯びた表情のほかには特徴のない角ばった顔だ。

「どうしろというんだね？」タッガートはぶっきらぼうに言った。

「誰かが君に教えなければならないことを言いに来ただけだ」

「また事故があったことか？」

「リオ・ノルテ線を廃線にはできないってことだ」

　ジェイムズ・タッガートは顔をあげることはほとんどなかったが、人を見るときはつるつるの広い額の下から重い瞼をもちあげて上目使いに相手を見つめた。

「リオ・ノルテ線の廃線だと？」彼は訊いた。「廃線の話なんか聞いたこともない。そんなことを言われて心外だ。まったくもって心外だね」

「だけどここ半年、予定通り運行できたためしがない。故障なしに最後まで運行した便もない。荷主もみな次々に失っている。どれだけもつだろう？」

「エディー、君は悲観的なんだ。忠誠心が足りない。組織の士気をそこなうのはそれだよ」

「つまりリオ・ノルテ線については何もしないってことか？」

「そんなことは言っとらん。新しいレールが届いたらすぐ――」

「ジム、新しいレールは手に入らない」彼はタッガートの瞼がゆっくり上に動くのをみた。「いま共同製鉄の事務所にいってきたところだ。オルレン・ボイルと話した」

「何と言われたんだ？」

「一時間半も話して、まともな回答は一つも得られなかった」

「やつを煩わせることじゃない。初回発注のレールの納期は来月のはずだ」

「その前の納期は三ヶ月前だった」

「予期せぬ事情だよ。オルレンには絶対に制御不能な」

「その前の納期はさらに六ヶ月前だった。ジム、もう十三ヶ月も共同製鉄のレールの配達を待っている」

「私にどうしろというんだね？　オルレン・ボイルの事業を経営するわけにはいかない」

「これ以上待てないことをわかってほしいんだ」

タッガートは皮肉っぽく、だが同時に注意深く、「妹は何と言ったんだね？」とゆっくりとたずねた。

「明日まで戻らない」

「では、私にどうしてほしいんだね？」

「君が決めることだ」

「何でもいいが、リアーデン・スチールのことだけは言うな」

エディーはすぐには答えなかったが、やがて静かに言った。「わかった、ジム。そのことは言わないでおこう」

「オルレンは私の友人だ」エディーは答えなかった。「その態度は何だ。オルレン・ボイルは人間的に可能な限りにおいてできるだけ早くレールを配達する。やつが配達できないなら、誰も我々のせいにはできないんだ」

「ジム！　何の話だ！　我々のせいであろうとあるまいと、リオ・ノルテ線が崩壊寸前なのがわからないのか？」

「フェニックス・デュランゴさえなければ、みな我慢する——せざるを得ないだろうに」彼はエディーの顔が固くなるのをみた。「フェニックス・デュランゴが現れるまで、リオ・ノルテ線に文句を言うやつはいなかった」

「フェニックス・デュランゴはいい仕事をしている」

「フェニックス・デュランゴなんてものがタッガート大陸横断鉄道と競争しているなど考えてもみろ！　十年前はしがない地元の牛乳配達線だったじゃないか」

「いまやアリゾナ、ニューメキシコ、コロラドの大方の貨物を運んでいる」タッガートは答えなかった。「ジム、コロラドを失うわけにはいかない。我々の最後の希望だ。誰にとっても最後の希望なんだ。いま我々が立ち直らなければ、あの州の大口の荷主はみなフェニックス・デュランゴにうばわれてしまう。もうワイアット油田はとられているんだ」

「なぜ皆がワイアット油田のことばかり言うのか私にはわからないね」

「それはエリス・ワイアットが天才的な——」

「エリス・ワイアットなんかくたばれ！」

あの油田には地図の血管組織と通ずるものがある、とエディーはふとおもった。タッガート大陸横断鉄道の赤い流れも、ずっと昔、いまとなっては信じがたい快挙だが、あんなふうに目ざましい勢いで国じゅうを駆けぬけたのではなかったか？　フェニックス・デュランゴの列車のスピードを超える勢いで油井から黒い流れが噴き出して大陸を駆けめぐるさまをエディーは思い描いた。ワイアット油田はとうに枯渇したと思われていたコロラド山脈の岩場にすぎなかった。エリス・ワイアットの父親は死ぬまで廃れゆく油田でどうにかこうにか生計をたてていた。ところがいまでは山の心臓にアドレナリンをうたれたように鼓動しはじめ、岩から黒い血液が吹き出しているのだ。そう、血液だ、とエディーはおもった。血液は糧をもたらし、命を支える。それこそワイアット石油のやってきたことだ。起伏だらけで何もなかった土地を突如として甦らせ、新しい街、新しい発電所、新しい工場を、地図にも記されていなかった地域に創りだしたのだ。新しい工場か、とエディー・ウィラーズはおもった。由緒ある大企業からの貨物収入が少しずつ落ちこんできているこの時期に。豊かで新しい油田。名だたる油田が次々にポンプを止めていくこの時期に。そして牛とビーツしかおもいつかなかった場所に新しい産業州が生まれつつある。一人の男がやったことだ。しかもたった八年で。それは学校の教科書で読んだものの完全には信じられなかった開拓時代の男たちの物語に似ていた。エリス・ワイアットに会いたいものだ、と彼はおもった。頻繁に話題にはのぼるが実際ワイアットに会った人間は少ない。ニューヨークには滅多に姿をみせないからだ。三十三歳の激しい気性の持ち主だという。廃田を復活させる方法をあみだし、実際に復活させた。

「エリス・ワイアットは金のことしか考えない欲の塊だ」ジェイムズ・タッガートが言った。「人生には金を稼ぐより重要なことがあるように思えるが」

「ジム、何の話だ？　それとこれと何の関係が――」

「それに礼儀をわきまえないやつだ。我々は何年もワイアット油田に充分すぎるほど尽くしてきた。

先代ワイアットの時代には、週一便のタンク車を運行していた」

「ジム、もう先代ワイアットの時代じゃない。フェニックス・デュランゴはあそこで毎日二便、タンク車を運行している——時刻通りに」

「やつと一緒に成長できるだけの時間をくれていたら——」

「彼にそんな暇はない」

「やつは何を期待しているんだね？　他の荷主をみな捨てて、国全体の利益も犠牲にして、我々の列車を全部くれとでもいうのかね？」

「まさか。彼は我々に何も期待しちゃいない。ただ、フェニックス・デュランゴと取引しているだけだ」

「乱暴で破廉恥なならず者だと思うがね。異常に過大評価された無責任な成金だ」驚いたことに、普段は生気のないジェイムズ・タッガートの声に感情があらわれていた。「やつの油田の成功が役にたったかあやしいものだ。むしろ国全体の経済を混乱させただけだろう。コロラドが産業州になるとは誰も予想していなかった。物事が変わってばかりいれば、安心して計画をたてることなんかできないだろう？」

「よせよ！　ジム、あの人は——」

「ああそう。金儲けには長けている。だがそれは人間の社会的価値を測る基準ではなかろう。石油にしても、フェニックス・デュランゴさえなければ、やつはこちらに這いつくばってきて、他の荷主同様に順番を待ち、妥当な割当以上の輸送は要求するまいに。あんな破壊的な競争にさらされてはいかんともしがたい。我々のせいじゃない」

　胸とこめかみが圧迫されて苦しいのは、こみあげる感情を抑えようとしているからだろう、とエディー・ウィラーズはおもった。彼は今度こそ問題の所在を明らかにしようと決めた。問題はあまりにも明らかだったから、自分が言いかたを誤らない限り、タッガートに理解できないはずはなかった。だから真剣に伝えようとしたのに、いつもの不毛な議論と同じで何も伝わらなかった。何であれ、二人が同じ件について話していると思えたことはない。

「ジム、何の話だ？　誰のせいかじゃない。現にあの路線が危機的状況にあるんだ」

ジェイムズ・タッガートはにやりとした。「感動的だね、エディー」彼はいった。「君のタッガート大陸横断鉄道への献身は感動的だ。下手すると本物の奴隷になりかねないぞ」

「それでいい」

「それにしたって私とこうした件について話をするのは君の仕事なのかね？」

「いや、違う」

「なら仕事を進めるには部署ってものがあることぐらいわからないのか？　なぜこの件を担当者に報告しない？　私のかわいい妹に泣きついたらどうだね？」

「いいか、ジム、僕が立場をわきまえてないのはわかっている。だけど僕には何が何だかさっぱり理解できないんだ。君の側近たちが何を言っているのか、なぜ君に現状を認識させられないのか。だから自分で言いに来るしかなかったんだ」

「子どものときからの友情には感謝するがね、エディー、だからといって予告なしに気のむくときここへ入ってきてもいいわけじゃない。君の地位を考えれば、私がタッガート大陸横断鉄道の社長だって思い出すべきじゃないのかね？」

　無駄だった。エディー・ウィラーズはいつもどおり冷静にタッガートを見て、気を損ねるでもなく、ただ困惑してたずねた。「つまりリオ・ノルテ線はいまのままってことか？」

「そうは言っていない。そんなことは少しも言ってない」地図のエルパソ以南の赤い流れをタッガートは一瞥した。「サン・セバスチアン鉱山が軌道に乗って、メキシコ部門で採算がとれるようになったらすぐに――」

「ジム、その話はやめとこう」

エディーの声がかつてなく冷たい怒りを帯びていることに驚いて、タッガートは振り返った。

「何だね？」

「わかっているだろう。君の妹が――」

「妹の言うことなんか知るもんか！」ジェイムズ・タッガートが言った。

エディー・ウィラーズは身じろぎもせず、答えもしなかった。ただ真直ぐに前を見つめていた。だが見ていたのは、ジェイムズ・タッガートでも部屋の中でもなかった。

しばらくして、エディーは一礼して部屋を後にした。

オフィスを出ると、ジェイムズ・タッガートの部下の事務員たちは明かりを消し、帰り支度をしていた。だが係長のポップ・ハーパーだけはじっと机に座ったまま、壊れかけたタイプライターのレバーをいじっていた。社員たちはポップ・ハーパーはフロアのあの隅のあの机で生まれ、一生そこを離れることはないという印象をもっている。ジェイムズ・タッガートの父親の代からの係長だ。

ポップ・ハーパーは、エディー・ウィラーズが社長のオフィスから出てくると顔をあげて彼を見た。賢く落ち着いた目つきだった。まるでエディーがここまでやってきたのは現場に問題があるからだということも、この訪問が何の解決にもならなかったことも知っており、どちらにもまるで興味がないというような。そこにはエディー・ウィラーズが街角の浮浪者の目に見た皮肉な無関心があった。

「なあ、エディー、ウールの下着を買える場所を知らんかね」彼はたずねた。「町中探してもなくてね」

「知らないな」立ち止まりながら、エディーが言った。「なぜ僕に訊くの？」

「ただみんなに訊いてるだけでね。誰かが教えてくれるかもしれん」

やや不気味に思いながら、エディーは虚ろでやつれた彼の顔と白髪を見つめた。

「この建物の中は寒い」ポップ・ハーパーが言った。「この冬はもっと寒くなる」

「何をやっているんだい？」タイプライターの部品を指してエディーはたずねた。

「また壊れちまった。この間は修理に三ヶ月かかったから送っても無駄だ。自分で直したほうがましかと思ってね。どうせ長くはもたないだろうが」彼の拳がキーボードに落ちた。「よう、おまえさんもお払い箱か。時は迫っているってことだ」

エディーは歩き始めた。それが思い出そうとした文句だった。時は迫っている。だが、何の関連でそれを思い出そうとしていたのかを忘れてしまっていた。

「無駄だよ、エディー」ポップ・ハーパーが言った。

「何が無駄だって？」

「何もかも。すべて」

「ポップ、どうした？」

「新しいタイプライターはもう買わないぜ。近頃のはすず製ときてる。古いのがなくなったらタイプは終わり。今朝も地下鉄で事故があった。ブレーキがどうにもきかないんだ。エディー、あんたも家でラジオをつけて、いいダンス音楽でもきくことだね。忘れな。趣味がないのが問題だね。アパートでは階段からまた電球が盗まれちまった。胸はきりきり痛むし。それでも今朝は風邪薬ひとつ手に入らずじまいだ。かどの薬局は先週つぶれたからな。テキサス西部鉄道も先月倒産。クイーンズボロ橋も昨日修理のため一時閉鎖。やれやれ、どうにでもなれ。ジョン・ゴールトって誰？」

＊　＊　＊

彼女は列車の窓際で、頭を後ろに反らし、片足を前の座席に伸ばして座っていた。窓枠は列車の速度を伝えて揺れ、窓の向こうにはからっぽの暗闇が広がっている。ときおり光の粒々が明るい線をガラスに切りつけていった。

光沢のある目の細かなストッキングにかたどられた彼女の脚は、ふっくらとした足の甲まで長い直線を描いてハイヒールのつま先まで伸びているが、女らしい優雅さは埃っぽい客車の中では場違いにみえ、彼女の雰囲気にも妙に不似合いだ。彼女は華奢で神経質そうな体に高価だが着古されたキャメルのコートを無造作にまとっている。コートの襟は斜めにかぶった帽子のつばまでたてられ、褐色の髪が後ろに流れて肩にすれている。鋭利な顔立ちできりりとした口だが、官能的な唇はぴたりと閉ざされていた。彼女は両手をコートのポケットに入れ、動けないことがもどかしいかのように、そして自分の体のことも、それが女性のものであることも意識にないかのように超然とした姿勢で座っていた。

彼女はじっと音楽をきいていた。勝利の交響曲（シンフォニー）だ。音は高みへ流れ、上昇を語り、それ自体も上昇している。それは上へ向かう動きの本質と形であり、人間の行動すべてを具現化し、のぼりゆくことこそが目的といわんばかりだ。雲間からの強い日差しのように音は放たれて広がっていく。そこには解放の自由と目的の緊張がある。それは空間を一掃し、さえぎられない努力の喜びだけを残していく。喜びを語るのはかすかな音の余韻だけだが、それは醜さも苦しみもなく、いらなかったという発見の愉快な驚きに満ちていた。それはとてつもない解放の歌だった。

ほんの少しの間——これが続く間——すっかり身をまかせてもいい——何もかも忘れてただ感じるにまかせよう、と彼女はおもった。このまま——抑えないで——これでいい。

頭の片隅のどこか、音楽の底のほうで、車輪の音が聞こえた。行き先を明確に刻むかのような四拍子の規則正しいリズムだ。車輪の音をきいて彼女の心は落ち着いた。交響曲を聴きながら、このために車輪は回りつづけなければならない、ここへ向かっているのだ、と彼女はおもった。

初めて聞く交響曲だが、リチャード・ハーレイの曲だということはわかった。この壮麗さは彼独特だ。主題(テーマ)は透明で複雑な旋律でつづられていた。誰も旋律を書かないこの時代に……。彼女は列車の天井を見上げていたが何も目に入らず、どこにいるのかも忘れていた。交響楽団の演奏をきいているのか、主題だけなのかもさだかではない。頭のなかでこの管弦楽をきいているのかもしれない、と彼女は思った。

そういえば人生半ばで一躍有名になり、名声にかき消されてしまうまでの長い闘いの間に作られたリチャード・ハーレイの曲のすべてに、この主題を予告する響きがあった。交響曲をききながら、この主題があの人の闘いの目的だったのだ、と彼女は思った。彼の音楽にはこれをほのめかす試み、この韻律を予感させる節、この形をめざした未完の旋律がいくつもあった。リチャード・ハーレイがこの曲を作曲したとき、あの人は……彼女は背筋を伸ばした。リチャード・ハーレイはいつこれを作曲したのかしら?

その瞬間、彼女は居場所を思い出し、初めて、この音楽はどこから流れてきているのかしら、とおもった。

数歩先の車両の後方で、ひとりの制動士が暖房装置を調整していた。金髪の青年だ。彼が交響曲の主題を口笛で吹いていたのだ。口笛はかなり長い間きこえていたが、それが耳にしたすべてだったことに彼女は気づいた。

彼女はしばらく呆然とその青年を見つめ、それから「お願い、その曲の名前を教えてくれる？」とたずねた。

青年は振り返って彼女を真っ直ぐに見つめかえし、友人に秘密を打ち明けるときのようにうちとけた素直な笑顔をみせた。ひきしまった顔は、日頃みなれた筋肉がゆるんで形を保つ責任を回避した顔とは違い、好感がもてた。

「ハーレイの協奏曲ですよ」微笑みながら、彼は答えた。

「どの？」

「第五番です」

一瞬の間をおいて、彼女はとても注意深くゆっくりと言った。「リチャード・ハーレイは第四番までしか協奏曲を書いていないわ」

青年の笑みが消えた。少し前の彼女と同様に、青年はいきなり現実に揺りもどされたようだった。シャッターがピシャリと降ろされてしまったかのように、彼の顔は無表情で、事務的で、無関心で、うつろになった。

「ええ、そうでした」彼はいった。「僕の間違いです」

「では、何だったの？」

「どこかできいた何かでしょう」

「何？」

「さあ」

「どこできいたの?」

「覚えていません」

彼女がぐっと言葉につまると、青年はそれきり背を向けて立ち去ろうとした。

「ハーレイの主題にきこえたわ」彼女はいった。「でもあの人の書いた音は全部知っているのに、今のはどれでもないのよ」

ふりむいた青年はやはり無表情のまま、ただ、やや注意深く、「リチャード・ハーレイの音楽がお好きなのですか」とたずねた。

「ええ」彼女は答えた。「とても好きなの」

青年は戸惑うように彼女を見つめたが、やがて背を向けた。仕事に戻った青年の動作には無駄がなかった。彼は黙々と働きつづけた。

彼女は二晩寝ていなかったが、眠るまいと決めていた。考えるべき問題が多くあるのに時間が足りない。列車は早朝にニューヨークに到着する。それまでにやるべきことはあるが、列車がもっと早く走ればいいのに、と彼女は思った。といってもこれは全米最速のタッガート・コメットだ。

考えようとしたが、いましがた聞いた音楽が頭の片隅に残り、完成されたハーモニーとなって彼女の中で繰り返された。とめられない足音のように……憤然と頭を振り帽子を脱ぎすてると、彼女は煙草に火をつけた。

眠らないでおこう。明日の夜まではもつだろう……車輪が小刻みのいいリズムを鳴らしている。聞きなれすぎていて意識すらしないが、その音が安らぎに変わっていった。一本目の煙草の火を消したとき、もう一本要ると思ったが、あと少し、もう少ししてから火をつけることにした……。

いつのまにか眠ってしまっていた彼女は、大きな揺れで目を覚まし、何かがおかしいことに気づいた。車輪が止まっていた。客車は音もたてず、青白い夜灯の薄闇にぼうっと佇んでいる。彼女は時計を見た。今とまるはずはない。窓の外はからっぽの草原だ。

通路の向こうの座席で乗客の動く音がきこえたので、彼女は「もうどれくらいこうしているの？」とたずねた。

男の声が無愛想に答えた。「一時間ほど」

彼女がいきなり立ち上がり、扉に向かって急いだので、男は驚いて眠い目をこすり、後ろ姿をぽかんと眺めていた。

外は冷たい風が吹き、何もない空の下にからっぽの平野が広がっているだけだ。暗闇で雑草がさらさら音をたてている。前方はるか、機関車の傍に男たちの影がみえ、かれらの頭の上に赤信号が浮かんでみえる。

彼女は止まった車輪に沿って男たちのいる方へ足早に歩いた。近づいても誰も気にとめる様子はない。数人の乗務員と乗客が赤信号の下に群がっている。そして話をすることもやめ、呑気に誰かを待っているようだった。

「何があったのですか？」彼女はたずねた。

機関士が驚いて振り向いた。彼女の質問が無知な乗客の好奇心ではなく、命令のように聞こえたからだ。ポケットに手を突っこみ、コートの襟をたて、風になびいて顔にかかる髪をはらいもせずに、彼女は立っていた。

「赤信号ですよ」機関士は親指を上に向けていった。

「どれくらいついているの？」

「一時間ばかりかな」

「本線から外れているんじゃない?」

「そのとおり」

「なぜ?」

「さあ」

車掌が口を開いた。「側線に逸れることはなかったね。転轍機がちゃんと動いてなくて、こいつはまったく機能していないときている」彼は顎で赤信号をさした。「信号は変わらないだろうな。壊れているんだろう」

「では何をやっているの?」

「信号が変わるのを待っているんですよ」

彼女が愕然として怒りにものも言えないでいると、機関助士がくすくす笑った。「先週大西洋南部鉄道の臨時急行は二時間も側線に放りっぱなし——誰かの単なるミスでね」

「これはタッガート・コメットです」彼女がいった。「コメットが遅れたことはありません」

「この国で唯一でしょうね」機関士がいった。

「何にでもはじめてはあるものだ」機関助士がいった。

「ねえさん、鉄道をご存じないね」乗客の一人がいった。「この国には、まともな信号設備もなけりゃ運行司令員もいないよ」

彼女は乗客には一顧だにせず、機関士に話した。「信号が壊れていることが確かなら、どうするつもりなんです?」

機関士としては彼女の偉そうな言いかたが気に入らず、しかも自然と威厳をおびているのが納得いかなかった。若い娘のような女が三十代であるしるしといえば口と目もとぐらいだ。深い灰色の目は相手を真直ぐに見つめ、ものごとを見通して要らぬものを容赦なく切り捨てていくかのようであり、相手を不安にさせた。見覚えがある気のする顔だが、どこで見たのかは思い出せない。

「ねえさん、私は自分から首をつきだすつもりはないよ」機関士はいった。

「つまり」機関助士がいった。「命令を待つのが俺たちの仕事ってことだ」

「あなたたちの仕事はこの列車を走らせることです」

「赤信号には逆らえないね。信号が停止といえば停止するんだ」

「赤信号は危険という意味だよ、ねえさん」乗客がいった。

「危険を犯すような真似はできませんねえ」機関士がいった。「責任者が誰であれ、動けば上に責任を押しつけられる。だから誰かに言われるまで動くつもりはありません」

「誰も何も言わなければ？」

「遅かれ早かれ誰かは来ますよ」

「いつまでそうして待っているつもりですか？」

機関士は肩をすくめた。「ジョン・ゴールトって誰？」

「つまり」機関助士がいった。「誰にも答えられない質問をするなってことですよ」

赤信号と、暗黒の彼方に消えてゆく線路を彼女は見た。

彼女はいった。「注意して次の信号まで進みなさい。その信号が正常に機能していたら本線まで進むこと。そこから最初の開いている営業所で停止しなさい」

「ほう、誰の命令かね？」

「私です」

「あんた誰だね?」

予期しなかった問いに彼女が面食らったのはほんの一瞬の間だったが、機関士はその顔を近くで見て、彼女の答えと同時に「何てこった!」と呻いた。

威圧的にではなく、ただ滅多に名前を訊かれない人物らしく、彼女は答えた。

「ダグニー・タッガートです」

「それでは私は――」機関助士が何か言いかけたが、全員が黙りこんだ。

それまでと同じくこなれた威厳ある口調で、彼女は続けた。「本線まで進んで、最初の開いている営業所で列車を止めてください」

「はい、タッガート様」

「時間を取りもどさなければなりません。今晩一晩あります。コメットをダイヤ通りに戻してください」

「はい、タッガート様」

彼女が背を向けようとすると、機関士がたずねた。「タッガート様、何か問題がおこれば、責任をとっていただけますか?」

「ええ」

客車に向かう彼女を車掌が追いかけた。当惑して彼はいった。「ですが、タッガート様、普通車両の座席なんて。しかしなぜまた? なぜ知らせてくださらなかったのです?」

彼女は気さくにほほ笑んだ。「堅苦しくしている時間がなかったわ。シカゴからは特別車両を二十二号につけていたけどクリーブランドで降りて――二十二号が遅れていたから特別車両もおいてきたの。そこでコメットがきて乗ったら、寝台車に空きがなかったの」

車掌は頭を振った。「あなたの兄上なら——あの方なら普通車両にはお乗りにならないでしょう」

彼女は笑った。「乗らないでしょうね」

機関車の傍にいた男たちは彼女が立ち去るのを見つめていた。その中には若い制動士もいた。制動士は彼女を指して、「あの人は誰です?」とたずねた。

「あれこそタッガート大陸横断鉄道の経営者」と機関士が答えたが、声には本物の尊敬がにじんでいた。「業務取締役副社長だ」

汽笛が平原にすいこまれ、列車が前方に動き始めると、彼女は窓際で次の煙草に火をつけた。こんなふうに、この国のあちこちで傷口が広がっていく。どこでも、いつでもこんなことがおこりうる。だが彼女は怒りも不安も感じなかった。感じている暇がなかった。

これはほかと同じく解決すべき問題の一つにすぎない。オハイオ部門の監督長は使いものにならないジェイムズ・タッガートの友人だ。辞めさせるべきだとこれまで強く言わなかったのは、代わりがいなかったからにすぎない。有能な人間を見つけるのがやけに難しくなってきた。だがとにかくあの男は辞めさせなければ。そして若手の機関士のオーウェン・ケロッグにあの仕事をやらせよう。ニューヨークのタッガート・ターミナルの部長補佐として頭角をあらわしてきており、ターミナルを仕切っているのはオーウェン・ケロッグだといってよかった。彼女はここしばらく彼に目をつけていた。見込みの薄い荒野でダイヤモンドを試掘するように、有能な人間の輝きを彼女は常に探してきた。ケロッグは一部門の監督長にするにはまだ若すぎる。もう一年待ちたかったが、時間がない。戻ったらすぐ話をしなければ。

大地の帯が窓の外でおぼろげに姿を現して動きはじめ、灰色の流れにとけこんでいった。事務的な言葉を頭に巡らせながら、彼女はあることを感じる時間があったことに気づいた。それは行動の確固とした胸躍る充足感だった。

＊　＊　＊

朝一番の轟音とともに、コメットがマンハッタンの地下のタッガート・ターミナルに突入すると、ダグニー・タッガートは居ずまいを正した。列車が地下に潜るとき、彼女はきまって切実な希望とひそやかな高揚感をおぼえた。日常の風景が下手に現像した形のないものの写真であり、数本の鋭いストロークで描かれたこれこそ、ものごとを明快かつ重要にみせ、行動に価値を与えるスケッチであるかのような。

流れ過ぎるトンネルのコンクリートの壁、張りめぐらされたパイプとワイヤ、青と赤のかすかな光の滴が散らばる暗闇にすいこまれてゆく幾重ものレールを彼女は見つめた。ほかに何もなく、この現実を希薄にする何もなく、これを成しとげた人間の野心と才能を人はここで礼賛できる。いま頭上で、真直ぐに空に向かって伸びているタッガートビルのことを彼女は思い描いた。ここがビルの根だ。地下でくねり、街に糧を与えるうろの根っこなのだ。

列車が止まり、降車してかかとの下でホームのコンクリートが鳴る音をきくと、彼女は浮き足だつような高揚感を覚えた。その気持ちを音に刻むように早足で歩いていた。ふと気がつくと彼女は口笛を吹いていた。それはハーレイの協奏曲第五番の主題だった。

視線を感じて振りかえると、あの若い制動士が硬い表情で彼女を見つめていた。

＊　＊　＊

彼女はしわのついたトラベルスーツにコートをはおったまま、ジェイムズ・タッガートの机に向かい、大きな椅子の肘に腰かけていた。エディー・ウィラーズは部屋の後ろに座り、ときおりペンを走らせている。彼の肩書きは業務取締役副社長特別補佐だったが、おもな任務は彼女を時間の浪費から守るボディーガード役だ。彼女はこうした会議にはいつも彼に同席させて、後で説明する手間をはぶいた。ジェイムズ・タッガートは頭を肩にうずめるようにして机に座っている。

「リオ・ノルテ線は端から端までくず同然ね」彼女がいった。「思ったよりもずっとひどかったわ。でも再建します」

「当然だね」ジェイムズ・タッガートが言った。

「使えるレールもなくはないけど、多くはないし長くもたないでしょう。山間部から新しいレールを敷いていきます。まずはコロラドから。レールは二ヶ月以内に調達できるわ」

「すると、オルレン・ボイルは――」

「レールはリアーデン・スチールに注文しました」

思わず歓声をあげかけたエディー・ウィラーズが、小さく抑えた声を漏らした。

ジェイムズ・タッガートはすぐには答えなかったが、ようやく「ダグニー、君はどうして普通に椅子に座れないのかね」とすねるような声で言った。「誰もこんなやりかたで仕事の話をしないものだ」

「私がします」

彼女は答えを待った。彼は視線を避けながら、「リアーデンにレールを注文した、と言ったのかね？」とたずねた。

「昨日の夜ね。クリーブランドから電話したんです」

「だが取締役会は承認しとらん。私も承認しとらん。君は私に相談もしていない」

彼女は手を伸ばし、机の上の受話器をとりあげると、彼につきだした。

「リアーデンに電話してキャンセルして」彼女はいった。

ジェイムズ・タッガートは身を引いて、「そんなことは言っとらん」と憤然と答えた。「そんなことは全然言っとらん」

「つまり?」

「そういうことも言っとらん」

ダグニーは振り向いた。「エディー、リアーデン・スチールとの契約書を作らせて。ジムがサインするから」彼女はくしゃくしゃのメモ用紙をポケットから出し、エディーに渡した。「これが数字と条件よ」

タッガートが言った。「だが取締役会は――」

「取締役会は関係ないわ。十三ヶ月前にレールの購入を承認したのですから。どこから買うかはあなた次第です」

「取締役会に意見を表明する機会を与えないで、こんなことを決めてしまうのはどうかと思うがね。それになぜ私が責任をとらされなければならないんだか」

「私がとります」

「ではその費用は――」

「リアーデンはオルレン・ボイルの共同製鉄よりも安く売ってくれるわ」

「そうだ、オルレン・ボイルはどうなるんだ」

「契約はキャンセルしました。半年前からその権利はありましたから」

「いつだね？」

「昨日です」

「だがやつからはまだ確認の電話がない」

「してこないでしょう」

　タッガートは机を見下ろしていた。会社がリアーデンと取引する必要があることになぜ兄が憤慨し、なぜこうも曖昧な憤慨のしかたをするのか、彼女には理解しかねた。リアーデン・スチールは十年前、二人の父親がタッガート大陸横断鉄道の社長だった頃、リアーデンの溶鉱炉が稼働し始めたときからの会社の主要取引先だ。この十年間、ほとんどのレールをリアーデン・スチールから仕入れていた。全米で期日内に発注通りの仕様で発注品を納入できる業者は少なかったが、リアーデン・スチールはその数少ない会社のひとつだ。自分が正気でなければ、リアーデンがずばぬけて効率よく仕事をするからこそ兄はリアーデンとの取引を嫌うのだと結論づけられるかもしれない、とダグニーは思った。だがそれは人としてありえない感情だと考え、そう結論づけはしなかった。

「不公平だ」ジェイムズ・タッガートが言った。

「何が？」

「リアーデンばかりに仕事をやることだ。ほかの者にも機会を与えるべきじゃないかね。リアーデンは我々を必要とはしていない。やつはもう十分大きい。もっと小さな業者が成長するのを助けてやらなければ。さもないと独占を助長するだけになる」

「ジム、くだらない話はやめて」

「なぜいつもリアーデンから仕入れる必要がある？」

「いつも仕入れられるからです」

「ヘンリー・リアーデンは好きじゃない」

「私は好き。でもどちらでもかまわないわ。私たちにはレールが要るし、それを提供できるのはあの人だけなんですから」

「人間的要素はとても大事だ。君には人間的要素についての感覚がかけらもない」

「ジム、線路をたてなおす話をしているのよ」

「ああ、そうだとも。それにしても人間的要素の感覚がない」

「そうね。ないわ」

「リアーデンにそんな大口のスチールレールの発注をしたら――」

「スチールじゃないわ。リアーデン・メタルよ」

彼女は感情的な反応をしないように心がけていたが、タッガートが顔色を変えたのを見て、笑いださずにはいられなかった。

リアーデン・メタルは、十年をかけてリアーデンが開発し、最近市場にだした新しい合金だが、これまで発注がなく、顧客を獲得できないでいた。

ダグニーの笑いがなぜ突如硬い声に変わったのかをタッガートは理解できなかった。その声は冷たく厳しかった。「ジム、やめて。あなたが言おうとしていることは全部わかる。いままで誰も使ったことがない。誰もリアーデン・メタルを認めていない。誰も興味を示していない。誰も欲しがっていない。それでも我社のレールはリアーデン・メタル製になるのよ」

「だが……」タッガートが言った。「だが……しかしいままで誰も使ったことがないんだ!」

タッガートは、彼女が怒りに口もきけないのを満足げに眺めていた。彼は人の感情を観察するのが好きだった。感情は他人の内なる闇にぶらさがり、弱みを照らし出す赤いランプのようなものだと思っていた。だがたかが合金になぜ強い思いをもてるのか、それが何を意味するのかは彼の理解を超えており、彼女の感情の発露は役に立たなかった。

「冶金学の最高権威の統一見解は」彼はいった。「リアーデン・メタルについて極めて懐疑的なようだ。というのも——」

「ジム、やめて」

「では、誰の意見をとりいれたんだね？」

「人の意見は求めないわ」

「では何に従うんだ？」

「判断です」

「では、誰の判断に頼っているんだ？」

「私自身の」

「だが誰に相談した？」

「誰にも」

「ではいったいリアーデン・メタルについて何を知っているんだね？」

「これまで発売されたうち最高のものだということです」

「なぜだ？」

「スチールよりも硬く、安く、既存のどの金属よりも耐久性があるからです」

「しかし誰がそう言った？」

「ジム、私は大学の工学部で学んでるの。見ればわかるわ」

「何を見たんだ？」

「リアーデンの構造式と検査結果を見せてもらったわ」

「それにしても、仮にもいいものなら誰かがもう使っていてもいいはずだが誰も使ったことがない」彼は妹の顔にぱっとあらわれた怒りを見て、神経質に続けた。「どうして君にいいとわかる？　どうして確信できる？　どうして決められる？」

「ジム、誰かがそういう決断をするの。誰？」

「それにしても、なぜ我々が最初なんだ。まったく理解に苦しむ」

「リオ・ノルテ線を救いたいの？　救いたくないの？」彼は答えなかった。「できるなら全路線のレールをスクラップしてリアーデン・メタルに置き換えたいくらい。どこも交換が必要。どれも長くはもたない。だけどできない。この苦しい状況から脱出するのが先なの。この苦境を切り抜けたくないの？」

「それでも我社は全米一の鉄道だ。ほかよりはましだ」

「つまりこの苦しい状況が続いてほしいってこと？」

「そうは言っとらん！　君はいつもそうやって物事を単純化しすぎるんだ。それに金の心配なら、なぜフェニックス・デュランゴに客をすっかり奪われたリオ・ノルテ線で無駄遣いしたいのかわからないね。我々の投資を無意味にする競合に何の対抗策もないのに、なぜ金を使うんだね？」

「フェニックス・デュランゴは素晴らしい鉄道だけど、リオ・ノルテ線はもっとよくできるからです。必要ならフェニックス・デュランゴを負かすわ。ただそんな必要はないでしょう。コロラドでは二社や三社の鉄道が大きな収益をあげる余地がありますから。エリス・ワイアットの周辺地域に支線を敷設するためなら、全路線を抵当に入れてもいいくらい」

「エリス・ワイアットの話はうんざりだ」

ダグニーの目が動き、しばらくじっと自分を見た様子が彼の気に障った。

「いますぐ行動をおこす必要があるとは思えないね」憮然として、彼はいった。「いったいタッガート大陸横断鉄道の現状の何が不安だというんだね?」

「ジム、あなたの経営方針の結果よ」

「どの方針だね?」

「まず、共同製鉄との十三ヶ月の試験的取引。もうひとつがメキシコの大失敗」

「取締役会は共同製鉄との契約を承認した」彼はあわてて言った。「取締役会がサン・セバスチアン線の敷設を承認した。それに大失敗などという言い方はどうかと思うね」

「メキシコ政府は今日にもあの路線を国有化しかねないのよ」

「嘘だ!」タッガートの声は悲鳴に近かった。「そんなことは悪い噂にすぎん! 私は内部の実力者に――」

「ジム、怖れているのをみられないようにしなさい」嘲るように彼女はいった。

彼は答えなかった。

「いまさらあわてても無意味よ」彼女はいった。「できるのは打撃を抑えることぐらい。大打撃になるでしょう。四千万ドルの損失を埋め合わせるのは容易じゃない。でもタッガート大陸横断鉄道は過去にも大きな試練をしのいできたわ。今回も何とかしのいでみせる」

「考えたくないね。サン・セバスチアン線の国有化の可能性を考えるなんてお断りだ!」

「じゃあ考えなくていいわ」

彼女は口をつぐんだ。彼は弁解がましく言った。「君はエリス・ワイアットには喜んでチャンスを与えるくせに、なぜ機会に恵まれたことがない途上国の発展に寄与するのが悪いと考えるのかわからないな」

「エリス・ワイアットは誰にもチャンスをくれなんて頼んでいません。私も人にチャンスを与えるのが仕事じゃない。鉄道を経営しているの」

「どうも極めてせまい了見に思えるね。なぜ国全体じゃなく一人の男を助けたいんだか」

「人助けに興味は無いわ。お金が稼ぎたいの」

「そんな態度はもう通用しないぜ。なりふりかまわず利潤を追求する時代じゃない。一般的に、いかなる事業においても社会全体としての利益が常に優先されるべきであり――」

「ジム、いつまで本題を避け続けるつもり？」

「何のことだ？」

「リアーデン・メタルの発注よ」

彼は答えず、無言で彼女を観察していた。すらりとした体は疲労でいまにも倒れそうだが、意志の力で伸ばした肩で真っ直ぐに立っている。人好きのする顔ではない。表情はあまりに冷たすぎ、目は烈しすぎて柔らかな眼差しの愛らしさはない。視界の中央で椅子の肘から斜めに伸びる美しい脚は彼をいらだたせた。そこは彼の鑑定と一致しないからだ。

彼女が黙ったままだったので、彼は訊かざるをえなかった。「君はそんなふうに、はずみで、電話で発注すると決めたのか？」

「半年前に決めてたわ。ハンク・リアーデンの生産体制が整うのを待っていたの」

「ハンク・リアーデンなどと呼ぶな。下品だ」

「みんなそう呼んでるわ。話をそらさないで」

「なぜ昨日の夜電話しなければならなかったんだ？」

「それより早くつかまらなかったから」

「なぜニューヨークに戻るまで待って――」

「リオ・ノルテ線を見たから」

「それにしても考える時間が必要だ。取締役会にかけて、相談すべき人物に――」

「時間がないの」

「君は私に意見を形成する時間もくれていない」

「あなたの意見にはかまっていられないの。あなたとも、取締役会とも、あなたのお気に入りの教授とも議論するつもりはありません。今すぐ決断すべきことがあります。いま決めてください。ただイエスかノーか言って」

「そんな無茶で、高飛車で、気まぐれなやりかたじゃ――」

「イエスなの？　ノーなの？」

「それが君の問題だ。君はいつもイエスかノーかだ。物事はそんなふうに絶対的じゃない。絶対的なものなんかないんだ」

「金属のレールはそう。それが手に入るかどうかも」

彼女は待った。彼は答えなかった。

「どうなの？」彼女はたずねた。

「君が責任をとるのか？」

「とります」

「勝手にしろ」彼はそう言ってから、つけたした。「だが君のリスクでだ。私はキャンセルはしないが、取締役会に何と言うかは保証できないね」

「何とでも言っておいて」

　彼女は立ち上がって出て行こうとした。このように決定的な会議の終わり方がたまらずに、彼は机越しに身を乗り出した。

「もちろん、これを通すのに煩雑な手続きが必要なことはわかっているだろうね」まるでそう願うかのような声で彼はいった。「それほど単純なことじゃない」

「あら、もちろん」彼女は答えた。「エディーが準備する詳細な報告書を送るわ。あなたは読まないでしょうけれど。あなたの業務上の手続きもエディーが助けてくれるでしょう。私は今夜フィラデルフィアでリアーデンに会ってきます。あの人と私にはやるべき仕事がたくさんあるから」そしてつけ加えた。「ジム、それほど単純なことなの」

　彼女が背を向けて出て行こうとすると、彼がふたたび口を開いた。「君はいいよな。運がいいから。ほかの人間にはそんな真似はできないんだ」その発言は脈絡がなくおもわれ、彼女は当惑した。

「何ができないの？」

「ほかは人間なんだ。繊細な。誰もが人生を金属やエンジンに捧げることなんかできない。君は運がいい。感情のかけらもないからな。何かを感じたことなんかないからな」

　彼を見た彼女の深い灰色の目は、ゆっくりと驚きから静謐さに、そして疲れに似た奇妙な表情に変わった。それはこの瞬間を耐える以上の何かを映しているようだった。

「そうね、ジム」彼女は静かに言った。「何かを感じたことなんかないでしょうね」

　エディー・ウィラーズはダグニーの後に続いて彼女のオフィスに向かった。彼女が戻るたび、世界は単純明快で容易に向き合えるものになる気がして、彼はかたちのない不安を忘れることができる。誰が何と言おうとも彼にだけは、彼女が女性なのに大鉄道会社の業務副社長でいることが当然に思われた。十歳のとき、いつかこの鉄道を経営する、と彼女に言われた。森の野原であの日に驚かなかったのと同じで、いまさら驚くことはない。

彼女のオフィスに入り、机に座って彼がおいたメモに目を通しはじめる彼女を見て、車のエンジンがかかり、前に動きはじめるときの感覚を彼はおぼえた。

オフィスを出る間際に、まだ報告していなかった件を彼は思い出した。「ターミナル部門のオーウェン・ケロッグがきみとの面談を申しこんできた」

はっとして、彼女は目を上げた。「変ね。いま呼ぼうと思っていたわ。すぐ来るように言って。私も会いたかったの。それからね、エディー」唐突に彼女はつけ足した。「その前に、エイヤール・ミュージック社のエイヤールに電話をつないで」

「エイヤール・ミュージック社？」彼はいぶかしそうに訊き返した。

「ええ。訊きたいことがあるの」

エイヤール氏の声が嬉々として慇懃に用命をうかがうと、彼女は「リチャード・ハーレイが新しいピアノ協奏曲の第五番を作曲したかどうか教えてくれる？」とたずねた。

「タッガート様、協奏曲第五番ですか？　いえ、むろんしておりません」

「確かですか？」

「タッガート様、確かです。彼はもう八年も何も書いておりません」

「まだ生きているの？」

「はい――と申しましても公の場から完全に姿を消しておりますので断言はいたしかねますが――亡くなっていれば、聞かないはずはございません」

「また曲を書いたとすれば、あなたにわかりますか？」

「もちろんです。真っ先にわかるはずです。彼の全作品の発売元ですから。ですが彼は作曲をやめてしまったのです」

「わかりました。ありがとう」

部屋に入ってきたオーウェン・ケロッグを見て、彼女は満足した。彼の容姿についてのおぼろな記憶が間違っていなかったからだ。彼はコメットの若い制動士と同じように、話が通じる人間の顔をしていた。

「ケロッグさん、かけてください」と彼女はいったが、彼は机の前に立ったままだった。

「副社長、あなたは以前、僕が仕事を変えると決めたら知らせるようにおっしゃいました」彼はいった。「ですから辞職することをお伝えにきました」

それだけは予想していなかった。しばらく唖然としてようやく、彼女は静かにたずねた。「なぜですか?」

「個人的な理由です」

「ここでの仕事に不満があったの?」

「いいえ」

「もっといいオファーがあったの?」

「いいえ」

「どの鉄道にいくの?」

「どの鉄道にもいきません」

「では何の仕事をするの?」

「まだ決めていません」

彼女はかすかな不安をおぼえながら相手を観察した。彼の顔に敵意はない。真直ぐに自分を見て、率直に答えている。隠すものも見せるものもないように話している。礼儀正しくうつろな顔つきだ。

「ではなぜ辞めたいのです?」

「個人的な問題ですから」

「病気?　健康上の問題?」

「いいえ」

「引っ越すのですか?」

「いいえ」

「引退してもいいくらいの遺産を相続したのですか?」

「いいえ」

「生活のために仕事を続けるつもり?」

「はい」

「なのにタッガート大陸横断鉄道で働きたくはないのですか?」

「はい」

「ではそう決断した理由がここにあったはずです。何?」

「何もありません、副社長」

「教えてほしいわ。知りたいわけがあるの」

「副社長、僕の言葉を信じていただけますか?」

「ええ」

「ここの仕事につながりのある誰も、何も、どんな事件も、僕の決断とは関係がありません」

「タッガート大陸横断鉄道に対してこれといった不満はないのですね？」

「何ひとつ」

「では私のオファーをきけば考え直すかもしれないわ」

「申し訳ありません、副社長。できません」

「私が考えていることを言ってもいい？」

「ええ、お望みなら」

「これから言う役職を、あなたが面会を求めてくる前にオファーしようと決めていたと言えば信じてくれる？　そのことを知ってほしいの」

「副社長、あなたのおっしゃることはいつも信じています」

「オハイオ部門の監督長のポストよ。その気さえあればあなたのものです」

その言葉は鉄道など聞いたことのない未開人に向かって発されたかのごとく、彼にとって何の重みもないように、顔には何の反応もみえなかった。

「副社長、その気はありません」彼は答えた。

しばらくして、彼女は硬い声でいった。「ケロッグ、あなたが決めていい。ほしい金額を提示してちょうだい。ここにいてほしいの。他の鉄道のオファーには負けないわ」

「他の鉄道で働くつもりはありません」

「あなたは仕事が好きなのだと思ってたわ」

このときわずかに見開いた目に、はじめて感情のしるしがあらわれた。不思議と静かな重みを帯びた声で、彼は答えた。「好きです」

「ならあなたをひきとめるために何て言えばいいの！」

咄嗟に出た言葉のあまりの率直さに心を動かされたかのように、彼は彼女を見つめた。

「副社長、辞職を告げるためにうかがうことは卑怯だったのかもしれません。僕に対案を出すチャンスがほしくて知らせるようにおっしゃったことはわかっています。ですから自分からくれば、取引を望んだと思われても仕方ありません。でも違うのです。ただ……あなたとの約束を守りたかっただけなのです」

彼の声が一度だけ途切れたとき、閃光が放たれたように、彼女は自分の気持ちと頼みが相手にとってどれほど大きな意味をもっていたのかを悟った。そして彼の決断が容易ではなかったことも。

「ケロッグ、私にできることはないの？」彼女はたずねた。

「ありません、副社長。この世には」

彼は背を向けて立ち去ろうとした。生まれて始めて、彼女はどうしようもない敗北感をおぼえた。

「なぜ？」ひとりごとのように、彼女はつぶやいた。

彼は立ち止まった。肩をすくめて微笑み――その瞬間、彼は生き生きとした表情をみせたが、それは見たことのない不思議な微笑だった。秘密の愉しみ、心の傷み、そしてとてつもない苦々しさ。

彼は答えた。

「ジョン・ゴールトって誰？」

第二章　鎖

光がみえはじめた。タッガート大陸横断鉄道の急行がフィラデルフィアに近づくにつれ、あちこちに明るい光が闇に現れては消えていった。何もない平原で光はあてがなくみえたが、それにしては強烈すぎた。乗客はぼんやりと無関心に窓の外をみている。

次に暗闇に隠れてよく見えない黒い建物、そして線路沿いに巨大なビルがあらわれ、暗いビルの厚いガラスの壁に列車の光が反射して通り過ぎていった。

対向路線の貨物列車が視界をさえぎり、窓を騒音で埋めたが、荷台車両の上の切れ目から遠くの空の赤みがかった輝きの下の建物が乗客の目に入った。輝きは不規則に震え、建物が呼吸しているかのようだ。

貨物列車が消えると、渦巻く水蒸気につつまれた四角い物体が現れた。強い真っ直ぐな光線の束が渦巻きを貫いている。水蒸気は空とおなじ赤色に染まっていた。

次にみえたのは建物ではなく、ガラス張りの格子の外壁で、内側の梁(はり)や行桁(ゆきげた)やクレーンを目もくらむような橙色の光が照らしていた。

人間の存在のしるしもなく活動を続け、長々と延びている都市らしきものの複雑さは、乗客にはわからなかった。かれらにみえたのはゆがんだ高層ビルにみえる塔や、宙に架かった吊り橋、炎を噴く壁の不可解な裂け目だ。輝く円筒が夜の闇を動いている。円筒は赤熱した金属だ。

線路沿いにオフィスビルがあらわれた。屋上の大きなネオンライトが、通り過ぎる客車の中を照らした。「リアーデン・スチール」とある。

乗客の一人は経済学の教授だったが、隣の乗客にこう言った。「産業時代に社会全体がなした偉業のなかで個人にはどんな存在意義があるんだろう?」また別の乗客はジャーナリストで、いずれコラムに使おうと「ハンク・リアーデンは手に触れるすべてに自分の名前を貼りつけるような人間だ。この一事をもって、ハンク・リアーデンなる人物をどう評価するかは、読者の判断にゆだねよう」と書き留めた。

急行が速度を上げて暗闇に突き進むと、工場の後ろから、赤く染まった水蒸気が威勢よく噴きあがったが、乗客は気にもとめなかった。また一度炉に銑鉄が注がれて出鋼することが注目に値することだという教育は受けてこなかったからだ。

それは初めて受注したリアーデン・メタルの初めての出鋼だった。

工場の製鋼炉の出鋼口にいた男たちは、液状のメタルがはじめて流れでてきたとき、朝の鋭い興奮をおぼえた。空中を切る細い流れは太陽光線のように明るく透明だ。らせんを描いて湧きあがる黒い煙は荒々しい赤に彩られている。破れた動脈からのように火花の噴水が脈動して飛び散っている。空気は、そこに存在しない怒れる炎のために千々に引き裂かれ、赤い斑点が、人工の建造物に閉じこめられるのを拒み、上にかかる柱も梁もクレーンも呑みこむ勢いで逆巻き駆けめぐっている。だが溶けたメタルには暴力的な要素は皆無だ。それは絹のようになめらかで、笑顔のように明るく輝き、長くて白っぽいゆるやかな曲線を描いていた。液体は硬い縁取り二本に支えられた粘土の樋の中を従順に流れ、六メートル先の二百トン容量の取鍋に落ちてゆく。穏やかでなめらかな流れの上に次々と飛び出しては輝く星はレースのように繊細で、おもちゃのビーズのように無邪気にみえる。近寄らなければ白っぽい絹が沸騰していることはわからない。ときおりしぶきが飛んで下の地面におちたが、それも金属であり、土を打つと冷えて火花を散らした。

スチールよりも硬くなるであろう二百トンのメタルは、摂氏二千度以上の液体となって流れ、建物の壁すべて、流れのそばで働く男たちをひとり残らず壊滅させる力をもっている。だが十年にわたる研究によって、一インチの工程、一ポンドの圧力、一分子の原材料にいたるまで綿密に計算され、制御されていた。

工場の闇を横切って、溶鋼の赤い輝きは遠い隅に立つ男の顔に切りつけ続けていた。男は柱にもたれて一部始終を見ていた。輝きは一瞬青白い氷のような男の目を照らし、黒い鉄格子を、灰色がかった男の金髪を、さらにトレンチコートのベルト、そして男が手を入れたポケットを照らした。背が高くがっちりした体躯の男は、まわりの人びとから常に頭一つ飛び抜けていた。頬骨が目立つ顔のけわしい険は、年のせいではなく生まれつきだが、このため若いときは老けてみえ、四十五歳の今は年齢よりも若くみえる。物心ついたころから妥協が無く、冷酷できつい顔だと言われた。いま工場のメタルをみる顔にも表情はない。この男がハンク・リアーデンだ。

溶鋼が取鍋を満たし、傲慢なほど大胆に溢れだした。目もくらむ白い細流が金色を帯びた茶色に、そして瞬時に黒い銑鉄のつららとなってこぼれ落ちてゆく。鉱滓は茶色いうねとなって固まると地殻のようで、層が厚くなると噴火口がひらき、内側で沸騰しつづける白い液体がみえた。

天井クレーンのコックピットに乗って空中を横切ってきた男が片手でレバーを引くと、鎖のついた鉄のフックが取鍋の取手をつかみ、ミルク缶を拾うようにもちあげた。二百トンのメタルは中身を待つ鋳型の列をめざして宙を渡っていった。

ハンク・リアーデンは後ろにもたれて目を閉じた。クレーンの振動で柱がふるえている。仕事が終わった、と彼はおもった。

従業員の男が彼を見て、大成功を祝う共犯者然と、やったな、というようににやりとした。男は彼が今夜ここにいなければならない理由を知っていた。リアーデンもそれに答えてにやりとした。彼が受けた挨拶はそれだけだ。事務所に向かうときには、また無表情に戻っていた。

ハンク・リアーデンが工場の事務所をでたのは深夜だった。家まで数マイルの何もない田舎道だが、なんとなくそうしたい気がして、彼は歩いて帰ることにした。

ポケットにいれた手はブレスレットを握りしめている。リアーデン・メタルで作った鎖だ。彼は時々、指を動かして感触を確かめた。このブレスレットを作るのに十年かかったのだ。十年は長い、と彼はおもった。

暗い並木道。見上げれば木の葉の向こうに星が輝いている。乾いた木の葉はよじれて今にも落ちそうだ。平原にまばらにともる遠い家々の灯りで、夜道はよけいに寂しくみえた。

幸福なときにかぎって孤独だと感じることがある。彼はときおりふりかえり、工場の上空の赤い輝きを見た。

十年という歳月は気にならなかった。年月をへて残ったのは静謐で荘厳というほかには言い表せない感情だ。その感情がすべてであり、ついやしたものを数えなおす必要はない。思い出せなくともすべてがいまの感情に集約されている。それは工場の研究室の焼けつく炉の傍らで過ごしたいくつもの夜のことだった——

——自宅の仕事場で、紙一面に構造式を書いては憤然と破り捨てた夜——

——研究室での日々。生え抜きの若い科学者たちが頭脳を使い果たし、なおも意欲を見せながらも無言で、勝算のない戦いに向かう兵士のように指令を待ちつつ、あたりには「社長、不可能です」という空気が漂っていた、あの日々――

――新しい考えがひらめくたびに中断し、忘れた食事。ひらめきは直ちに実行に移し、何ヶ月も試行錯誤を繰り返したが、失敗の数が増えるばかりだったこと――

――秘密の恋のような罪悪感にさいなまれながら、会議や取引、全米一の製鉄所を経営する義務から寸暇を奪って研究に費やした時間――

――十年間したことすべて、みたものすべて、街のビル、鉄道のレール、遠い農家の窓の灯り、晩餐会で果物を切る美しい女性の手にあるナイフをみておもったこと。その合金は、スチールが可能にしたすべてを超えるのだということ。鉄に対してスチールが果たした役割を、スチールに対してその金属が果たすのだという気負い――

――見通しはたたず、試作品はものにならなかったが、「もっとよくなる……まだよくなる……」という苦しみにもだえながら、できるはずだという確信だけに動かされ、疲れを認めず、感情に流される時間を与えず、おのれを鼓舞し続けた自虐的なまでの行いの数々――

――それが終わり、新しい金属をリアーデン・メタルと名づけた日――

――これらが彼のなかで白熱し、溶けて融合したものであり、その合金がいまある不思議と静かな感情だ。暗闇の平原で彼は笑みをうかべていたが、幸福がなぜこのように鋭い痛みを伴うのだろうとおもった。

しばらくして彼は、過去のことを考えている自分に気づいた。過ぎ去った日々が眼前に広がって、もう一度見ろと要求しているかのようだ。思い出に浸ることは無意味な耽溺だと軽蔑していた。だが今夜はポケットのメタルの名誉のために記憶が甦ったのだ、今日だけは過去を振り返ってもいいことにしよう、と彼はおもった。

まずみえたのは、岩だらけの鉱山に立ち、一筋の汗がこめかみから首をつたい落ちるのを感じたあの日だ。そのとき彼は十四歳で、ミネソタの鉄鉱山で働く初日だった。焼けるような胸の痛みをこらえて息をしようとしていた。疲れるものかと決めていた彼は、そこに立ったまま自分を呪ったものだ。しばらくして作業に戻った。痛みなど作業の手を休める理由にならないと判断したから。

事務所の窓から鉱山を眺めた日が見えた。鉱山が自分のものとなった朝、彼は三十歳だった。痛みと同じく、そこまでの道のりもどうでもよかった。自分で定めた目的のために、鉱山で、圧延工場で、製鉄所で仕事をした。憶えていることといえば、周りの誰も何をすべきかわかっていなかったということと、自分には常にわかったということだけだ。多くの鉱山が相次いで閉山になる理由がわからなかった。目の前の鉱山も、買収前は閉山寸前だった。窓の外では、入口の門の看板が架け替えられていた。看板には「リアーデン鉱石」とあった。

机に倒れこんだあの夜もみえた。スタッフがいない深夜、みられることなく、ひとりそこに横たわっていた。疲れていた。疲れを否定して肉体と競うように働いてきたが、長い年月のうちに蓄積された疲労が一挙に襲いかかり、彼を机になぎ倒した。これ以上動きたくないという気持ちのほかに、感じる力が――苦しむ力さえ残っていなかった。内側で燃やせるものは燃やし尽くした。多くを始め、たくさんの火花を散らしてきた――ならばいま、再起できない自分に誰かが火花をくれてもいいではないか、と彼はおもった。あのとき、自分を動かし続けてきたのは誰だったのか、と考えた。そして頭を持ち上げた。ゆっくりと、ありったけの力をふりしぼって体を起こし、片手を机につき、体を支える腕を震わせながらまっすぐ座り直した。あのあと二度と同じ問いを繰り返すことはなかった。

丘の上に立ち、荒廃した製鉄工場をみていた日も見える。閉鎖され、見捨てられていた工場は彼が前の晩に買収したものだった。強風が吹き荒れ、雲間から漏れる光も灰色だった。光のなか、巨大なクレーンの鉄に、冷たい血のように、茶色っぽい赤錆がこびりついていた。空の窓枠だけが残る壁の足下にガラスの破片の山があった。それを覆うように鮮やかな緑の雑草が、腹をすかせた人食い動物のごとく生い茂っていた。遠くの入口には男たちの黒い影がみえた。かつてはにぎやかだったがいまや朽ちたあばら屋の群と化した町で職を失いやってきた者たちだった。リアーデンが鉱山の入り口にとめたぴかぴかの車を無言で見つつ、丘の上にいる男が噂のリアーデンなのか、工場は本当に再開されるのだろうかと考えていた。ある新聞にはこう書かれた。「ペンシルバニアの鉄鋼業は歴史的循環を考えると衰退期にさしかかっている。関係者によれば、ヘンリー・リアーデンの鉄鋼事業の見通しは暗い。まもなく画期的なヘンリー・リアーデンの画期的な最期をみることになるかもしれない」

それが十年前のことだ。今夜、顔にふきつける風はあの日のように冷たい。彼は後ろを振り返った。工場からの赤い光が空で呼吸している。朝焼けのようにすがすがしい光景だ。

これらが自分の駅だった。急行が訪れては後にした駅だ。間にはっきり思い出せるものはない。年月の流れは速すぎて、境目も今ではあいまいだ。

どれほどの負担や苦悶があったとしても、甲斐はあった。だからこそ今日という日にたどりつくことができたのだから——初めて受注したリアーデン・メタルを出鋼した日に。メタルはタッガート大陸横断鉄道のレールになる。

彼はポケットのブレスレットに触れた。それは最初に鋳造されたメタルで妻のために作らせたものだった。

ブレスレットに触れながら不意に、実際に結婚した女性ではなく、抽象的な存在としての伴侶を思い浮かべていたことに彼は気づいた。ブレスレットなど作らなければよかったという胸を刺すような後悔が、そして、そんな後悔に対する自責の念がおしよせてきた。

彼は頭を振った。古い疑念にとらわれているときじゃない。いまなら誰のどんなことでも許せる。幸福はすべてを清める最上の力だから。この世の命あるすべてのものは今夜、自分を祝福しているに違いない。誰かに会いたい。そして初めて出会った人に警戒心なく心を開き、自分をみてもらいたいものだ。人は自分がいつもそうだったように、歓喜の光景に飢えているはずだから——それで人は一瞬でも、苦悩という不可解で不必要な灰色の道を忘れられるだろう。彼には人間は不幸であるべきという理屈が理解できなかった。

気がつけば丘の頂上にきていた。赤い煙は西の空に細くあがっている。そのはるか向こうの黒い空に小さく、ネオンの看板の文字がみえた。「リアーデン・スチール」

裁判官を前にするように、彼は背筋を伸ばして立っていた。この国のあちこちに、ネオンの看板が光っている——リアーデン鉱石、リアーデン石炭、リアーデン石灰。ここまでの日々の上にもネオンの看板を掲げられればいいのに、と彼はおもった。リアーデン・ライフ、と。

踵を返して彼は歩き続けた。家に近づくにつれ、足どりも気分も重くなっていった。家に入るのが億劫だったが、そんな気分でいたいわけじゃない。いや、今夜は違う、と彼はおもった。今夜は、わかってくれるだろう。だが何をわかってほしいのかが彼にはわからず、はっきりさせたこともなかった。

家に近づくと、居間の窓から灯りが漏れているのがみえた。家は丘の上に立っており、目の前に現れた白い巨大なものが自分の家だ。コロニアル風の柱のほかに装飾のない家は、露出する価値のない裸体のように生気がなくみえる。

居間に入った自分に妻が気づいたのかどうか、彼にはわからなかった。妻は暖炉のそばに座り、ふくよかな腕を言葉の抑揚にあわせて鷹揚に動かしながら話していた。声が一瞬とぎれて自分を見たようにおもったが、妻は目もそらさず、なめらかに言葉をつないでいた。

「――でもね、文化人にとっては、純粋に物質的な発明はどんな驚異と言われたって退屈なものだわ」彼女は言っていた。「鉛工事で興奮する気にはなれないだけ」

そして彼女は振り向き、広い部屋の向かいの影に立つリアーデンをみとめ、白鳥を両脇にはべらせるように優美な腕をひろげた。

「まあ、あなた」彼女は明るい驚きの声を出した。「お帰りが早すぎません？　もう鉱滓を片づけたり羽口を磨いたりしなくてもよろしくて？」

皆が振り返って彼をみた。母、弟のフィリップ、古なじみのポール・ラルキンだ。

「すまない」彼は答えた。「遅れてわるかった」

「あやまるくらいなら電話すればいいんだよ」母親がいった。彼女を見ながら、彼は曖昧な記憶をたどろうとした。「今夜の夕食には戻る約束だったね」

「ああ、そうだった。すまない。だがね、今日工場で、初めての――」彼は口をつぐんだ。帰ったらそれを言おうとしていたのに、なぜそれが口にできなくなってしまったのかわからないまま、彼はつけ加えた。「ただ……忘れていたんだ」

「母さんが言うのはまさにそれだよ」フィリップが言った。

「まあ、そっとしておいてあげて。この人の心は、まだここにじゃなくて工場にあるの」妻は陽気にいった。「ヘンリー、コートをお脱ぎになって」

ポール・ラルキンが、仕置きされた犬のようにリアーデンを見ていた。「やあ、ポール」リアーデンがいった。「いつきたんだい？」

「ああ、ニューヨークから五時三十五分発にとびのってきたんだ」ラルキンは話しかけられて嬉しそうに笑った。

「問題か？」

「ちかごろ問題がない人間なんているかな？」その状況を達観しているというように、ラルキンの笑みがあきらめに変わった。「だが、いや、違う。今回は特に問題はないんだ。ただ、ちょっときみの顔を見ようと思って」

　妻が笑った。「ポール、それじゃこの人がっかりするわ」彼女は笑って夫の方を向いた。「ねえ、ヘンリー、それは劣等感？　優越感？　誰もあなたに会いにだけやってくるはずがないとでも？　それとも誰もあなたなしではやっていけないと思ってらっしゃるの？」

　彼は憤然と否定したかったが、妻は単なる冗談というようにほほえみ、彼には心にもないことをつきあいで言う能力はないので答えなかった。妻をみつめながら、彼はこれまでも理解できなかったことについて思いをめぐらせていた。

　リリアン・リアーデンは一般的に美しい女性とみなされていた。すらりとした長身の体には古典的なエンパイアドレスが似合い、彼女自身も意識してそれをよく身につけた。優雅な横顔は同時代の精巧なカメオに似ている。無垢で上品な輪郭、古風で清楚、つややかな褐色の髪は、当時の貴婦人をおもわせた。だが面と向かうと、人はかすかな落胆を覚えた。欠点は目だ。死んだように虚ろで、灰色とも褐色ともつかない曖昧な色の瞳。リアーデンはしばしば、妻は楽しそうに見えることが多いのに、なぜ顔からは喜びが伝わってこないのだろう、と不思議におもった。

「あなた、私たち、初対面じゃないわ」黙って自分の顔を観察する夫に彼女がいった。「ご存じかしら」

「ヘンリー、夕食はすませたのかい？」息子の空腹は自分への侮辱というように、非難がましく母親がたずねた。

「ああ……いや……食欲がなくてね」

「それなら給仕を――」

「いいんだ、母さん。もういい。いらない」

「おまえはいつもそうやってあたしを困らせる」母親は彼と目をあわせず、宙に向かって言葉を唱えた。「世話のしがいがないよ。感謝することを知らないんだから。まともに食事もさせられやしない」

「ヘンリー、働きすぎだよ」フィリップが言った。「働きすぎはよくない」

リアーデンは笑った。「好きでやっているんだ」

「そう自分に言いきかせているだけ。ノイローゼの一種だね。人が仕事に溺れるときは何かから逃げようとしているんだ。趣味をもたないとね」

「フィル、勘弁してくれ！」咄嗟に言ってから、苛立ちを露わにしてしまったことを彼は後悔した。

フィリップの健康はいつも不安定だったが、医者は、たるんだのっぽの体にこれといって不具合を見つけることができなかった。三十八歳だが、慢性的に疲れた顔をしているので兄より歳上にみられることがある。

「楽しむことをおぼえたほうがいいよ」フィリップが言った。「さもないと退屈で了見のせまい人間になってしまう。ひとつのことしか頭になくてね。自分だけの小さな殻にとじこもってないでもっと広い世界をみたほうがいい。今のままじゃ人生楽しくないよ」

怒りを必死にこらえながら、リアーデンは、これはフィリップの思いやりのあらわれだと自分に言いきかせた。理不尽な憤りだ。自分への気遣いをみせようとしているのだから――ただ家族が気にかけるのがこんなことじゃなければいいのに、と彼はおもった。

「今日はいいことがあったんだよ、フィル」笑みをうかべて、彼は答えた――そして、なぜフィリップは、何があったか訊いてくれないのだろう、とおもった。

誰かがたずねてくれればいいのに、と彼はおもった。会話に集中するのが難しくなりつつある。隆々と流れるメタルの有様が今も脳裏に焼きついており、彼の意識はそのことでいっぱいで、ほかのことが入り込む隙がなかった。

「おまえはあやまってもよかったんだよ。そんなこと期待する方が無理なのかもしれないけれど」彼が振り返ると、母親は無防備な者の辛抱強さを誇示しながら、傷ついた面持ちで自分を見ていた。

「ビーチャム夫人が夕食にみえていたんだよ」非難がましく彼女はいった。

「何？」

「ビーチャム夫人だよ。あたしの友達のビーチャム夫人」

「それで？」

「あの人のことは言ったじゃないか。何度も言ったのにおまえという人は、あたしが何を言ってもちゃんときいてくれたためしがない。ビーチャム夫人はとてもおまえに会いたがっていたけど、食事の後すぐ帰らなければならなかったんだ。待てるはずはないよ。ビーチャム夫人はとても忙しい人だからね。教区でのすばらしい活動や、金属工芸のクラスの話、スラムの子どもたちが自分で作った綺麗な錬鉄のドアノブの話なんかをおまえにしたがっていたのに」

優しさをかきあつめるように、リアーデンはやっと冷静に答えた。「母さん、がっかりさせて悪かった」

「悪いと思ってないだろう。努力すれば帰ってこられたはずだよ。だけど、おまえはいったい自分以外の誰かのために何か努力したことがあるかい？　私らにも、私らがやることにも興味がない。お金さえ払えばいいと思っているんだろう。それしか頭にないんだ。くれるものといえばお金だけ。少しでも時間をくれたことがあるのかい？」

母親が本当に言いたいのは、自分が家にいなくて寂しいということだとすれば、これは愛情表現だ。愛情ならばこうして重苦しい気持ちになる自分の方がおかしいとおもい、彼は黙っていた。声にだせば嫌悪感があらわれてしまいそうだった。

「どうだっていいんだよ、おまえには」吐き捨てるように、ねだるように母親はいった。「リリアンは今日、とても大切な用事でおまえと話したがっていたけれど、あたしは待ってもしかたがないと言ってあげたんだよ」

「あらお母様、たいした用事じゃなくてよ！」リリアンが言った。「ヘンリーには」

彼は振り返って妻をみた。トレンチコートをはおったまま、現実になりえない非現実に捕らわれたように、彼は部屋の真ん中に立ちつくしていた。

「全然重要じゃないの」リリアンは、卑屈か傲慢かわからない声で明るく言った。「仕事の話じゃないの。純粋に非商業的なこと」

「何だ？」

「ちょっとしたパーティーを考えているだけですわ」

「パーティー？」

「まあ、そんなに怯えないで。明日の夜じゃないのよ。あなたがすごく忙しいのはわかっているけど三ヶ月先でいいの。たくさん人を招いて盛大で特別な会にしたいわ。だからその夜はミネソタや、コロラドや、カリフォルニアにいかないでここにいると約束してくださる？」

彼女は軽く、同時に何かはっきりした目的があるような妙な目つきで夫をみていた。口元の笑みは無邪気だが、切り札を隠しているようでもある。

「三ヶ月先？　だが、どんな急用で出かけなければならないかしれないのはわかるだろう」

「あら、わかっておりますわ！　でも前もって、ほかの鉄道会社や自動車工場の重役や、がらくた──じゃなくて屑鉄の業者のように、予約してお会いすることはできないかしら？　あなたは約束を必ず守るといわれている人だわ。もちろん都合のいい日を選んでいただいてかまいませんから」

上目遣いに媚びるように夫を見上げ、ややさりげなさすぎ、ややわざとらしすぎる口調で彼女はたずねた。「十二月の十日を考えていましたけれど、九日か十一日のほうがいいかしら？」

「どちらでも同じだ」

穏やかに彼女はいった。「ヘンリー、十二月の十日は私たちの結婚記念日よ」

全員が彼の顔をみていたが、罪悪感をみせるかわりに彼は面白がってにっこりした。妻がわざと仕掛けたはずはない、とおもったからだ。自分の忘れっぽさにも悪びれず妻を相手にしなければ、彼は簡単に逃げられる。妻への愛情だけが彼女の武器なのだと、彼女も知っているはずだ。だから彼女は遠回しに夫の気持ちを試し、自分の愛情を告白しているに違いない。パーティーで祝うのは自分のやり方ではないが、妻が喜ぶならいいじゃないか。自分にとっては何の意味もないが、妻にはそれが夫と、二人の結婚に捧げうる最高の献辞なのだ。妻が自分とは違う基準をもっていようとも、自分が妻から献辞を求めていなくとも、彼女の気持ちは尊重しなければ。勝たせてやろう、彼女は夫の情にすがっているのだ。

妻の勝利を認めて、彼はうちとけた微笑を浮かべた。「いいよ、リリアン」彼は静かにいった。「十二月十日の夜には家にいると約束する」

「ありがとう、あなた」彼女は硬く不可解な微笑を浮かべた。彼はその瞬間、なぜ自分の態度に皆が落胆した気がしたのだろう、とおもった。

妻が夫を信頼しているのなら、今も自分を慕う気持ちがあるのなら、信頼に応えねばならない。言葉にしなければならない。彼にとって言葉は心の焦点を定めるレンズであり、それ以外の目的はありえなかった。「リリアン、遅れてすまなかった。だが今日は工場で初めてリアーデン・メタルを出鋼したんだ」

一瞬の沈黙があった。そのあとフィリップが、「ああ、それはよかった」と言った。

ほかには誰も何も言わなかった。

リアーデンはポケットに手を入れた。ブレスレットに触れた瞬間、金属のあまりにも確かな感触のために鬱積した気持ちは消えた。目の前を溶鋼が流れたときの感情が甦ってきた。

「リリアン、プレゼントを持って帰ってきたよ」

彼は無意識に背筋をのばし、戦場から帰還した兵士が恋人に勲章を渡す仕草で小さなメタルの鎖を妻の膝においた。

リリアン・リアーデンはそれをひろい、真直ぐ伸ばした二本の指にかけて光にかざした。鎖は重く、荒っぽい造りで、メタルは奇妙な青碧色に光っている。

「これはなあに?」彼女がたずねた。

「初めて受注したリアーデン・メタルの初めての出鋼で最初につくったものだ」

「つまり、鉄道のレールのかけらとまったく同じ価値があるってこと?」

リアーデンはぼんやりと妻を見返した。

彼女はブレスレットをチャラチャラならして灯りの下で光らせた。「ヘンリー、なんて素晴らしいんでしょう！　なんて独創的なの！　ニューヨークじゅうの話題になるわ。橋の梁や、トラックのモーターや、台所のストーブや、タイプライターや——この間おっしゃっていたのはなんでしたっけ——そう、スープ鍋と同じものでできた宝石を身につけているなんて！」

「おい、ヘンリー、うぬぼれるにもほどがあるよ！」フィリップが言った。

リリアンは笑った。「この人はセンチメンタルなの。男の人はみんなそう。でも、あなた、本当に感謝いたしますわ。大切なのは物ではなくて気持ちですものね」

「あたしに言わせればただの身勝手な気持ちだよ」リアーデンの母親が口を開いた。「ほかの男だったら、妻に贈り物をしたいならダイヤモンドのブレスレットをあげるだろうに。普通は自分じゃなくて相手が喜ぶものを考えるものさ。なのにヘンリーときたら、新種のすずを作ったからって、ダイヤモンドより値打ちがあると思ってるんだ。自分が作ったってだけでね。五歳のときからそうだった——前代未聞のうぬぼれ——世界一身勝手な人間になるんじゃないかと思っていたら、その通りだったたね」

「いいえ、優しいわ」リリアンが言った。「これ、素敵」彼女はブレスレットをテーブルに落とし、立ちあがってリアーデンの肩に手をおくと、つまさきだちをして夫の頬に接吻をし、「あなた、ありがとう」と言った。

彼は身動きせず、頭を下げて妻にこたえることもしなかった。

しばらくして、彼は背をむけてコートを脱ぎ、家族から離れた暖炉の傍に座った。とてつもない疲労感のほかには何も感じなかった。

話をきこうとしていなかったが、リリアンが母親に夫を弁護するのが耳に入った。

「あれのことはあたしの方がよくわかってるよ」母親は言っていた。「ハンク・リアーデンは自分か自分の仕事に関係なければ、人間にも動物や雑草にも興味がないんだ。それだけ。一生懸命、多少なりとも謙虚さを教えようとしたけど、何にもならなかった」

彼は母親が欲しがるものは、いつでも何でも与えてきた。母親はなぜ自分と暮らしたがるのだろうと、ふと彼はおもった。息子の成功が、母親には何か意味があるものなのかもしれないと考えていた。それが二人の唯一の絆なら、母親が成功した息子の家に居場所を求めるなら拒みはしまいと思ってきた。

「母さん、ヘンリーに聖人になってほしいなんて望んでも無駄だよ。そのために生まれてきたわけじゃないからね」フィリップが言った。

「あら、でもフィリップ、それは間違いよ!」リリアンが言った。「大間違い！　ヘンリーは聖人の資質をすべて兼ね備えているの。そこが問題なのよ」

家族は自分に何を求めているのだろう、とリアーデンはおもった。何が欲しいのだろう？　自分は何も家族に求めたことはない。しがみついているのはかれらのほうだ。かれらが権利として主張する自分への要求――その要求は愛情のかたちをしている気がするが、むしろどんな憎しみよりも耐え難い。彼は、自ら稼いでいない富と同じく、理由のない愛情も毛嫌いしていた。家族はどういうわけか彼を愛する、と主張するが、この理由で愛してくれたらと願う大切なものをすべて無視している。そんな愛にどう応えろというのか――そもそも応えることが求められているのだろうか？　ああ、求められている。そうでなければ、なぜこうも毎日不平を聞かされ、たえず無関心さを咎められるだろうか？　それに、傷つけられるのを待つような慢性的なこの不信感は？　傷つけたいとおもったことなどないが、家族の被害者意識と同時に、非難がましい期待を彼はいつも感じた。家族は何を言っても傷ついた。言葉や行動ではなくあたかも――あたかも自分の存在そのものに傷つけられているような……くだらない妄想はよそう――彼は自分を叱責した。冷徹な正義感に妥協を許さず、その謎と対峙しようとした。理解しないまま家族を非難できない。そして自分は家族を理解していない。

自分は家族が好きだろうか？　いや、好きになりたかった。それは同じじゃない。口にしたことは無いが、かつてあらゆる人間に求めた可能性にかけて、家族を好きになりたかった。今は何の感情もなく、無関心の虚無以外、喪失感さえない。人生をわかちあう人間は必要だったのだろうか？かつて感じたかった感情を抱けない自分は寂しいのだろうか？　いや、それはない。ずっとそうだったのか？　いや、若い頃は違った。だがもうどんな感情もない。

疲労感が高まってきた。それが退屈だと彼は気づいた。だがそれを表にださないのが家族への礼儀だと思い、肉体的苦痛になりつつある睡魔とじっと闘っていた。

目を閉じかけたとき、柔らかく湿った二本の指が彼の手に触れた。ポール・ラルキンが、二人で会話をしようと、椅子を寄せていた。

「ハンク、業界のやつらが何を言おうが、リアーデン・メタルはたいしたものになるね。きみが手をつけたものすべてと同じように、大当たりするよ」

「ああ」リアーデンはうなずいた。「そうだな」

「ただ……きみが問題にぶつからなきゃいいけど」

「何の問題だ？」

「いや、よくわからないが……ちかごろの様子じゃ……やつらのなかには……でもわからないだろ？……何がおこるか……」

「何の問題だ？」

ラルキンは背中を丸めて座り、柔和な媚態で彼を見上げていた。彼は背が低く、丸い体型のために無防備で不完全にみえ、軽く触れただけで縮んで貝殻のなかにひっこんでしまいそうだ。物欲しげな目と、おどおど哀願する笑みが貝殻がわりだ。少年が未知の世界に身を投げだす様子を連想させる笑みをみると人は警戒心をといた。彼は五十三歳だ。

「ハンク、きみのところは広報がよくない」彼がいった。「メディアうけが悪い」

「それで？」

「ハンク、きみは人気がないんだ」

「顧客から不満をきいたことはないぜ」

「そういう意味じゃない。いい広報を雇ってきみ自身を世間に売らないと」

「何のために？　私が売っているのは鉄鋼だ」

「それでも世間を敵にまわしたくはないだろう。世論はな——とてもこわいんだ」

「世間を敵にまわしているとは思わないな。それにどう言われようがかまうもんか。同じことだ」

「新聞を敵にまわしているだろう」

「やつらは暇だ。私はそうじゃない」

「どうも気に入らない、ハンク。よくないな」

「何が？」

「連中がきみについて書いてることとさ」

「連中は何と書いているんだい？」

「ほら、わかるだろ。きみが強情だって。冷酷だって。工場を経営するのに誰の言うこともきかないって。唯一の目的が、鉄鋼を作ってお金を儲けることだって」

「だが事実それが私の唯一の目的なんだ」

「だとしても口にしちゃいかんよ」

「なぜいけない？　どう言えばいいんだ？」

「まあ、わからんが……きみの工場は――」

「私の工場だろ？」

「ああ、だが――だがあまり大声でふれてまわることじゃない……このごろの風潮はわかるだろ……きみの態度は反社会的と思われているんだ」

「どう思われようがいっこうにかまわん」

ポール・ラルキンはため息をついた。

「ポール、どうした？　何が言いたいんだ？」

「何でもない……別に何でもないんだ。ただこういうときは何がおきるかわからないから……本当に気をつけないと……」

リアーデンはくつくつと笑った。「私の心配をしようとしているんじゃないだろうね？」

「ただ僕は友達だからね、ハンク。きみの友達。どれだけ尊敬しているか、知ってるだろ」

ポール・ラルキンは運の悪い男だった。何に手をつけてもパッとせず、失敗も成功もしなかった。実業家だったがひとつの業界で長続きしたことがない。いまは、採掘機具を作る小規模な工場で何とかやっていた。

ここ何年も彼はリアーデンを畏敬してしがみついていた。相談に来ては頻繁ではないが借金をした。金額は控えめで期日を過ぎることもあったが必ず返済した。貧血患者が活力旺盛な人間をみるだけで輸血をうけた気になろうとするように、彼はリアーデンとの関係に執着した。

リアーデンには、苦労しているラルキンがマッチをもちあげようとする蟻のようにみえた。彼には大変なことが自分にはさほど困難に思えず、リアーデンはできるかぎりラルキンに助言を与え、世話をし、愛想よく根気よく話をきいた。

「ハンク、僕はきみの友達だよ」

リアーデンは真意を計りかねて彼を見た。

ラルキンは何かを決めかねているように目をそらした。しばらくして、おもむろにたずねた。

「きみのワシントンのロビイストはうまくやっているか?」

「ああ、たぶんな」

「はっきりさせとかないと。重要なことだ」彼はリアーデンを見上げ、気が進まぬ義務を無理に遂行するかのように繰り返した。「ハンク、とても重要なことだ」

「だろうな」

「実は、それを言いたくてここへ来たんだ」

「何か特別な理由があるのか?」

ラルキンは少し考え、もう義務は果たしたというように、「そうじゃないが」と言った。

リアーデンはこの手の話が好きではない。立法府から自分を守るために人を使う必要があるのはわかっている。企業経営者は皆そういう人間を雇わねばならない。だがそれが彼にはさして重要に思えず、従って深く考えたことがなかった。横柄なのか、退屈だからか、説明できない嫌悪感のために、考えようとしてはすぐにやめてしまうのだ。

「問題はだね、ポール」リアーデンは考えながら言った。「ああいう仕事のために雇わなきゃならない連中は、どうしようもないのばかりだってことだ」

ラルキンは目をそらした。「それが現実だよ」

「そんな現実がわかってたまるか。本気か？　世の中どうなっているんだ？」

ラルキンは悲しげに肩をすくめた。「きいても無駄。海の深さと同じ。空の高さと同じ。ジョン・ゴールトって誰？」

リアーデンは背筋を伸ばした。「違う」彼は鋭くいった。「違う。そんなふうに感じる理由はどこにもない」

彼は立ちあがった。仕事の話をするうちに疲れがとれ、俄然闘争心がわいてきた。存在についての彼自身の信念を取り戻し、もう一度確認したい衝動に駆られた。帰路感じておりながら、どういうわけか、いま脅かされていた感覚だ。

また活力がわき、彼は足早に部屋を歩いた。彼は家族を眺めた。かれらは迷える不幸な子どもたちだ。全員、母親でさえも。家族の愚鈍さに腹を立てる自分が愚かなのだ。悪意ではなく無力さなのだ。家族を理解しなければ。自分には与えるものがあまりあるが、かれらは能力が感じさせてくれる喜びも無限の可能性も知らないのだ。

部屋の向こうで、母親とフィリップが熱心に話しこんでいる。だが熱心にというより神経質にといったほうがちかい。フィリップは低い椅子に腰かけ、肩甲骨に体重をかけて腹をつきだし、座り心地の悪さを相手に押しつけるように椅子の背にもたれていた。

「フィル、どうした？」リアーデンは近づいてたずねた。「まいっているようだな」

「きつい一日だったんだ」フィリップはむっつりと答えた。

「仕事で大変なのはおまえだけじゃないんだよ」母親がいった。「他の人間も大変なんだ。おまえのように、何十億ドルの大陸横断規模の問題じゃなくてもね」

「どうして、いいことじゃないか。私はいつも、フィル自身が興味を持てるものを見つけたほうがいいと思っていたよ」

「いいこと？　弟がくたくたになって体をこわすのが見たいってことかい？　それが面白いんだね？　そうだと思ってたよ」

「いや違うよ、母さん。力になりたいんだ」

「力になってくれなくて結構だよ。こっちは誰も気にかけてもらおうなんて思っちゃいないから」

リアーデンには、弟がやっていることも、やりたいことも理解できたことはない。フィリップを大学にいかせたが、彼は何を志すでもなかった。リアーデンの基準によれば意義のある雇用を探そうとしない人間はどこかおかしいのだが、自分の基準をフィリップにおしつけはしなかった。弟を養うのはなんでもないことだ。ゆっくり好きにやらせてやればいい。生活の重荷なしにキャリアを選ばせてやろう、とリアーデンは何年も思いつづけてきた。

「フィル、今日は何をしていたんだい？」リアーデンは根気よくたずねた。

「兄さんには興味のないことだよ」

「興味があるからきいているんだ」

「ここからレディング、ウィルミントンと、あちこちまわって二十人ものいろんな人に会わなければならなかった」

「何についてだね？」

「『世界発展の友』の募金活動だ」

フィリップが属する多くの団体も、それぞれの活動も、リアーデンには把握しきれなかった。ここ六ヶ月、フィリップがこの団体について話しているのを聞いた気はする。心理学の無料講演や民族音楽、共同農園の経営などに傾倒している者たちの団体らしい。彼はこの類の集まりは軽蔑していたので、それ以上のことをききたいとは思わなかった。

彼が黙っていると、フィリップが自分から口を開いた。「絶対必要なプロジェクトに一万ドルいるんだけど募金は殉教者苦行だよ。社会意識のかけらもないやつばかりだからね。今日会った連中のふくれた財布を思うと——どうして、やつらときたら、ちょっとした気まぐれにそれ以上の金を使うくせに、ひとり百ドルずつもしぼりとれやしなかった。たった百ドルだぜ。まったくやつらにはこれっぽっちも道徳心がない。これっぽっちも……何を笑っているんだ?」彼は声を尖らせた。

リアーデンが目の前で苦笑いを浮かべていたからだ。

子どもじみて図々しく、どうしようもなく露骨だな、とリアーデンはおもった。こんな合図と侮辱を同時にさしだすとは。侮辱しかえし、フィリップをやりこめることはたやすい——侮辱が事実であるだけに決定的な打撃になるだろう——だから言うまい。むろん、この哀れな馬鹿はいまも兄の情け次第だと知ってあえて傷口をひらいているのだ。だから実行する必要はない。それが一番の答えだ。弟にわからないはずはない。こんなにひねくれるとは、まったく弟はどんなにみじめな人生を生きているのだろう?

そのときリアーデンは、不意に、一度くらい弟のねじれた性根をたたき直してやってもいいじゃないか、とおもった。あきらめていた望みをかなえて、衝撃的に喜ばせてやろう。その願いがどんな性質のものでもいい。リアーデン・メタルが自分のものであるように、それは弟のもの——弟にとっては、あれと同じくらい大切なものに違いない——一度でいい、喜ばせてみれば、弟も何か学ぶかもしれない――幸福はすべてを清める力、と自分はさっき言わなかったか？――今夜は祝いたい。だから弟と喜びをわかちあおう――彼にとっては大きな意味を持つことで、自分にはたいした負担でもない。

「フィリップ」にっこりとして彼はいった。「明日事務所のアイヴス嬢に電話しなさい。君に一万ドルの小切手を用意させておくから」

フィリップはぼんやりと兄をみつめた。衝撃も喜びもない、どんよりと虚ろな目だ。

「ああ」とフィリップは言い、つけ足した。「僕たちは感謝しないとね」声には何の感情も、貪欲ささえもなかった。

リアーデンの中で、重く虚ろな何かが崩れ落ちていった。その重苦しさと空虚さが落胆だとわかると、それはなぜこのように暗く醜いのだろう、と彼はおもった。

「親切だね、ヘンリー」フィリップは淡々と言った。「驚いたよ。あなたに期待してなかったから」

「フィル、わかってないわね」リリアンが、妙に澄んだ軽やかな声でいった。「ヘンリーは今日、彼のメタルを出鋼したのよ」彼女は夫の方を向いた。「あなた、今日を国民の祝日にしましょうか」

「おまえはいい人間だよ、ヘンリー」母親がいった。「しょっちゅうじゃないが」

リアーデンは何かを待つように、フィリップの顔をじっとみつめていた。

フィリップは目をそらし、しばらくして顔をあげ、探るようにリアーデンの目をみた。

「本当は恵まれない人たちのことなんてどうでもいいんだろう？」フィリップがたずねた――リアーデンは弟の声が非難がましいことに耳を疑った。

「ああ、フィル。どうだっていい。ただ君を喜ばせたかったんだ」

「だけどそのお金は僕のためじゃないからね。個人的な動機で集めているわけじゃない。僕自身には何の利益もないからね」自分の潔癖さを強調するように、彼は冷たくいった。

リアーデンは背を向けた。急に激しい嫌悪感をおぼえたのは、弟の言葉が偽善ではなく、本心だったからだ。フィリップは本気でそう思っている。

「ところでヘンリー、アイヴスさんに現金でお金をくれるように頼んでもかまわないかな？」言葉の意味がわからず、リアーデンは振り返った。「あのね、『世界発展の友』はとても進歩的な団体で、兄さんは国の社会的後退を招く闇の分子の最たるものって立場だから、献金者リストに兄さんの名前がのると、ほら、恥なんだ。誰にハンク・リアーデンの雇われと非難されるかしれないからね」

彼はフィリップの顔をひっぱたきたかった。だが、耐えがたい軽侮のために、ただ目を閉じた。

「わかった」彼は静かにいった。「現金でかまわない」

彼は家族からできるだけ離れた窓際まで歩いていき、かなたの工場の赤い輝きをみた。

ラルキンの叫び声が追いかけてきた。「ハンク！　やめときゃいいのに！」

それから冷たく陽気なリリアンの声がきこえた。「あら、ポール、あなたはまちがっているわ。おおまちがいよ！　私たちがいて施しを恵んでやるのでなければ、ヘンリーの虚栄心はどうなるかしら？　支配する弱者がいなければ、あの人の強さはどうなるの？　頼ってくる者がいなければどうするかしら？　だから本当に、かまわないのよ。あの人を非難するわけじゃないわ。ただそれが人間性の法則なの」

彼女はメタルのブレスレットを手にとり、もちあげてランプの光にかざした。

「鎖」彼女はいった。「適切じゃない？　これはあの人が私たちをつないでおく鎖なんだわ」

第三章　頂上と底辺

地下室のように重苦しく低い天井だ。客は部屋を横切るとき、丸天井の重圧を肩に感じて思わず身をかがめた。ダークレッドの皮張りの円形ブースが年月と湿気に浸食された石の壁に埋めこまれている。窓はなく、停電時に適するかすかな青い光が壁の隙間から射しているだけだ。ここに入るには、地下深くにもぐるように狭い階段を下りてこなければならない。ニューヨークで最も値の張るそのバーは高層ビルの最上階にあった。

テーブルを囲んで四人の男が座っている。地上から六十階離れ、男たちは、そうした高い空間で人が自由に話すようにではなく、地下室にふさわしい低い声で話していた。

「条件と状況だよ、ジム」オルレン・ボイルが言った。「人間的に考えてやむを得ない条件と状況。きみたちのレールの圧延まで万端整えていたんだが、防ぎようのない予期せぬ事態の進展があった。ジム、きみがチャンスをくれていたらなあ」

「不調和だね」ジェイムズ・タッガートがおもむろに口を開いた。「不調和があらゆる社会問題の根原のようだ。私の妹は株主の一部に少しばかり影響力がある。やつらの破壊的な方策をおさえこめないときもある」

「まったくだよ、ジム。不調和、それが問題なんだ。いまの複雑な産業社会にあっては、どんな企業も他社の問題の重荷を分担せずには成功できないと僕はかたく信じている」

タッガートは酒をすすって下においた。「あのバーテンは首にしたほうがいいな」

「例えば、共同製鉄。僕らは全米でもっとも近代的な工場を有するもっとも優秀な組織だ。昨年『グローブ』誌の能率産業大賞を受賞したんだから議論の余地のない事実だろう。最善を尽くしているんだし、我々のせいではない。だがね、ジム、鉄鉱石の供給が国家的問題だとすると、我々にはどうしようもない。ジム、鉱石が手に入らなかったんだ」

タッガートは何も言わなかった。彼はテーブルの上に肘を大きく広げて座っていた。ただでさえ狭いテーブルは、そのために他の三人にとってよけい居心地が悪くなっていたが、誰も彼の特権に口出しする様子はない。

「いまでは誰も鉱石を手に入れられない」ボイルが続けた。「ほら、鉱山資源の自然枯渇だよ。それと機械設備の磨滅。原材料不足。輸送困難。ほかにも不可避な条件があった」

「鉱石業界はガタガタだ。採掘機器事業もそのあおりをくらっているんだよ」ポール・ラルキンが言った。

「すべての事業がほかの事業すべてに依存していることはすでに証明されている」オルレン・ボイルが言った。「だから誰もがほかの誰かの負担をひきうけるべきだ」

「それは思うに、正しい」ウェスリー・ムーチが言ったが、誰もウェスリー・ムーチには注意をはらわなかった。

「僕の目的は」オルレン・ボイルが言った。「自由経済を守ることだ。自由経済はいま瀬戸際に立たされていると一般に考えられている。自由経済がおのれの社会的価値を証明し、それなりの社会的責任を負わないかぎり、人民は黙っちゃいないだろう。自由経済が公共心を持たなければ終わりだ。まちがっちゃいけない」

オルレン・ボイルは、五年前にどこからともなく現れて以来、全米の雑誌の表紙を飾ってきた。十万ドルの自己資金と二億ドルの政府補助金で事業を始め、いまや幾多の中小企業を傘下におく巨大グループを率いている。これは個人の能力次第で社会的に成功できると示すよい例だ、と彼は公言していた。

「私有財産が正当化できるのは公益にかなうときだけだ」オルレン・ボイルが言った。

「それは思うに、疑う余地がない」ウェスリー・ムーチが同意した。

オルレン・ボイルはごくごく酒を飲みこんだ。大げさでいさましい身振りの多い大柄な彼は、黒く細い目をのぞけば、なすことすべてが騒々しい精力にあふれていた。

「ジム」彼はいった。「僕にはリアーデン・メタルがとんでもない詐欺に思えてならない」

「まあな」タッガートが言った。

「肯定的な見解を示した専門家は一人もいないときく」

「ああ、一人も」

「我々は何世代にも渡って重量を上げることで鉄レールを改良してきた。ところが、リアーデン・メタルのレールは最も安価な部類の鋼鉄より軽いってのは本当か」

「いかにも」タッガートが答えた。「より軽い」

「だがジム、そんなばかな。物理的に不可能だ。あの重厚な高速の本線に？」

「いかにも」

「だが君は大惨事を招いているだけだぜ」

「妹が、だ」

タッガートは二本の指でグラスの脚をつかんでゆっくりまわした。一瞬の沈黙があった。

「全米金属産業協会は」オルレン・ボイルが言った。「リアーデン・メタルの使用が現実に公共に害を及ぼす可能性があるとして、その問題の検証委員会を召集する決議を通した」

「それは、私の意見では、賢明だ」ウェスリー・ムーチが言った。

「皆の合意があるというのに」タッガートが素っ頓狂な声をあげた。「人びとの意見が一致しているのに、よくも一人だけ違うことが言えるもんだ！　何の権利があって？　教えてほしいもんだ――何の権利で？」

　ボイルはタッガートの顔に視線をむけたが、灯りが暗くて表情はよくわからず、薄いしみだけが見えた。

「天然資源が危機的に不足していることを考えれば」オルレン・ボイルが穏やかに言った。「主要原材料が無責任な民間の実験に浪費されていることを考えれば、鉱石が……」

　彼は最後まで言わずに、またタッガートをチラリと見た。だがタッガートは、ボイルが自分の言葉を待っていると知りながら、黙ったままでいるのを愉しんでいるようだ。

「鉄鉱石なんかの天然資源にはね、ジム、公共の利益に大きく関わっているんだ。反社会的な一個人の無茶で利己的な浪費に、人民が黙っているはずはない。つまるところ、私有財産は社会全体の利益のための信託基金だからね」

　タッガートはボイルをみてにやりと笑った。あてつけがましい笑みは、ボイルの言葉の裏にあるものへの答えは自分の言葉に隠されているというかのようだ。「水っぽい酒だな。目障りなやつらにうろつかれたくなければ相応の対価を求められるってことか。しかし専門家相手だとわかっているのかな。財布の紐を握っているのは私だ。金を払うだけの価値のあるものをだして喜ばせてほしいものだ」

ボイルは答えずに、むっつりとしたまま顔をしかめた。「いいか、ジム……」彼はのろのろと話しはじめた。

タッガートはにやりとした。「何だい？　きいてるぜ」

「ジム、きみも異存はないはずだ。独占ほど破壊的なものはないってことに」

「ああ」タッガートが答えた。「それがひとつ。あと、歯止めのない競争も有害だ」

「いかにも。まったくその通りだ。適切な道は、僕の意見では、いつも中間にある。だとすれば、僕が思うに、社会の義務は極端なものをちょん切ることじゃないか？」

「ああ」タッガートが言った。「その通りだ」

「鉄鉱石業界の事情を考えてみなさい。国全体の出荷量は恐るべき勢いで落ちてきている。鉄鋼業界全体の存在が脅かされているんだ。製鉄所が全米で閉鎖されつつある。だが運よくそうした一般的な条件に影響されていない採鉱会社が一社だけある。十分な生産高があっていつも納期に間にあうらしい。だがその恩恵は誰がこうむるのか？　会社の所有者だけだ。これが公平といえるかね？」

「いや」タッガートが言った。「不公平だ」

「鉱山を所有している業者なんかほとんどいない。天然資源の一角を押さえている男に歯がたつもんか。こっちが苦労して、待たされた挙げ句に顧客を失ってつぶれていく間に、やつはいつも鋼鉄を供給できても不思議はない。一人の男に産業全体を破壊させるのは公共の利益にかなうことだろうか？」

「いや」タッガートが言った。「違う」

「僕には、国策は、産業全体の保護の観点から、誰もが公平に鉄鉱石の分け前にあずかれるように検討されてしかるべきだと思えるんだ。そうは思わないか？」

「思うね」

ボイルはため息をついた。それから用心深く言った。「だがワシントンには進歩的な社会政策を理解できる人間はそれほど多くないんだろうな」

タッガートはゆっくりと言った。「いるにはいる。いや、多くはないし近づくのも容易じゃないが、いることはいる。私から話してみてもいいがね」

ボイルは酒をとり、ききたいことはすべてきいたかのように、ぐっと一気に飲みほした。

「進歩的な政策といえばね、オルレン」タッガートが言った。「君もよく考えてみたまえ。鉄道会社が相次いで倒産し、鉄道なしでとり残された地域が広がって、輸送が不足している。そんなとき、由緒ある会社が歴史的に優先権をもつ地域で、サービスの無駄な重複や、新参者との破壊的な共食い競争に目をつぶることが公益にかなうかどうか」

「いやはや」ボイルが嬉しそうに言った。「検討すべき興味深い問題のようだね。僕から全米鉄道連盟の友人と話してみてもいいかもしれない」

「友情は」タッガートはうつろで曖昧な声で言った。「金よりも価値がある」そして唐突にラルキンの方を向いた。「ポール、そうは思わないか？」

「どうして……ああ」ラルキンは驚いて言った。「ああ、もちろん」

「君の友情が頼りなんだよ」

「へ？」

「君のいろいろな人物との友情をあてにしているんだ」

誰もが、ラルキンがすぐには答えない理由を知っているようだった。彼はテーブル近くにまで肩をちぢめたようにみえた。「全員が共通の目的のために団結できれば、誰も傷つかずにすむのに！」彼は突拍子なくせっぱつまった声をあげたが、タッガートが自分をみているのに気づくと請うようにつけ足した。「誰も傷つけずにすめばいいのに」

「反社会的な態度だね」タッガートがおもおもしく言った。「誰かの犠牲をおそれる人間には共通の目的について語る資格はない」

「だけど僕は歴史を学んだ」ラルキンは慌てて言った。「歴史の必然は認識している」

「よろしい」タッガートが言った。

「僕一人で全世界の潮流に逆らえやしないだろう?」ラルキンは懇願するようだったが、特に誰に向けた懇願でもなかった。「そうだろう?」

「ラルキンさん、おっしゃる通りです」ウェスリー・ムーチが言った。「あなたや私のせいではありません。たとえ我々が――」

ラルキンは、ぞくりとして顔をそむけた。ムーチを見るに耐えなかったのだ。

「オルレン、メキシコはよかったかい」突然、タッガートがくだけた大きな声でたずねた。誰もが会合の目的はとげられ、確かめるべきことは確かめたという様子だった。

「いいねえ、メキシコってところは」ボイルは陽気に答えた。「刺激にみちていて考えさせられることが多い。配給の食事はまずかったが。腹をこわしたぜ。だが国をたてなおそうと一生懸命がんばっている」

「あちらはどうだった?」

「かなりうまくいってるよ、おそらく、かなりうまく。ただ、いまのところ……いやそれでもあの国は未来志向だからな。メキシコ民国には偉大なる未来がある。二、三年もすれば追い抜かれるだろう」

「サン・セバスチアン鉱山には行ったのか」

テーブルの四人の男達が居ずまいを正し、緊張が走った。全員がサン・セバスチアン鉱山の株に多額の資金をつぎこんでいた。

ボイルはすぐには答えなかったが、やにわに、不自然に大きな声をだした。「ああ、もちろん、一番みたかったのはそれだからね」

「それで？」

「それで何だ？」

「どうなんだ？」

「順調だよ。実に順調。あの山の下なら、銅の埋蔵量も世界一だろう！」

「活気はあったか？」

「あんなに活気のある場所ははじめてみたね」

「何をやっていたんだ？」

「ま、監督がメキシコ野郎で、話の半分もわからなかったが、活気があったことは確かだ」

「何か……問題はなかったか？」

「問題？　サン・セバスチアン鉱山にはない。私有地だ。メキシコ最後の。やはりそこに違いがあるようだ」

「オルレン」タッガートはためらいがちにたずねた。「サン・セバスチアン鉱山が国有化されかけてるって噂はどうなんだ」

「デマだね」ボイルの口調は怒気をはらんでいた。「単なる悪質なデマ。僕には確信できる。文化大臣と会食したし、大勢のやつらと昼食をとったからな」

「無責任な噂を法律で規制すべきだ」タッガートはむっつりと言った。「もう一杯飲もう」

　彼はボーイにいらいらと手を振った。店の暗い片隅に小さなカウンターがあり、年寄りのしなびたバーテンダーが、長いあいだ身じろきもせずに立っていた。そして呼ばれると、人をばかにしたようにのろのろと動いた。彼の仕事は客をくつろがせ、愉しませて奉仕することだったが、振舞いは、汚らわしい病をなおす気難しい闇医者のものだった。

　四人の男たちが黙って座っていると、ボーイが酒を運んできた。薄暗がりのテーブルに置かれたグラスは、弱いガス噴射のように、かすかに青く光る四つの光を点した。タッガートはグラスに手を伸ばし、いきなりにやりとした。

「歴史の必然への犠牲に乾杯しよう」ラルキンを見ながら、彼はいった。

　しばしの間があった。明るい光の下ならば、男たちは目と目でにらみあうものだろうが、二人はいま互いの眼窩をみているだけだった。やがてラルキンがグラスを手にした。

「諸君、ここは私のおごりだ」他の三人がグラスを空ける間にタッガートが言った。

　誰にもほかに言うことがみつからなかったが、しばらくして、ボイルが何気なくたずねた。「そういえば、ジム、きこうと思っていたんだが、君のところのサン・セバスチアン線のダイヤは、いったいぜんたいどうなっているんだ?」

「何だ?　どういう意味だね?　それがどうかしたのか?」

「さて、僕にもわからないが、一日に旅客一便だけって――」

「一便?」

「――かなりお粗末なサービスに思えるし、しかも車体ときたら!　あの二等客車は何代前の代物かしらんが、よくあそこまで使いこんだもんだ。それにあの薪式機関車はいったいどこからもってきたんだね？」

「薪式機関車？」

「いかにも、薪式だ。あんなの写真でしか見たことなかったぜ。どこの博物館から引っぱり出してきたんだい？　おい、しらをきるなよ。とにかくどういう冗談のつもりか教えてくれ」

「ああ、むろん知っていた」タッガートは慌てて言った。「ただ……動力車にちょっと問題があった週にたまたま乗り合わせたんだろう――機関車は発注してあるが納品が遅れ気味でね――機関車の製造業者に問題があるのはきいているだろう――だが一時的なことだ」

「勿論」ボイルが言った。「遅れはどうしようもない。だがあんなきてれつな列車に乗ったのははじめてだ。揺れすぎてはらわたが飛び出すかと思ったぜ」

数分もしないうちに、タッガートが黙りこんでしまったのは一同の目に明らかとなった。心配事があるようだった。突然、断りもなく彼が立ち上がると、他の三人も、命令に従うようにそれに続いた。

ラルキンが作り笑いをしながら小声でささやいた。「ジム、光栄だ。光栄だよ。偉大なる計画はこうして生まれるんだね――友人との酒の席で」

「社会改革には時間がかかる」タッガートは冷たく答えた。「忍耐強く慎重に進めるのが賢明だ」その夜はじめて、彼はウェスリー・ムーチの方を向いた。「君のいいところはね、ムーチ、しゃべりすぎないことだ」

ウェスリー・ムーチはリアーデンのロビイストだ。

タッガートとボイルがそろって階下の路上に姿をあらわしたとき、空は夕日の名残でまだ明るかった。その変化はやや意外に感じられた――閉めきったバーから出るときは真夜中のような気がしていたからだ。摩天楼は高く掲げた剣のように、鋭い直線を空に描いている。その向こうには、日付を示すカレンダーがかかっていた。

通りの空気は冷たく、タッガートはせかせかとコートの襟首を探ってボタンをとめた。今夜会社に戻るつもりはなかったが、しかたない。妹に会わなければ。

「……前途多難だな、ジム」ボイルが言っていた。「前途多難。これだけ危険で、複雑で、ここまで利権が絡んでいると……」

ジェイムズ・タッガートがおもむろに答えた。「実力者をどれだけ知っているかにかかっている……それをわからせないと——実力者が誰なのか」

＊　＊　＊

ダグニー・タッガートが将来タッガート大陸横断鉄道を経営すると決めたのは九歳のときだ。そのとき彼女は独り線路の間に立ち、二本の直線がはるか彼方で出会うのを見つめていた。木々を貫く線路をみて感じたのは尊大な喜びだ。年を経た木立にも低木の茂みや野花の上に垂れる緑の枝にも似つかわしくないが、線路は確かにそこにあった。鋼鉄の二本線は太陽の下で輝き、黒い枕木は登らねばならない梯子にみえた。

衝動的な決断ではない。昔からわかっていたことを言葉で確実に封印したのだ。ものごころがついてからというもの、彼女とエディー・ウィラーズは、暗黙の了解として、たてるまでもない誓いによって、人生を鉄道に捧げていた。

身近な世界は、子どもも大人も退屈で興味をもてなかった。鈍い人たちのなかに閉じこめられていることは、しばらく我慢すべき残念な偶然だ、と考えていた。どこかに存在する別世界を垣間みることはあり、列車や、橋や、電線や、夜中に点滅する信号を創造した世界が存在することはわかった。待たなければ、あの世界に届くまで成長しなければ、と彼女はおもった。

なぜ鉄道がそれほど好きなのか、説明しようとしたことはない。他人がどう感じようとも、この気もちは比べようも応えようもないものであることは確かだ。唯一好きな科目だった数学の授業で似たような気持ちを抱いたことはある。問題を解く興奮、与えられた課題をなんなく解けたときの誇らしい喜びと、さらに難解な問題にたち向かう自分自身の意気ごみを覚えている。同時に、明快で、厳格で、輝くばかりに合理的な科学という手ごわい相手への敬意も次第に強くなっていった。数学を学びはじめてすぐに、彼女は単純に「人間にこんなことができたなんて素晴らしい」そして、「それがこんなに得意だなんて、素敵なことだ」と感じた。それは他者への驚嘆と自分の能力が同時に高まってゆく喜びだった。彼女の鉄道への思いは同じだ。それを可能にした技術と、明快で合理的な頭脳の驚異への敬慕。それは、いつか彼女自身がもっとよくしてみせるという秘密のときめきをともなう敬慕だった。線路や機関車車庫の周りをうろつく彼女には真面目な学生の謙虚さがあったが、その謙虚さのなかには、将来の誇り、自らの努力によってかち得るべき誇りがまじっていた。

彼女は自分の能力を自慢したことはないが、「鼻持ちならない自惚れ屋ね」というのが、子どものころずっと聞かされた二つの文句のうちの一つだ。もうひとつは「自分勝手だな」という文句だった。どういう意味かたずねたが、誰も答えてはくれなかった。大人たちをみながら彼女は、意味が判然としない非難にどうして罪悪感をおぼえられるだろう、と不可解におもった。

大人になったら鉄道を経営する、とエディー・ウィラーズに言ったとき、彼女は十二歳だった。

女性の鉄道経営者は前例がなく、反対されるかもしれないことに気づいたのは十五歳のときだ。かまやしないわ、と彼女は思い、二度と同じ心配をしなかった。

十六歳で、彼女はタッガート大陸横断鉄道での仕事を始めた。それを許した父親は、むしろ面白がっていた。はじめは田舎の小さな駅の夜間オペレーターの仕事だった。大学の工学部の最初の二年間、彼女は夜勤を続けた。

ジェイムズ・タッガートも同じ時期に鉄道での仕事を始めた。彼は二十一歳だった。最初の職場は広報部だった。

ダグニーの出世はタッガート大陸横断鉄道のなかで誰よりも早く、並ぶ者がいなかった。責任ある仕事を、彼女は進んで引き受けた。引き受けたがる者がほかにいなかったからだ。才能がある人間はもともと少なく、年々減りつつあった。上司は権限の行使をおそれ、決断を避けては時間を浪費していたので、彼女が指示をだし、周囲もそれに従った。一段のぼるたびに、役職を得るずっと前から肩書きが要求する仕事をした。それは人のいない部屋の中を進んでいくようなものだった。誰も反対しなかったが、誰も進歩を認めてくれなかった。

父親はそのような娘に驚嘆し、誇りに思っているようだったが口出しせず、職場で娘を見る目には哀しみがあった。彼が亡くなったとき、彼女は二十九歳だった。「タッガート家には鉄道を経営する人間が必ず一人いる」というのが、娘への最期の言葉だった。奇妙な眼差しには励ましと理解がこめられていた。

支配株式はジェイムズ・タッガートにのこされた。タッガート大陸横断鉄道の社長に就任したとき、彼は三十四歳だった。ダグニーは取締役会が彼を選出すると予期してはいたが、なぜあれほど熱狂的にそうしたのかは理解できなかった。伝統だ、社長には常にタッガート家の長男が就任してきた、と役員らは言い、不吉な迷信を信じてはしごの下を歩こうとしないのと同様に、同じたぐいの恐れをなだめるように、ジェイムズ・タッガートを選出した。そして、彼の「鉄道の人気を高める」才能や「プレスうけのよさ」や「政治能力」に言及した。彼は議会から有利な措置を得る才能に異常なほど長けていた。

ダグニーには「政治能力」といわれる分野も、その能力が意味するものもさっぱりわからなかった。しかしそれは必要なものらしく、下水道掃除のように、不愉快だが必要な仕事は多くあるのだ、と深く考えないことにした。誰かがやらねばならず、ジムはその仕事が好きらしい。

社長の座への野望を抱いたことはなく、関心はもっぱら業務部門にあった。現場にいたとき、ジムを嫌うある古参の鉄道員は、「タッガート家には鉄道を経営する人間が必ず一人いる」と、父親と同じ目で彼女をみて言った。彼女はジムに対して、兄は鉄道に大きな打撃を与えられるほど頭はよくない、彼の愚策は自分が正せる、という確信で武装していた。

十六歳のとき、オペレーターの机に座り、通り過ぎるタッガートの列車の明かりのついた窓をみながら、とうとう求めていた世界にやってきた、と彼女は思った。年月がたち、そうではなかったと気づいた。戦いをしいられた相手は戦う価値も勝利する価値もなく、挑戦を名誉に思える優れた能力ではなかった。それは無能さ——何にも誰にも抵抗しないにもかかわらずゆく手を阻む、柔らかく形のない灰色の綿の広がりだ。彼女はなす術もなく、何がこれを可能にしたのかという謎の前に立ちつくした。答えは見つからなかった。

人間の能力を見たい、明快で、確実で、輝くばかりの才能の証拠をひと目みたいという内側からの静かな叫びにときおり胸を突かれたのは、はじめの数年だけだ。かつては仲間でも敵でもいい、自分より優れた精神に出会いたいという狂おしいまでの欲求がこみあげてくることがあった。だが繁には。

そうした欲求も通り過ぎていった。彼女にはやるべき仕事がある。痛みを感じている暇はない。頻

ジェイムズ・タッガートが鉄道にもたらした政策の第一弾はサン・セバスチアン線の敷設だった。関係者は大勢いたが、ダグニーにとって、事業全体に刻まれ、すべてをかすませる一つの名前があった。五年の闘争のあいだ、何マイルもの無駄な線路の上に、致命傷からとめどなく流れ落ちる赤い血のように続くタッガート大陸横断鉄道の損失を記録した書類の間に見え隠れした名前――世界に残されたすべての証券取引所で株価を告げるティッカー・テープに打ちだされるのと同じ――銅を溶かす炉の赤い光に照らされて立つ煙突に刻まれているのと同じ――ゴシップ記事の見出しを賑わせる――何世紀にも渡る家系書の羊皮紙に記された――三大陸に散らばる貴婦人たちの私室に届いた花に添えられたカードに署名された名前。

フランシスコ・ダンコニア。

二十三歳で財産を相続したとき、フランシスコ・ダンコニアは世界の銅王として名をはせていた。いま三十六歳の彼は、地上で最も裕福で、最も派手な放蕩者として有名だった。彼はアルゼンチン貴族の末裔で、数ある牧場とコーヒー園、チリの銅山のおおかたを所有している。南米大陸の半分は彼のものであり、北米に散在する大小の鉱山は小遣い銭だ。

フランシスコ・ダンコニアが突然メキシコの広大な裸の山を購入したとき、彼が膨大な銅脈を発見したというニュースが流れた。彼は労せずして事業の株式を売ることができた。出資の申込みが殺到し、応募者から好きに株主を選ぶだけでよかった。彼の金融手腕は驚異的といわれ、どのような取引にも負けたことはない――手を染めたあらゆる取引で、これときめた分野で一歩進むごとに、莫大な財産をさらに殖やしていった。彼の動きをいち早く察知して動いた者は、その才能に便乗し

て他に先駆けてチャンスをつかみ、新たな富の分け前にあずかれた。ジェイムズ・タッガート、オルレン・ボイルとその仲間は、フランシスコ・ダンコニアがサン・セバスチアン鉱山と名づけた事業の株式を大量に保有していた。

ダグニーには、ジェイムズ・タッガートが何に影響されてテキサスからサン・セバスチアンの荒野に続く支線を敷設したのか、ついに理解できなかった。彼自身判然としていないようだ。吹きさらしの荒野にいるように、兄はいかなる流れにも無防備であり、結果はなりゆきまかせだった。タッガート大陸横断鉄道の取締役のなかには事業に異議を唱える者もいた。会社はリオ・ノルテ線の再建にあらゆる資源を必要としている。両方はできない、と。だがジェイムズ・タッガートは就任一年目の新社長だった。軍配はタッガートにあがった。

メキシコ民国の政府は意欲的に事業に協力し、財産権の存在しない国で、鉄道に対する二百年間の財産権をタッガート大陸横断鉄道に保証する契約に調印した。フランシスコ・ダンコニアは、自分の鉱山について同様の保証を得た。

ダグニーはサン・セバスチアン線の敷設を阻止しようと戦った。耳を貸す者をみな動員して戦おうとした。だが彼女は業務部門の一介の助手でしかなく、あまりにも若く、権限もなく、まともにとりあってはもらえなかった。

そのときも今も、彼女には敷設を決議した者たちの動機を理解することができなかった。少数派の無力な傍観者として取締役会に出席していた彼女は、奇妙な言い訳がましさがその場の空気とすべての演説と議論を支配していることに気づいた。あたかも決定の本当の理由が言及されることはないが、彼女以外の全員にあきらかだというような。

かれらは、将来のメキシコとの貿易の重要性、貨物需要の増大、無尽蔵の銅の供給の輸送業者として約束される巨額の収益の見通しについて語った。論拠として引き合いにだされたのはフランシスコ・ダンコニアの過去の実績だ。サン・セバスチアン鉱山の鉱物学上の事実には誰もふれなかった。入手可能な事実はほとんどなく、ダンコニアが公開した情報は具体性を欠いていた。だが事実は必要ないらしかった。

かれらはメキシコ人民の貧困と、かれらが切実に鉄道を必要としていることを長々と語った。「メキシコの人びとは機会に恵まれなかった」「開発に不利な条件におかれてきた国の発展に寄与するのは我々の責務だ。国家は、思うに、隣人の番人ではないだろうか」

彼女はじっとそれをききながら、タッガート大陸横断鉄道が廃止を余儀なくされた多くの支線をおもった。ここ数年、大鉄道の収益は少しずつ下がりつづけている。おそろしく急を要し、全路線でおそろしくなおざりにされている修復の必要を彼女はおもった。保守整備の問題についてのかれらの方針は、方針というよりは、ゴム切れで遊ぶゲームのようだ。少し、また少しと引き伸ばされていく。

「メキシコ人はどうやら非常に勤勉な国民のようだが、未熟な経済に虐げられているようだ。誰も手をさしのべなければどうして産業化を進められよう?」「私の意見では、投資を考慮する際には、純粋に物理的な要素以上に、人間に賭けるべきではないだろうか」

彼女の頭に浮かんだのは、リオ・ノルテ線の脇で、添木のひび割れが原因で溝にはまっていた機関車だった。擁壁の崩壊のために線路が何トンもの土砂で埋まり、リオ・ノルテ線の全便が運行中止になった五日間も思いだされた。

「人間は自分の利益を考える前に隣人の利益を考えるべきだとすれば、国家は自国の国益に隣国の国益を優先させるべきではありませんかな」

注目を集めている新参のエリス・ワイアットを彼女はおもった。彼の活動は瀕死状態だったコロラドの広い大地からあふれはじめた物流の最初の一滴だった。最大限の効率が求められ活用されるというときに、リオ・ノルテ線は最終的な崩壊への道を走らされていた。

「物欲がすべてじゃない。非物質的な理想を考慮すべきです」「メキシコの人びとには一、二本のきちんとした鉄道もないのに、我々が巨大な鉄道網を保有していることを考えると、恥ずかしいと言わざるをえません」「経済的自給自足の古い理論はとうの昔に破綻しています。飢えた世界の真ん中で、一国が繁栄するのは不可能です」

タッガート大陸横断鉄道を、かつての、はるか昔の状態にまで立ち直らせるには、使えるだけのレールと、犬釘と、資金が必要であることを彼女はおもった。そのすべてがどれほど深刻に不足しているかを。

同じ会合の同じ演説で、かれらは、すべてを完全な管理下におくメキシコ政府の効率のよさについて語った。メキシコには偉大な未来がある、数年のうちに危険な競争相手になるだろう。「メキシコには規律がある」嫉妬まじりの声で、取締役たちは口々に言った。

ジェイムズ・タッガートは、名前は決して明かさないままのワシントンの友人がメキシコでの鉄道の敷設を希望していることをわからせた。途切れる言葉と曖昧な示唆によって。鉄道の建設は外交問題において非常に有意義であり、国際世論への好影響はタッガート大陸横断鉄道の投資に報いてあまりあるだろう、と。

かれらはサン・セバスチアン線を三千万ドルで敷設する決議を通した。

ダグニーが役員室を出て路上の新鮮な冷たい空気のなかを歩いていると、ある言葉がはっきりと、執拗に、呆然として空っぽになった彼女の頭で繰り返されるのがきこえた。「逃げて……逃げ

て……逃げて」

彼女は驚愕した。タッガート大陸横断鉄道を辞めるなどこれまで思いも及ばないことだった。その考えよりも、そう思わせた疑念が怖かった。彼女は憤然と首を振り、タッガート大陸横断鉄道は今まで以上に自分を必要としている、と自分に言いきかせた。

取締役のうち二人が辞任し、業務取締役副社長がそれに続いた。後任は、ジェイムズ・タッガートの友人だった。

鋼鉄のレールがメキシコの荒地に敷かれていった――いっぽう、線路が老朽化しているリオ・ノルテ線の走行速度を落とすように通達がおりた。大理石の柱と鏡で装飾された鉄筋コンクリートの駅舎がメキシコの村落の埃っぽい未整備の広場の真ん中に建てられた――いっぽう、石油を搭載したタンク貨物が土手を転落し、炎上して瓦礫となった。リオ・ノルテ線のレールのひび割れが原因だったが、ジェイムズ・タッガートは裁判で、これは神の仕業だと主張した。エリス・ワイアットは判決を待たず、石油の輸送を小さくて経営は苦しいが健闘しているフェニックス・デュランゴという無名の鉄道に移した。これがフェニックス・デュランゴを軌道にのせた起爆剤となった。以来、ワイアット石油と近隣の谷の工場の成長とともに、この会社は躍進を続けた――メキシコのとうもろこし畑の起伏をぬって、レールと横木の帯が月に二マイルずつのびるいっぽうで。

ダグニーがジェイムズ・タッガートに辞意を伝えたのは、彼女が三十二歳のときだ。それまで三年間、彼女は肩書きも、信任も、権限もなく業務部門を切りまわしてきた。だが、業務取締役副社長の肩書きを持つジムの友人の業務妨害を回避するために浪費された時間と日々と夜への憎悪に負かされたのだ。その男に方針はなく、決定するのは常に彼女だったが、男は決定を阻止するためにあらゆる手段を講じてから決断を下した。彼女が兄につきつけたのは最後通牒だった。「しかし、ダグニー、君は女だ！　女の業務副社長？　前代未聞だ！　取締役会が通さんぞ！」彼は喘いだ。

「なら降りるわ」彼女は答えた。

残りの人生をどう生きるのか、彼女は考えなかった。タッガート大陸横断鉄道との決別に対峙することは、彼女にとっては足の切断手術を待つようなものだ。しばらくなりゆきにまかせていよう、将来のことはあとでいい、と彼女は思った。

なぜ取締役会が満場一致で彼女を業務取締役副社長に任命する決議を通したのか、彼女には理解できなかった。

かれらが求めたサン・セバスチアン線を最終的に完成させたのは彼女だった。彼女が事業を引き継いだときは着工から三年が経過していた。線路は三分の一しか敷かれていなかったが、費用は累計で承認予算を超過していた。彼女はジムの友人を解雇して別の請負業者を探し、その業者が一年で敷設を終えた。

サン・セバスチアン線はようやく運行を始めた。国境をまたぐ貿易の興隆も、銅を積んだ貨物もなかった。ごくたまにサン・セバスチアンの山から二両ばかりの貨車ががたがたと降りてくるだけだ。鉱山は、フランシスコ・ダンコニアによれば、開発途上だった。タッガート大陸横断鉄道の損失はとどまるところをしらなかった。

いま彼女はオフィスの机に座り、毎晩そうするように、どの支線が何年でこの会社全体を救えるかという課題にとりくんでいた。

リオ・ノルテ線を再建すれば、ほかも救済できる。損失に次ぐ損失を告げる数字を眺めながら彼女は、メキシコ事業の長く無意味な苦悩を考えてはいなかった。彼女が思いついたのは一本の電話だった。「ハンク、助けてくれる？　できるだけ納期を早くして、できるだけ長い支払い条件でレールをくれる?」静かな落ち着いた声が「ああ」と答えた。

それが彼女の支点だった。机の書類に覆いかぶさり、集中するのが急に容易になったことに彼女は気づいた。頼れるもの、必要なときに崩れないものが、少なくともひとつある。

ジェイムズ・タッガートは、ダグニーのオフィスの控え室を通るとき、半時間前にバーで仲間といたときに感じていたような自信にあふれていた。だが扉をあけた途端に自信は消えうせた。いつか見てろと思いながらお仕置きにひきずられていく子どものように、彼は妹の机にむかって歩いていた。

書類に覆いかぶさる頭、乱れた髪を照らしつける机のランプの明かり、肩に絡みついて体の華奢さをおもわせる白いシャツが見えた。

「ジム、何の用?」

「サン・セバスチアン線で何をやらかすつもりだ」

彼女は頭をあげた。「やらかす? なぜ?」

「どんなダイヤでどんな列車を走らせているんだ?」

彼女は明るく笑ったが、やや疲れた声だった。「ジム、本当に、たまには社長室あての報告書を読んだ方がいいわよ」

「どういう意味だ?」

「過去三ヶ月間、サン・セバスチアン線のダイヤと列車はかわってないわ」

「一日旅客一便か?」

「――午前中はね。一晩おきに貨物がでています」

「何てこった! あんな重要な路線でか?」

「あんな重要な路線はその二便の採算も取れてないのよ」

「だがメキシコの人びとは、本物のサービスを求めている！」

「だと思うわ」

「かれらには列車が必要なんだ！」

「何のために？」

「それは……地場産業の発展を支えるためだ。輸送手段を与えないで、どうしてかれらの発展を期待できるのかね？」

「かれらの発展なんか期待していないわ」

「それは君の個人的意見でしかない。何の権利があってダイヤを縮小したりするんだか。まったく、銅の輸送だけでも充分採算が取れるだろうに」

「いつ？」

彼は妹を一瞥した。相手を傷つける力がある言葉を発しようとする人間の悦にいった表情だ。

「君はあの銅山事業の成功を疑っているわけではあるまいね？——事業を経営しているのがフランシスコ・ダンコニアだというのに」彼はその名前をことさら強調し、彼女を観察した。

「あの人はあなたの友達かもしれないけど——」

「私の？　てっきり君のかと思っていたよ」

彼女は落ち着きはらって答えた。「この十年は違うわ」

「それは残念だねえ。そうはいっても、やつが世界一きれる事業家だってことにかわりはない。やつは山をはずしたことはないし——いや、事業の山の話だが——自分のお金を何百万ドルもあの鉱山につぎこんでもいるんだ。だからやつの判断はまちがいない」

「フランシスコ・ダンコニアが役立たずのルンペンになったってことに、あなたはいつになったら気がつくの？」

彼はくすくす笑った。「前からそんなやつだと思っていたよ――やつ個人の人格についてはね。だが君の意見は違った。君の意見は反対だった。いやまったく、正反対だった！　むろん、この件でよく喧嘩したのは覚えているね？　君がやつについて言ったことをちょっと引用しようか？　君がしたことについては推測しかできないがね」

「あなたはフランシスコ・ダンコニアの話がしたいの？　そのために来たの？」

目論見がはずれ彼の表情は憤りに変わった――彼女の顔が変化しなかったからだ。「理由ならよくわかっているはずだ！」噛みつくように彼はいった。「メキシコの列車のことで耳を疑うことをきいたんだ」

「何？」

「どんな車両を使っているんだ？」

「見つかる限り最悪の車両よ」

「認めるのか？」

「あなたに送った報告書にはっきり書いてあります」

「薪式機関車を使っているってのは本当か？」

「エディーがルイジアナに放置された機関車庫でみつけてくれたの。鉄道の名前さえわからなくなっていたらしいわ」

「すると君はそんなものをタッガートの列車として走らせているのか」

「ええ」

「一体何を考えているんだ？　どうなっているんだ？　何がどうなっているのか教えなさい！」

　彼女は彼を真直ぐに見ながら、淡々として答えた。「知りたいというなら、サン・セバスチアン線にはがらくたしか残していません。それも最小限の。動かせるものはすべて――構内機関車も作業道具もタイプライターや鏡も――メキシコから動かしたわ」

「いったいぜんたい、なぜだね？」

「たかり屋が路線を国有化したときにたかるものがないようにしておくためです」

　彼は思わず立ち上がった。「そんなことじゃ済まさんぞ！　今度という今度は承知しないからな！　そんな下劣で口にするのも憚られることを言う神経がよく……たちのわるい噂があるだけで、二百年間有効な契約があるというのに――」

「ジム」ゆっくりと彼女はいった。「会社には余分な車両も、機関車も、石炭もないのよ」

「私は許さないぞ。我々の援助を必要としている友好的な人びとにそんなけしからん手口など、絶対に許さん。物欲がすべてじゃない。君にはわからないだろうが、やはり、物質的なもののほかにも考えるべきことがあるんだ」

　彼女は目の前のノートを引き寄せて鉛筆をかまえた。「いいわ、ジム。サン・セバスチアン線で何便の列車を運行する？」

「へ？」

「どの路線のどの便を削る？　ディーゼル機関とスチールの客車の調達に」

「どれも削ってほしくはない！」

「ならメキシコに送る車両をどこで手にいれろというの？」

「それは君が考えることだ。君の仕事だ」

「私にはできないわ。あなたが決めてください」

「それが君のいつもの汚いやり口なんだ――責任転嫁！」

「ジム、あなたの指示を待っているの」

「そんな罠にはまるもんか！」

彼女は鉛筆を落とした。「ではサン・セバスチアン線のダイヤはこれまで通りね」

「来月の取締役会まで待ってろ。それを限りに業務部門の越権行為がどこまで許されるかをはっきりさせる。おまえは回答をせまられることになるが」

「回答しましょう」

ジェイムズ・タッガートが退出して扉が閉まる前に、彼女は仕事に戻っていた。

彼女が仕事を終え、書類を脇にやって目を上げたとき、窓の向こうの空は闇で、街の建物の石壁は見えず、灯りのついたガラス窓の輝きだけが広がっていた。彼女はしぶしぶ立ち上がった。疲労感に少し負けた気がして口悔しいが、今夜疲れていることは確かだ。

オフィスの外は暗く空っぽだ。部下たちは帰り、エディー・ウィラーズだけが大部屋の隅の光るキューブのガラスの仕切で囲まれた机にいた。彼女は手で合図して部屋を出た。

彼女はエレベーターに乗り、入口の階を通り越して、タッガート・ターミナルのコンコースまで降りていった。そこを通って歩いて家に帰るのが好きだった。

駅のコンコースは神殿に似ている、と彼女はいつも思う。見上げれば巨大な御影石の柱に支えられた円天井がみえ、大窓の上部は暗闇にかすんでいる。頭上はるかから忙しく行きかう人びとを見守る円天井には、大聖堂の荘厳な静けさがあった。

コンコースの中心にあるのが鉄道の創始者、ナタニエル・タッガートの銅像だ。通行人は見慣れた風景に見むきもしないが、ダグニーだけは常に意識しており、慣れてしまうことができなかった。コンコースを通るたびに像を眺めるのが、彼女が唯一知っている祈りのかたちだ。

ナタニエル・タッガートはレールに鋼鉄が使われ始めた頃、裸一貫でニューイングランドからできて大陸横断鉄道を建設した実業家だった。彼の鉄道は現存するが、建設までの戦いは理解しがたく現実とは思えないものだったので、いまや伝説と化している。

他人が自分を阻止する権利を彼は認めようとはしなかった。目標を定め、それに向かって真直ぐなレールのように一途に行動した。政府からはいかなる借入金も、債権も、補助金も、土地の払い下げも、有利な立法措置も求めなかった。扉から扉――銀行のマホガニーの扉から一軒家の農家の羽目板の扉まで――を渡り歩き、自分の金を持つ人間から資金を調達した。公共の利益は何があっても口にしなかった。ただ彼の鉄道に投資すれば莫大な利益を得られると説き、なぜ利益が見こめるのかを語った。以後何世代にもわたり、タッガート大陸横断鉄道は倒産しなかった稀有な鉄道の一つであり、支配株式が現在も創始者の子孫に残っている唯一の鉄道会社だ。

存命中は「ナット・タッガート」の名前は、有名というより悪名高かったといえた。それは敬意ではなく憤懣まじりの好奇心をもって繰り返され、賞賛するものがいても、すごうでの山賊のように賞賛した。だが彼は一銭たりとも腕力や詐欺によって得たわけではない。自力で富を築き、それが自分の財産だと片時も忘れなかったというだけで、何の罪も犯してはいなかった。

彼については数多くの逸話がささやかれた。中西部の荒野では、鉄道がある州の半ばまで敷設された地点で既に下りていた認可を取り消そうとした州議会議員を彼が殺害したという疑惑があった。タッガート株の空売りでひと儲けを企てた議員たちがいたのだ。ナット・タッガートは殺人容疑で起訴されたが、容疑は立証されなかった。それ以降、彼と議会の間に問題が生じることはなかった。

ナット・タッガートは鉄道のために幾度となく命を賭けたと言われていた。だが時には自分の命より大切なものを賭けた。深刻な資金不足のために鉄道の建設を中断せざるをえなくなると、国庫からの借入をもちかけた有力者を階段の下までつき落とした。そして、彼を嫌っていたが彼の妻の美貌に魅せられていた大富豪から妻を担保に借入をした。借入金は期日通りに返済され、担保を差し出す必要はなかった。取引は妻の合意のもとに行われた。彼女は南部の由緒ある家の美女だったが、ナット・タッガートが若く貧しい野心家にすぎなかったときに駆け落ちして、家族から勘当されていた。

ダグニーはたまに、ナット・タッガートが祖先でなければよかったのにと思うことがある。彼に抱いている感情は、家族なるものへの無作為な情の部類ではない。その感情が叔父や祖父に感じるべきものであってほしくはなかった。彼女には自ら選びとっていない対象を愛することができず、そうした愛を求められたときは憤りをおぼえた。だがもしも先祖を選べたなら、心からの敬意と感謝をもってナット・タッガートを選んだことだろう。

ナット・タッガートの銅像は彼の容姿をあらわした唯一の記録である画家のスケッチを基に造られていた。彼は長生きしたが、スケッチの青年以外の彼を誰も想像できなかった。子どものころに銅像をみて、ダグニーは初めて高揚する感覚を知った気がした。教会や学校でその言葉をきくたびに、その意味ならわかる、あの像がそうだ、と思ったものだ。

像は角張った顔のすらりとした長身の青年の姿だ。それはゆくての挑戦を勇んで受けてたつ喜びにあふれていた。ダグニーが人生に求めたすべては彼のように頭をあげて前を向いていたいという願望のなかにあった。

今夜コンコースを歩きながら、彼女は銅像を眺めた。くつろげるひとときだ。口にしなかった重荷がとかれ、額をそよ風がなでていく。

コンコースの片隅、中央出口の傍に小さな売店がある。店主は物静かで礼儀正しく、教養のありそうな老人で、二十年間そこで煙草を売っていた。彼はかつて経営していた煙草工場が倒産したあと、途絶えることのない雑踏にまぎれた小さな店の孤独な暗闇にひきこもることにした。家族も友達もいない。唯一の娯楽は世界中の煙草を収集することであり、これまでに製造されたあらゆる銘柄に精通していた。

ダグニーは帰り道にその売店に立ち寄ることがあった。老人はタッガート・ターミナルの一部であり、主人を守るには弱すぎるが、必ず傍にいて安心させる番犬のようだった。老人も彼女が来るのを楽しみにしていた。人ごみのなか、スポーツコートを着て帽子を斜めにかぶり、急ぎ足でやってくる若い女性の重要さを自分だけが知っていることが嬉しかった。

今夜も彼女は、いつものように煙草を買おうとしてたちどまった。「コレクションはいかが？なにか新種でも？」

老人は悲しげに微笑して頭を振った。「いいえ、タッガート様。世界中で、新しい煙草を作っているところはもうありません。昔からのものもどんどんなくなっていきます。いま売れているブランドは五つか六つ。昔は何十とありましたのに。もう誰も新しいものを作ろうとしないのです」

「そんなことないわ。一時的なことです」

老人はダグニーを凝視したまま答えなかったが、しばらくして口を開いた。「タッガート様、煙草はいいものですね。火という危険な力が指先で馴らされて、人間の手の中に明かりを灯しつづけられるのは。私はよく、人が煙草の煙をみながら一人座って思考する時間について考えるんですよ。その時間にどんな素晴らしいものがうまれてきたか。人が思考するとき、頭の中には一点の火が灯されている――その表現として煙草の火の光はふさわしい、と」

「人が思考することなんてあるのかしら」無意識に言ってから、彼女ははっとした。この疑問は彼女を苦しめてきた傷であり、口にしたいことではない。

老人は突然の沈黙の意味に気づいたようだが、それにはふれずにいった。「タッガート様、私には人びとによくないことがおこりつつある気がします」

「どんな?」

「よくわかりませんが、私はここで二十年間、ものごとの変化をみてきました。昔、人は走るようにここを駆け抜けていったもので、見ていて気持ちよかった。あれは目的をもって早くそこにたどり着きたがっている人間の忙しさだった。このごろは誰もが何かに怯えて急いでいる。目的じゃなく不安に駆られて。ゆくあてもなく、逃げるように。しかも自分でも何から逃げたいのかわからないようなんです。互いを見ようともしない。人の肩がかすっただけでびくつく。やたら笑ってみせるが、愉快な笑顔じゃない、媚びる顔です。世界はどうなっちまったのか」老人は肩をすくめた。

「やれやれ、ジョン・ゴールトって誰?」

「そんなの無意味な言葉でしかないわ!」

彼女は自分の声の棘に驚き、わびるようにつけたした。「そのくだらないスラングは好きじゃないの。どういう意味かしら?　何からきているのかしら?」

「誰も知りません」老人はゆっくりと答えた。

「どうして使い続けるのかしら?　誰も説明できないのに意味を知っているように使っているわ」

「何がお気に障るのです?」老人はたずねた。

「それを言うときに意味しているらしいことが好きじゃないの」

「タッガート様、私もです」

＊　＊　＊

エディー・ウィラーズはタッガート・ターミナルの社員食堂で夕食をとることが多い。ビルにはタッガート役員用のレストランもあったが、そこは落ち着かない。この食堂は鉄道の一部に思えてくつろぐことができた。

食堂は地下にあった。電球の光が反射して白いタイル張りの壁が輝き、銀の織物のようにみえる。そこには高い天井とガラスとクロムのぴかぴか光るテーブル、空間と光の感覚があった。

この食堂で、エディー・ウィラーズがたまに会う従業員がいた。エディーの好きな顔立ちの男だ。あるときふとしたきっかけで言葉をかわし、みかけると一緒に食事をするようになった。

エディーはその従業員の名前をきいたかどうかも、仕事の内容も忘れてしまった。油のしみがついた地の粗い作業服からすると、たいして重要な仕事ではないだろう、と思っていた。男は彼にとって、人というよりも、彼が人生を捧げているひとつのこと、タッガート大陸横断鉄道に同じく強烈な関心をもつ静かな存在だった。

今夜、遅い時間に下に降りたエディーは、人影まばらな食堂の片隅のテーブルにその従業員の姿をみつけた。エディーはにっこり笑い、手で合図し、食事のトレイをもってその従業員のテーブルに向かった。

片隅で二人きりになると、エディーは長い一日の疲れがとれて楽になるのを感じた。テーブルの向こうから真剣なまなざしで自分を見ている男を前にすると、ほかでは話せないことを話すことができ、誰にもうち明けられないことを告白することができ、声にだして考えることができる。「リオ・ノルテ線は最後の希望なんだ」エディー・ウィラーズは言った。「だが僕らはそれで救われる。一番需要が高い地域によい線がひとつあれば、ほかも救える……変なものだな。違うか？――タッガート大陸横断鉄道の最後の希望なんて。隕石が地球を破壊するといわれたら本気にするかい？……僕も信じない……『大洋から大洋まで。永遠に』――子どものころからずっときかされつづけてきたんだ。彼女も僕も。いや、本当は『永遠に』なんてなかったがそういう意味だった……ねえ、僕はすごい人間じゃない。逆立ちしたって鉄道なんか作れやしない。なくなってしまったらもとにもどせない。一緒につぶれるしかない……ごめん、ひとりごとだと思ってくれ。何でこんなこと言いたいんだか。たぶんちょっと疲れているんだ……ああ、遅くまで残業していた。彼女に頼まれたわけじゃないが、みんなが帰った後もずっと扉の下から灯りがもれていて……ああ、もう家に帰ったよ……問題？　この会社に問題のないときなんてないぜ。だけど彼女は心配してない。切り抜けられるとわかっているんだ……もちろん、ひどいものだ。実際、耳にするより事故は多い。先週も二つディーゼル機関車がやられた。ひとつは寿命だったが、もうひとつは正面衝突……ああ、ディーゼル機関車の発注はしてある。連合機関車製作所だが二年も待たされてるんだ。いったいいつ届くことやら……ああ、必要だとも！　動力機関ってものがどれほど重要かきみには想像もできないだろう。すべての中心なんだ……何で笑うんだい？……まあね、さっきもいったけど、ひどい状況だ。だが少なくとも、リオ・ノルテ線はもう安心だ。二週間以内に最初のレールが現地に届く。あと一年で、新しい線路で最初の列車を走らせる予定だ。こんどは誰にも邪魔されない……ああ、レールを敷く業者ならもちろん知ってるぜ。クリーブランドのマクナマラ。サン・セバスチアン線を完成させてくれた施工業者だ。自分の仕事がわかっている人間が少なくとも一人はいる。だから安心だ。信頼できる。いい施工業者はあまり残ってないけど……死ぬほどいそがしいけど嫌じゃない。いつもより一時間早く出社してるのに、彼女には勝てない。毎朝誰よりも早いんだ……何？……夜何をやっているかなんて知らないよ。とくにこれといって……いや、誰とも出かけたりはしてないな。たいてい家で音楽をきいてるみたいだ。レコードをかけて……どのレコードって、なぜそんなことを訊くんだい？　リチャード・ハーレイだ。彼女はリチャード・ハーレイの音楽が大好きなんだ。鉄道以外で心から好きなものといったらそれだけだな」

第四章　不動の起動者

最初に必要なのは動力だ。黄昏のタッガートビルを見上げて、ダグニーはおもった。動力が建物を支えている。動きがそれを不動にしている。御影石に打ちこんだ土台ではなく、大陸をかけめぐる機関車がそれを支えているのだ。

漠然とした不安が頭をよぎった。彼女はニュージャージーの連合機関車製作所の工場に出張して帰ってきたところだった。社長に直接面会にいったのだ。だが何も判明しなかった。納期が遅れている原因も、ディーゼル機関車の生産再開の見通しも。社長は彼女と二時間話しつづけた。だが回答は質問とは無関係なことばかりだった。会話を具体的にしようとするたびに、彼はあたかもそれが、誰もが知っている不文律を破る育ちの悪さの証拠だというような、冷ややかで非難がましい態度を示した。

工場を通りぬけるとき、大型機械が構内の片隅に放置されているのがみえた。いまとなっては入手不可能な種類の精密工作機械だったものだ。機械は磨滅ではなく怠慢のために腐食し、さびと汚れた油の黒い滴りにまみれていた。彼女は顔をそむけた。こうした光景を見るたびに盲目的な激しい怒りがこみあげてくる。なぜかはわからない。自分の気持ちも釈然としない。わかったのはただ自分の気持ちのなかに不正に抗議して叫びたい気持ちがあり、それは古い機械よりも重要な何かへの反応だということだけだ。

オフィスの前の部下たちは既に帰宅していたが、エディー・ウィラーズだけは彼女を待ちつづけていた。彼の様子と、彼女のあとから黙ってオフィスに入ってきたことから、何かあったらしいとすぐにわかった。

「エディー、どうしたの?」

「マクナマラが辞めた」

彼女は呆然として彼を見た。「辞めたって、どういうこと?」

「いなくなった。引退した。会社をたたんだ」

「マクナマラって、施行業者の?」

「ああ」

「だけどありえないわ!」

「わかってる」

「何が起こったの?　なぜ?」

「誰も知らない」

わざとゆっくり時間をかけてコートのボタンを外し、机に座ると、彼女は手袋を脱ぎはじめた。

「はじめから話して、エディー。座って」

彼は静かに話しはじめたが、立ったままだった。「電話であちらの技監と話した。技監がクリーブランドから電話してきたんだ。それしかきいてない。彼はそれしか知らなかった」

「何て言ったの?」

「マクナマラが会社をたたんで消えたって」

「どこに?」

「彼は知らない。誰も知らないんだ」

気がつくと、手袋を脱ぎかけて、片手でもう片方の手袋の指を二本握ったままだった。彼女は手を引き抜くと、机に手袋を落とした。

エディーは言った。「大口の契約をいくつも放置したまま消えたらしい。キャンセル待ちの顧客リストは三年先まで埋まっていたそうだ……」彼女は何も言わなかった。低い声で、彼は続けた。「理由がわかれば不安になったりしないのに……だけど理由が考えられないなんて……」彼女は黙ったままだった。「全米で最高の施行業者だったのに」

二人は顔を見合わせた。彼女は本心では「エディー、どうしましょう！」と言いたかったが、代わりに冷静な声で、彼女はいった。「心配しないで。リオ・ノルテ線には別の施工業者をみつけましょう」

彼女がオフィスを出たのは遅かった。外に出てビルの入口の歩道で立ち止まり、通りを眺めた。モーターが壊れて動かなくなったかのように、彼女はにわかに気力も、目的も、欲求も尽きた気がした。

どこからかくる何千もの光を反射して、街の電気の吐息のように、建物の後ろから空にかすかな輝きが流れている。休息が欲しい。安んで、何か楽しいことを探したい、と彼女はおもった。

彼女には仕事しかなく、それしか欲しくなかった。だが時に今夜のように妙な空虚さ、それもただの空虚さではなく、しんとした静けさ、絶望ではなく、内側で何が壊れたわけでもないのに、何もかもとまってしまったような停滞感を突如おぼえることがある。そんなとき、外の世界でひときの喜びを見つけたい、受身の傍観者として何かの業績や偉大な光景をみていたい、と彼女は感じた。作るのではなく受け入れたい。始めるのではなく応えたい。創造するのではなく賛美したい、と。わたし自身が動き続けるために。喜びは人の燃料だから。

わたしはいつも――可笑しさと痛みを同時にたたえた微笑を浮かべて、彼女は目を閉じた――わたし自身の幸福の原動力だった。一度でいい、誰かの仕事の成果の力で引っぱられたい。自分の仕事の成果として、人間の能力と目的の証として、明かりのついた列車の窓が通り過ぎる光景は、空っぽのだだっ広い平原の真ん中で夜の闇に佇む人びとを力づけ、愛されてきた。だからいまひととき、短い挨拶のように、ひとめ見るだけでいい、自分もそれを感じたい。ただ手を振ってこう言いたい。誰かがどこかへ向かっている……

コートのポケットに手を入れて、彼女はゆっくりと歩き始めた。頬には斜めにかぶった帽子の影が落ちている。周りの高層ビルは視界から空をしりぞけるほど高い。この街を建設するには実に多くのものが注ぎこまれている。街が提供してくれるものはたくさんあるはずだ、と彼女はおもった。

店頭の黒いラジオのスピーカーから、けたたましい音が通りに鳴り響いている。街のどこかで開かれている交響楽団のコンサートだ。気まぐれに肉と皮が引き裂かれるような、しまりなく間伸びした甲高い音。形を与える旋律も調和も韻律もなく散っている。音楽が感情であり、感情が思考からくるならば、これは非合理的なものと、無能さと、自己放棄が混沌と騒音をたてているだけだ。

彼女は歩きつづけた。本屋の陳列の前で足をとめた。平積みにされた本の茶ばんだ紫色の表紙には『禿鷹の羽は生え変わる』としるされている。チラシには「世紀の小説」とある。「ビジネスマンの強欲を徹底的に追及。人間の堕落を大胆に暴く」

彼女は映画館の前を通り過ぎた。そこからの光が区画の半分を占め、巨大な写真と文字を赤々と宙に浮かびあがらせている。写真は微笑する若い女性だが、初めてみるにもかかわらず、どこかみあきたような顔だ。文字は「……大いなる問題に答える画期的ドラマ。女は真実を語るべきか」とあった。

彼女はナイトクラブの入口を通り過ぎた。カップルが足をふらつかせてタクシーから降りた。うつろな目の若い娘は額に汗をにじませ、イタチ皮のケープをはおって美しいイヴニングドレスを身につけているが、片方の肩がだらしない主婦の浴衣のようにずり落ちて胸が露出していた。大胆にではなくあくせく働く日雇い人夫のように無頓着に。男はむきだしの腕をつかみ、女を引っ張りまわしていた。恋の冒険に胸躍らせる表情ではなく、卑猥な言葉を壁にかきちらす子どものようなずるい顔つきで。

他に何が見つかると思っていたのだろう、と彼女は歩きながら考えた。こんなものによって人は生活し、精神を、文化を、快楽を形づくっている。どこでも、もう何年も、こんなものしかみていなかった。

近所の街角で新聞を買い、彼女は家に帰った。

彼女のアパートは高層ビルの最上階の二部屋だ。リビングルームの角は全面ガラス張りで部屋を走る船の舳先（へさき）のようにみせており、街の明かりは鋼鉄と石の黒い波に散る燐光のようだ。ランプをつけると、いくつかのシンプルな家具に遮られた光線が、何もない壁に長い三角形の影を落とし、幾何学模様をつくった。

部屋の真ん中、空と街の間でひとり、彼女は立ちどまった。今夜味わいたい気分を与えてくれるものはひとつしかなく、それは彼女が見つけた唯一の娯楽の形だ。彼女はリチャード・ハーレイのレコードをかけた。

それは彼が最後に書いた協奏曲第四番だ。冒頭の和音の衝突をきくと、街なかでみた光景は頭から一掃された。協奏曲は反逆の叫びだった。果てしない苦悩の道程に投げつけた拒絶、業苦の否定、解放のための闘争の苦悩の否定。音は語っていた。苦しむ必要はない――ならばなぜ、その必要を認めない人間を選んで、もっとも激しい痛みが与えられるのか？――愛と喜びの秘密を知るわれわれは、何の罰を誰によって宣告されているのか？……苦悩の響きが挑戦に変わり、苦悩の告白が遠い憧憬の賛美にかわった。そのためならこの苦しみにさえ耐え続ける価値はある。それは反逆――必死の探求の歌だった。

彼女はじっと座ったまま、目を閉じて耳を傾けていた。

リチャード・ハーレイに何がおこったのか、なぜ姿を消してしまったのかは誰にもわかっていない。彼の人生の物語は、支払われる代価をみせて偉大さをおとしめるために書かれた要約のようだった。それは屋根裏と地下室で過ごした年月、鮮烈な色彩にあふれる音楽をつづる男を灰色の壁に閉じこめた年月の積み重ねだった。それは安アパートの暗く長い階段、凍てついた水道管、悪臭が漂うデリのサンドイッチの値段、虚ろな目で音楽をきく人びととの戦いの色だった。激しさで解放されることもなく、意識するに能う敵がいない戦いで、叩いても音の届かない壁だけがあった。無関心というもっとも効果的な防音装置つきの壁は演奏も調べも響きも呑みこんでしまった。それは音にたぐいまれなき雄弁さを与える作曲家に課せられた、無名さと孤独の静かなる戦いだった。まれに管弦楽団が彼の作品を演奏する夜、ラジオ塔から街の空へ拡がってゆく自らの魂の震えを思い描きながら、彼は暗闇を見つめた。だがそれを受信する人間がいなかった。

「リチャード・ハーレイの音楽には英雄的な性質がある。我々の時代がとうに脱したものだが」ある批評家がいった。「リチャード・ハーレイの音楽は時代とずれている。陶酔の響きがあるが、いまどき誰が陶酔したいだろう？」別の批評家が書いた。

彼の人生は、本人に報酬が意味をもつ時から一世紀あとに公園の像となるのが報酬だったすべての男たちの人生の要約だった。ただリチャード・ハーレイは死ぬのが遅すぎた。歴史の通例にしたがえば見なくてすんだはずの夜を生きてみてしまったのだ。彼が四十三歳のとき、二十四歳で作曲したオペラ『パエトン』が再演された初日の夜のことだ。彼は古代ギリシア神話を自分の意図と解釈にそって作りかえた。ヘリオスの息子、青年パエトンは、父の日輪車を盗み、勇猛果敢な野心をもって空を駆けめぐり、神話で滅んだようには滅びなかった。ハーレイのオペラではパエトンは成功した。オペラは十九年前に上演され、初日にブーイングとヤジをあびて中止となった。その夜、リチャード・ハーレイは夜明けまで街をさまよい歩き、ある疑問への答えを探し続けた。答えは見つからなかった。

十九年後、同じオペラが上演されたとき、曲の最終節はオペラハウス始まって以来の大喝采にかき消された。歓声は旧式の建物の壁にはおさまりきらず、ロビーに、階段に、街に、そして十九年前にその道を歩いた少年にこだました。

ダグニーはその夜喝采した聴衆の中にいた。彼女はリチャード・ハーレイの音楽をいち早く知った数少ない人間の一人だったが、生で本人をみたのははじめてだった。舞台に押し戻され、手を振り歓声を上げる人びとのとてつもない広がりと向き合う作曲家を彼女はみた。白髪まじりの背の高いやせた作曲家は身動きもせず立っていた。お辞儀もせず、笑いもせず、聴衆を見て立ちつくしていた。彼は静かに、真摯にある疑念と向き合っていた。

「リチャード・ハーレイの音楽は人類の財産だ」翌朝、批評家が書いた。「それは人びとの偉大さの産物であり、表現なのだ」「リチャード・ハーレイの人生には人を勇気づける教訓がある」ある神父はいった。「悲惨な闘争がなんだろう？　兄弟たちから試練を与えられ、不当な扱いをうけ、中傷されて耐え忍んだのは立派で尊いことだ――兄弟たちの生活を豊かにし、偉大なる音楽の美の真価を教えることができたのだから」

初日の翌日、リチャード・ハーレイは引退した。

何の説明もなかった。ただ発売元に作曲家としての活動が終わったことを告げた。そしていまや印税で莫大な富が手に入るとわかっていたにもかかわらず、作品への権利をわずかな金額で売却すると、行く先を残さず姿を消した。八年前のことだ。それ以来彼をみたものはいない。

ダグニーは頭を後ろに投げ出して目を閉じ、協奏曲第四番を聴いていた。長椅子の片側に体を半分伸ばし、くつろいでじっとしていた。表情は動かなかったが、張りつめた気持ちが切望を描いた官能的な口の形を強調していた。

しばらくして彼女は目を開けた。長椅子に放り投げてあった新聞が目についた。彼女は無意識に手をのばして、くだらない見出しを視界からはらいのけた。新聞は床に落ちて開いた。彼女がよく知っている顔の写真と記事の見出しが目にとびこんできた。彼女はさっと頁を閉じると脇に放り投げた。

フランシスコ・ダンコニアの顔だ。見出しは彼のニューヨーク到着を告げている。だから何、と彼女はおもった。会う必要なんかない。もう何年も会っていないのだ。

彼女は座ったまま床の新聞を見おろしていた。読んじゃだめ、と彼女はおもった。見てはならない。でも顔が変わっていない。ほかのすべてがなくなってしまったいま、顔だけはどうして昔のままなのだろう？　笑っている写真なんか撮らなければいいのに。新聞に似合う笑顔じゃない。生きる喜びを見て、知って、創造できる男の顔だ。輝く知性の嘲笑的で挑戦的な笑顔。読んではならない。今はだめ。あの音楽をききながらなんて――ああ、あの音楽をききながらなんて！

彼女は新聞に手を伸ばし、それを開いた。

記事によれば、フランシスコ・ダンコニア氏はウェイン・フォークランド・ホテルのスイートで記者会見をした。いわく、今回のニューヨーク訪問には二つの重要な目的があり、ひとつはカブ・クラブのクローク係の女の子で、もう一つは三番街のモエズ・デリのレバーソーセージだ。ギルバート・ヴェイル夫妻の離婚裁判については何も言わなかった。高貴な家柄のたぐいまれな愛らしい淑女であるヴェイル夫人は数ヶ月前、有名な若い夫に発砲し、恋人のフランシスコ・ダンコニアのために厄介払いをしたかったと公言した。夫人はアンデスの山奥にあるダンコニアの別荘で過ごしたおおみそかの夜の描写もふくめ、秘密の恋の顛末を記者たちにことこまかに語った。夫は銃傷から回復して離婚訴訟を起こした。夫人は逆訴訟で夫の私生活を暴露し、それに比べれば彼女自身は潔白同然だと主張して夫の財産の半分を要求した。何週間も新聞で騒がれていた事件だ。だがダンコニア氏は記者がそれについていてたずねても何も言うことはないといった。ヴェイル夫人の話を否定するか、ときかれて「僕は何も否定しない」と答えた。記者たちは彼の突然のニューヨーク来訪に驚いていた。新聞の一面を騒がせている醜聞の渦中にとびこみたいとはおもわないだろうと考えたからだ。だがかれらは間違っていた。フランシスコ・ダンコニアは訪問の目的としてもうひとつコメントを付け加えた。「茶番をこの目でみたかったからね」

ダグニーの手から新聞がすべり落ちた。彼女は座ったまま突っ伏して、頭を腕にうずめた。動かなかったが、膝に垂れたひとすじの髪が、時折、激しい嗚咽で震えた。

ハーレイの音楽の壮烈な音が部屋を満たし、窓ガラスを貫き、街にあふれでていった。彼女は音楽をきいていた。それは彼女の探求であり、叫びだった。

＊
＊
＊

ジェイムズ・タッガートは自分のアパートのリビングをみわたして、いま何時だろうとおもった。腕時計を探すのはおっくうだ。彼はアームチェアに腰掛け、皺だらけのパジャマを着ており、裸足だった。スリッパを探すのは面倒すぎる。窓の灰色の空の明かりが寝ぼけ眼に痛い。頭がやけに重く、いまにも疼きだしそうだ。何だってリビングなんかに出てきちまったんだろう、と彼は苦々しくおもった。ああ、そう、時間をみるためだった。

彼は椅子の肘に横向きに寄りかかり、遠くのビルにある時計をみた。十二時二十分だ。

開けっぱなしの寝室の扉の奥にある浴室からベティー・ポープが歯を磨く音がきこえた。ガードルと服が椅子の脇に落ちている。色褪せたピンクのガードルはゴムが切れていた。

「急いでくれないか？」彼はいらついて声をあげた。「着替えなきゃいけないんだ」

彼女は答えなかった。浴室の扉は開いたままで、うがいの音がきこえる。

なぜ自分はあんなことをやるんだろう、と昨夜を思い起こして彼は思った。だが答えを探すのは面倒すぎた。

ベティー・ポープが、オレンジと紫の格子柄の、サテンのネグリジェの裾をひきずりながらリビングにでてきた。この女のネグリジェ姿はみられたものじゃないな、とタッガートはおもった。新聞の社交欄でみた乗馬姿の写真はよほどましだった。骨っぽいやせぎすのゆるんだ関節は滑らかに動かないようだ。家庭的な顔で血色が悪く、由緒ある家柄で育ったという事実からくる、人を小ばかにした顔つきをしている。

「もう、やだわ！」彼女はのびをしながら、何とはなしにいった。「ジム、つめ切りはどこ？　足のつめを切らなきゃ」

「知らないな。頭が痛いんだ。家でやれよ」

「あなた、朝はぱっとしないのね」彼女は無頓着にいった。「かたつむりみたい」

「ちょっと黙ってくれないか?」

彼女はあてもなく部屋のなかをみまわした。「家に帰りたくない」彼女の声に特別な感情はこもっていない。「朝は嫌い。また一日あって何もやることがないの。今日の午後はリズ・ブレインの家でお茶会。まあいっか、面白いかも。リズはあばずれだし」彼女はグラスを手に取り、気の抜けた酒の残りをごくりと飲んだ。「空調をなおさせれば? この部屋、臭いわ」

「浴室はもう済んだのか?」彼はたずねた。「着替えなきゃならん。今日は大事な用事があるんだ」

「どうぞ。いいわよ。一緒に使っても。せかされるのは大嫌い」

彼が髭を剃る間に、開け放った浴室の扉の前で服を着る女がみえた。女はガードルにもたもたと身をよじらせて入れ、ストッキングを靴下どめにかけ、仰々しく高価そうなツイードのスーツを身につけた。格子柄のネグリジェは最先端のファッション雑誌の広告を見て買ったもので、女はきまった場所へ制服を着ていくように、特定の目的のためにネグリジェを律儀に身につけ、そして捨てた。

二人の関係のありかたもそれと同じ性質を帯びていた。情熱も、欲望も、実際の快楽も、羞恥心さえもない。かれらにとって、性行為は喜びでも罪悪でもない。何の意味もないものだ。かれらは男と女は寝るものだときいていたので、そうした。

「ジム、今夜あのアルメニア料理屋に連れてってくれない?」彼女がたのんだ。「わたしシシカバブが大好きなの」

「だめだ」彼は顔に塗った石鹸の泡の下から怒ったように答えた。「今日は忙しい」

「キャンセルすれば？」

「何だって？」

「何だか知らないけど」

「きみね、とても重要なことなんだよ。取締役会なんだ」

「あら、鉄道なんかのことでえらぶらないでよ。うんざり。ビジネスマンは嫌い。たいくつ」

彼は答えなかった。

彼女は意地悪な目つきをし、俄然いきいきした声でゆっくりといった。「どのみち会社じゃあなたはたいした仕事はしてない、業務をしきってるのは妹のほうだからってジョック・ベンソンが言ってたわよ」

「ふん、あいつがな」

「ひどい妹をもったものね。ぞっとするわ——女が機械工みたいに振舞ったり、重役を気取ってみせたりして。ほんと女らしくない。だいたい何様のつもりかしら」

タッガートは敷居まで歩いていった。そして側柱に寄りかかり、ベティー・ポープを観察した。そして皮肉で自信に満ちた微笑を浮かべた。この女とは一つ共通点がある、と彼はおもった。

「いいことを教えてやろう」彼はいった。「今日の午後、妹を痛い目にあわせてやるつもりだ」

「うそでしょ？」興味ありげに、彼女はいった。「ほんと？」

「だから今日の取締役会はとても重要なんだ」

「ほんとに彼女を追い出すつもり？」

「いや、その必要はないし賢明でもない。ただ分をわきまえさせてやる。こういう機会をずっと待っていたんだ」

「何かつかんだことでもあるの？　スキャンダルとか？」

「いやいや、きみにはわからんことだ。ただあいつ、ですぎた真似をしたから、こんどばかりは思い知らせてやる。誰にも相談せずに、許しがたい策を弄したんだ。メキシコの隣人に対するたいへんな侮辱だ。取締役会がそのことを知ったら、業務部門に新しい裁定をくだすだろうだから、妹も少しは扱いやすくなろうというものだ」

「あたまいいのね、ジム」彼女がいった。

「着替えた方がいいな」彼は嬉しそうだった。そして洗面台の方を向くと、機嫌よくつけたした。

「今夜きみと出かけて、シシカバブをおごってやってもいいかもしれん」

電話のベルが鳴った。

彼は受話器を取った。交換手がメキシコ・シティーからの長距離電話だと告げた。受話器の向こうから聞こえるヒステリックな声は、彼のメキシコのロビイストだ。

「ジム、しかたなかったんだ！」声が詰まった。「どうにもならなかった！……何の警告もなかった。誓ってもいい。誰も疑わなかったし、予想してなかった。全力を尽くしたんだから僕のせいじゃないよ、ジム。晴天の霹靂だ！　布告が出たのは今朝、ほんの五分前、予告なしにふっかけられたんだ！　メキシコ人民共和国政府がサン・セバスチアン鉱山とサン・セバスチアン鉄道を国有化した」

＊　＊　＊

「……従いまして、取締役の皆様におかれましてはどうかご安心ください。今朝の事件はまことに遺憾な展開ながら――ワシントン内部の外交政策の形成過程に関して私が知る限り――我国の政府はメキシコ人民共和国政府との公正な和解に尽力する構えであり、わが社はその資産に対し完全で正当な代償を受け取ることができると確信しております」

ジェイムズ・タッガートは長いテーブルで、取締役に演説をしていた。明瞭単調な声が無難さを示唆している。

「ですが幸い、私自身こうした展開を予期いたしまして、タッガート大陸横断鉄道の利益の保護のため可能な限り事前策を講じてまいりました。数ヶ月前、私の指示により、業務部門ではサン・セバスチアン線のダイヤを一日一便に削り、最新式動力機関、車両、及び移動可能な設備はすべてメキシコ領土から動かしてあります。メキシコ政府が押収できたのは木製の貨車数両と老朽化した機関車だけです。私の決断により、会社は数百万ドルの損失を免れました――正確な数字を計算してご報告いたします。しかしながら、株主の皆様からは、事業の主たる責任者を職務怠慢に問うことを要求されて然るべきと感じております。従いまして、サン・セバスチアン線の敷設を提言した経済諮問委員のクランス・エディングトン氏、及びメキシコ・シティーの駐在員であるジュール・モット氏の辞任要求を提案いたします」

男たちは長いテーブルの周りでじっと演説をきいていた。かれらは自分が何をしなければならないかではなく、自分が代表する団体の人間に何を言わねばならないかを考えていた。タッガートの演説はかれらが必要としていたものだった。

＊　＊　＊

タッガートがオフィスに戻ると、オルレン・ボイルが待ちかまえていた。二人きりになった途端、タッガートは形相を変えた。机にぐったりと寄りかかる彼の顔面は蒼白だ。

「で?」彼はたずねた。

ボイルはお手上げだというように両手を左右にひろげた。「確認したぜ、ジム。まちがいない。ダンコニアがあの鉱山ですった千五百万はやつ自身の金だ。いや、まやかしくさいところはない。小細工もない。自分自身の金をすっちまったんだ」

「だとしたら、やつはどうするつもりだ?」

「それは――どうするんだか。誰にもわからんだろう」

「やつがやられっぱなしのはずがない。きれる男だ。奥の手があるはずだ」

「だといいが」

「悪賢い守銭奴をことごとくだし抜いてきた男だ。メキシコ野郎の政治屋どもの布告なんかにやられるもんか。なにか握っているにちがいない。それが暴露されるときには絶対に乗り遅れないようにしないとな!」

「きみ次第だぜ、ジム。やつの友達なんだから」

「友達だと!　やつには我慢ならないんだ」

彼はボタンを押して秘書を呼びだした。秘書はためらいがちに、憂鬱な顔で入ってきた。血色が悪く、没落家族の行儀のよさのあるあまり若くはない青年だ。

「フランシスコ・ダンコニアとのアポはとれたか」タッガートがぶっきらぼうに言った。

「いいえ、社長」

「だが、このやろう、電話しろと……」

「社長、だめでした。やってみましたが」

「なんだ、もう一度かけなさい」

「つまり、アポがとれなかったのです」

「なぜだ?」

「あの方に断られました」

「やつが面会を断ったという意味か?」

「はい、社長、そういう意味です」

「私に会おうとしないという意味か?」

「はい、社長、そうです」

「やつと直接話したのか?」

「いいえ、社長、あの方の秘書と話しました」

「やつは何と言ったんだ?　正確に何といったんだ?」青年は躊躇し、ますます憂鬱そうな顔をした。「何と言ったんだ?」

「社長、ダンコニア氏はあなたは退屈だからとおっしゃったそうです」

＊　＊　＊

可決された決議案は「共食い防止協定」として知られていた。晩秋の黄昏が深まる大会議室に座した全米鉄道連盟の会員たちは、投票するときも互いに目をあわせなかった。

全米鉄道連盟は、鉄道産業の利益を守るために結成された団体だ。それは共通の目的のために協力する手段を作り出すことによって達成されるとされ、そのため全会員は産業全体の利益をそれぞれの利益に優先させるという誓約をした。産業全体の利益は多数決で決定し、会員は多数が下した決定に従う義務があった。

「同業者は団結すべきだ」連盟の発起人は述べた。「我々は皆、おなじ問題、おなじ利益、おなじ敵をもっている。にもかかわらず社会に対して共同戦線を張らず内輪もめに無駄な労力を費やしている。力をあわせればみながともに成長し、繁栄できる」「誰に対してこの連盟は結成されたのかな?」懐疑論者がたずねた。答えはこうだった。「いや、誰かに『対する』わけじゃない。だがいうなれば、ま、運送業者や部品製造業者、ほかの誰でも、我々を利用しようとする人間だ。連合組織ってものが誰に対して結成されるかわかるかな?」「それがわからないんだ」懐疑論者がいった。

共食い防止協定が初めて公表されたのは、年次総会で集まった全米鉄道連盟の全会員に票決のために提出されたときだ。だが全員が既にそれを聞いて知っていた。協定は長いあいだ、とりわけこ三ヶ月は非公式に議論されていた。大会議室に座していたのは鉄道会社の社長たちだ。かれらは共食い防止協定が好きになれず、議題にのぼらないように願っていた。だが決議案が提出されると、賛成票を投じた。

投票に先立つ演説では鉄道の名前はあがらなかった。演説は公共の福祉にのみ言及した。公共の福祉が輸送手段の欠乏に脅かされる一方、鉄道会社は「野蛮な共食い的経営方針」による悪質な競争で互いを破壊しつつある。列車の運行がうちきられた荒廃地域があるいっぽう、一社で足りる輸送需要をめぐって二社以上の鉄道が争っている大きな地域がある。歴史の浅い鉄道には荒廃地域に素晴らしい機会がある、といわれた。現在そうした地域は経済的誘因が乏しいのは事実としても、鉄道の主たる目的は利益ではなく公益事業なのだから、公共心のある鉄道は生活の苦しい住民に交通手段を提供すべきだろう、といわれた。

さらに歴史ある大鉄道は公共の福祉に不可欠であり、そうした大会社の倒産は国家的大惨事を招くだろう、かりにそうした組織が、公共心あふれる国際親善に貢献しようとして致命的な損失をこうむったとすれば、その打撃から立ち直るために公的補助をうける資格がある、といわれた。

鉄道の名前はあがらなかった。だが議長が厳粛に手を挙げて採決の合図をしたとき、全員がフェニックス・デュランゴ社長のダン・コンウェイに注目した。

反対票を投じたのは五名にとどまった。だが議長が決議案の通過を告げると、喝采も承認の声もなく、誰一人動かず、ただ重苦しい沈黙だけがあった。最後の瞬間まで、全員ひとり残らず、誰かが自分たちをそれから救ってくれればと願っていた。

共食い防止協定はかなり前に国会で可決された法律の「施行強化」のための「自主規制」と説明された。協定は全米鉄道連盟の会員に「破壊的な競争」と定義づけた営業活動を禁じるものだった。指定区域では二社以上の営業は許可されず、区域内で現存する最も古い鉄道が先任権を得て、同地域に不適当に浸入した新参会社は訓令より九ヶ月以内に業務を停止すべきことが規定された。指定区域の決定は、全米鉄道連盟の幹部会に全面的にゆだねられることになっていた。

閉会と同時に参加者は足早に去っていった。個別に話をしたり雑談に興じたりする者はおらず、大会議室はあっという間に空っぽになった。ダン・コンウェイに話しかける者も、彼をみる者もいなかった。

ロビーでジェイムズ・タッガートはオルレン・ボイルに会った。約束していたわけではなかったが、大理石の壁を後ろにこちらへ向かって来る太った影をみると、タッガートは、顔を見る前にそれとわかった。ふたりは歩み寄り、ボイルはいつもより硬い笑みをみせていった。「僕は約束を果たした。こんどはきみの番だぜ、ジミー」「わざわざ来なくてもよかったのに。何しに来たんだ?」タッガートはむっつりと言った。「ま、面白そうだと思っただけでね」ボイルが答えた。

ダン・コンウェイは空っぽの椅子のあいだにぽつんと座っていた。掃除婦が会議室を掃除にきても、まだ動かずにいた。声をかけられると言われるがままに立ち上がり、のろのろと扉まで歩いた。通路ですれ違いざまにポケットをさぐり、ものも言わず、おとなしく、顔も見ずに五ドル紙幣を手渡した。放心状態で、寛容な人間なら去り際にチップをおくべき場所にいると勘違いしているかのような仕草だった。

オフィスの扉がバタンと開いてジェイムズ・タッガートが駆けこんできたとき、ダグニーはまだ机にいた。彼が部屋に駆け込んできたのは初めてだ。彼の顔は上気していた。

彼女はサン・セバスチアン線が国有化されてからというもの、彼をみていなかった。彼はその件について彼女と語ろうとはしなかったし、彼女も何も言わなかった。彼女が正しかったことはあんなにも雄弁に証明されたのだから、あれこれ言う必要はないとおもったのだ。礼儀半分、情け半分で、あの事件から導かれる結論を彼に告げるのを彼女はさし控えていた。あらゆる道理と公正さをもってすれば、彼がたどり着ける結論はただ一つだ。取締役会での演説の内容をきいても、彼女は肩をすくめて苦笑しただけだった。彼女の成果を横取りすることが彼の目的にかなうなら、それが何であれ、他に理由がなくとも、これからは自由に仕事をさせてくれるだろう。

「で、君は自分ひとりがこの鉄道の役に立っていると思っているんだな?」

彼女は当惑して彼をみた。声は甲高く、彼女の机の前で興奮して立っている。

「で、君は私が会社を破綻させたと思っているんだな?」彼は声を荒くした。「いま会社を救えるのは君ひとりで、私にメキシコの損失を埋め合わせる方法はないと思ってるだろ？」

彼女はゆっくりとたずねた。「何が言いたいの？」

「いいことを教えてやろう。数ヶ月前に私が言っていた鉄道連盟の共食い防止協定案をおぼえているだろう？　君はその考えが気にいらなかった。ちっとも気にいらなかった」

「覚えています。それが何か？」

「可決されたんだ」

「何が？」

「共食い防止協定だ。ほんの数分前に。総会で。九ヶ月後、コロラドにフェニックス・デュランゴ鉄道はもうないんだぜ」

ガラスの灰皿が机から床に落ちて砕け、やにわに彼女が立ち上がった。

「卑怯者！」

彼は身動きせず、にやりと笑った。

彼女には自分が彼の目の前で無防備に震えていること、その姿をみて彼が喜んでいることがわかっていたが、かまわなかった。彼女は相手の笑みをみた。すると盲目的な怒りはふっと消えていった。もう何も感じなかった。彼女は冷たい事務的な好奇心から彼の顔を観察した。

二人は向かいあって立っていた。はじめて彼は、彼女を怖れていないようにみえた。悦にいっていた。この事件は彼にとって、一競争者の破壊よりも深い意味がある。それはダン・コンウェイに対する勝利ではなく、彼女に対する勝利だ。彼女はなぜ、どういうかたちでなのかはわからなかったが、彼がそう意識していると確信した。

その瞬間、彼女は、ここ、目の前、ジェイムズ・タッガートという人物の中、彼を笑ませているものの中に、これまで思いも及ばなかった秘密があり、これを理解することがとてつもなく重要であるようにおもった。しかしその考えは一瞬閃いてすぐに消えた。

彼女はクローゼットの扉に突進し、コートをつかんだ。

「どこへいく?」タッガートが落胆して、やや不安げな声でいった。

彼女は答えなかった。そして部屋からとびだしていった。

＊　＊　＊

「ダン、闘わなきゃ。わたしが手伝う。全力であなたのために闘う」

ダン・コンウェイは頭を振った。

部屋の片隅のランプの弱い光だけで、何も書いていない色褪せた大きな吸い取り紙を前にして、彼は机に座っていた。ダグニーはまっすぐにフェニックス・デュランゴのニューヨーク事務所にかけつけた。コンウェイは在席しており、いまも見つけたときとおなじようにじっと座っている。彼女が部屋に入ってくると、彼は優しく生気のない声で「可笑しいね、あんたが来るんじゃないかと思っていた」といった。互いのことはよく知らなかったが、二人は何度かコロラドで顔をあわせたことがあった。

「いや」彼はいった。「無駄だ」

「連盟の合意に署名したからってこと? あんなもの無効よ。これは明らかな押収行為だわ。それを支持する法廷があるはずないでしょう。それにもしジムが『公共の利益』なんていうたかり屋のおきまりのスローガンの陰にかくれようとしたら、わたしが証言台にたってタッガート大陸横断鉄道一社じゃコロラドの輸送すべてをさばききれないと証言します。裁判所があなたに不利な判決をくだしたら控訴して、この先十年、控訴しつづければいいんだわ」

「ああ」彼はいった。「できなくはない……勝つかどうかはともかく、やろうとおもえばあと何年か鉄道にしがみついていられるが……いや、どっちにしても、俺が考えているのは法的な部分じゃない。そうじゃないんだ」

「じゃあ、何？」

「ダグニー、俺は戦いたくないんだ」

彼女は呆然と彼をみた。これまで彼がそんな言葉を口にしたことはないと彼女には確信があった。こんな年齢になって、いまさら生き方を変えることなどできないはずだ。

ダン・コンウェイは五十歳に近づいていた。社長というよりも貨物機関士の冷徹で頑固な角ばった顔つきをしている。若々しく日に焼けた白髪まじりの闘士の顔だ。若いとき、経営難に陥って純収益が町の景気の良い食料品店ほどもないアリゾナの弱小鉄道を買収し、南西部一の鉄道に育てあげた。寡黙でめったに本を読まず、大学も出ていない。ひとつの例外を除いてあらゆる人類の努力の領域に無関心であり、いわゆる文化とよばれるものと縁がなかった。だが彼は鉄道を知りつくしていた。

「なぜ戦いたくないの？」

「やつらにはそうする権利があるからだよ」

「ダン」彼女はきいた。「頭がおかしくなったの？」

「俺はこれまで一度も自分の言葉に逆らったことはない」彼は抑揚のない声で話した。「法廷がどういう判決を下そうが関係ない。俺は多数決に従うと約束した。従うしかない」

「多数決でこんな仕打ちをうけると思った？」

「いや」冷徹な顔にかすかな憤懣があらわれた。内側ではいまも衝撃的な記憶が生々しく、彼女を見ずに、彼は穏やかに話した。「いや、思わなかった。一年以上前から話にはきいていたが、信じなかった。投票が始まっても信じなかった」

「どう思っていたの？」

「俺は思っていた……全員が誰にとってもいいことを支持するんだとやつらは言っていた。俺がコロラドでやったことはいいことだと思っていた。誰にとっても」

「まあ、ばかね！　だからこそ——いいことだったからこそひどい仕打ちをうけているのがわからないの？」

彼は頭を振った。「俺にはわからん」彼はいった。「だが解決策もない」

「あなたは自滅に同意する約束をしたの？」

「俺たちの誰にも選択肢はないようだ」

「どういう意味？」

「ダグニー、いま世界中が大変な状態にある。何がおかしいのかはわからないが、何かがひどく間違っているんだ。人は団結していい方策を探らねばならない。だが多数決じゃないとするとどの方法をとるか誰が決めるね？　俺にはそれが唯一、公正な決定方法に思えるし、ほかにいい方法を知らない。たぶん誰かが犠牲にならねばならんのだろう。それがたまたま自分だったからって文句を言う権利は俺にはないよ。やつらには権利がある。人は団結しなきゃならないんだ」

冷静に話そうと、彼女は懸命だった。怒りで震えていたからだ。「それが団結の代償なら、ほかの人間と一緒に生きていたいもんですか！　ほかの連中がわたしたちを破壊してしか生きていけないなら、そんな連中に生きていてほしいと思う理由がある？　自己犠牲を正当化するものなんてない。他人を生贄にする権利は誰にもない。最高の能力を破壊することが道徳的なわけがない。才能があるから罰されるなんて！　能力があるから罰されるなんて！　それが正しいなら殺し合ったほうがまし。だって世界にはどんな権利も存在しないってことだから！」

彼は答えず、無気力に彼女をみた。

「世界がそんなところなら、どうやって暮らしていけるの？」彼女はきいた。

「さあ……」彼は小声でいった。

「ダン、あなたは本当にそれが正しいことだと思うの？　真実、心の底から、それが正しいと思うの？」

彼は目を閉じた。「いや」彼は答えた。そして再び彼女をみたとき、はじめて苦悩の色があらわれた。「それを理解したくて、いままでじっと考えていたんだ。それが正しいと思わなきゃいけないってことはわかっている——でも思えない。そう言おうとしても舌がどうしても動かない。線路の接ぎ木や、信号や橋のひとつひとつや、あそこで過ごしたいくつもの夜が甦ってくる。あのとき……」彼は頭を腕にうずめた。「ちくしょう、こんな間違ったことってあるもんか！」

「ダン」怒りをかみ殺して、彼女はいった。「戦って」

彼は顔を上げた。目はうつろだ。「いや、それは間違っている。俺は自分勝手なだけだ」

「寝言はやめて！　あなたはそんなばかじゃないはずよ！」

「どうかな……」彼の声はひどく疲れていた。「それを考えようとして、ここでじっと考えていた……もう何が正しいんだか……」彼はつけたした。「もうどうだっていい気もする」

突然、これ以上何を言っても無駄で、ダン・コンウェイが行動の人になることはもう二度とないであろうということを、彼女は悟った。なぜそう確信したのかはわからなかった。「戦いを前にして、あなたはあきらめたことがなかった」

「ああ、そうかもしれん……」静かで無頓着な感慨をこめて、彼は話した。「俺は嵐とも、洪水とも、土砂崩れやレールの亀裂とも戦ってきた……どうすればいいか知っていたし、それが好きでたまらなかった。でもこういう戦いは――俺には戦えない」

「なぜ?」

「さあな。世界がなぜこうなっちまったかなんて誰にわかる? そう、ジョン・ゴールトって誰?」

彼女は顔をしかめた。「じゃあこれからどうするつもり?」

「さあな」

「つまり――」彼女は言葉を切った。

彼は彼女の言葉の意味を理解した。「まあ、いつだってやることはある……」彼は確信なく話していた。「たぶん指定区域になるのはコロラドとニューメキシコだけだろう。アリゾナの路線を経営しないとな」彼はつけ足した「二十年前と同じように……ああ、それで忙しくしていられるだろう。俺は疲れたよ、ダグニー。これまで気づく暇がなかったけど、たぶん疲れているんだな」

彼女は何も言うことができなかった。

「荒廃地域に線路を敷く気はない」彼は同じ無頓着な声でいった。「俺への健闘賞らしいが気安めだ。何百マイルも、食べていくだけで精一杯の農家が数件あるだけの土地に鉄道は敷けないからね。線路を敷いても採算がとれない。採算がとれない路線に誰が金を出してくれる? 俺にはわけがわからん。やつらは自分の言ってることがわかっていなかっただけだ」

「ああ、荒廃地域なんてどうだっていいわ! わたしが言ってるのはあなたのことよ」彼女はとうとうはっきりといった。「これからどうするつもり?」

「わからない……ま、時間がなくてできなかったことはたくさんあるからね。釣りとか。釣りは前から好きだった。読書でも始めるか。ずっとそのつもりだった。ここらでのんびりするかな。ひとつ釣りにでもいくか。アリゾナにはいい場所があるんだ。平和で静かで何マイルも人間の顔をみなくていい……」彼は彼女を見上げてつけたした。「もういいじゃないか。どうして俺の心配なんかするんだ?」

「あなたの心配じゃなくてこれは……ダン」彼女ははっとしていった。「あなたが戦う力になりたいのはあなたのためじゃないのよ」

彼は気さくに微笑んでみせた。「わかってる」

「同情とか慈善とかそういう醜い理由じゃない。あのね、わたしはコロラドであなたに命がけの戦いを挑むつもりだった。あなたの顧客に切りこんで、あなたを追いつめて、必要とあらば追い出すつもりだったわ」

彼は弱々しく笑った。それは感謝だった。「いい線までいったろうな」

「だけどそんな必要はないと思ってたわ。わたしたち両方に十分な仕事があるって」

「ああ」彼はうなずいた。「あった」

「それでも、仮にないとわかってもあなたと戦ったわ。そしてこちらの鉄道をそちらよりよくできたら、あなたを痛めつけて、あなたがどうなるかなんて知ったことじゃなかった。でもこれは……ダン、わたしもうリオ・ノルテ線なんか見たくない。わたし……ああ、ダン、わたし、たかり屋になりたくないわ!」

彼はしばらく無言で彼女を眺めていた。遠くからのような奇妙な目つきだった。彼は穏やかにいった。「嬢ちゃん、あんたは百年前に生まれるべきだった。そしたらチャンスがあったのに」

「よして。わたしは自分で自分のチャンスを作るつもり」

「あんたの年頃には、俺も同じことを考えていた」

「そして成功したわ」

「そうかな」

彼女の体は突然凍りついたように動かなくなった。

彼は居住まいを正し、命令するように鋭くいった。「リオ・ノルテ線をたて直すんだ。一刻も早く。俺が出ていくまでに準備しろ。さもないとエリス・ワイアットも、あそこにいるほかのやつらも一巻の終わりだ。あいつら、この国に残っている中で一番有能なやつらだ。つぶしてはならん。いま何もかもあんたの肩にかかっているんだ。コロラドで俺という競争相手をなくして、仕事がかえってやりにくくなるなんてことはあんたの兄貴に説明したって無駄だ。だが俺たちにはわかる。だからやるしかない。どうあがいても、あんたはたかり屋にはなれん。どんなたかり屋もあそこで鉄道を経営して続きはしない。だからあそこで稼いだ分は、あんたの稼ぎだ。いずれにしても、あんたの兄貴みたいな蚤はどうでもいい。いまやあんた次第だ」

このような男を敗北させたものは何だったのかと思いながら、彼の顔を彼女は見ていた。ジェイムズ・タッガートではないことは確かだ。

彼は彼自身の疑念と戦いつづけながらのように彼女をみつめていた。やがて彼が微笑をたたえたとき、信じがたいことに、それは哀しみと同情を帯びていた。

「俺を気の毒に思わないことだ」彼はいった。「あんたと俺とでこれから苦労するのはそっちだ。そしてあんたはたぶん俺よりもひどい目にあうぜ」

＊＊＊

彼女は工場に電話して、その日の午後ハンク・リアーデンと会う約束をとりつけた。受話器をおいて机の上に広げたリオ・ノルテ線の地図をみはじめた途端、扉があいた。ダグニーは驚いて目をあげた。オフィスの扉が予告なく開くことはなかったからだ。

入ってきたのは初めてみる男だった。男は若く、背が高く、何とはいえないがどこか暴力的なところがあり、それは彼について最初に感じるのが傲慢なまでの自制心だからだ。瞳は黒く、髪はぼさぼさで、高価な服を無頓着にまとっている。

「エリス・ワイアットだ」男は自分から名乗った

おもわず彼女は立ち上がった。オフィスの外で誰もとめられなかったはずだ。

「おかけください、ワイアットさん」にこやかに、彼女はいった。

「その必要はない」彼は笑わなかった。「長い会議はやらないことにしている」

彼を見ながら意識的にゆっくりと腰をおろして、彼女は背にもたれた。

「ご用件は？」彼女はきいた。

「この腐った会社で脳味噌がある人間があんただけらしいから会いに来たんだ」

「私にできることが何かありますか？」

「最後通牒をきくことだ」一語一語をおそろしくはっきりとさせながら、彼は明瞭に話した。「いまから九ヶ月後、コロラドで、タッガート大陸横断鉄道には私の事業の必要に応じて列車を運行してもらいたい。はっきりいっておく。そっちが努力する必要がなくなるようにフェニックス・デュランゴに対してあんな卑劣な真似をしたんなら、思い通りにはさせないぜ。うちの必要としたサービスを提供できなかったとき、私は何の要求もしなかった。できる人間を探した。いまあんたらは取引を強要したがっている。選択肢をなくしてそっちに都合のいい条件を押しつけようとしている。私の事業を貴様ら能なしのレベルに下げさせようとしている。はっきりいっとくが、計算違いもいいとこだ」

ようやくのことで、ゆっくりと彼女はいった。「コロラドでの私たちの今後のサービスについて考えていることを申し上げましょうか？」

「結構だ。議論にも考えにも興味はない。輸送手段がほしいだけだ。何をどうしてそれを提供するかはあんたの問題で、私の問題じゃない。私はただ警告を与えているだけだ。私と取引したい者は、私の条件で取引するか、まったくしないかだ。無能さと折り合いはつけない。私が生産する石油を運んで金を稼ぎたいなら、あんたの仕事で私と同じくらい有能になることだ。この点を承知されたい」

彼女は静かに答えた。「承知しました」

「なぜこの最後通牒を真剣にうけとめるべきかを証明して時間を無駄にすまい。あんたがこの腐った組織を機能させつづける才覚が多少でもあるなら自分で判断できる。タッガート大陸横断が五年前と同じやりかたで列車を走らせるなら私は終わりだってことはお互いわかっているはずだ。もともとそっちはそのつもりらしいがね。私からむさぼれるあいだはそうして、私が終わったら別の餌食を見つけるってわけだ。それが近頃のたいていの人間のやり口らしいが。だから私の最後通牒はこうだ。私を生かすも殺すも今はあんた次第だ。私は潰れるかもしれない。だが潰れるときには、必ずあんたら全員道連れにしてやる」

内側のどこかで、激しい叱責をじっと受けるために麻痺させた感覚の下に、火傷のように熱い小さな痛みの点を彼女は感じた。彼のような人物と一緒に仕事がしたくて何年も探し続けてきたと、彼の敵が自分の敵でもあると、同じ戦いを戦っているといいたかった。彼に向って叫びたかった。やつらと一緒にしないでください、と！　だがそうできないことはわかっていた。彼女はタッガート大陸横断鉄道とその名の下になされたすべてに責任があり、いま自分を正当化する権利はない。

真直ぐに座り、彼と同じようにしっかりと目を開いて相手をみすえて、彼女は答えた。「ご入用の輸送手段は提供します、ワイアットさん」

彼の表情にわずかに驚きの色があらわれた。これは彼が予想した態度でも答えでもなかったからだ。おそらく何よりも驚いたのは彼女が言わなかったこと、すなわち、言訳をいっさい口にしなかったことだ。彼はしばらく無言で彼女を見ていた。やがていくぶん声を和らげていった。

「よろしい。ありがとう。それでは」

彼女は頭を下げた。彼は一礼してオフィスを出ていった。

＊　＊　＊

「そういうわけなの、ハンク。リオ・ノルテ線を十二ヶ月で完成させるために、ほとんど不可能に近いスケジュールをたてたわ。それをいま九ヶ月でやらなきゃならない。一年間ごしでレールをくれるはずだったわね。九ヶ月にしてくれる？　人間的にやれる方法があれば、やって。それが無理なら、ほかの方法を探さなきゃならないわ」

リアーデンは机の後ろに座っていた。やせた顔に冷たく青い目が水平に切りつけている。目は水平なまま、無感動で半ば閉じていた。力をこめるでもなく、淡々と彼はいった。

「やろう」

ダグニーは椅子の背にもたれた。その簡潔な言葉は衝撃だった。安心したばかりではない。突然、それが実行される保証を得るためにはそれだけでいいと確信できたのだ。証拠も質問も説明も要らなかった。複雑な問題は、自分の発言の意味を理解している男が発した一語に安心してゆだねることができる。

「ほっとしたのを態度に出すものじゃないぜ」彼の声は嘲弄を帯びていた。「そこまであからさまにはね」彼は目を細めて彼女を見つめ、笑みを隠している。「タッガート大陸横断鉄道の命運が俺にかかっていると思ってしまうだろうから」

「どうせわかっているでしょう」

「ああ。そして君にはその代価を払ってもらうつもりだ」

「覚悟してるわ。いくら?」

「今日以降配達する分に、一トンあたり二十ドル上乗せする」

「えらく高いのね、ハンク。もっと安くできないの?」

「できる。だがその値段で請求する。その二倍でも君は払うだろう」

「ええ、そうね。それにあなたはそうできなくもない。でもしないわね」

「なぜだね?」

「リオ・ノルテ線を完成させることはあなたにとっても必要なことだから。リアーデン・メタルの最初の宣伝の場ですもの」

彼はくすくす笑った。「その通りだ。頼みをきいてもらうことについて勘違いのない人間と取引するのはいいな」

「あなたがこちらの苦境につけこんでくれて、何にほっとしたかわかる？」

「何だね？」

「こんどばかりは、頼みごとをきくふりをしない人と取引してるってこと」

彼の笑みは、いまははっきりそれとわかった。愉快そうな笑みだ。「君はいつも正面きって勝負するんだね？」彼はきいた。

「あなたもそうじゃない」

「そんな余裕があるのは俺だけかと思っていた」

「ハンク、そういう意味じゃ、そこまで追いつめられてないわ」

「いつか俺が追いつめてみせる――そういう意味で」

「なぜ？」

「いつもそうしてみたかった」

「臆病者は周りにじゅうぶんいるんじゃない？」

「だからこそやってみたら面白いだろう――君は唯一の例外だからね。すると君の目には俺が緊急事態にとれるだけの利益をしぼりとるのが正しいと思うんだね？」

「もちろんよ。わたしは馬鹿じゃない。あなたがわたしに便宜をはかるために事業を営んでいるなんて思ってないわ」

「そうだったらいいとは思わないか？」

「ハンク、私はたかり屋じゃないわ」

「支払いは大丈夫なのか？」

「それは私の問題で、あなたのじゃないわ。レールがほしいの」

「一トンにつき二十ドル増しでも？」

「いいわよ、ハンク」

「よろしい。君はレールを手に入れる。俺は法外な利益を手にする――あるいは、代金を回収する前にタッガート大陸横断鉄道は潰れるかもしれない」

彼女は真顔でいった。「九ヶ月であの線を敷設しなきゃ、タッガート大陸横断鉄道は本当に潰れるわ」

「君がいる限り大丈夫だ」

彼は笑みもせず無表情だったが、目は冷たく冴えた知覚の明快さによって生き生きとしていた。だが彼が知覚したものにどんな感情を覚えたかは、誰にも知ることを許されないのだ、と彼女はおもった。彼自身にさえも。

「やつらもよくここまでうまく君の仕事の邪魔ができたな」彼はいった。

「そう、わたしはコロラドがタッガートの組織全体を救ってくれると思っていたの。それが今やコロラドを救済できるどうかがわたしにかかっている。いまから九ヶ月で、ダン・コンウェイは彼の路線を閉鎖してしまう。そのときこちらの線路ができてなきゃ完成させる意味もないわ。あの連中を、一ヶ月や一週間どころか、一日でも輸送機関なしで放っておけやしないから。あれだけ急速に成長しているものの息の根を一度とめてしまったら、もう二度と息をふきかえせやしないわ。時速二百マイルで走っている機関車に急ブレーキをかけるようなものだもの」

「わかっている」

「わたしは鉄道をうまく経営できる。だけどカブも満足に育てられないような零細農家ばかりの土地じゃ無理。エリス・ワイアットみたいに、列車に積みこむものを作っている顧客が要るわ。だから他の路線を滅茶苦茶にしてでも、いまから九ヶ月先には彼に列車と線路を提供しなければ！」

　彼は楽しそうな笑みをみせた。「やけに思い入れが強いねえ？」

「あなたはそうじゃないの？」

　彼は答えずに、ただ微笑んでいた。

「心配じゃないの？」彼女はほとんど怒ったようにたずねた。

「ああ」

「じゃあ、それがどういう意味かわからないの？」

「俺がレールを圧延して君が九ヶ月以内にそれを敷くってことだろ」

　彼女はくつろいで、ぐったりと、罪悪感をまじえてにこりとした。「そうね。しかたないわ――ジムや、彼の仲間みたいな連中に怒っても。そんな時間はない。まず連中がしでかしたことについては元に戻さなきゃ。そうしたらあとは……」彼女は言葉をとめ、少し考え、頭を振って肩をすくめた。「あとは、あいつらは関係なくなるわ」

「そのとおり。関係ない。共食い防止協定のことをきいたときはむかむかした。だが、あんなごろつきどものことは気にしなくていい」彼の表情も声も落ち着きはらっていたので、その一語ははっとするほど激しくきこえた。「君と俺はいつも、やつらのしでかしたことの結果からこの国を救うためにいるんだ」彼は立ち上がり、オフィスの中をゆっくりと歩きながらいった。「コロラドの成長が阻まれることはない。君が牽引する。そうすればダン・コンウェイもほかのやつらも戻ってくる。この狂気はみな一時的なものだ。長続きはするまい。狂気の沙汰だ。自滅するしかない。俺たちはしばらく、少し余分に仕事をしなければならない。それだけだ」

彼女はオフィスを横切る長身の彼の姿を見つめていた。彼にふさわしいオフィスだ。必要な家具が数点あるだけだが、どれも本来の用途にそって大胆に単純化され、材質と意匠の技術からするとどれも途方もなく高価なものだ。部屋はモーターのようにみえる――大きな窓のついたガラスの箱に入れられたモーターのように。だが彼女はある小さな部分に目を留めて意外におもった。ファイル・キャビネットの天辺に置かれた翡翠の花瓶だ。花瓶は深い緑の硬い石をきれいに磨いたものだ。なめらかな曲線の肌合いをみると触れてみたい衝動に駆られる。そのオフィスの中では周囲の厳格さと不釣合いであり、ぱっと目をひいた。官能をくすぐる何かがあった。

「コロラドは素晴らしいところだ」彼はいった。「全米一になるだろう。心配じゃないのかって？　君の貨物輸送の報告を読む時間をとっていればわかるはずだが、あの州には俺の上得意が集中している」

「わかるわ。報告書は読んでいるから」

「数年以内にコロラドに工場を建てることを考えていたんだ。君に払う運送費が節約できる」彼は彼女を一瞥した。「そうすれば君は大量の鋼鉄の貨物を失うだろうが」

「おかまいなく。わたしはあなたが使う資材や、従業員への食料品や、あなたを追いかけていく工場の貨物で満足よ――たぶんあなたの鋼鉄を失ったことに気づく暇もないでしょう……何を笑っているの？」

「素晴らしい」

「何が？」

「君は近頃のほかのやつらみたいな反応をしないから」

「それでもいまのところあなたがタッガート大陸横断鉄道の最も重要な荷主ってことは認めなきゃ

いけないけど」

「それを俺が知らないとでも？」

「だからわからないのは、どうしてジムは――」彼女は口をつぐんだ。

「――俺の商売を邪魔しようと躍起になるのかって？　君の兄貴のジムは馬鹿だからだ」

「そう。でもそれだけじゃない。ただ愚かなだけじゃない不気味なものがあるの」

「やつを理解しようなんて時間の無駄だ。言わせておけ。誰にも害はない。ジム・タッガートみたいなやつらは世間騒がせなだけだ」

「そうかもね」

「ちなみに、これ以上納期を早くできないと言ってたらどうしていた？」

「側線をひきはがすか、どこでもいい、支線を閉鎖して、そのレールで期日内にリオ・ノルテ線を完成させたかな」

彼はくすくす笑った。「だから俺はタッガート大陸横断鉄道を心配してないんだ。だが古い側線のレールは必要ない。俺が操業しているあいだは」

彼女は突然、彼には感情が欠落しているという自分の認識が間違っていたと気づいた。彼の態度の奥には喜びが隠れている。彼女自身も、彼といるといつも屈託のない解放感をおぼえ、彼もその感覚を共有している。彼は緊張や努力なしに話せる唯一の人間だ。これが自分の尊敬する精神であり、挑戦に値する相手なのだ、と彼女はおもった。にもかかわらず二人の間には、常に奇妙な距離感があった。閉ざされた扉のような。彼の態度には他人行儀な雰囲気、はかりしれない内側の何かがあった。

彼は窓際で立ち止まっていた。そしてしばらく外をみつめて立っていた。「今日、君に最初のレールが出荷されたのは知っているか?」

「もちろん知っているわ」

「こっちにおいで」

彼女は彼に近づいた。彼は無言で窓の外を指さした。はるか遠く、工場の建物のむこうに側線で待機するゴンドラの列がみえた。上空を天井クレーンの橋が横切っている。クレーンは動いていた。巨大な盤状の磁石が、磁力だけでレールをぴったりと吸引している。空一面の灰色の雲に太陽のしるしはないが、メタルが空中から光を捉えたかのように、レールは閃光を放っている。メタルは青碧色だ。頑丈な鎖が貨車の上でとまり、下降し、軽く痙攣するように揺れてレールをおろした。クレーンは悠々と無頓着に戻っていったが、幾何学の定理の巨大な図面を描くように、人と大地の上を動いていた。

二人は窓際に立ち、ものもいわず、一心にそれを見つめていた。次の青碧色のメタルが空を渡ってきたとき、はじめて彼女は口を開いた。口をついた言葉は、レールのことでも線路のことでも、期日どおりに発送が完了した注文のことでもなかった。新しい自然現象に挨拶するかのように、彼女はいった。

「リアーデン・メタル……」

彼はそれに気づいたが、何も言わなかった。彼女を一瞥して、ふたたび窓の方に向いた。

「ハンク、すごいわ」

「ああ」

あっさりと率直に彼は応えた。声には得意げな満足感も謙虚さもない。これは他人にはめったにみせない親愛の証だと彼女は知っていた。自分の才能が理解されているとわかっていて、それを気兼ねなく認める親愛の証だ。

彼女はいった。「あのメタルができること、メタルが可能にすることを考えれば……ハンク、これは今日世界でおこっている何よりも重要な事件で、誰もそれを知らないのよ」

「俺たちは知っている」

二人は目をあわせなかった。じっとクレーンを見ていた。遠くの機関車の正面にＴＴの文字がみえる。タッガートの鉄道網でもっとも活発な事業用の側線のレールを彼女はみとめることができた。

「生産能力のある工場がみつかり次第、リアーデン・メタル製のディーゼルを発注するつもりよ」

「必要になるな。リオ・ノルテ線の線路はどのくらいの速度で列車を走らせているんだ？」

「いま？　時速二十マイルもだせればいいほうね」

彼は貨車を指さした。「あのレールが敷かれたときには、望むなら二百五十マイルで列車を走らせることができる」

「二、三年でそうするわ。重量はスチールの半分で安全性は二倍のリアーデン・メタルの車両が手に入ったら」

「航空会社からも目を離さないようにな。今、リアーデン・メタルの航空機を検討中なんだ。重量がないに等しいのに何でも持ち上げられるやつ。長距離の重量空輸の時代がくる」

「わたしはあのメタルがモーターをどう変えるのかしらと思っていた。あらゆる種類のモーターを。メタルを使えばいまどんなものが設計できるかしらって」

「金網を考えてみたかい？　一マイル数セントの二百年はもつリアーデン・メタル製のごく普通の金網。それに雑貨屋で買われて何世代も受け継がれる台所用品。それに魚雷でもへこまない遠洋定期船」

「リアーデン・メタルの通信線の試験をしている話はしたかしら？」

「俺が手をつけた試験は多すぎて、それで何がどうできるか全部はみせきれないぜ」

二人はメタルとその尽きない可能性について話しあった。それは山頂に立ち、眼下の果てしない平原と、あらゆる方向に続く道を眺めているようだった。だがかれらは、重力、圧力、抵抗力、費用など、数理的なことを話しているだけなのだ。

兄と鉄道連盟のことを彼女は忘れていた。過去のあらゆる問題を、人を、出来事を忘れていた。絶えず視界を曇らせるが駆け足で通り過ぎ、脇に追いやるだけのそれらのものは決定的にも現実的にもならなかった。これこそが現実なのだ。はっきりとした輪郭と目的と明るさと希望のこの感覚。いつもこんなふうに生きていたい。これ以下の意味しかもたない行動には一時間たりとも費やしたくない。

彼が振り向いて彼女をみたまさにそのとき、彼女は彼の目をみた。二人は至近距離にたっていた。彼の目の中に、彼女はおなじ感情をみた。喜びが存在の目的と本質ならば、喜びの源泉が人のもっとも奥深い秘密として常にかたく守られるものならば、たったいま互いを裸で見たのだ、と彼女はおもった。

彼は一歩下がり無感動につぶやいた。「俺たちは悪党だな？」

「なぜ？」

「精神的な目標も人間性もない。物理的なものを追い求めて、それがすべてだ」

彼女は理解できずに彼をみた。だが彼の目は彼女を素通りし、前方遠くのクレーンを真直ぐにみていた。そんなことを言ってほしくなかった、と彼女はおもった。そうした非難が彼女を苦しめたことも、そのような言葉を自分にあてはめたこともなく、彼女は根本的な罪悪感を経験することがまったくできなかった。だが、定義できないが、彼にそういわせたもの、何か彼にとって危険なもののなかに重大な暗示が隠されているのではないかという漠然とした危惧を彼女は抱いた。彼は何気なくそういったわけではない。だが彼の声には感情も、訴えも、恥じらいもなかった。彼は事実を述べるように、淡々とそう言った。

やがて、彼をみると、その危惧は消えた。窓の向こうの工場をみつめる彼の顔には、何の罪悪感も疑念もなく、揺るぎない自信の静謐さだけがあった。

「ダグニー」彼はいった。「俺たちが誰であれ、世界を動かすのも牽引するのも俺たちなんだ」

第五章　ダンコニア家の頂点

はじめに目についたのは新聞だ。それはオフィスに入ってきたエディーの手にきつく握りしめられていた。彼女が見上げると、彼は当惑した硬い顔をしていた。

「ダグニー、いまとても忙しい？」

「なぜ？」

「彼の話をしたくないのは知っているけど、見といたほうがいいと思って」

彼女は無言で新聞に手を伸ばした。

一面の記事はサン・セバスチアン鉱山の接収に際し、メキシコ民国政府はそれが何の価値も——ばかばかしいほど、まったく、絶望的に何の価値もないことを発見したと伝えていた。苦労のあとがみえる空っぽの採掘抗のほかには五年の作業と何百万ドルという投資にみあうものは何ひとつない。銅もあるにはあったが、とるにたりない量だ。大鉱床は存在せず、存在しえず、人の目を欺くものは何もない。メキシコ民国政府はこの発見について緊急会議を開いているが、憤懣に満ちた騒ぎのなかで、人びとは騙されたと感じている。

エディーは、記事を読み終えてからも長いあいだ彼女が新聞を眺めつづけていることに気づいた。自分がその記事の何に怯えたのか彼にはわからなかったが、不安はあながち的はずれでもなかった、と彼はおもった。

しばらくすると、彼女が頭をあげた。彼を見てはいなかった。目は遠くの何かを一心に見据えている。

彼は低い声でいった。「フランシスコはバカじゃない。ほかの何であれ、どんなに堕落してしまったとしても——なぜかを考えるのはやめてしまったけど——バカじゃない。こんな間違いをするはずがない。ありえないよ。僕にはわからない」

「私にはわかってきたわ」

戦慄が体を走ったように、急に彼女は居ずまいを正した。

「ウェイン・フォークランドに電話して、あのろくでなしに私が会いたがっていると伝えて」

「ダグニー」彼は悲しそうに、なじるようにいった。「フリスコ・ダンコニアだよ」

「昔はね」

＊　＊　＊

彼女は黄昏はじめた街路を、ウェイン・フォークランド・ホテルに向かって歩いていた。「いつでも構わない、って」エディーは告げた。雲に届きそうな摩天楼の窓に明かりがともりはじめた。ゆきかう船もない茫漠たる海原に弱々しい信号を送るさびれた灯台のようだ。雪片がからっぽの店の暗いウインドーの前をちらついては歩道の泥にとけていく。赤い角灯が通りに立ち並び、遠くでかすんでとぎれていた。

走りだしたい、走っていかなければ、と感じたのはなぜだろう、と彼女はおもった。いや、この通りじゃない。緑の丘の斜面を、照りつける太陽のなかを、タッガート領の足もとのハドソン河の河原まで。「フリスコ・ダンコニアだよ！」とエディーが叫ぶたびにそうして駆けていったものだ。ふたりとも、眼下の道に近づく車に向かって、一目散に丘を駆けおりたものだ。

子どものころ、訪問が事件に、それも最大の事件になる客といえば彼だけだった。彼を迎えに走っていくのは、三人の間での競争の一部になっていた。丘の斜面には道と家の真ん中に樺の木があり、ダグニーとエディーは、フランシスコが駆けあがってくる前にその木を越えようとした。彼がやってきた幾多の日々、幾多の夏、ふたりは一度も樺の木にたどりつくことができなかった。フランシスコが真っ先にたどりつき、木をとっくに通り過ぎたあとで二人をとめたからだ。フランシスコはいつも勝った。いつもすべてに勝った。

彼の両親はタッガート家の旧友だった。一人息子の彼は世界中で教育をうけていた。それは父親が息子に将来、世界を舞台に活躍させたいと考えているからといわれていた。ダグニーとエディーは彼が冬のあいだどこにいるのかを知らなかった。だが年に一度、毎年の夏、厳格な南米人の家庭教師に伴われて彼はタッガート領を訪れ、ひと月を過ごした。

フランシスコは、タッガート家の子どもたちが自分の遊び友達に選ばれたことを自然なことと受けとめていた。ダンコニア銅金属の彼と同じく、かれらはタッガート大陸横断鉄道の帝位継承者だ。「僕らは世界に残された唯一の貴族――金の貴族だ」十四歳のとき、彼はダグニーに言ったことがある。「それだけが本物の貴族なんだ。みんなにもそれが理解できればね。どうもできないみたいだが」

彼には独自の階級制度があった。彼にとって、タッガート家の子どもはジムとダグニーではなく、ダグニーとエディーだった。彼はジムの存在を滅多に気にとめようとしなかった。エディーは一度たずねたことがある「フランシスコ、きみはなんだかとても位の高い人なんだろう？」彼は答えた。

「まだそうじゃない。僕の家族がこんなに長く繁栄してきたのは、僕らのうち誰も、ダンコニアに生まれたと考えることを許されなかったからだ。僕らはダンコニアになることを期待されている」聞く者の頬に一撃を食らわせるように、その響きだけで爵位に除せられた気分にさせるように、彼はその名を唱えた。

彼の先祖であるセバスチアン・ダンコニアは、数世紀前、スペインが世界最強の国であり彼自身もスペインが誇る名士であったときスペインを去った。祖国をあとにしたのは、宗教裁判長が彼の思想を認めず、宮中晩餐会で転向を求めたからだ。セバスチアン・ダンコニアはワイングラスの中身を宗教裁判長の顔面にあびせ、捕まる前に逃亡した。彼は背後に財産と、土地と、大理石の宮殿と、愛する少女を残し――新世界へ船出した。

彼がアルゼンチンで最初に得た資産はアンデス山脈の麓にある木造のあばら屋だった。セバスチアン・ダンコニアが最初の鉱山で銅を採掘するあいだ、太陽はかがり火のように、あばら家の扉に釘で打ちつけたダンコニア家の銀の紋章に照りつけた。そしてつるはしを手に、祖国からの脱走兵や脱獄囚、飢えたインディアンら宿なしの浮浪者の力を借りて、日の出から日没まで石を砕いて何年も過ごした。

スペインをでて十五年後、セバスチアン・ダンコニアは愛する娘に迎えを送った。娘は彼を待ちつづけていた。新世界に到着すると、大理石の宮殿の入口に飾った銀の紋章と広大な領地の庭、そして赤い鉱石の坑が切りこんだ遠くの山々が目に映った。彼は腕に彼女を抱き、自分の家の敷居をまたいだ。彼は最後にみたときより若返ったようだった。

「僕の祖先と君の祖先は」フランシスコはダグニーに言った。「気があっただろうな」

子ども時代、ダグニーは未来に――軽蔑も退屈も感じずにすむはずの、いつかみつかる世界に生きていた。だが毎年、ひと月だけ、彼女は自由だった。ひと月だけ、彼女はいまを生きることができた。フランシスコ・ダンコニアを迎えに丘を駆け下りるとき、それは牢獄からの解放だった。

「やあ、スラッグ！」

「こんにちは、フリスコ！」

はじめふたりとも、自分のあだ名に憤慨した。彼女は怒って問いつめた。「スラッグ（のろま）ってどういうこと？」彼は答えた。「知らないかな、『スラッグ』というのは機関車のボイラーの大きな炎のことなんだ」「どこでそんな言葉をきいたの？」「タッガート車の紳士諸君からだよ」彼は五カ国語をあやつり、訛りのまったくない正確な教養英語にわざとスラングを交えて話した。彼女は仕返しに彼をフリスコと呼んだ。面白がって笑いながらも彼は迷惑そうな顔をした。「君たち野蛮人が自国の偉大なる都市（サン・フランシスコ）の品位を落とすのはともかく、僕の名前でやるのはやめてくれよ」だが、そのうちに二人はそれぞれのあだ名を気に入ってしまった。

それは二度目の夏、彼が十二歳で彼女が十歳の日々に始まった。その夏、フランシスコは毎朝、誰も知らない理由で消えはじめた。彼は夜明け前に自転車でどこかへ出かけ、白のクロスとクリスタルの食器で整えたテーブルに、礼儀正しく昼食に間にあうように、いくぶん無邪気すぎる様子で戻ってきた。ダグニーとエディーがつめよると、答えようとせずに笑った。ふたりは一度、冷たい夜明け前の闇をくぐって彼を追いかけようとしたことがあるが、あきらめてしまった。追跡されまいと彼が思えば、だれにも追跡することはできなかった。

しばらくして、タッガート夫人が心配しはじめて、調査することにした。児童労働法の網をどうくぐり抜けたのか、彼は働いていた——運行司令員との非公式なとりきめによって——十マイル離れた分岐点で、タッガート大陸横断鉄道の通信員として。運行司令員は、通信員がタッガート家の客だとは夢にも思わなかったので夫人の私的な訪問に仰天した。少年は地元の鉄道員たちにフランキーとして知られていたが、タッガート夫人は正式な姓名をあえてあかさなかった。彼女はただ彼が両親の許可なしに働いていたので、ただちに辞めなければならないと説明した。運行司令員は残念がり、フランキーはこれまでで最高の通信員だったのに、といった。「まったく、続けてもらえれば嬉しいんですがね。ひょっとして、あの子の親御さんと話をつけられませんかね？」彼は提案した。「難しいでしょう」タッガート夫人はようやくのことで答えた。

「フランシスコ」彼を家に連れて帰る途中、彼女はたずねた。「このことをあなたのお父様がお知りになったら何とおっしゃるかしら」

「父は、よい仕事ができたか、と訊くだろうな。父が知りたいのはそれだけだよ」

「ふざけないで。真面目な話をしているのよ」

フランシスコは何世紀も続いた家系と上流社会を仄めかすように礼儀正しく夫人をみていたが、目のなかの何かが夫人に、この子はほんとうに行儀がいいのかしら、とおもわせた。「去年の冬」彼は答えた。「僕は客室係になってダンコニアの銅を運ぶ蒸気貨物船にのりこんだ。父は三ヶ月間僕を捜しつづけたけれど、帰ってきたとき訊いたのはそれだけだったよ」

「つまり、きみはそうして冬を過ごすわけだ」ジム・タッガートが言った。ジムは軽蔑する理由をみつけて勝ち誇ったようににやりとした。

「それは去年の冬」無邪気でくだけた口調を変えずに、フランシスコは楽しげに答えた。「おととしの冬はマドリードのアルバ公の家だった」

「どうして鉄道で働こうとおもったの？」ダグニーがたずねた。

ふたりは立ったまままみつめあった。彼女の目には賞賛の、彼の目にはからかいの色があった。だがそれは意地悪なからかいではなく挨拶の笑みだった。それから僕のほうが先にタッガート大陸横断鉄道で仕事をしたときみにいうためだ」

「どんなものか知りたかったんだよ、スラッグ。それから僕のほうが先にタッガート大陸横断鉄道で仕事をしたときみにいうためだ」

ダグニーとエディーは、一度でいいからフランシスコを驚かせてうち負かそうと、新しい技を学んで冬を過ごしたが、成功したことがなかった。彼の知らない野球をおぼえ、バットでボールをたたいてみせたとき、彼はしばらく観察すると、「だいたいわかった。僕にやらせて」といった。そしてバットを手にとると、楢の並木のむこう、野原のはるか彼方までボールを飛ばした。

ジムが誕生日にモーターボートを贈られたとき、かれらは全員で河の埠頭にたち、教官がジムに操縦を教えるのを見ていた。モーターボートには誰も乗ったことがなかった。隣に座った教官がジムの手からハンドルを掴んでは離すあいだ、弾丸の形をしたぴかぴかの白い船体は、長いジグザグの航跡を残し、つまったしゃっくりのようなモーターの音をたて、水面をもたもたとよろめいていった。どういうわけかいきなりジムは頭をあげて、フランシスコに叫んだ。「僕よりうまくできると思うか?」「ああ」「やってみろ!」

ボートが戻ってきて、乗っていたふたりが降りたとき、フランシスコは操縦席にすべりこんだ。「ちょっと待って」彼はまだ陸にいる教官にいった。「ちょっと様子を見させて」そして教官が動く間もなく、ボートは河の真ん中に弾丸のように飛び出していった。そして誰も何がなんだかわからないうちに、ものすごいスピードで走り去っていった。それが遠い太陽の光にとけていったとき、ダグニーの瞼には三本の直線が残った。航路、長く鋭いモーターの音、そしてハンドルを握る操縦士の照準。

彼女は消えていく快速ボートを眺める父親が奇妙な表情をしていることに気づいた。彼は何も言わず、ただ立ってみていた。同じような表情をみせたことは以前にも一度あった。それは十二歳のフランシスコが、ダグニーとエディーに岩からハドソン河に飛び込むのを教えようとして、岩の頂上までのエレベーターを作るために組み立てた滑車の複雑な構造を調べているときだった。フランシスコの計算式のメモはまだ地面に散らばっていた。父親はそれを拾い、子どもたちをみてたずねた。「フランシスコ、君は代数を何年やった？」「二年です」「誰にこれを教わったんだい？」「ああ、それは自分で考えついただけです」くしゃくしゃの紙に父親がもっていたのは形式こそ整ってはいないが微分方程式だったことを彼女は知らなかった。

セバスチアン・ダンコニアの後継ぎには、途切れることなく、その名を冠されることの意味を知った長男が続いた。一家の伝統によれば、相続したダンコニアの財産を増やさないまま一生を終えるのは不面目なこととされていたが、何世代にも渡って不面目なことはおこらなかった。アルゼンチンの伝説によれば、ダンコニアの手には聖人のように奇跡的な力がある。ただそれは癒す力ではなく、生みだす力だ。

ダンコニアの子孫は誰もが抜きんでた才能をもっていたが、フランシスコ・ダンコニアが将来約束されたものに並ぶ者はいなかった。それは幾世紀の年月が一家の性質を細かい目のふるいにかけ、見当違いのもの、重要でないもの、弱いものを取り除き、純粋な才能だけを残したかのようだった。まるでたった一度のめぐりあわせで、偶然まかせのものがまったくない存在ができたかのように。

フランシスコは手をつけたことは何でも、誰よりもうまく、たやすくこなした。だが態度と意識のなかで彼がそれを鼻にかけることはなく、比較するという考えもなかった。彼の態度は「君よりうまくできる」ではなくただ「僕にはできる」だった。それは完璧になしとげることを意味していた。

父親の厳しい教育方針で、何の分野の学習を求められても、何の課目の履修を命じられても、フランシスコはたやすく面白がって身につけた。父親は息子に驚嘆したが、優れた家系のとびぬけて優秀な人物を育てているという誇りを慎重に隠していた。フランシスコはダンコニア家の頂点を極める、といわれていた。

「ダンコニア家の紋章にどんな家訓が刻まれているか知りませんが」タッガート夫人がいったことがある。「フランシスコがきっと『何のため?』にかえてしまうでしょうね」それは彼に提案された活動すべてについて彼が真っ先にきいた質問であり、妥当な回答がなければ、誰も彼を動かすことはできなかった。彼は夏のひと月をロケットのように飛びまわって過ごしたが、飛行中の彼をとめたなら、どの瞬間をとってもはっきり目的を述べることができただろう。彼には不可能なことが二つあった。じっとしていることと、目的なしに動くことだ。

「調べよう」または「作ろう」というのが、手をつけるすべてのことについてダグニーとエディーに彼が与えた動機だった。それが彼の唯一の楽しみのかたちだった。

「僕にはできる」エレベーターをたてるために崖の脇にしがみつき、職人のリズムで腕を動かし、 手首の包帯の下から血が滴るのもかまわず、金属のくさびを岩に打ちこみながら彼はいった。「だめだよ、エディー、交代できない。ハンマーをあやつるほどきみは大きくないからね。草をどけて道をあけといてよ。残りは僕がやる……血? ああ、なんでもない。ただの昨日のすり傷だ。ダグニー、家に走っていってきれいな包帯をもってきて」

ジムはかれらをみていた。かれらはジムを放っておいたが、しばしば、彼が遠くから、フランシスコを妙な激しさでみつめているのがみえた。

彼はフランシスコがいるときにはほとんど話さなかった。だが、彼はダグニーを追いつめて嘲るように笑っていった。「おまえが意志の強い鉄の女を気取る自信たっぷりの態度ときたら！　本当は背骨のないふきんみたいなやつだぜ。それだけだ。あの鼻っぱしらの強い坊主のいうなりになる様子ときたら気味が悪いぜ。やつの小指一本できりきり舞い。少しはプライドがないのか。あいつの口笛ひとつで走ったり命令を待ったりしてる様子ときたら！　なぜやつの靴を磨かないんだ？」

「だって彼がそうしろっていわないんだもの」彼女は答えた。

フランシスコは地方のどのトーナメントのどの試合にも勝つことができただろう。だが彼はトーナメントに参加しなかった。ジュニア・カントリー・クラブを制覇することもできただろう。だがクラブハウスから目の届くところには絶対にいかず、世界でもっとも有名な一族の後継者への熱心な勧誘を無視しつづけた。ダグニーとエディーが唯一の友達だった。ふたりは彼を所有しているのか、それとも彼に完全に所有されているのかわからなかったが、どちらでもよかった。どちらの考えもふたりを幸福な気分にした。

三人は毎朝、彼ら自身が考えついた冒険にのりだした。一度、タッガート夫人の友人の年配の文学教授が、くず置き場の山のてっぺんで、自動車の残骸を分解しているかれらをみつけた。彼は立ち止まり、頭を振ってフランシスコに言った。「君のような地位にある青年は図書館で時間を過ごして世界の文化を吸収するべきだ」「僕がいま何をしてると思っているの？」フランシスコがやり返した。

近所に工場はなかったが、フランシスコはダグニーとエディーにタッガートの列車にただ乗りする方法を教え、遠くの街で彼らは、工場の柵に登って作業場に入ったり、窓枠にぶら下がったりして、ほかの子どもたちが映画をみるように機械をみた。「あたしがタッガート大陸横断鉄道を経営するとき……」ときおりダグニーは言ったものだ。「僕がダンコニア銅金属を経営するとき……」フランシスコは言った。それ以上の説明は必要なく、ふたりは互いの目標と動機を知っていた。

たまに車掌につかまることがあった。そして何百マイルも離れた駅から駅長がタッガート夫人に電話した。「こちらに餓鬼が三人おりまして、そいつらが言うには——」「ええ」タッガート夫人はため息をつくのだった。「その子たちの言うとおりです。送り返していただけますか」

「フランシスコ」エディーはタッガートの駅の線路脇に立ち、たずねたことがある。「きみは世界じゅうにいったことがあるんだよね。この世のなかで一番大切なものって何?」「これだ」フランシスコは機関車の前面に刻まれたタッガート大陸横断鉄道のＴＴの標章を指して答えた。そしてつけ足した。「ナット・タッガートに会ってみたかったぜ」

彼はダグニーが自分をみていることに気づいた。ほかに何もいわなかった。だが数分後、森の湿土とシダの茂みに日光がさす狭い小道を通りぬけるとき、彼はいった。「ダグニー、僕は紋章に敬礼しつづける。高貴さの象徴を崇拝しつづける。僕は貴族になるはずじゃなかったのか? ただ僕にとっちゃ虫食いの塔もすりきれたユニコーンもクソクラエなんだ。僕らの時代の紋章は、ビルボードや大衆雑誌の広告にある」「どういう意味?」エディーがたずねた。「商標だよ、エディー」彼は答えた。フランシスコはその夏、十五歳だった。

「ダンコニア銅金属を経営するとき……」「いまダンコニア銅金属を経営するときにそなえて鉱山業と鉱物学を勉強しているんだ……」「いま電気工学を勉強しているんだ。電力会社がダンコニア銅金属の上得意だからね……」「僕は哲学を勉強するつもりだ。ダンコニア銅金属を守るのに必要になるから……」

「ダンコニア銅金属のことしか考えてないのか?」とジムが彼にきいたことがある。

「ああ」

「世の中にはほかのこともあるようだぜ」

「ほかのやつらに考えさせとけばいいんだ」

「それはとても自分勝手な態度じゃないかな？」

「そうだ」

「何が目当てなんだ？」

「お金」

「もう十分じゃないのか？」

「僕の祖先はみな生涯のうちに、ダンコニア銅金属の生産高を十パーセントずつ伸ばした。僕は百パーセント伸ばすつもりなんだ」

「何のために？」ジムが、フランシスコの声をまねて嫌味たらしくたずねた。

「死ぬときに僕は、天国へいきたい――それがどんなところだか知らないが――その入場料を払えるようにしときたいんだ」

「美徳が天国への入場料だ」ジムがいばって答えた。

「僕がいうのはそれだよ、ジェイムズ。何よりもすばらしい美徳があるといえるように――お金を稼いだ人間だったといえるように」

「どんな汚い役人だって金は稼げるんだ」

「ジェイムズ、いつか君は、言葉には厳密な意味があると気づかないといけない」

　フランシスコはほほえんだ。それは燦然たる嘲笑だった。ふたりを見ながら、ダグニーは、不意にフランシスコと兄ジェイムズの違いを思った。ふたりとも嘲笑を浮かべていた。だがフランシスコはものを見て、それよりもさらに偉大なものを見るように笑った。ジムは、まるで偉大なものを何一つ残したくないかのように笑った。

　ある夜、彼女が森で、彼とエディーとでおこした焚き火を囲んで座っていたとき、フランシスコは同じ笑顔を見せた。炎の輝きは三人を木の幹と枝と遠くの星がとぎれては揺らめく柵で囲んでいた。彼女は、柵の向こうにはからっぽの暗闇のほかには何もない虚無しかないような気がしていた。ただ、息がとまるほどおそろしい何かの兆しがあった……未来のような。だけど未来はフランシスコの笑顔のようなもののはずだ、と彼女はおもった。あそこに未来への鍵、その本質の予告がある——松の枝の下の火明かりに輝く彼の顔に。唐突に、彼女は耐えがたい幸福を、完全すぎて言葉にならないために耐えがたい幸福を感じた。彼女はエディーをちらりと見た。彼はフランシスコを見ていた。口にはだささないが彼自身の静かなやりかたで、彼女と同じことをエディーは感じていた。

「なぜフランシスコが好きなの？」フランシスコが去って何週間もしてから、彼女は彼にたずねたことがある。

　エディーは驚いたようだった。その気持ちに疑問をいだくことなんて思いもよらなかったから。彼はいった。「彼といると安心するんだ」

　彼女はいった。「彼といると興奮と危険を感じるわ」

　翌年の夏、彼女がフランシスコとふたりきりで川岸の崖の天辺にたったとき、彼は十六歳になっていた。ふたりのシャツとショートパンツは頂上に登る途中に破れていた。よく晴れた日には遠くにマンハッタンが見えるときいていたふたりは、ハドソン河の下流を眺めた。だがみえたのは、河と、空と、太陽の三種類の光が交錯する靄だけだった。

　彼女は岩にひざまずき、前のめりになって、風になびいて目にかかる髪の間から街らしきものを探そうとした。彼女が肩越しに振り返ると、フランシスコは遠くをみてはいなかった。彼はじっと彼女をみていた。それは一心で真面目な、妙な視線だった。彼女は岩の上に手をぴたりとつき、体重を支える腕を突っ張ったまましばらくじっとしていたが、どういうわけか彼の視線は、自分の姿勢、破れたシャツからのぞく肩、岩から地面に落ちる傷だらけの日焼けした長い脚を彼女に意識させた。彼女は憤慨して立ちあがり、うしろに引き下がって彼から離れた。頭を高くもたげ、真剣な彼の目に怒りにみちた目をむけたとき、相手の視線にあるのは非難と敵意だと確信しながら、知らぬまに、挑戦心をむきだしにして笑うように、彼女は彼にきいていた。

「あたしのどこが好き？」

彼は笑った。彼女は仰天して、なぜそんなことを口走ったのかしら、とおもった。彼は答えた。

「きみのあれが好きなんだ」彼は遠くにあるタッガートの駅の輝く線路を指した。

「あれはあたしのじゃないわ」がっかりして彼女はいった。

「僕が好きなのはあれがいずれきみのものになるってことだ」

彼女はあからさまに喜ぶことで相手の勝利を認めた。なぜ彼はあんな変な目でみるのかしら、と彼女はおもった。だが彼は彼女の肉体と、いつかあの鉄道を支配する強さを与える彼女の内面の何かとの間に何らかの関係を見いだしたのだ、と感じた。

彼はぶっきらぼうに「ニューヨークが見えるかみてみよう」といい、彼女の腕を引っ張って崖っぷちまで連れていった。彼女の腕が不自然にねじれて、それが彼の脇にぴたりとついているのに彼は気づいていない、と彼女はおもった。そのために彼女の体はひきよせられ、彼の脚の肌から太陽の暖かみが伝わってきた。ふたりは遥か遠くを見続けたが、光の靄のほかには何もみえなかった。

その夏フランシスコが去ったとき、この出発は彼の子ども時代を終える境界線をまたぐようなものだ、と彼女はおもった。秋になれば彼は大学に進む。次は彼女の番だ。彼が未知の危険に乗り出したかのように、恐怖の興奮に似たもどかしさを彼女は感じた。それは数年前、彼が真っ先に崖からハドソン河に飛びこんで黒い水の下に消えた瞬間、すぐにまた現れる、次は自分の番だと知っていたときと同じ気持ちだ。

彼女は恐怖を頭から追い払った。危険はフランシスコにとって、別の優れた行動の機会にすぎない。彼が負ける戦いはなく、彼を負かせる敵はいない。そのとき、数年前に耳にした言葉を彼女は思い出した。奇妙な言葉だった。そのときはくだらないと思ったにもかかわらず、言葉が彼女の頭のなかに残っていたのも奇妙だった。それを言ったのは彼女の父親の友人であり、タッガート家の郊外の家をそのとき一度だけ訪問した数学の老教授だった。彼は彼女が好きな顔だちをしており、ある晩、夕闇のテラスに座り、庭にいるフランシスコの姿を指差したときの目が独特の哀しみをたたえていたことを、彼女は忘れることができなかった。彼はいった。「あの子はあやうい。歓びを感じる能力が大きすぎる。その機会がこんなに少ない世の中で、どうするんだろう?」

フランシスコは前々から彼の父親が選んでいたアメリカの名門校へ進学した。それは世界有数の教育機関、クリーブランドのパトリック・ヘンリー大学だった。その冬、彼はたった一晩で来られるニューヨークにも訪ねてはこなかった。ふたりは手紙を交換しなかった。だが彼女は、夏のひと月のために彼が戻ってくるとわかっていた。

冬のあいだ、彼女は漠然とした危惧を抱くことが何度かあった。あの教授の言葉が、説明できない警告のように、たびたび甦ってきたからだ。彼女はそれを否定した。フランシスコをおもうとき彼女は未来への前受金として、いまの周りの世界ではないきたるべき世界が本物である証拠として、またあの夏の一月がくるという強い確信をもった。

「やあ、スラッグ!」

「こんにちは、フリスコ！」

丘の斜面に立ち、ふたたび彼をみた瞬間、ほかのすべてに対してふたりが共有する世界の本質が急にわかりはじめた気がした。それは一瞬だったが、風が膝に叩きつける綿のスカートを肌に感じ、太陽を瞼に感じ、とてつもない安堵感が押し上げる力に体の重を忘れ、風のなかを天に昇りそうな心地がして、彼女はサンダルの下の草を踏みしめた。

それは思いがけない自由と安心感——なぜなら彼女は彼の生活上のできごとは何一つ知らず、知る必要もないからだ。偶然の世界——家族や、食事や、学校や、人びと、なにかいわれのない罪の重荷をひきずるあてのない人びと——はふたりのものではなく、彼を変えることはなく、無意味なのだ。ふたりは身の上の出来事について話したことはなく、考えていることと、やろうとすることだけを語り合ってきた……彼女のなかの声が語りかけるかのように彼女は無言で彼をみつめた。今存在するものではなく、わたしたちが作るもの……あなたとわたしはとめられない……あなたをかれらに奪われると怖れたことを許して——彼らがあなたを捕えるのではと疑ったことを許して——もう二度とあなたのために怖れない……

彼もしばらく彼女を見つめて立っていた。それは不在のあとの挨拶でなく、その一年間、毎日彼女のことを考えていた目つきだった。だが彼女がそう感じたのはほんの一瞬で、確かめる間もなく彼は後ろを振りかえり、樺の木を指して子どもの頃の遊びの調子で言った。

「きみがもっと早く走れるようになればいいのに。いつも待たなきゃいけない」

「待っててくれる？」彼女は陽気にたずねた。

彼は笑わずに答えた。「いつも待っているよ」

家までの道を登る途中、彼女が黙って隣を歩くあいだ、彼はエディーと話していた。彼女はふたりの間にこれまでになかった距離があると感じたが、みょうなことに、それはこれまでにない親密さだった。

大学のことはきかなかった。何日もたってから、大学が好きかとだけたずねた。

「ちかごろの大学はくだらないことをたくさん教える」彼は答えた。「好きな課目はあるけどね」

「友達はできた？」

「二人」

彼はそれ以上のことはいわなかった。

ジムはニューヨークの大学で四年生になるところだった。勉強して新しい武器を見つけたかのように、妙にふるいたって好戦的な態度を示すようになった。挑発されたわけでもないのにフランシスコを芝生の真ん中で呼びとめ、独善的な強い口調で説いたことがある。

「君も大学にいく年になったんだから、理想についてすこしは学ぶべきだと思うな。身勝手な欲を忘れて社会責任を考慮に入れることだ。なぜって君が受けつぐ数百万ドルすべては、君の個人的な快楽じゃなくて、恵まれない人や貧しい人たちのために委託されているものだと思うからね。これがわからないのはもっとも堕落した人間だ」

フランシスコはいんぎんに答えた。「ジェイムズ、求められてない意見をあえて述べるのはいかがなものかな。それが相手にとってずばりどんな価値を持つか知って、恥をかかないようにするべきだぜ」

立ち去りながら、ダグニーは彼にたずねた。「世の中にはジムみたいな人が大勢いるの？」

フランシスコは笑った。「じつに大勢ね」

「気にならないの？」

「ああ。やつらは相手にしなくていい。なぜそんなことをきくんだい？」

「だってあの人たち、どこか危険な気がするの……どうしてかわからない……」

「やれやれ、ダグニー！　ジェイムズのようなものを怖がれと僕にいうのか？」

何日かして、ふたりきりで川岸の森を歩いていたとき、彼女はたずねた。

「フランシスコ、もっとも堕落した人間ってどんな人間のこと？」

「目的のない人間のことだ」

広大で急激で輝かしい向こうの空間のひろがりを背に立つ木々の幹を、彼女は真直ぐにみていた。森はほの暗くひんやりしているが、枝先は水面からの熱い銀の太陽光線をとらえている。周りの野原に注意を払ったことはないのに、この景色を楽しむことができ、その気持ちよさと自分の動作、歩く体をこんなにも意識しているのはなぜだろう、と彼女はおもった。彼女はフランシスコを見たくなかった。だが目をそらすほど彼の存在は、まるで彼女の強まった意識が彼からきているように、水からの日光のように、いっそう強烈に迫ってきた。

「君は自分ができる人間だと思っているんだろう？」彼はたずねた。

「いつも思っていたわ」彼女は振り向かず、けんか腰で答えた。

「ならば証明してみせてもらおう。きみがタッガート大陸横断鉄道でどこまで昇れるか。どんなに能力があったとしても、もてるすべてを出し尽くしてもっとよくなるんだ。目標に達するためにボロボロになっても、また別の目標を目指すんだ」

「なぜわたしが何か証明したがっているなんて思うの？」

「答えてほしいのか？」

「いいえ」彼女は遠い対岸に目を据えて小声でいった。

彼がくすくす笑うのが彼女に聞こえ、しばらくして彼がいった。「ダグニー、人生で重要なのは、どれだけいい仕事をできるかってことだけだ。ほかには何もない。それだけなんだ。きみがほかに何者であったとしても、すべてはそこからくる。それが人間の価値のたったひとつの尺度だ。やつらがきみに植えつけようとする倫理は、人の美徳を利用して巻上げる詐欺師が刷った紙幣にすぎない。能力による秩序が金本位制に基づくたったひとつの道徳秩序だ。きみが成長したら、僕の言う意味がわかるよ」

「いまもわかるわ。だけど……フランシスコ、なぜそれを知っているのがわたしたちだけのように感じるのかしら?」

「なぜほかのやつらのことを気にするんだ?」

「ものごとを理解したいからよ。人について、どうしてもわからないことがあるの」

「何だい?」

「あのね、わたしは学校で前から人気がなくて、それは気にならなかったけれど、最近理由がわかったの。ありえないような理由よ。みんなわたしのやりかたがまずいからじゃなくて、わたしがよくできるから嫌うの。クラスでいつも一番いい成績をとるから嫌うの。わたしは勉強さえしなくていいのよ。いつもAばかりだもの。ためしにDをとってみて学校一の人気者になるべきだと思う?」

フランシスコはたちどまり、彼女を見て顔をひっぱたいた。

彼女の足下の地面が揺れるあいだ、彼女が感じたものは一瞬、彼女のなかで爆発したひとつの感情に含まれていた。ほかの人間が彼女を殴ったならめちゃめちゃにやり返していたはずだ。それほどまでの激しい怒りを彼女はおぼえていた。そしてそれをフランシスコがやったのだという同じく激しい快感を。頬の鈍く熱い痛みから、口角の血の味から彼女は快感をおぼえていた。二人のこと、そして相手の真意について突然わかりはじめたことに、彼女は快感をおぼえていた。

めまいをおさえようと足をふんばり、頭を真直ぐにもたげ、新たな力の意識のなかで彼と向き合い、勝利の嘲笑を浮かべて彼を見ながら、彼女は初めて彼と対等になったと感じた。

「そんなにあなたを傷つけた?」彼女はきいた。

彼は驚いたようだった。その問いと笑みは子どものものではなかった。「ああ――それが嬉しいなら」

「嬉しいわ」

「もう二度とやるな。冗談でもあんなこと言うもんじゃない」

「ばかね。私が人気者かどうかなんて気にすると思う?」

「もうすこし成長したら、いまきみがどんな愚劣なことを言ったかがわかる」

「いまだってわかるわ」

彼は不意に振りむき、ハンカチをとりだして川の水に浸した。「おいで」彼は命じた。

彼女は笑って後ろにさがった。「あら、いいわ。そのままにしときたいの。ひどく腫れるといいな。気持ちいいもの」

彼は長い間、彼女をみつめていた。そして、とても真剣な顔でゆっくりと言った。「ダグニー、きみは素晴らしい」

「いつもそう思っているでしょう」彼女は横柄に、こともなげに答えた。

家に帰ったとき、彼女は母親に岩に転んで唇を切ったのだといった。それは彼女が生まれてはじめてついた嘘だった。フランシスコを守るための嘘ではない。理由はよくわからないが、事件は打ち明けるには大切すぎる秘密のように思えたからだ。

翌年の夏、フランシスコが訪ねてきたとき、彼女は十六歳だった。彼女は彼を迎えに丘を駆けおりはじめたが、不意に立ちどまった。それをみて彼も立ちどまり、ふたりは長い緑の斜面を隔ててしばらくじっと見つめあった。はじめに歩き始めたのは彼だった。彼女がじっと待つあいだ、彼はとてもゆっくりと、彼女のほうへ歩いていった。

彼が近づいてきたとき、彼女は競走があったことやそれに負けたことなど頭になかったかのように無邪気に微笑んだ。

「いいことを教えてあげる」彼女はいった。「私、鉄道で仕事を始めたの。ロックデイルの夜勤交換手よ」

彼は笑った。「そうか、タッガート大陸横断鉄道くん。では競争だ。きみと僕とどちらが先祖の名をあげるか。きみはナット・タッガートの、僕はセバスチアン・ダンコニアの」

その冬、彼女は単純な幾何の図形にまで生活を削りおとした。数本の線——街の工科大学への毎日の往復、ロックデイル駅の仕事場への毎晩の往復——そしてエンジンの略図、スチール構造の青写真、鉄道のダイヤが散らかった部屋の閉ざされた円。

タッガート夫人は悲しい戸惑いとともに娘をながめていた。たいていの欠点は大目にみてもよかっただろうが、このひとつだけは許せなかった。ダグニーは男性に興味をしめさず、ロマンチックな傾向が皆無だった。タッガート夫人は極端なことを良く思わなかった。必要とあらば、もう一方の極端さと戦う用意はあった。だがこれはそれより始末におえない。十七歳の娘に一人の崇拝者もいないと認めなければならないとき、彼女は恥ずかしくおもった。

「ダグニーとフランシスコ・ダンコニア?」友人の好奇心にこたえて、彼女は痛ましく微笑んだ。「あら、ちがいますの。恋愛じゃありませんわ。一種の国際企業連合よ。ふたりともそれしか眼中にないみたいなんですの」

タッガート夫人は、ある晩、客人のいる場所で、ジェイムズがやけに悦に入って言うのをきいた。「ダグニー、君は初代のダグニー・タッガートにちなんで名づけられたけれど、ほんとうは彼女じゃなくてナット・タッガートに似てるぜ。美人で有名だった妻のほうじゃなくて」タッガート夫人はどちらを不愉快に思ったのかわからなかった。ジェイムズがそう言ったことと、ダグニーがそれを賛辞とうけとめて喜んだことと。

自分の娘についての考えをまとめる機会がない、とタッガート夫人はおもった。ダグニーは、部屋を出入りする姿、皮ジャケットを着て、襟をたて、ミニスカートからコーラスガールの長い脚を伸ばした姿にすぎない。彼女は部屋を横切るのに、男のように真直ぐ大胆に歩いたが、機敏で、張りつめ、妙に挑発的で女らしい動きには独特の優美さがあった。

ときおり垣間見るダグニーの顔に、タッガート夫人は不可思議な表現をとらえることがあった。それは単なる快活さ以上のもの、あまりにもけがれなく純粋な喜びの表現にみえたが、夫人はそれも異常だとおもった。若い娘が人生の悲しみを見つけたことがないほど鈍感でいられるはずはない。夫人は、娘には感情がないのだ、という結論に達した。

「ダグニー」彼女はたずねたことがある。「あなたは楽しいことをして時間を過ごしたくないの？」

ダグニーはきょとんと母親を見返して答えた「いま何をしていると思うの？」

娘のために正式な初舞踏会（デビュー）を開催すると決めるまで、タッガート夫人はおおいに悩んだ。夫人は、ニューヨーク社交界に紹介するのが名士録のダグニー・タッガート嬢なのか、ロックデイル駅の夜勤交換手なのかわからなかった。おそらく後者が真実なのかもしれない、と彼女は考え、そのような儀式を行うという考えをダグニーは拒むに違いないとおもった。ダグニーがなぜか熱心に、初めて子どものようにそれを受けいれたとき、彼女は驚いた。

パーティーのために装ったダグニーをみたとき、彼女は改めて驚いた。それは娘が初めて身につけた女性らしいドレス——雲のようにふんわりと流れるスカートがついた、白いシフォンのイヴニングだった。タッガート夫人は娘が途方もなく場違いにみえるかもしれないと思っていた。ダグニーはひとりの美女にみえた。いつもより大人びて、輝くばかりに無邪気にみえた。鏡の前に立ち、ナット・タッガートの妻がそうしたであろうように、娘は頭をまっすぐにもたげていた。

「ダグニー」タッガート夫人は優しくなじるようにいった。「その気になればあなたがどれほど美しくなれるかわかる?」

「ええ」ダグニーはこともなげに答えた。

ウェイン・フォークランド・ホテルの舞踏室は、タッガート夫人の指導のもとに飾りつけがほどこされた。芸術家ばりの夫人のその夜の装飾は傑作だった。「ダグニー、もっと気をつけてみてほしいものがあるの」彼女はいった。「光、色、花、音楽。そういうものはあなたが思うほどつまらないものじゃないのよ」「つまらないなんて考えたことないわ」ダグニーは幸福そうに答えた。タッガート夫人ははじめて娘との絆を感じた。ダグニーは子どもらしく信頼しきって母親を見つめていた。「そういうものが人生を美しくしてくれるのよ」タッガート夫人はいった。「今夜はあなたにとって、最高に美しい夜であってほしいわ、ダグニー。初めての舞踏会は人生で何よりもロマンチックな事件ですもの」

タッガート夫人にとってもっとも衝撃的だったのは、光の下で、舞踏室をみつめて立つダグニーをみた瞬間だった。これは子どもでも少女でもなく、おそろしく自信にあふれ、危険な力がある女性だわ、とタッガート夫人は驚嘆して娘をみつめた。飾らず、シニカルで、無頓着な型にはまった時代、肉体ではなく肉塊のようにふるまう人びとの間で――ダグニーの物腰はほとんど不適切にさえみえた。それは何世紀も前、女性の半裸体を男たちの賞賛のまなざしにさらすことがいまだ大胆な行為であり、それには唯一高級な冒険として認められていた意味があったころに舞踏室に向きあった女性の物腰だったからだ。そしてこの子が――タッガート夫人は微笑んでおもった――セクシュアルな能力がまったくないと信じていた娘なのだから。彼女はとてつもなく安心して、そのような発見に安堵したことをおかしくおもった。

だが安堵感は数時間しか続かなかった。夜が更け、夫人は、舞踏場の片隅で、柵に座るように手すりに腰掛け、スラックスをはいているかのようにシフォンのスカートの下で脚をぶらぶらさせているダグニーを見た。娘は侮蔑にみちた虚ろな顔で、ふがいない青年たちと話していた。

帰りの車のなか、ダグニーもタッガート夫人もひとことも発しなかった。だが数時間後、急に思いたって、タッガート夫人は娘の部屋へいった。ダグニーは白のイヴニングのままで窓際に立っていた。ドレスはいまではそれには華奢すぎる体、肩を沈ませた小さな体を支える雲のようにみえた。窓の向こうの雲は、朝一番の光のなかで灰色にみえた。

ダグニーが振り返ったとき、タッガート夫人は彼女の顔にとまどった無力感をみた。落ち着いた表情だったが、何かがタッガート夫人に、娘に悲しみを発見してほしいなどと望まなければよかったと思わせた。

「お母さん、人は正反対のことを考えているの？」彼女はたずねた。

「何？」タッガート夫人は困惑して訊き返した。

「お母さんが話していたこと。光と花と。人はそういうものに自分をロマンチックにしてほしいと思っているのかしら。その逆じゃなくて」

「ダグニー、どういう意味？」

「あのなかで楽しんでいた人はひとりもいなかった」彼女は死んだような声でいった。「何かを考えたり感じたりしていた人も。人はうろうろして、どこでも言う同じ退屈なことを言っていたわ。あの人たちは光がそれを輝かせてくれると思っていたのかしら」

「ダグニー、あなたは何でも真面目に考えすぎよ。人は舞踏会で頭を使わなくてもいいの。ただ陽気にしていればいいのよ」

「どうやって？　バカになって？」

「たとえば、若い男の人たちと出会えて楽しくなかった？」

「どの人？　十人まとめても言いまかせない人はいなかったわ」

　数日後、ロックデイル駅の彼女の机で、気楽な軽い心地よさを感じながら、ダグニーは舞踏会を思い出し、自分の落胆をあざけるように咎めて肩をすくめた。彼女は目を上げた。春になり、外の暗闇の木の枝には葉っぱがみえる。空気は静かで温かい。舞踏会に何を期待したのだろう、と彼女は自問した。わからなかった。だがふたたび、ここで、いま、この古びた机に前かがみに座って暗闇をのぞきこみながら、対象のない期待感が熱い液体のように体のなかをじわじわと昇っていくのを感じた。そして疲れてはいないが仕事をする気もせず、けだるく、机にばったりと倒れこんだ。

　その年の夏、フランシスコがやってくると、ダグニーは彼に舞踏会のこと、自分が落胆したことを話した。彼は黙ったまま、ほかの人間にとっておいた無感動な嘲りの視線、多くを見透かしすぎる視線をはじめて彼女に向けて耳を傾けた。彼女は言葉で打ち明けた以上のことをきかれているかのような気がした。

　同じ視線を彼女が見たのは、ある夜、いつもより早く彼をおいていったときだ。ふたりきりで川岸に座っていた。ロックデイル駅での始業時間まであと一時間あった。空には細長い炎がたちのぼり、水面を赤いきらめきが気だるく流れていた。彼は長いあいだ沈黙していたが彼女はいきなり立ち上がり、いかなきゃ、といった。彼は引き留めようとはしなかった。後ろにもたれ、肘を芝生につき、動かずに彼女を見ていた。その視線は動機はお見通しだと語るようだった。家までの坂道を急ぎながらいらだちをおぼえ、なぜ立ち去る気になったのだろう、と彼女はおもった。わからなかった。それはこれまで認識しなかった感情、ある予感からくる焦燥だった。

毎晩、彼女は郊外の家からロックデイルまでの五マイルを車で通った。そして夜明けに帰宅し、数時間眠った後、ほかの家族と同じ時間に起きた。眠りたいとはおもわなかった。太陽の一番光線のなかで寝支度をしながら彼女は、始まったばかりの一日に向きあう張りつめた、喜ばしい、理由のないもどかしさを感じた。

フランシスコの嘲る視線を、彼女は再びテニスコートのネット越しに見た。試合の始まりは思いだせなかった。ふたりは頻繁にテニスをしたが、必ず彼が勝った。今回は自分が勝つ、とどの時点で決めたのか覚えていない。気がつけばそれは決断でも願望でもなく、内側でこみあげる静かな怒りに変わっていた。なぜ勝たねばならないのかわからなかった。なぜそれがこれほど決定的に、緊急に必要におもえるのかもわからなかった。勝たねばならない。勝つだけだ。

試合は容易におもえた。まるで彼女の意志が消え、誰かが彼女のために試合を続けているかのようだった。彼女はフランシスコの姿――機敏に動く長身と、白い半袖シャツで際立つ日に焼けた腕をみつめた。そして彼のたくみな動作を見る尊大な喜びを感じていた。これを負かそうとしているのであり、彼の卓越した動きは彼女の勝利に、彼の肉体の輝かしい能力は彼女の肉体の勝利になるのだから。

疲労の痛みが高まっていた。だが彼女はそれが痛みだと気づかず、いきなり突き刺して瞬間的に体のある部分を意識させるものを感じるだけで、次の瞬間には忘れていた。腕のつけ根——肩甲骨——白いショートパンツがはりついた腰——球を迎えに走り飛んだが、ふたたび着地したかもおぼえていない脚の筋肉——空が濃い赤に染まり、球が渦巻く白い炎のように向かってきたときの瞼——フランシスコに向けて球を打ちつけるときの、足首から背中を通り、空に真直ぐ突き抜ける細く熱い針金……彼女は高揚した悦びを覚えていた——なぜなら自分の体で始まった刺すような痛みはすべて彼の体で終わり、彼は自分と同じように疲れさせられているから——自分にしていることは彼にもしていること——これは彼が感じていること——彼を追いこんでいるところ——感じているのは自分の痛みでも体でもなく、彼の痛みと体なのだ。

彼の顔をみた瞬間、彼女は相手が笑っていることに気づいた。お見通しだというように彼女をみながら。勝つためではなく、彼女を苦しめるために彼は勝負していた——彼女を走らせるために突飛なショットを放ち——苦しいバックハンドで体をよじらせるために失点し——じっと立ち、受けそこなうと思わせただけで、最後の瞬間にさりげなく腕をさっと出し、彼女が始めから逃すとわかる強い力で球をうち返した。彼女はもう二度と動けないかのように感じた——不思議なことに、気がつけば彼女は、コートの反対側に着地して、機を逃さず、まるでそれを粉々に砕いてしまいたいかのように、まるでそれがフランシスコの顔であればと願うかのように、球を叩きつけていた。

あと一打だけ、と彼女はおもった。たとえ次の一打で腕の骨がひび割れたとしても……あと一打だけ。たとえ喘ぎながらかたく腫れた喉に押しこんでいる息が完全に止まってしまったとしても……そのうち何も感じなくなり、痛みも筋肉も忘れ、ただ彼を負かせば、彼が力尽きるのを見れば、崩れ落ちるのを見届けさえすれば、次の瞬間に死んでもいいという思いしかなかった。

彼女は勝った。おそらく彼は笑ったために、この一回だけ負けたのだ。彼女が立ちつくすあいだ、彼はネットまで歩き、お望み通りというように、ラケットを彼女の足もとに放り投げた。そして歩いてコートを出ると芝生の上に崩れ落ちて、腕に頭をのせた。

彼女はゆっくりと彼に近づいた。そして彼の上に立ち、足もとに伸びる彼の体を見下ろし、汗だくのシャツと、腕にふりかかる髪を見た。彼は頭をあげた。その視線がゆっくりと彼女の脚の線を、ショートパンツへ、ブラウスへ、彼女の目へと上っていった。服も心も見透かしているような嘲りの視線だった。その視線は彼が勝ったことを物語っていた。

その夜、彼女はロックデイルの古い駅舎で机に座り、窓の空をひとり眺めていた。窓ガラスの上部が明るみ、目の前では線路のレールがくすんだ銀色の糸に変わった。それは彼女が一番好きな時間だった。彼女は明かりを消し、不動の大地の上の広大な音のない光の動きをみつめていた。空が次第に色を失って輝く水面のように広がっていく間は何ひとつ動かず、木の葉一枚震えることもない。

鉄道全体が停止しているかのように、この時間に電話は鳴らなかった。突然、扉に近づく足音がきこえた。フランシスコだ。彼がここへ来たことはなかったが、彼女は驚かなかった。

「こんな時間にどうしたの？」彼女はたずねた。

「眠る気がしなかった」

「どうやってここに来たの？　車の音がきこえなかったわ」

「歩いて来たんだ」

しばらくしてから、なぜ来たのかたずねていないことに彼女は気づいたが、ききたくはなかった。

壁に貼った貨物引換証の束や、見物人に向かって堂々と現れるタッガート・コメットの写真入りのカレンダーなどを見ながら、彼は部屋の中を歩きまわった。一緒にどこかへいくときはいつもそう感じるのだが、彼はふたりがそこの主人であるかのようにくつろいでいた。だが話をしたそうではなかった。仕事についていくつか質問すると口を閉ざした。

外が明るくなると、交信の動きがさかんになり、沈黙を破って電話が鳴りはじめた。彼女は仕事に戻った。彼は部屋の隅に座り、片足を椅子の肘にのせて待っていた。

やけに頭がさえていると感じながら、彼女はきびきびと仕事をした。自分の手が素早く正確に動くのが気持ちよかった。彼女は、鋭く明るい電話の音と、列車や車両や編成の番号などの数字に集中した。ほかのことは意識になかった。

だが一枚の薄い紙がひらりと床に落ちてそれを拾おうとかがんだとき、彼女は急にその一つの動作、自分の体、そして自分自身の動きを強く意識した。灰色の麻のスカートと、灰色のブラウスのまくりあげた袖と、紙に伸ばしたあらわな腕が気になり始めた。期待のあえぎのなかで、わけもなく心臓が止まりそうな気がした。彼女は紙を拾いあげると、ふたたび机に向かった。

もうすぐ夜明けだった。列車が一台、駅を通過した。澄んだ朝の光のなか、車両の屋根の長いつらなりがとけて銀の糸になり、地面すれすれに浮かび、空(くう)をきっていった。駅の床が振動し、窓ガラスがカタカタと音をたてた。彼女は列車の飛行を興奮した笑みを浮かべて眺めた。そしてフランシスコを見た。彼は同じ笑みを浮かべて彼女をみていた。

日勤の交換手が到着して彼女が交替すると、ふたりは朝の空気へと歩きだした。太陽はまだ昇っていないが、空気は燦然と輝いていた。彼女はすこしも疲労を感じなかった。たったいま目覚めたかのように感じていた。

彼女は車に向かって歩きだしたが、フランシスコが言った。「家まで歩こう。車はあとで取りに来ればいい」

「いいわ」

彼女は驚かず、五マイル歩く見通しも苦にならなかった。自然なことにおもえた。その瞬間独特の現実、鋭く明快だがすべてからかけ離れ、霧の壁に囲まれた明るい島のように間近だが切断され、人が酔った時に感じる高揚したまごうことなき現実に対しては、自然だった。

道は森へ続いていた。ふたりはハイウェイからそれ、手つかずの土地が何マイルも続く木々の合間の曲がりくねった古い小道に入った。あたりに人のいる気配はない。雑草で覆われた古い轍が、道のりに年月の遠さを加えて人間の存在をいよいよ遠く感じさせた。地面には薄明の靄が残っているが、木の幹の切れ目には輝く緑の葉がところどころに下がって森を明るくしている。木の葉は動かない。ふたりは歩き、不動の世界で唯一動いていた。彼女は不意に、長い間ひとことも発していないことに気づいた。

ふたりは明るい場所にでた。そこは丘の斜面の険しい岩に囲まれた小さな窪地だった。草の間を小川が流れ、緑の流れるカーテンのように低木の枝が地面をなでている。川のせせらぎが静けさを強めている。広い空の遠い断片がその場所をいっそう秘密めかせていた。上方はるか、丘の頂上で、一本の立木が朝一番の日光をとらえている。

ふたりは立ちどまり見つめあった。そうされて初めて、彼はそうするとわかっていたことに彼女は気づいた。抱きよせられ、唇で唇を感じ、腕はひとりでに彼の体をつかんでいた。そして初めて、どれほどそれを求めていたかがわかった。

一瞬の反抗心とかすかな恐怖。彼はきつく彼女を抱きしめ、意図的に執拗に、全身をぴたりと押しつけ、所有者として彼女の体との情交、相手からは何の同意も許可も要らない情交に慣れていくかのように胸をさぐった。彼女は体を引き離そうとしたが、彼の顔と、彼女はとっくに許していたと物語る微笑を見たとおもうと、ふたたび相手の腕によりかかった。逃げなければ、とおもったが、頭を引きつけて、ふたたび唇を求めたのは彼女だった。

おびえても無駄であり、彼の意のままであり、決めるのは彼なのであり、彼は一つのことのほかすべてを不可能にしていた。それは彼女の唯一の願望でもあった――言うなりになること。彼女には彼の目的についての意識はなく、その知識は一掃され、はっきりと信じる力、この瞬間、彼女自身について信じる力はなく、おびえていることだけがわかっていた――にもかかわらず彼女の感情は彼に向かって叫ぶかのようだった。きかないで――ああ、きかないで――して！

彼女は一瞬、抵抗して足を突っ張ったが、彼は彼女の唇に口を押しつけたまま離そうとせず、ふたりは一緒に地面にくずれおちた。彼女はじっと横たわっていた。そして彼が楽々と、ためらいなく、それがふたりに与える耐えがたい快楽の権利としておこなう行為に震えるだけのものとなった。

それがふたりに意味したものを、彼はその後に語った最初の言葉であきらかにした。彼はいった。「僕たちは互いから知らなければならなかった」彼女は傍らの草の上に伸びている長身の体を眺めた。彼は黒いスラックスと黒いシャツを着ていた。引きしまった腰にきつく締めたベルトで目をとめ、息をのむような誇り、この体を所有する誇りのような鋭い感情を彼女はおぼえた。そして仰向けに寝転んで空を見ながら、動きたくない、この瞬間より先の時間が存在することを考えたくも知りたくもないと感じていた。

家に帰ると、彼女は裸でベッドに横たわった。自分の体が持ちなれぬものになり、ナイトガウンに触れさせるにはいとしすぎたからだ。そして自分は裸だと感じ、フランシスコの体が自分のベッドの白いシーツに触れている気がするのが快感だったから。眠るまいとおもった。いま休めば、これまで知ったうちでもっとも素晴らしい疲労感を失いそうだから。そして最後におもったのは、ときおり瞬間にとらえた幸福より大きな感情、この世のすべてを祝福する気持ち、自分が存在し、このような世界に生きているという事実を愛しているという感情を表現したかったのにその方法が見つからなかったときのことだった。彼女が知った行為は人がそれを表現する方法なのだと彼女はおもった。これが重々しい意味をもつ思いつきだったとしても知ったことではない。苦痛の概念が一掃されたこの世界で重々しいものなんてない。その結論をはかりにかけるのは自分の仕事じゃない。微笑を浮かべて、静かな朝の光に満ちた明るい部屋の中で、彼女は眠りについた。

その夏、彼女は森のなかで、川辺の人目につかない場所で、朽ちた空き家の床で、その地下室で彼とおちあった。そうしているときだけ、美の感覚をおぼえることができた――古い垂木や頭上で軽快な音をたてる空調設備のスチールプレートをみながら。彼女はスラックスか綿のサマードレスを身につけていたが、彼の傍に立ち、その腕によりかかり、与える快楽によって女を無力にする男の力を恥じらいなく認め、男が望むすべてに体をなげうつときほど女らしい気持ちになったことはなかった。彼は考えつく限りの官能のかたちを教えた。「僕たちの体がこれほどの快感を与えてくれるなんて素敵じゃないか？」彼は率直に彼女にいったことがある。ふたりは幸福で、輝くばかりに無邪気だった。ふたりには、喜びが罪悪だという概念をもつことができなかった。

恥ずべき罪悪としてではなく、純粋にふたりだけのものとして、人が話の種にしたり評価を下したりする権利を退けておくために、ふたりは秘密を守りつづけた。人びとが何らかのかたちで信じている一般的な教義、セックスは人間の低俗な性質の醜い弱みであり、しかたなく受け入れるものという教義を、彼女は知っていた。彼女は自身の体の欲望からではなく、このような教義をかかげる精神との接触から身をかばい、貞操を守りたいという気持ちをおぼえた。

その冬、フランシスコは予測のつかない間をおいて、ニューヨークの彼女に会いにきた。彼は前触れもなく、一週間に二度クリーブランドから飛行機でやってきたかと思うと、何ヶ月間も姿をみせないことがあった。部屋で表や青写真に囲まれて座っていた彼女は、ノックの音をきくとすぐさま「忙しいの!」と無愛想に言うのだったが、嘲りを帯びた声が「そう?」ときくと、急いで飛びおきて扉を開け、そこに立っている彼をみつけるのだった。マンハッタンの静かな区域に彼が借りた小さなアパートでふたりは時を過ごした。「フランシスコ」彼女はある日はっとしてたずねた。「アタシはあなたの愛人なのね?」彼は笑った。「そうだ」彼女は夫人の称号を与えられておぼえるべき誇りを感じた。

彼がいない幾月もの間、相手が自分に誠実かどうかを彼女は疑ったことがなかった。理由を知るには若すぎたが、無差別な欲望と見境ない耽溺はセックスと自己を罪悪視する者にのみ可能だと彼女は知っていた。

フランシスコの生活について、彼女はほとんど知らなかった。それは彼の大学最後の年で、彼自身めったにその話をせず、彼女も問いはしなかった。ときおり限界をこえて何かに精力を注いでいるような高揚した気色、不自然なほど明るい彼の顔をみて、勉強しすぎているのかしら、と彼女はおもった。一度、自分は既にタッガート大陸横断鉄道の古株だと得意がり、生活の糧をいまだ稼ぎはじめていない彼を笑ったことがある。彼はいった。「僕が卒業するまで父はダンコニア銅金属で働かせてくれないんだ」「いつ従順になることにしたの?」「父の意思は尊重しないとね。ダンコニア銅金属の所有者だから……だが彼は世界じゅうの銅会社をすべて所有しているわけじゃない」秘密を匂わせるように、彼はいたずらっぽく微笑んだ。

その話を彼女は、翌年の秋、大学を卒業してブエノスアイレスの父親を訪問したあとニューヨークへ戻ってきた彼に初めて聞かされた。過去四年間、彼は二種類の教育をうけた。一方はパトリック・ヘンリー大学で、もう一方はクリーブランド郊外の銅鋳造所で。「独学が好きなんだ」彼は十六歳で工場の溶鉱炉係として働き始め――いま二十歳でその工場を所有していた。卒業証書をうけとった日、いくぶん年をごまかして、彼は初めてその資産の権利書を入手し、両方を父親に送った。

彼は鋳造工場の写真を彼女にみせた。それは小さくて薄汚れた場所で、老朽化し、長びく営業不振で荒廃していた。入口の門の上に、廃船のマストに掛かった新しい旗のように、「ダンコニア銅金属」の看板が掲げてあった。

父親の部下であるニューヨーク営業所の広報係は怒って呻いた。「ですがフランシスコ殿、とんでもございません！　世間がどう思います？　こんなクズにあの名前を！」「私の名前だ」フランシスコは答えた。

ブエノスアイレスで、実験室のような厳かで近代的な父親の広いオフィスに彼が入ったとき、壁の唯一の装飾はダンコニア銅金属の地所の写真――世界の大鉱山、鉱石の集積場や鋳造工場の写真だけだったが、父親の机の真正面の名誉ある位置に、門の上に新しい看板を掲げたクリーブランドの鋳造工場の写真があるのを彼はみとめた。

机の前に立つと、父親の目は写真から息子の顔へと動いた。

「ちょっと早すぎないか？」父親はきいた。

「講義だけの四年間には耐えられなかったでしょう」

「あの物件を買う頭金はどうした？」

「ニューヨーク証券市場で株をやりました」

「何だと？　誰に教わった？」

「どのベンチャーが成功してどれが失敗するかの判断はそう難しくありません」

「どこで株をやる資金を手に入れたんだ？」

「父上に送っていただいた小遣いです。それと私の賃金と」

「いつ株式相場をみる時間があったんだ？」

「アリストテレスによる『不動の起動者』の理論が後世の形而上学にもたらした影響について卒論を書いていたときです」

その秋、フランシスコのニューヨーク滞在は短かった。父親が息子をモンタナのダンコニア鉱山の監督補佐に赴任させたからだ。「まあね」彼は笑いながらダグニーに言った。「父はあまり早く出世しすぎるのが賢明だと思ってないんだ。僕もただ信用してもらおうとは思っちゃいない。父が実績をあげてみせろというなら従うまでだ」翌年の春、フランシスコは戻ってきた——ダンコニア銅金属のニューヨーク営業所長として。

それから二年間、彼女が頻繁に彼と会うことはなかった。出会った翌日に彼がどこに、どの街に、どの大陸にいるのか、彼女にはわからなかった。彼はいつも予告なしにやってきた——彼女にはそれが嬉しかった。隠れた明かりのいつなんどき射しこむかわからない光線のように、それは彼女の生活に四六時中、彼を存在させたからだ。

彼のオフィスで会うたびに彼女は、彼の手をモーターボートのハンドルを握っていたときの手に重ねあわせた。彼は事業を、あのときと同じようにそつなく、危険なほど早いが自信たっぷりで制御された速度で操縦していた。だがひとつの小さな事件が彼女の心に衝撃を残した。彼らしくないことだった。ある晩、彼はオフィスの窓際に立ち、褐色にたそがれる冬の街をみつめ、長い間身動きしなかった。固く厳しい顔には、彼に限ってありえないとおもっていた感情、苦々しさとやり場のない怒りがあらわれていた。彼はいった。「この世界は何かがおかしい。ずっとおかしかった。これまで誰も明言したことも説明しようとしたこともない何かが」それが何なのか彼は語ろうとはしなかった。

つぎにフランシスコに会ったとき、彼は何ごともなかったかのように振舞った。ふたりはレストランの屋上テラスに並んで立ち、彼女の薄絹のイヴニングが春風に揺れ、黒で正装した長身の彼の姿に映えていた。ふたりは街をみていた。背後のダイニングからリチャード・ハーレイのエチュードが流れていた。ハーレイはまだそこまで有名ではなかったが、ふたりは彼を見いだし、彼の音楽を愛した。フランシスコが言った。「もう遠くの摩天楼を探さなくていいね？　僕たちは到達したんだから」彼女は微笑んでいった。「通り過ぎていく気がするわ……こわいくらい……加速するエレベーターにのってるみたい」「そう。何がこわいの？　もっと早くなればいい。制限なんかなくていい」

父親が亡くなり、いまや彼のものとなったダンコニアの財産を引き継ぐためにブエノスアイレスに赴いたとき、彼は二十三歳だった。その後三年間、彼女は彼に会わなかった。

はじめ、彼は気まぐれに手紙をよこした。そしてダンコニア銅金属、世界市場、タッガート大陸横断鉄道の利益に影響をおよぼす事柄について書いてきた。手紙は短く、たいていは夜、手書きでしたためられていた。

彼がいなくとも彼女は不幸ではなかった。自分もまた、将来の王国制覇にむけての第一歩を踏みだしていた。父親の友人である産業界の指導者たちの間で、ダンコニアの若い跡取りからは目が離せない、といわれているのが耳に入ってきた。これまですばらしい業績をあげてきたとはいえ、彼の経営手腕によってまちがいなく、あの銅会社は世界を席巻するだろう。彼女は驚かずに微笑んだ。不意に激しく彼が欲しい、と思うときはあったが、それは痛みよりはもどかしさに近かった。彼女は、互いを含め、求めるすべてをもたらす将来のためにふたりとも働いているという確信をもって、その気持ちを払いのけた。しばらくすると、手紙がこなくなった。

タッガート・ビルのオフィスにある彼女の机の電話が鳴ったある春の日、彼女は二十四歳だった。「ダグニー」すぐにそれとわかる声がいった。「ウェイン・フォークランドにいる。今夜夕食にきてくれ。七時だ」昨日別れたかのように、挨拶もしないで彼はいった。ふたたび呼吸するのに時間がかかり、彼女は初めてその声をどれほど聞きたかったかに気づいた。「いいわ……フランシスコ」彼女は答えた。そのほかの言葉は要らなかった。受話器を戻しながら、彼は戻って当然であり、彼女は常にこうなると予期していたが、彼の名を呼びたいという激しい欲求と、彼の名を呼ぶときに感じる鋭い幸福感までは予期していなかった、と彼女はおもった。

その夜、彼のホテルの部屋に入ったとき、彼女は途中で立ちすくんだ。彼女を見つめて彼は部屋の真ん中に立っていた――笑う能力を失い、それを回復して驚くかのような、ゆっくりとした笑みが思わず彼からこぼれたのが見えた。彼女の存在と彼の感情を完全には信じないで、彼は呆然と彼女を見ていた。それは嘆願するような、泣かない男が泣いて助けを求めるような視線だった。彼女が入ってくると、彼は「やあ……」と昔の挨拶をしかけたが、最後まで言わなかった。かわりに一呼吸おいて「ダグニー、きみは美しい」といった。それが彼を傷つけるかのように。

「フランシスコ、私……」

彼は頭を振り、かつて交わしたことがない言葉を口にしようとした彼女を制止した――だがその瞬間にその言葉が交わされたことを、ふたりとも知っていた。

彼は歩み寄り、彼女を腕に引きよせ、口づけすると長い間彼女を抱いた。彼女が彼の顔を見上げたとき、彼は自信にみち、嘲弄を帯びた笑顔で彼女を見下ろしていた。その目は、自分自身も彼女もすべて彼の意のままであると告げ、最初の瞬間に見たものを忘れることを命じていた。「やあ、スラッグ」彼はいった。

質問してはならないことしかわからずに、彼女は笑っていった。「こんにちは、フリスコ」

彼女が目にしたものでなければ、いかなる変化でも理解できただろう。彼の顔からは溌剌とした輝きもひょうきんさもうせていた。ただ無慈悲な顔だけがあった。最初にみせた微笑は弱さを訴えていたのではなかったのだ。彼は断固たる決意を有していた。耐えがたい重荷を背負って真直ぐに立つ男の振舞いだった。彼女はありえないはずのものを見た。苦みばしった顔、苦悩にみちた表情だ。

「ダグニー、僕がどんなことをしても驚かないで」彼はいった。「これから何をやったとしても」

彼女に与えられた説明はそれだけであり、ほかには何も説明することはないかのように、彼は振舞いつづけた。

彼女はかすかな不安しか感じなかった。彼の運命や存在について恐れを感じることが不可能だった。笑う彼をみながら、ハドソン河のほとりの森に戻ったみたい、と彼女はおもった。彼は変わっていない。これからも変わりはしない。

夕食は彼の部屋で供された。ヨーロッパの宮殿風に設計されたホテルの一室で、法外な値段に相応しく冷厳に整えられたテーブル越しに彼と向き合うのを、彼女は不思議におもった。

ウェイン・フォークランドは、世界最高級のホテルだ。贅をつくしたベルベットの絨毯、彫刻をほどこした壁や照明の様式は、その機能と意図的な対照をなしている。世界規模の取引でニューヨークを訪れる者だけがそうした待遇を受けることができる。給仕係の所作がホテルのこの特別な賓客への格別の敬意を示していること、またフランシスコがそれを気に留めていないことに彼女は気づいた。彼は無頓着にくつろいでいた。自分がダンコニア銅金属のダンコニア社長であるという事実に慣れきっていたのだ。

だが彼が仕事の話をしないことを彼女は不思議におもった。それだけが彼の関心事であり、彼が真っ先に自分と分かちあうことだろうと思っていたが、そのことには触れなかった。かわりに、彼女の仕事、その進み具合、タッガート大陸横断鉄道への思いを話させた。彼はどんなときも彼女の情熱的な傾倒を理解できる唯一の人間であり、かつてと同じように彼女は語った。彼は口をはさまず、ただ熱心にきいていた。

給仕がラジオの音楽をかけた。かれらは注意を払ってはいなかった。だが突然、まるで地殻が爆発して壁を震わせたかのように、音が部屋に鳴り響いた。衝撃は音の大きさではなく、音質からきていた。それはハーレイの協奏曲、つい最近書かれた第四番だった。

ふたりはその反乱の音を聴きながら黙って座っていた——苦痛を受け入れることを拒む偉大な犠牲者の勝利の賛歌だ。フランシスコは街を見ながら、音楽を聴いていた。

前置きも警告もなく、妙に落ち着いて、彼はたずねた。「ダグニー、もし君にタッガート大陸横断を辞めてほしいと頼んだらどうする？　そして会社が地獄に落ちてもかまうなと。君の兄貴が後を継げばそうなるが」

「自殺を考えてくれと言われたらどう答えるかって意味？」彼女は怒って答えた。

彼は黙ったままだった。

「どうしてそんなことをいうの？」彼女は語気を強めた。「そんな冗談を言うなんて。あなたらしくないわ」

彼の顔にユーモアの色はなかった。彼は静かに重々しく答えた。「ああ、そうだ。言うべきじゃない」

彼女は仕事のことをたずねようとした。彼は質問には答えたが、自分からは何も言わなかった。経営しているダンコニア銅金属の輝かしい未来について実業家たちが語っていたことを彼女は繰り返した。「その通りだ」彼は生気のない声でいった。

にわかに不安に襲われ、何に駆りたてられてか、彼女は訊いた。「フランシスコ、なぜニューヨークへ来たの？」

ゆっくりと彼は答えた。「友人に呼ばれたからだ」

「仕事？」

目は彼女を素通りし、まるで自分自身の思いに答えるかのように、顔に苦い微笑を浮かべ、妙に柔らかく悲しみを帯びた声で、彼は答えた。

「ああ」

真夜中をとうに過ぎたころ、彼の傍らで彼女は目を覚ました。眼下の街から物音はきこえない。部屋は静かでしばし命をとめたかのようだ。幸福感と完全な疲労感で安らいでいた彼女は、けだるく寝返りをうって彼をみやった。彼は上半身を枕で支えて背にもたれていた。窓の夜空のかすんだ輝きを背景に彼女は彼の横顔をみた。彼は眠らずに目を開いていた。耐えがたい苦痛に耐えながらもそれを隠そうとせずにあきらめて横たわる男のように、彼は口をかたく閉ざしていた。

彼女は脅えて身動きできなかった。彼は視線を感じて振り向いた。そして不意に身震いして毛布を剥ぎとると彼女の裸体を見つめ、前に倒れこんで彼女の胸に顔をうずめた。そして彼女の肩をつかみ、発作的にすがりついた。押しつけられた口のなかで鈍く消えていく言葉がきこえた。

「あきらめられない！　無理だ！」

「何を？」彼女はささやいた。

「きみを」

「なぜわたしを――」

「そしてすべてを」

「なぜあきらめなきゃいけないの？」

「ダグニー！　思いとどまらせてくれ。やめさせてくれ。たとえやつが正しいとしても！」

穏やかに彼女はたずねた。「フランシスコ、何をやめさせてほしいの？」

彼は答えず、より強く顔を押しつけてきただけだった。

彼女はじっと静かに横たわり、細心の注意を払う必要があることだけを意識していた。胸に彼の頭をおき、その髪を優しく絶えまなく愛撫しながら、部屋の天井を、闇におぼろげに浮かぶ花冠の彫刻を見つめ、恐怖で神経を麻痺させて、彼女は待った。

彼は呻いた。「正しいことなのに、なんて難しいんだ！　難しすぎる！」

しばらくして彼は頭をあげた。彼は起きあがった。身震いはやんでいた。

「フランシスコ、何なの？」

「いえない」彼の声は簡潔で、率直で、苦しみを隠そうとしてはいなかったが、それはいまでは意志に従う声だった。「きみには早すぎる」

「力になりたいの」

「無理だ」

「やめさせてくれって言ったじゃない」

「やめられない」

「じゃあ一緒に苦しませて」

彼は頭を振った。

ある問いの答えを見定めるように、彼は座って彼女を見下ろしていた。そして彼自身に答えるようにふたたび頭を振った。

「僕自身に耐えられる自信がないのなら」彼はいった。声の奇妙に新しい響きは優しさだった。

「どうしてきみに耐えられるだろう？」

彼女は叫ぶまいとし、ようやくのことでいった。「フランシスコ、教えて！」

「僕を許してくれるかい？　きみが脅えていることも、これが残酷だってこともわかっている。だがお願いだ――このまま何もきかないでいてくれないか？」

「わたし――」

「きみが僕にできるのはそれだけだ。いいかい？」

「ええ、フランシスコ」

「僕のために怖れないで。これきりだ。もう二度とない。ずっと楽になる……時がたてば」

「もしもわたしに――」

「だめだ。眠りなさい。最愛のひと（ディアレスト）……」

彼がその呼びかたをしたのは初めてだった。

翌朝、心配そうな彼女の視線を避けもせず、彼は平然と彼女と向き合ったが、それについては何も言わなかった。笑みはなかったが、落ち着いた顔には、苦痛の微笑めいた表現、静謐さと苦悩とが同時にみとめられた。奇妙なことに、そのためいっそう若々しくみえた。いまや苦しみに耐えるのではなく、苦しみを耐える価値のあるものにしようとして眺めているようにみえた。

彼女も問いつめはしなかった。出ていく前に「今度はいつ会えるの？」とだけたずねた。

彼は答えた。「わからない。ダグニー、僕を待たないでくれ。次にあうときは僕の顔も見たくないと思うだろう。僕には自分がやることをやる理由がある。だが今その理由は言えないし、うらまれてもしかたないんだ。ただ僕を信じろと頼むような卑劣なことはしない。きみは自分自身の知識と判断によって生きなければならない。きみはうらむだろう。傷つくだろう。傷つきすぎないようにするんだ。僕がこう言ったことと、これが僕に言えるすべてだってことを忘れないでくれ」

その後一年間、彼から音沙汰はなく、噂も聞かなかった。ゴシップを耳にはさみ、新聞記事を読み始めたとき、彼女は始めそれがフランシスコ・ダンコニアに関することだと信じられなかった。しばらくして信じざるをえなくなった。

彼女は、彼がバルパライソ港のヨットの船上で開いたパーティーの記事を読んだ。来客は水着を身につけ、甲板には夜通しシャンパンの雨と花びらが降りつづけた。

アルジェリアの砂漠のリゾートで彼が開いたパーティーの記事があった。彼は氷の薄板でパビリオンをたて、女性客全員に会場で着るアーミンの白い毛皮の外套を贈り、その条件として壁が溶けるテンポにあわせて外套を、次にイヴニングドレスを、そして身にまとっているすべてを脱がせた。

彼女は、長い間隔をおいて彼が手を染めた商取引の記述を読んだ。取引はめざましい成功を収めて競争者を壊滅させたが、彼はたまの娯楽のようにそれに没頭しては、突然の奇襲を演出したかとおもうと、ダンコニア銅金属の経営を従業員にまかせたまま、一年も二年も実業界の舞台から姿をくらました。

彼女は彼の談話を読んだ。「なぜこれ以上お金を稼ぎたいとおもわなければならないのかな？孫の代までいまの私と同じように楽しくやれるほど充分な財産があるというのに」

一度、ニューヨーク大使のレセプションで彼に会ったことがある。彼は丁重にお辞儀して微笑み、過去などなかったような目で彼女をみた。彼女は彼を脇に引きずりだした。そして「フランシスコ、なぜ？」とだけいった。「なぜって――何が？」彼はきいた。彼女は背を向けた。「警告したね」彼はいった。彼女はもう二度と彼と会おうとはしなかった。

彼女は耐えた。苦しみを信じないために耐え抜くことができた。苦痛を感じているという醜い事実に驚き憤りながら対峙しつつ、それにむしばまれることを拒んだ。苦悩は意味のない事故であり、彼女が思い描く人生の一部ではない。苦痛が重要になることを彼女は許さなかった。そうした抵抗と、抵抗を続けさせた感情をなんと呼べばいいのかはわからなかった。だがそれに等しいものとして常に心にあった言葉は「くだらない――深刻に考えてはならない」だった。それが、内には叫びしか残らず、ありえないことがあると告げる意識の機能を失えればと願ったときの言葉だった。深刻に考えてはならない――ゆるぎない確信をもって彼女は心のなかで繰り返した――苦痛と醜悪さを断じて深刻に考えてはならない。

彼女は闘い、立ち直った。年月がたち、記憶と無関心に向き合えるようになり、やがて記憶と対峙する必要を感じなくなった。それは終わったこと、もはや関わりのないことだ。

人生にほかの男性はいなかった。そのことが不幸なのかはわからない。考える暇がなかった。彼女は求めていた明快で鮮やかな生きる実感を仕事にみいだした。かつて同じ感覚、彼女の仕事と世界に属する感情をフランシスコが与えてくれた。それ以来、彼女が出会った男たちは最初の舞踏会にいた男たちと同じだった。

彼女は記憶との戦いに勝った。だがひとつの苦しみのかたち、「なぜ?」という言葉の苦しみが年月とともにいやされることなく残っていた。

どんな悲劇に直面したかしらないが、なぜフランシスコは、低俗なアル中患者のように下劣で醜い逃避のしかたを選んだのだろう? 彼女がかつて知っていた少年が無能な臆病者になるなどありえなかった。比類なき精神が、その才能を溶ける舞踏場の発明に注ぐことなどあるはずがなかった。だがそうなったのであり、そうしたのであり、そこにはどんな納得のいく説明もなく、彼女は穏やかに忘れることができなかった。彼女はかつての彼についての事実を疑えない。そして現在の彼の姿を疑えない。だが一方は他方を不可能にした。ときおり、彼女は自らの理性や、あらゆる理性の存在に疑問をおぼえた。これは彼女が誰にも許さなかった疑問だった。だが説明はなく、理由も、それらしい理由への鍵もない。十年間というもの、その答えへの手がかりは見つからなかった。

いや、答えなんかあるはずはない――灰色に暮れる街を、さびれた店のウインドーを通りすぎ、ウェイン・フォークランド・ホテルに向かって歩きながら、彼女はおもった――そう、答えなんかあるはずはない。探したりしないでおこう。いまとなってはどうでもいいことだ。

激しさの名残、内側で高まるかすかなおののきは、これから会う男への気持ちではない。それはある冒涜への抗議の叫び――かつて偉大だったものが破壊されたことへの抗議の叫びだった。

建物の合間に、ウェイン・フォークランドの尖塔がみえた。彼女は胸にかすかな動悸をおぼえ、脚が萎えた気がして一瞬立ちどまった。そしてまた平静に歩きつづけた。

ウェイン・フォークランドの大理石のロビーを過ぎてエレベーターへ、そしてビロードの絨毯を敷きつめた音のない広い廊下を過ぎるころまでには、一歩ごとに激しくなる冷たい怒りのほかに、彼女は何も感じていなかった。

扉をたたいたとき、その怒りについて確信があった。彼の声が「どうぞ」と答えるのをきくと、彼女は扉をぐいと押しあけて中に入った。

フランシスコ・ドミンゴ・カルロス・アンドレス・セバスチアン・ダンコニアは床に座り、ビー玉で遊んでいた。

フランシスコ・ダンコニアが美男子だろうかと考える者はいない。問題にするまでもないことだった。彼が部屋に入ったとたん、ほかの人間は目に入らなくなる。気品の備わったすらりとした長身の姿はモダンというには正統的すぎた。彼は背後でケープを風になびかせているかのように動いた。人は彼を評して健康な動物の活力があるといったが、それが的確な表現ではないとおぼろげに知っていた。彼には、ひどく稀なために誰もそれとわからない、健康な人間の活力があった。彼には確信の力があった。

彼の容姿をラテン人として説明する者はいなかったが、その言葉は現代の用法ではなく本来の意味、スペインではなく古代ローマを叙述する意味であてはまった。彼の体はひき締まった肉、長い脚、素早い動作の一貫した様式の秀作として設計されているようだ。顔の造作には彫刻の高度な精密さがあった。真直ぐな黒髪は後ろに流れている。日に焼けた肌がはっとするほど純粋で透明な青い目の色を強めている。顔は率直で、表情は隠すことは何もないかのようにあらゆる感情を映して絶えず移り変わった。だが青い目はじっと動かず、考えていることは少しもわからなかった。

彼は薄い黒絹の寝衣をまとい、客間の床に座っていた。まわりの絨毯に散乱するビー玉は、アルゼンチン産の準貴石、紅玉随（カーネリアン）と水晶だ。ダグニーが入ってきても彼は立ち上がらなかった。座ったまま彼女を見上げたとき、手から涙のしずくのように水晶玉がこぼれおちた。彼は子どものときと変わらない、尊大な輝く微笑をみせた。

「やあ、スラッグ！」

いやおうなく、どうしようもなく、嬉々として、気がつけば彼女は幸福に答えていた。

「こんにちは、フリスコ！」

彼女は彼の顔をみていた。かつて知っていた顔だ。そこにはこれまで彼が過ごしてきた人生や、ふたりの最後の夜にみたもののしるしはなかった。悲壮感、懐疑心、緊張感の気色もない——ただ成熟して強まった輝かしい嘲笑、危険なほど予測不可能な諧謔、偉大で罪のない精神の晴ひっさだけがあった。だけどありえない、と彼女はおもった。それはほかの何よりも衝撃的だった。

彼の目は彼女を観察していた。肩から半分落ちた着古しの前あきのコートと、オフィスの制服のようなグレーのスーツに包まれたほっそりとした体を。

「きみがどんなに美しいかわからないようにそんな格好で来たなら」彼はいった。「計算ミスだね。きみは美しい。女性なのに知的な顔を見るとどんなにほっとするか、教えてあげられたらなあ。でもききたくないだろうね。そのためにここに来たわけじゃないから」

その言葉はさまざまな意味で不適切だったが、それにしても余りにも軽く言われたために、現実と怒りと訪問の目的とに彼女をひき戻した。彼女は立ったまま、個人的な感情も、自分を怒らせる力が今の台詞にあったことも絶対に悟られまいとして、無表情で彼を見下ろしていた。彼女はいった。「訊きたいことがあってきたの」

「どうぞ」

「あなたが記者たちに、茶番を目撃するためにニューヨークへ来たって言ったのは、どちらの茶番のことだったの？」

予期せぬものを楽しむ機会が滅多にない男のように、彼はからからと笑った。

「ダグニー、僕が好きなのはきみのそういうところだ。ニューヨーク市には現在七百万の人間がいる。七百万人のうち、僕がヴェイルの離婚騒動の話をしていたんじゃないと思いついたのはきみひとりだ」

「何の話をしていたの？」

「そうでなきゃ何だと思ったんだい？」

「サン・セバスチアンの災難よ」

「あっちのほうがヴェイルの離婚騒動よりもずっと面白いだろう？」

　彼女は検察官の厳格で無慈悲な口調でいった。「あなたは意識的に、血も涙もなく、完全な意図をもってあれをやったのね」

「コートを脱いで座ったほうがよくはないか？」

　強い感情をあらわしすぎる過ちをおかしたことに彼女は気づいた。そして素っ気なく背を向けるとコートをとって脇へ投げ捨てた。彼は立ちあがって彼女に手を貸そうとはしなかった。彼女はアームチェアに腰かけた。彼は少し離れて床に座ったままだったが、まるで彼女の足もとにいるかのようにおもわれた。

「僕が完全な意図をもってやったことって？」彼はきいた。

「あのサン・セバスチアンのいかさま全部よ」

「僕の完全な意図って何かな？」

「それはこちらがききたいわ」

　生涯をささげて研究すべき複雑な科学を口で説明してほしいと頼まれたかのように、彼はくすくすと笑った。

「サン・セバスチアン鉱山に何の価値もないことをあなたは知っていた」彼女はいった。「あなたはそれをあのどうしようもない事業全体を始める前から知っていたのよ」

「ではなぜ始めたんだろうね？」

「何の利益もなかったなんて言いださないで。知っているわ。あなたが千五百万ドルを失くしたこと。だけどあれは故意にやったことよ」

「僕にそうさせた動機が考えられるかい？」

「いいえ。まったく」

「そうかな？　きみは僕が素晴らしい才能、すぐれた知識、卓越した生産能力をもっているから、僕が手をつけることは必ず成功すると思っている。そうして僕にはメキシコ民国のために最善を尽くす気がなかったと言い張る。たしかに考えられないね」

「あの土地を買う前から、メキシコがたかり屋政府の手中にあるってことはわかっていたはずだわ。かれらのために鉱山事業をたちあげる必要はなかったのよ」

「ああ、なかった」

「どちらにしても、あなたはメキシコ政府なんてかまいやしなかったんだわ。だって――」

「それについては、きみは間違っている」

「――だってあなたは、かれらが遅かれ早かれあの鉱山を接収することを知っていたはずだもの。あなたが狙っていたのはアメリカの株主だった」

「それは事実だ」彼は笑わずに、熱心に、真っすぐに彼女を見ていた。「事実の一部だ」

「残りは何？」

「狙っていたのはそれだけじゃない」

「ほかには何？」

「それはきみが考えることだ」

「私がここへ来たのは、あなたの目的がわかりはじめてきたってことを知ってほしかったからよ」

彼は微笑んだ。「わかれば、ここへは来なかっただろう」

「それはそうよ。私には理解できないし、これからもできないでしょう。ただ少しみえてきたわ」

「どのへんが？」

「あなたはあらゆる堕落のかたちを使い果たして、こんどはジムや彼の仲間みたいな連中をだましてかれらがのたうちまわるのを見ることに新しい刺激を求めているのよ。どこまで堕落すればそんなものを楽しめるようになるのかわからないけれど、あなたはそれを見物しにニューヨークに来たんだわ。頃合をみはからってね」

「あの連中はたしかに大々的にのたうちまわっていい見世物を提供してくれたね。とくにきみの兄貴のジェイムズは」

「かれらは愚劣だけど、この場合あの人たちの唯一の罪はあなたを信用したことだけよ。あの人たちはあなたの名前と名誉を信用したのよ」

ふたたび彼が真顔になり、「ああ、そうだ。知っているよ」と彼がいうと、彼女はこれは本心だと改めて確信した。

「あなたはそれが面白いとおもうの？」

「いや。少しも面白いとはおもわない」

無意識に無頓着に、ときおりビー玉を弾いて彼は遊びつづけていた。彼の狙いの狂いのない正確さと手さばきの巧みさに、彼女は不意に気づいた。軽く手首で弾くだけで、石の粒を絨毯越しに撃ちこみ、別の粒に確実に命中させている。少年のころの、彼のやることはすべて完璧になされるだろうという予言を彼女は思い出した。

「いや」彼はいった。「面白くなんかない。きみの兄貴のジェイムズと彼の仲間は銅の採掘業について何の知識もなかった。金を稼ぐことについて何も知らなかった。学ぶ必要があると思っていなかった。知識は余計であり、判断も不必要と考えた。世の中に僕という人間がいて、知識を名誉にしていることに気づいた。そして僕の名誉を信用してさしつかえないとおもった。人はこういう名誉を裏切らないものだろう?」

「じゃあやっぱり意図的にそれを裏切ったの?」

「それはきみが判断することだ。やつらの信用と僕の名誉の話をしたのはきみだからね。僕はもうそういう言語では考えない……」彼は肩をすくめてつけ足した。「きみの兄貴のジェイムズや彼の仲間がどうなろうがかまわない。やつらの理論は新しくはないし、何世紀も機能してきたんだ。だがそれは絶対に失敗しないものじゃなかった。やつらが見落とした点がひとつだけある。僕の最終目的は富だから僕の脳味噌に便乗するのは安全だとやつらはおもった。連中の計算はすべて、僕が金を稼ぎたがっているという前提に基づいていたんだ。僕がそうしたがっていなければ?」

「そうしたくなければ、何がしたかったの?」

「やつらはそれを僕に訊かなかった。僕のねらい、動機や願望については疑わないのが連中の理論の重要な部分だ」

「お金を稼ぐのでなければ、どんな動機をもてたというの?」

「いくらでもあるよ。たとえば使う、とか」

「確実で完全な失敗に?」

「あの鉱山事業が確実で完全な失敗だとどうしてわかったろう？」

「どうして知らずにいられたの？」

「実に簡単だよ。何も考えなきゃいい」

「何も考えずにあの事業を始めたの？」

「いや、正確にいえば違う。だけどもし僕がヘマをしでかしたとしたら？　僕もしょせんは人間だ。間違いを犯した。失敗した。仕事でしくじった」彼が手首を軽くはじくと、水晶玉がきらめいて飛び出し、床越しに部屋の反対側の茶色い玉に激しくぶつかった。

「そんなこと信じないわ」彼女はいった。

「そう？　だけど僕にはいま人間的と認められているものでいる権利はないの？　他人の過ちには金を払っても、自分自身の間違いは許されないのかな？」

「あなたらしくない」

「そうかな？」彼はけだるく、くつろいで、絨毯の上に全身を伸ばした。「僕が意図的にやったと納得できれば、目的があったことで、きみはいまも僕を評価すると気づいてほしかったのかい？　きみはまだ僕がろくでなしだってことを受け入れられずにいるの？」

彼女は目を閉じた。笑い声がきこえた。それはこのうえなく陽気な響きだった。彼女はあわてて目を開いたが、彼の顔には残酷さはかけらもなく、ただ純粋に笑っていただけだった。

「動機だって？　ダグニー、きみはそれがしごく単純なもの――もののはずみとは考えないの？」

ちがう、と彼女はおもった。ちがう、そうじゃない。あんなふうに笑うなら、あんなふうにみえるなら。かげりなき楽しみのための能力は、無責任なバカのものじゃない。放蕩者は精神の純粋な安らぎにたどりつけない。あんな風に笑えるってことは、もっとも深遠で、もっとも厳格な思索の結果なのだから。

　ほとんど冷静に、足もとの絨毯に伸びる彼の姿をみてよみがえった記憶を彼女はみつめていた。黒の寝衣が体の長い線を強め、開いた襟から滑らかで若い日焼けした肌がみえている——彼女は日の出の芝生の上で彼女の隣で伸びていた黒いスラックスとシャツの姿を思い出していた。あのとき彼女は誇りを、彼の体を所有しているという誇りを感じていた。いまも感じている。不意に、生々しく、彼女はふたりのとめどない情事を思いだした。その記憶はいまや不愉快なもののはずなのに、そうではなかった。それはいまも、後悔も希望もない誇りであり、届きはしないが破壊もできない感情だった。

　どういうわけか、意外な連想から、彼女は最近、彼と同じ究極の悦びの感覚を彼女に伝えたものを思い出した。

「フランシスコ」彼女はいつのまにか小声になっていた。「私たちリチャード・ハーレイの音楽を愛していたわ……」

「僕は今でも愛している」

「彼に会ったことはある？」

「ああ。なぜ？」

「あの人が協奏曲第五番を書いたかどうか知ってる？」

　彼はまったく身動きしなかった。彼は衝撃に動じないと思っていたが、そうではなかった。だが彼女が口にしたすべてのことのうち、なぜ初めて彼の心を動かしたのがこれなのかは見当もつかなかった。それは咄嗟の間だった。やがて彼は冷静にたずねた。「なぜ彼が書いたと思うんだい？」

「では書いたの？」

「ハーレイの協奏曲は四番までしかないのは知っているだろう？」

「ええ。でもまた次を作ったのかと思ったの」

「彼は作曲をやめたんだ」

「知ってるわ」

「ではなぜそんなことをきくんだ？」

「ただの思いつき。いま何やっているのかしら？　どこにいるのかしら？」

「知らない。長く会ってないからね。なぜ協奏曲第五番があると思ったんだ？」

「あるとはいってないわ。あるんじゃないかと思っただけ」

「なぜいまリチャード・ハーレイを思いだしたんだ？」

「だって」――彼女はやや抑えがきかなくなっているのを感じた――「だってわたしの頭の中でリチャード・ハーレイの音楽と……ギルバート・ヴェイル夫人を結びつけることがどうしてもできないの」

彼はほっとして笑った。「ああ、あれ？……ちなみに僕に関する記事のことなら、ギルバート・ヴェイル夫人の話のちょっとした妙な食い違いに気づいた？」

「ああいうものは読まないことにしているの」

「読むべきだね。アンデスの山奥にある僕の別荘で一緒に過ごした去年の大晦日の実に美しい描写だった。山頂の月光、開け放った窓にからまる蔓草の真紅の花。その絵に何かおかしいところは？」

彼女は静かにいった。「それはこっちが訊きたいわ。訊かないけど」

「ああ、なにもおかしいなんていってない――ただ去年の大晦日、僕はテキサスのエルパソでタッガート大陸横断鉄道のサン・セバスチアン線の開通式を主催していたことを、式典にわざと欠席したきみも覚えているはずだが。僕はきみの兄貴ジェイムズやオルレン・ボイル氏と肩を組んで写真まで撮らせた」

彼女は確かにそうだったこと、新聞でヴェイル夫人の話をみたことを思い出してはっと息をのんだ。

「フランシスコ、それ……どういう意味？」

彼はくつくつと笑った。「自分で結論を導くんだ……ダグニー」——彼は真顔になった——「なぜハーレイが協奏曲第五番を書いたと思ったんだ？　新しい交響曲やオペラじゃなく。なぜよりにもよって協奏曲だと？」

「なぜそんなことにこだわるの？」

「こだわってはいないよ」彼はそっとつけたした。「ダグニー、僕はいまも彼の音楽を愛している」そしてまた軽い口調になった。「だけどそれは別の時代のものだ。僕らの時代には違う種類の娯楽がある」

彼は寝転がり、頭の下で手を組むと、天井に投射された映画の茶番シーンを見るかのように上を見上げた。

「ダグニー、サン・セバスチアン鉱山の件でのメキシコ民国の反応は見ものじゃなかったかい？　政府の演説や新聞の社説を読んだかい？　僕はあくどい詐欺師だそうだ。やつらは景気のいい鉱山事業を接収したつもりだった。僕にはやつらをあんな風に落胆させる権利はなかった。当局に僕を告訴させようとした卑劣な小役人についての記事は読んだかい？」

仰向けに寝ころんだまま彼は笑った。絨毯の上に両腕が広がり、体が十字を作っている。無防備にくつろいだ若々しい姿だ。

「いくらかかろうがそれだけの値打ちはあったよ。あの見世物の値段なら払えってもいい。意図的にやっていたとしたら、ネロ皇帝の記録を破ってたところだ。街を焼き尽くすことがなんだろう――地獄の蓋をとって人に見せることに比べれば」

彼は起きあがり、ビー玉をいくつか手にとり、手の中で造作に振りながら座った。上等の石が柔らかく明快な音をカチカチと鳴らした。突如として彼女は、ビー玉を彼がもてあそぶのはきざを装うためではないことに気づいた。落ち着かないからだ。彼は長時間動かずにいることに耐えられないのだ。

「メキシコ民国政府は声明を発表した」彼はいった。「人びとに忍耐とあとほんのしばらくの辛抱を要請して。中央計画評議会は、サン・セバスチアン鉱山の銅がもたらす富をあてにしていたようだ。それは全国民の生活水準を向上させ、毎週日曜にメキシコ民国じゅうの男性、女性、子ども、胎児にローストポークを供給することになっていた。いま当局は政府じゃなくて金持ちの腐敗を非難するよう人びとに呼びかけている。なにしろ僕が期待どおりの強欲な資産家じゃなくて無責任な遊び人だってことがわかったからね。やつらはいう。僕がやつらをおとしいれるなんてどうして知りえただろう？　ああ、まったくだ。どうして知りえたろう？」

彼の指のビー玉のもてあそび方に彼女は目を奪われた。彼はそれを意識しておらず、遠くの暗い何かをみていたが、その仕草は、おそらくその対照として彼を落ち着かせているに違いないと彼女は感じた。彼の指は官能を楽しむように、ゆっくりと石の手ざわりを味わっている。その仕草を粗野と思うかわりに、彼女はそれに惹かれた。まるで――彼女は唐突におもった――官能がすこしも肉体的ではなく、精神の微細な識別からくるかのようだ。

「やつらが知らなかったのはそれだけじゃない」彼はいった。「これから明るみに出ることがまだまだある。サン・セバスチアンの従業員住宅の整備事業だ。あれには八百万ドルかかっている。水道と電気と冷蔵庫がついた鉄筋家屋。学校、教会、病院、映画館がひとつずつ。流木とブリキの空缶製の掘っ立て小屋に住んでいた人たちのために建てた住宅だ。それを建てたことに対する僕への報酬は、身ひとつで逃げるっていう、たまたまメキシコ民国生まれじゃないっていう偶然による特権。あの住宅事業もやつらの計画の一部だった。進歩的な国営住宅事業の模範になるからね。さてあの鉄筋家屋は、おおかた精巧な模倣シェラックを上塗りした段ボール紙なんだな。あと一年もたないだろう。水道管は――僕らの鉱山機具と同じなんだが――ブエノスアイレスとリオデジャネイロの市のゴミ捨て場でほとんどの商品を仕入れる業者から買われた。あの管はあと五ヶ月、電気設備は六ヶ月ってとこか。メキシコ民国のために千二百メートルの岩の高みでわれわれが整備した素晴らしい道はふた冬も越せないだろう。基礎がない安セメントで、険しい曲がり角の支柱はただのペンキ塗りの羽目板だ。ちょっとした山崩れでそれっきりだろう。教会は残るかもな。必要になる」

「フランシスコ」彼女は小声でいった。「それを意図的にやったの？」

彼は頭を上げた。顔に極度の疲労をみて、彼女はどきりとした。「僕が意図しようがしまいが」彼はいった「怠慢だろうが愚鈍だろうが、何の違いもないってことがわからないのか？　同じ要素が欠けているんだ」

彼女は震えていた。そして決意と抑制を忘れて叫んだ。「フランシスコ！　この世で起こっていることがわかっているなら、いま言ったすべてを理解しているなら、それを笑えないはずよ！　あなたは、あなたこそ、彼らと戦うべきなのよ！」

「誰と？」

「たかり屋と、世界規模のたかりをはびこらせている人たちよ。メキシコの役人とかそういう人たちよ」

彼の微笑には危険な鋭さがあった。「いいや、ダグニー。僕が戦わなければならないのはきみのほうだ」

彼女は呆然と彼をみつめた。「何が言いたいの？」

「つまり、サン・セバスチアンの従業員住宅事業には八百万ドルかかった」彼はゆっくりと語気を強め、硬い声でいった。「あの段ボール紙の家の値段は本当の鉄筋が買えたはずの値段だ。ほかのものすべての値段がそうだ。金はああいうやりかたで金持ちになる人間のものになった。そういうやつらは長い間豊かではいられない。その金はもっとも生産的な人たちではなく、もっとも腐敗した者へと続く経路に流れる。僕らの時代の基準によると、勝つのは誰よりも提供するものが少ない者たちだ。そういう金がサン・セバスチアン鉱山のような事業に消えていく」

彼女はかろうじてたずねた。「それが目当てだったの？」

「そうだ」

「そんなことをして面白いの？」

「ああ」

「私が考えているのはあなたの名前よ」頭の別の部分が責めても無駄だと叫ぶいっぽうで、彼女はいった。「相続したよりも多くの富を残すのがダンコニアの家の伝統だったわ」

「ああ、そうだ。僕の祖先たちには適切なときに的確なことを――そして的確な投資をする驚くべき能力があった。むろん『投資』は相対的な言葉だけどね。何を達成したいかによる。たとえばサン・セバスチアンをみろ。僕はそれで千五百万ドル使ったが、その千五百万は、タッガート大陸横断鉄道の四千万、ジェイムズ・タッガートやオルレン・ボイルのような株主の三千五百万を一掃し、そのほかにも派生的なことで何億という損害を被らせることになる。ダグニー、一件の投資の見返りとしちゃ悪くないだろう？」

彼女は真直ぐに座っていた。「自分が何を言ってるかわかっているの？」

「ああ、完全にね！　きみに先んじて、きみがとがめようとしている結果をはっきり言おうか？まず、タッガート大陸横断鉄道はあのばかげたサン・セバスチアン線の損失から立ち直れないだろう。きみはそう思わないかもしれないが、無理だね。次に、サン・セバスチアンはきみの兄貴ジェイムズがフェニックス・デュランゴという、世界に唯一残ったまともな鉄道を破滅に追いやるのを助けた」

「あなたはそれをすべてわかっているの？」

「それよりももっと沢山のことをね」

「あなたは」――なぜそれを言わねばならないかわからないが、ただ暗く激しい目の、ある顔の記憶が彼女を見つめている気がした――「あなたはエリス・ワイアットを知っている？」

「もちろんだ」

「これで彼がどんな目にあうかわかってる？」

「ああ。次にやられるのは彼だ」

「あなたは……それが……面白いの？」

「メキシコの役人の破滅よりずっとね」

彼女は立ち上がった。年来、それを堕落と呼んできた。はじめ恐れ、次に深刻にうけとめ、忘れようとし、考えまいとつとめた。だが堕落がここまで進んでいようとは。

彼女は彼を見てはいなかった。かつての彼の言葉を大声で引用している自分に気づかなかった。

「……きみと僕とどちらが先祖の名をあげるか。きみはナット・タッガートの、僕はセバスチアン・ダンコニアの……」

「だけど僕が偉大なる先祖に敬意を表して鉱山の名前をつけたことには気づかなかったのかい？　彼なら喜んでくれた献辞だったと思うが」

視界をとりもどすのに時間がかかった。彼女はこれまで冒涜の意味も、それに直面したときに人がどう感じるかも知らなかった。いまそれがわかった。

彼は立ち上がり、礼儀正しく立ち、彼女を見下ろして微笑んでいた。それはよそよそしく冷たい微笑だった。

彼女は震えていたがかまわなかった。彼が見ているもの、考えていること、笑っていることもどうでもよかった。

「あなたが自分の人生をなぜ無駄にしたのか知りたくて、私はここに来たんだわ」彼女は怒りの消えた力ない声でいった。

「理由はもう教えた」彼は重々しくいった。「だがきみがそれを信じたがらないんだ」

「昔のままのあなたをみてしまうの。忘れられなかった。そのあなたが今みたいになるなんて――それは合理的な世界で起こることじゃないわ」

「そう？　じゃあきみの周りのできごとは合理的な世界で起こることかな？」

「あなたはどんな世界にいても壊れたりする人じゃなかったわ」

「確かに」

「なら――なぜ？」

彼は肩をすくめた。「ジョン・ゴールトって誰？」

「ああ、下品な言葉は使わないで！」

彼は彼女をみつめた。唇には笑みがたたえられていたが、目は冷静で、真剣で、ほんの一瞬、不愉快なほど鋭かった。

「なぜ？」彼女は繰り返した。

十年前の、このホテルでのあの夜と同じように、彼は答えた。「きみには早すぎる」

彼は扉まで彼女を送らなかった。ドアノブに手をかけたとき、彼女は振り返り——そして立ちどまった。彼は部屋越しに立ったまま、彼女を見ていた。それは彼女全体に向けられた視線だった。その意味を悟って彼女の体は凍りついた。

「いまもきみと寝たいと思う」彼はいった。「だが僕はそれができるほど幸福じゃないんだ」

「幸福じゃない？」彼女は当惑しきって反復した。

彼は笑った。「初めて答えてくれるのがこんなことだなんて上品とはいえないね」彼は答えを待ったが、彼女は黙っていた。「きみもしたいんだね？」

彼女は「いいえ」と言いかけたが、真実はそれより始末におえなかった。「ええ」彼女は冷たく答えた。「でも私がしたいかどうかは関係ないわ」

そう言うために要した強さを認めて、おおっぴらに賞賛するように、彼は微笑んだ。

だが彼女が扉をあけて出ていくとき、彼は笑ってはいなかった。「ダグニー、きみには卓越した勇気がある。いまに、もうたくさんだと思うときがくる」

「何が？　勇気？」

彼は答えなかった。

第六章　非商業的

リアーデンは額を鏡に押しつけて、考えまいとした。

ほかにこの場を切り抜ける方法はない。ひんやりと心地いい鏡の感触に意識を集中させて、彼は自分に言い聞かせた。一貫し、明快で、妥協のない理性を働かせることを何よりも重んじて生きてきた人間が、どうすれば頭を空っぽにできるのだろうと思いながら。どんな過酷な労苦も厭わない自分が、いま糊のきいた白いシャツの表に黒真珠の飾りボタンをつける力もふり絞れないのはなぜだろうと思いながら。

今日は結婚記念日で、リリアンの望んだパーティーが開かれることは三ヶ月前からわかっていた。約束した後、パーティーはまだ先のことであり、その時がくれば、超多忙な日程の中ですべての職務をこなしてきたのと同じく出席すればいいと高をくくっていた。そして十八時間労働の三ヶ月間、彼は幸福にもすっかりそのことを忘れていた――三十分前、晩餐の時間をとうに過ぎたころに秘書がオフィスにやって来て「社長、パーティーのお時間です」と硬い声で告げるまで。「しまった！」と叫ぶと彼はとびあがり、あわてて帰宅し、階段を駆け上がり、服を脱ぎ捨て、目的ではなく急ぐ必要だけを念頭に手順通りに正装しはじめた。そしていきなり強く殴られたかのように着替えの目的に思い至ったとき、彼は手を止めた。

「仕事以外のことは頭にないのね」仕事をはじめて以来、リアーデンはずっとこの非難の言葉で裁かれつづけてきた。仕事が汚れをしらない外の人間に強いてはならぬ秘密の恥ずべきカルトのようなものとみなされてきたことを彼は知っている。仕事は遂行しても口にしてはならない醜い必要悪と考えられ、職場の話を持ちだすことはより繊細な感性への非礼であり、帰宅前に機械油を手から洗い流すように、客間に入る前には頭から仕事の汚れを洗い落としておくことを期待されていると。それは彼自身の信条ではないが、家族がそう信じるのは無理からぬことだと彼は受けとめていた。無言で子供時代に感じとったまま、疑いもせず言明もしない感情のように、暗い宗教の殉教者さながら情熱的な愛の対象である信仰に身を捧げた自分は、そのために人からつまはじきにされ、同情を得られないのは当然と思っていた。

仕事とは無縁な存在である自分を妻に与えることが夫の義務であるという教えもリアーデンは受けいれた。だが彼は自分にその能力をみいだすことも、それに罪悪感を感じることもできなかった。自分を変えられはしないが、妻に罵倒されたとしてもしかたない。

幾月も、彼はリリアンに少しも時間を割いていない——いや、幾年も、結婚以来八年間だ。妻の関心事を知らず、それがいったい何なのかを知ろうとするほどの注意すら払ってはいなかった。妻の交際範囲はかなり広く、彼女の友人のうちの大勢がこの国の文化の中心的な存在だときかされたことがある。だがかれらに会う時間も、かれらが何の業績によって名声を博したのかを確かめる暇もなかった。ただ売店の雑誌の表紙でよく見る名前を見かけるぐらいのものだ。リリアンが彼の態度に憤慨しているとすれば彼女のほうに理がある、と彼はおもった。彼女に不愉快な態度をとられても自業自得だ。家族に冷血漢呼ばわりされたとしてもその通りなのだ。

いかなる問題についても、リアーデンは自分を容赦したことはない。工場で問題が発生すると真っ先に考えることは、自分が何の過ちを犯したかということだ。ほかの誰でもなくまず自らの過ちを探し、完璧であることを自分だけに課した。いまも同じだ。彼は容赦なくおのれの非を認めた。だが工場にいれば瞬時に間違いを正す行動に駆りたてられたことだろう。いまそれがない……鏡の前に立ち、目を閉じて、あと少しの間だけ、と彼はおもった。

たえまなく押し寄せる言葉の渦をリアーデンは止められなかった。それは壊れた水道栓を素手でふさごうとする作業に似ていた。言葉と情景が噴き出して脳裏を走りつづける……その数時間、しらふの客の退屈でどんよりと沈んでいく目や、酔っぱらいの愚鈍にかすんでいく目つきを見ながら、どちらにも気づかない素振りをして、話すべきことのない者たちに言うことを考え続ける時間——突然説明も無く辞めた圧延工場の監督の後任探しに何時間も要するいま——後任はたちまち必要となる——ああした男を探し出すのはひと苦労だ——それに圧延工場の流れを止めるようなことが起こってしまったら——いま延ばしているのはタッガートの線路だ……仕事に対する情熱が露呈されると、きまって家族の目に浮かぶ無言の非難、糾弾と鬱積した我慢と侮蔑を含んだ表情を彼は思いだした——そして弱点を握る者たちの嘲弄に満ちた視線のなかで酔いどれが酒に興味がないふりをするように、リアーデン・スチールが彼にとって事実それほど大切なものだと伝わらないようにと黙したが、その努力も虚しかったこと……「昨日朝の二時に帰ってくる音をきいたけど、どこに行ってたんだい？」母親が夕食の席でいえば、リリアンは世間の妻たちが「街角の酒場よ」というように「あら、工場に決まってますわ」と答えるのだ……あるいはリリアンが賢そうな笑みを浮かべて「昨日ニューヨークで何をなさっていたの？」とたずねる。「つきあいの会食だ」「お仕事？」「ああ」「もちろんですわね」——リリアンは背を向けて、それ以上何も言わず、彼はいっそ男の卑猥などんちゃん騒ぎにいってきたと思ってくれればと願うほど不面目に感じた……数千トンのリアーデン鉱石を積んだ貨物船がミシガン湖の嵐にのまれて沈没した——あそこの船はどれももう寿命だ——

──自分が手配して新しい船に交換するのを助けてやらなければあの水運業者は倒産するが、ミシガン湖で営業している輸送業者はあそこだけだ……「あのコーナー?」リリアンが応接間に配した長椅子と茶卓を指していった。「あら、違うわ、ヘンリー。べつに新しくはないけれど、あなたがたった三週間で気づいてくれたなんて誉められたって考えたほうがいいのかしらね。フランスの宮殿の有名な午前の間をわたしなりに真似てみたの──だけどそんなものに、興味をおもちになるはずありませんわね。どこにも株価なんてついてませんから」……六ヶ月前に注文した銅の配達が遅れ、配達日は三度も延ばされていた──「しかたありません、リアーデン様」──銅の供給は次第に不安定になりつつあり、新しい取引先を探さねばならない……フィリップは自分が加入したある団体について母親の友人に話している最中に目をあげ、笑わずに、ただ緩んだ顔の筋肉に優越感を含ませた冷笑を浮かべて言った。「いや、ヘンリーには興味のないことだよ。仕事じゃないからね。仕事とまったく関係ないからね。これは厳密に非商業的な試みなんだ」……デトロイトで大工場の再建を請け負った建設業者がリアーデン・メタルの構造用形鋼の利用を検討中だ──デトロイトまで飛んで直接会って話をつけたい──一週間前にやっておくべきだった──今夜やれた……「きいてないね」朝食の席で、思考が最新の石炭の価格指数にそれたとき、昨晩みた夢の話をしていた母親がいった。「おまえは生身の人間の魂の声を聞くことがない。自分のことにしか興味がない。人のことなんか気にしない。ほかの人間のことは誰一人として気にかけちゃいないんだ」……オフィスの机上の書類はリアーデン・メタル製の航空機エンジンの試験報告書だった──おそらくいまこの世で一番やりたいことは、あの報告書を読むことだ──書類は三日間手をつける暇が無く、机の上に置きっぱなしだった──なぜいまそれをやって──

激しく頭を振り、目を開いて、彼は鏡から離れた。

シャツの飾りボタンに手を伸ばした、と彼は思った。だが気がつけば、手は鏡台の郵便物に伸びていた。郵便には緊急と記されてある。今日中に読まねばならないが、昼間は時間がとれなかった。オフィスを出る間際に秘書がポケットに押しこみ、彼が着替えようとしてそこに置いた郵便だ。

新聞の切り抜きがひらりと床に落ちた。秘書が赤鉛筆で怒りをこめてしるしをつけた論説で「機会均等化」と題されている。読まねばならない。過去三ヶ月、この問題は不気味な程さかんに議論されていた。

階下の声と無理笑いを耳に、客が到着しつつある、パーティーは始まった、下に降りて家族の苦々しく非難がましい目と向き合わねばならないと思いながら、彼はそれを読んだ。

論説には国民生産が減少し、市場が縮小し、雇用機会がなくなりつつあるこの時期に、一個人に複数の事業を抱えこませてほかの者にひとつも持たせないのは公平ではないと書かれていた。ひと握りの者にすべての資源を買い占めさせ、他の人間に機会を与えないと破滅をまねく。競争は社会に不可欠であり、特定の業者が競合他社には太刀打ちできなくなるほど強大化することがないように見張るのは社会の義務だ。論説は、一個人または一企業が複数の事業を傘下におくことを禁じる法案はすでに議会に提出されており、まもなく通過するだろうと予測していた。

ロビイストのウェスリー・ムーチは、リアーデンに、心配無用、苦戦を強いられるが法案は否決されると言っていた。リアーデンはそうしたかけひきについてはまったく無知であり、ムーチとその部下たちに任せきりだった。リアーデンはワシントンからの報告書に目を通し、軍資金としてムーチが請求する小切手に署名する時間もままならなかった。

リアーデンは法案が通過するとは信じていなかった。とうてい信じられなかった。金属と技術と生産の明快な現実に生涯向き合ってきた彼は、狂気の沙汰ではなく合理的な事象に注意を払うべきであり——正しい答えは常に勝利するのだから人は正しいことを追求すべきであり——無意味なこと、間違ったこと、あまりに不当なことは実現するはずがなく、成功するはずがなく、ただ自滅するだけだと確信するようになった。彼にとっては、あの法案などと戦うということ自体、数秘術の式で鋼鉄の組成を計算する男と競争しろと突然命じられたかのように、ばかばかしく気恥ずかしいことに思われた。

危険な問題だ、と彼は自分に言いきかせた。だが論説がヒステリックに騒ぎたてても何の感情もおぼえなかった——リアーデン・メタルの試験報告なら、コンマ一以下の数字の変化にも一喜一憂してとびあがったものだが。そのほかのものに注ぐ余力がなかった。

論説記事をまるめてゴミ箱に投げ捨てると、リアーデンは仕事では感じたことのない重苦しい疲労が近づいてくるのを感じた。それは彼を待ちかまえているようであり、仕事以外の関心事に目を向けた途端に襲ってくる。いまはただ眠りたいだけだった。

パーティーにいかなければ——家族には彼にその程度のことを求める権利がある——自分ではなく家族のために、かれらの楽しみを好きになるようにしなければ、と彼は自分に言いきかせた。

だがなぜこの目的には自分を駆りたてる力がないのだろう、と彼はおもった。生涯ずっと、行動が正しいと確信したときはいつも自然にそれに従いたいという気持ちがついてきたものだ。自分に何が起こっているのだろう？　正しいことをする気になれないというありえない葛藤——これは典型的な道徳的腐敗では？　自らの非を認めながら、冷たくて深い無関心以外には何も感じないということ——それは今まで彼の人生の原動力になってきたものと、自らの誇りに対する裏切りではないだろうか？

考えこんでいる時間はない。手早く、そして容赦なく、彼は身支度をすませた。

背筋を伸ばし、こなれた余裕ある威厳と自信をその長身にあふれさせ、黒のタキシードの胸ポケットから上等の白いハンカチーフをのぞかせ、年配の貴婦人の目にもかなう偉大な実業家の完璧な姿で、彼は応接間に向かって階段をゆっくりと降りていった。

階段の裾にリリアンがいた。貴族風に仕立てたレモン色のエンパイアドレスが優美なシルエットを作り、育ちのよい人らしく凛として節度ある姿勢で彼女は立っている。彼は微笑んだ。妻の幸福そうな姿を見るのはいいものだ。彼女が幸せな気持ちになれるなら、パーティーを開く正当な理由もいくらかはある。

彼は妻に近づき――立ちどまった。宝石について、通常彼女は派手すぎず上品な趣味をしていた。だが今夜の彼女は、ダイヤの首飾り、イヤリング、いくつもの指輪とブローチを、これみよがしにつけていた。それと対照的にむき出しの両腕が目立つ。右の手首につけた唯一の飾りは、リアーデン・メタルのブレスレットだ。きらびやかな他の高価な宝石が、それを醜い安物雑貨屋で売られる装身具のようにみせている。

彼女の手首から顔に視線を移すと、妻は自分を見つめていた。細めた目が何を物語っているのかは読みとれなかったが、曖昧で意味深長な色は隠された本心を見破られはしまいという自信を誇示するようでもあった。

リアーデンは妻の手首からブレスレットを引きちぎりたかった。だがかわりに、彼女の陽気な紹介に従い、隣にいる年配の貴婦人に、彼は無表情でお辞儀した。

「人間？　人間とは何かですと？　誇大妄想をもった化学物質の集合に過ぎませんよ」プリチェット博士が部屋の向こうに集まった客たちに語っていた。

プリチェット博士はクリスタルの皿からカナッペをつまみ、真直ぐに伸ばした二本の指で挟んでまるごと口に放りこんだ。

「人間の形而上学的自負は実にばかげておりますな」彼はいった。「くだらない醜悪な観念と下劣な感情が詰まった原形質のみみっちいかけら――そのくせおのれが重要だと思いこんでいる！　実際ねえ、それが世界のあらゆる問題の根源なんですよ」

「ですが教授、醜悪でも下劣でもない観念はないのですか？」自動車工場の経営者の生真面目な夫人がたずねた。

「ありません」プリチェット博士は答えた。「人間の能力の範囲内には」

一人の青年が躊躇しながらたずねた。「しかし良い観念がないとしたら、どうして今ある観念が醜悪だとわかるのでしょうか？　つまり、どのような基準で？」

「基準などありません」

聴衆は静まりかえった。

「昔の哲学者は上滑りだった」プリチェット博士は続けた。「我々の世紀に残された課題は哲学の目的を再定義することですな。哲学の目的は、人生の意味をみいだす手がかりを与えることではなく、人生は無意味だと証明することなんです」

魅力的な若い女性は、炭鉱経営者の令嬢だったが、憤然と切り返した。「誰がそんなことをわたしたちに言えるのでしょうか？」

「私です」プリチェット博士がいった。この三年間、彼はパトリック・ヘンリー大学の哲学科の長を務めていた。

リリアン・リアーデンが宝石を煌めかせて近づいてきた。髪のウェーヴと同じく曖昧に整えられた柔和な微笑を浮かべている。

「人を気難しくするのは人生の意味へのこだわりです」プリチェット博士がいった。「宇宙の遠大な枠組みの中では自分には何の重要性もなく、行動に意味を与えうるものはなく、死のうが生きようがどうでもよいと認識できれば、人はもっと……扱いやすくなるのです」

博士は肩をすくめ、またカナッペに手を伸ばした。ビジネスマンが不安げにいった。「教授、私がおたずねしたのは、機会均等化法案についてのご意見でしたが」

「ああ、あれ?」プリチェット博士がいった。「だが支持すると明言したはずだ。私は自由経済を支持するからね。自由経済は競争なくして成立しえない。従って人は競争させられなければならない。ゆえに人が自由になるようにしむけるために、我々は人を統制しなければならないんだ」

「ですが、ちょっと待ってください……それだとどこか矛盾していませんか?」

「より高尚な哲学的な意味においてはしておらん。貴男は古風な考え方の静態的枠組みを越えた見方を学ぶべきでしょうな。宇宙に静態的なものなどありません。万物は流動する」

「しかし理性的に考えれば、もしも――」

「ねえ君、理性こそあらゆる迷信のうちでもっとも愚かなものなんだ。少なくともそれだけは、いまの時代、誰もが認めるところでしょうな」

「しかし私によく理解できないのは我々がどうやって――」

「貴男は物事が理解されうるというよくある妄想にとらわれておいでになるようですな。宇宙が確かな矛盾であるという事実を把握しておられないようだ」

「何の矛盾でしょうか?」自動車工場経営者の夫人がたずねた。

「それ自体だよ」

「ど……どういうことでしょうか?」

「奥様、思想家の義務は説明することではなく、何も説明することはできないと論証することなのです」

「ええ、もちろん……ただ……」

「哲学の目的は知の探求ではなく、人間に知ることは不可能だと証明することなんですよ」

「でもそれを証明したとき」若い女性がきいた。「何が残るのでしょうか?」

「本能ですよ」プリチェット博士がうやうやしく答えた。

別の片隅では、幾人かがバルフ・ユーバンクの話に耳を傾けていた。くつろぐとゆるんでしまう風采を姿勢で補うように、彼はアームチェアの肘に真直ぐ腰掛けていた。

「過去の文学は」バルフ・ユーバンクが言った。「浅薄な欺瞞でした。文学を保護した富豪連中の趣味にあわせて人生を漂白したのです。道徳、自由意志、成功、幸福な結末、英雄的な存在としての人間——すべて我々には一笑に付すべきものでしょう。我々の時代になってはじめて、文学は人生の本質をあらわにすることによって深まったのです」

白のイヴニングドレスを着たうら若い娘がおずおずとたずねた。「ユーバンクさん、人生の本質って何ですか?」

「苦難ですよ」バルフ・ユーバンクは答えた。「敗北と苦難」

「でも……でもなぜ? 人は幸福な時もありますし……ときどきは……そうでしょう?」

「それは感情に深みがない人間の錯覚にすぎませんよ」

娘は顔を赤らめた。精油所を相続した裕福な婦人が後ろめたそうにたずねた。「ユーバンクさん、文学の嗜好をもっと高尚なものにするにはどうすればよいのでしょうか?」

「それは実に深刻な社会問題ですね」バルフ・ユーバンクが答えた。彼は当世文学界の先導者といわれていたが、著書が三千部以上売れたことはなかった。「個人的には機会均等化法案を文学に適用することが解決策だと信じているんですがね」

「まあ、出版業界のためにあの法案を支持なさいますの？　どう考えればよいのかしら」

「当然支持します。我々の文化は唯物主義の泥沼に陥ってしまった。人は物質的生産と技術的策略の追求のなかであらゆる精神的価値を失ってしまったようです。物質的に満たされすぎている。しかし窮乏に耐えることを教えれば、人はふたたびもっと高尚な生活を送ることができるようになります。ですから人の物欲を制限しなければならないのです」

「そんな風に考えたことはありませんでしたわ」恐縮して夫人は言った。

「だがラルフ、機会均等化法案をどうやって文学に適用するんだい？」モート・リディーがきいた。

「そりゃ初耳だな」

「私の名前はバルフだ」ユーバンクは怒って言った。「それに私自身の着想だから君には初耳なんだ」

「わかった、わかった。喧嘩を売ってるわけじゃないだろ？　きいてみただけだ」モート・リディーは小さく笑った。いつみても彼は神経質に笑ってばかりいた。彼は古典的映画音楽の作曲家だったが、少数の好事家向きに現代風の交響曲も書いている。

「とても単純なことです」バルフ・ユーバンクが言った。「あらゆる本の販売を一万部以下に制限する法律を制定するのです。そうすれば文芸市場は新たな才能や、斬新な思想や、非商業的な著述に開放されるでしょう。人びとが同じ屑を百万部も買うことを禁じられれば、もっと良い本を買わざるをえなくなります」

「なるほど一理あるな」モート・リディーが言った。「だが作家の財布に響かないかな？」

「なおさらいい。書く動機が金儲けでない者だけが執筆を許されるべきなんだ」

「ですが、ユーバンクさん」白いドレスの娘がたずねた。「もしも一万人以上の人が同じ本を買いたければどうなるのですか?」

「どのような本であれ、一万人も読者がいれば充分です」

「そういう意味じゃなくて、つまり、大勢の人がその本を欲しいと思ったら?」

「それは関係ありません」

「ですが、ある本によい筋書きがあって――」

「筋書きは文学においては幼稚な没趣味です」軽蔑をこめてバルフ・ユーバンクは言った。

プリチェット博士は、バーに向かう途中だったが、立ちどまって言った。「まったくだ。哲学において論理が幼稚な没趣味であるのと同じ」

「音楽において旋律が幼稚な没趣味であるのと同じ」モート・リディーが言った。

「この騒ぎはどうしたこと?」傍で足を停めて人目をひいたリリアン・リアーデンがきいた。

「リリアン、僕の天使」間のびした声でバルフ・ユーバンクが言った。「僕の新しい小説をあなたに捧げるつもりだって言ってあったかな?」

「あら、ありがとう」

「何という題名の小説ですの?」裕福な婦人がきいた。

「『心は牛乳配達屋』というのです」

「何についてのお話かしら?」

「フラストレーションですよ」

「でも、ユーバンクさん」白いドレスの娘が顔を赤らめて必死にたずねた。「すべてがフラストレーションだとしたら、何のために生きていけばいいのでしょう？」

「兄弟愛ですよ」バルフ・ユーバンクが陰鬱な表情で答えた。

バートラム・スカダーはカウンターにだらりともたれて立っていた。細長い顔は三つの柔らかい球を突きだす口と眼球以外、全体的に内側にへこんでいるようだ。彼は『未来』という雑誌の編集長であり、ハンク・リアーデンについて「蛸（たこ）」と題した論評を書いていた。

バートラム・スカダーは空のグラスを手にとり、無言でバーテンダーに押しやってお代わりをうながした。注がれた酒をぐいと飲むと、彼は隣に立っているフィリップ・リアーデンの前にある空のグラスに気づき、バーテンダーに親指で指図した。フィリップの向こうに立っているベティー・ポープのグラスも空だったが、それは無視した。

「おい、あんた」バートラム・スカダーはフィリップのいる方向におおまかに眼球の焦点を合わせて言った。「あんたの気に入ろうが入るまいが、機会均等化法案は大いなる前進の第一歩を意味するんだ」

「スカダーさん、なぜ僕の気に入らないと思われるのですか？」フィリップが謙虚にたずねた。

「なに、あれが通れば窮屈になるだろう？　社会の腕が伸びてきてここのオードブルの請求書も少しは減るだろう」彼はカウンターの上で手を振った。

「なぜ僕がそれに反対すると決めつけていらっしゃるのでしょうか？」

「しないのかね？」バートラム・スカダーがことさら興味も示さずに言った。

「しません！」フィリップが熱をこめて言った。「僕はいつもどんな個人的思惑よりも公共の利益を優先させてきました。自分の時間と金を、世界発展の友と、機会均等化法案の推進運動に捧げてきています。僕は一人の人間だけがいい思いをして他の人間には何も残さないっていうのはじつに不公平だと思います」

　バートラム・スカダーは勘ぐるように彼を観察したが、とりわけ興をそそられた様子はなかった。

「ああ、案外いい人だね。君は」

「スカダーさん、道徳の問題を真剣に考える人間もいるのですよ」声にさりげなくプライドをこめてフィリップが言った。

「フィリップ、何の話？」ベティー・ポープが訊いた。「複数の事業を所有している知り合いなんていないでしょ？」

「いいから黙ってろ！」バートラム・スカダーがうんざりした声で言った。

「あたしには機会均等化法案のことでなぜあんな大騒ぎになるのかがわからないわ」ベティー・ポープが経済の専門家気取りでまくしたてた。「なぜビジネスマンは反対するのかしら。むしろ好都合でしょうに。他人がみな貧しければ、商品の市場がなくなっちゃうわ。でも自己中心的に考えるのをやめて、蓄えた商品を人に分ければ――もっと働いたり作ったりする機会が増えるでしょうに」

「そもそも産業資本家を考慮すべき理由があるとは思えないね」スカダーが言った。「大衆が困窮している傍らで商品があふれているとき、財産証書なんて紙切れで人民を阻止できると思うなどばかげた話だ。財産権など迷信にすぎん。財産の所有はそれを接収しない人民の厚意によるものだ。人民はいつでも接収できる。できるなら、しない理由がどこにある？」

「すべきでしょう」クロード・スラゲンホップが言った。「必要とする人びとがいるのですから。唯一考慮すべき点は必要性です。人民にとって必要ならば、我々はまず物資を接収し、配分については後で議論すればいいのです」

　クロード・スラゲンホップは近づいてきて、それとなくスカダーを押しのけ、フィリップとスカダーの間に割り込んでいた。スラゲンホップは中肉中背のがっしりした体躯で、鼻がつぶれていた。彼は世界発展の友の代表だ。

「飢餓は待ってくれません」クロード・スラゲンホップが言った。「思想はただの熱気にすぎません が、空きっ腹は厳然たる事実です。私は演説でお喋りはたくさんだと言いつづけてきました。社会は現在、事業機会の欠乏に苦しんでいるのですから、我々には既存の機会を押さえる権利があります。権利ってのは社会にとって良いもののことですからね」

「彼は一人きりで鉱石を掘ったわけじゃないですよね？」フィリップが頓狂な声をはりあげた。「何百人もの従業員を雇わなければならなかった。仕事をしたのはかれらだ。なぜ彼は自分がそんなにえらいと思っているんだろう？」

二人の男がフィリップをみた。スカダーはやや驚いたように眉を上げたが、スラゲンホップの表情は変わらなかった。

「まあ、あたしったら！」ベティー・ポープが思い出したように言った。

ハンク・リアーデンは応接間の奥で薄暗がりの窓際に立ち、しばらく誰にも気づかないでいてほしいと思っていた。たったいま霊体験の話をする中年の女性から逃げてきたばかりだ。外に目を移せば、はるか遠く、リアーデン・スチールの赤い光が空に輝いている。彼はそれを眺め、しばし息をついた。

振り返って、リアーデンは応接間を眺めた。この家に愛着を覚えたことはない。リリアンが選んだ建物だ。だが今夜、色とりどりのイヴニングドレスが部屋を明るくし、華やかで陽気な雰囲気を作っている。このような楽しみかたを彼自身は理解できなくても、陽気な人びとを見るのは好きだった。

花や、クリスタルグラスの煌きや、女性の露わな腕と肩を、彼は見た。外は冷たい風が吹きすさぶ茫漠たる平原だ。腕を振って救援を求めるようにたゆたう細い木の枝が見える。その後ろは工場から出る光で明るく輝く空だ。

不意にこみあげてきた感情をリアーデンは言葉にできなかった。その原因と本質と意味を表現する言葉を知らなかった。それは喜びのようだが、帽子をとって敬礼するように厳粛な気持ちのようでもある。誰に対しての礼かはわからないが。

ふたたび人びとの中に戻っていったとき、彼は微笑をたたえていた。だがその微笑が不意に消えた。彼はいましがた到着した客をみていた。ダグニー・タッガートだ。

リリアンは好奇心に満ちた目で彼女を観察しながら出迎えた。二人は頻繁にではないが以前にも会ったことがあり、ダグニー・タッガートがイヴニングドレスを身につけているのを彼女は奇異におもった。それは一方の腕と肩をケープのように覆い、もう一方を露出させた黒のドレスで、あらわな肩が唯一の装飾だった。スーツ姿のダグニー・タッガートを見る者がその肉体を想像することはなく、黒のドレスはことさらに目を惹いた——それは彼女の肩の線がもろくて美しいことにはっとさせられたからだ。あらわな腕の手首につけたダイヤモンドのブレスレットが、何にもまして彼女の女らしさを際立たせていた。鎖でつながれた女の姿を連想させたからだ。

「ミス・タッガート、いらしてくださって感激ですわ」微笑を作ってリリアン・リアーデンが言った。「もっと大切な用事をさしおいてわたくしの招待をうけてくださるなんて思いもよりませんでしたもの。嬉しくなってしまいますわ」

ジェイムズ・タッガートは妹と一緒に入ってきていた。リリアンは、はじめて彼に気づいたかのように、急いでつけたすように微笑んだ。

「こんにちは、ジェイムズ。これはあなたの人気がありすぎる罰ね——妹さんをお見かけする驚きで、あなたに気づかなかったわ」

「きみの人気にかなう人はいないよ、リリアン」薄笑いを浮かべて彼は答えた。「きみに気づかない人もね」

「まあ、わたくし？　でもわたしは主人を陰で支えているだけで充分ですわ。大人物の妻は夫の栄誉にあやかるだけで満足しなきゃならないってことはわきまえておりますから——ミス・タッガート、そうは思われませんこと？」

「ええ」ダグニーが言った。「思いません」

「ミス・タッガート、お世辞ですの？　それとも非難？　だけど自分の無力さを告白しているだけですからお許しくださいね。誰にご紹介いたしましょうか？　作家や芸術家の、きっとあなたには退屈な人たちばかりじゃないかと思いますけれど」

「ハンクを見つけて挨拶したいわ」

「あら、もちろんですわね。ジェイムズ、あなたがバルフ・ユーバンクに会いたいと言ってたのを覚えてる？——ええそう、あの人もいるの——あなたがウィットコム夫人の夕食会で彼の最新の小説について大騒ぎしていたらしいって言うわ」

　部屋を歩きながらダグニーは、なぜハンク・リアーデンを見つけたいなどと言ったのだろう、なぜ入った瞬間に彼が目に入ったと認められなかったのだろう、とおもった。

　リアーデンは部屋の反対側で、彼女を見ていた。彼女が近づいてくるのを眺めていたが、出迎えようとはしなかった。

「こんにちは、ハンク」

「こんばんは」

慇懃に、事務的に、正装の堅苦しさにあわせるように彼はお辞儀した。笑みもみせなかった。

「今夜はご招待ありがとう」陽気に彼女はいった。

「君が来ると知っていたとはいえないね」

「そうなの？　なら夫人が私のことを思い出してくださって嬉しいわ。今日は例外を作りたかったの」

「例外？」

「私はパーティーにはあまりいかないのよ」

「この機会を例外にしていただいて光栄です」彼は「ミス・タッガート」とつけ足したわけではなかったが、そう言ったかのように響いた。

リアーデンがこれほど慇懃に振舞うとは予想していなかった彼女はすぐには適応できなかった。

「お祝いがしたかったの」彼女はいった。

「私の結婚記念日の？」

「あら、あなたの結婚記念日だったの？　知らなかったわ。おめでとう、ハンク」

「何を祝いたかったんだ？」

「自分に休息をあげようと思って。私自身のお祝い――あなたと私の労を讃えて」

「何の理由で？」

彼女はコロラド山脈の岩だらけの勾配に敷かれ、遠方のワイアット油田をめざして徐々に伸びていく新しい線路を思い描いていた。凍てついた土地で、枯草や裸石や廃村同然の集落の朽ちかけたあばら屋の合間を縫う青碧色のレールの輝きを。

「リアーデン・メタル製の線路の、最初の六十マイル分を称えて」彼女は答えた。

「感謝するよ」そんなものは初めてきいた、と言う口ぶりだった。

ダグニーは他に言うことが見つからなかった。見ずしらずの他人と話しているかのようだ。

「おや、ミス・タッガート！」陽気な声が沈黙を破った。「いやはやこれがハンク・リアーデンはどんな奇跡でもおこせると私が言うわけなんですよ！」

二人の知り合いのビジネスマンが喜色満面で近づいて来た。三人は貨物料金と鋼鉄の運送についてしばしば緊急会議を行っていた。いま彼はダグニーの見目の変わりように対する驚きを隠そうともしないで彼女を見ていた。リアーデンは気づいてくれなかった、と彼女が思った変化に対する驚きだ。

ダグニーは笑い、予期しなかった落胆の痛み、こんな顔をしたのがリアーデンだったらよかったのに、という容認しがたい考えを認識する暇を自分に与えることなく挨拶を返した。そしてその男性と少しばかり言葉を交わした。あたりをみまわしたとき、リアーデンの姿はすでになかった。

「するとあれが有名な君の妹君だね」バルフ・ユーバンクが遠目にダグニーを見ながら、ジェイムズ・タッガートに言った。

「妹が有名だとは知らなかったな」タッガートが噛みつくように言った。

「しかし君、彼女は経済の分野では特異な現象だ。人の話題にのぼって当然だろう。君の妹は今世紀の病の症状なんだ。機械時代の退廃的な産物。機械は人の人間性を破壊し、大地から引き離し、自然の芸術を奪い、魂を殺して無感動なロボットに変えてしまった。あそこにその例がある――機織りの美しい手芸と育児にいそしむ替わりに鉄道を経営する女性」

リアーデンは会話につかまらないようにしながら客の間を移動していた。彼は部屋を見渡した。

近づきたい人間はいない。

「やあ、ハンク・リアーデン、あんたみたいな猛獣も我が家の巣窟でよく見りゃちっとも嫌なやつじゃないもんだね。たまには記者会見してくれよ。味方が増えるぜ」

耳を疑って振り返り、リアーデンは声の主をみた。急進的なタブロイド紙の若い貧相な記者だ。リアーデンがこの種の男とは絶対に関わろうとしないと知っているからこそ、あえて無遠慮にしているといった不躾な馴れ馴れしさだ。

リアーデンがこうした男に工場に足を踏み入れさせることは、まずない。だが男はリリアンの客であり、彼は自分を抑えて冷淡にたずねた。「何が言いたいんだ？」

「君は悪い人じゃない。才能がある。技術的才能だ。だがむろん、リアーデン・メタルについては同意できないがね」

「同意してくれと頼んだ覚えはない」

「だがね、バートラム・スカダーがあんたのやりかたは――」男はバーを指して喧嘩腰で言いかけたが、思わず口を滑らしてしまったというように黙りこんだ。

リアーデンはカウンターにもたれているだらしない風采の男をみた。リリアンに紹介されてはいたものの、名前をよくきいていなかった。彼は急に背を向けると、つきまとう若い乞食をふりほどくように立ち去った。

リアーデンが人波の中にいるリリアンに近づき、誰にも話をきかれない場所に無言で連れ出すと、彼女は彼の顔を見上げた。

「あれが『未来』のスカダーか？」彼はカウンターの男を指してたずねた。

「あら、そうよ」

唖然として理解の糸口もつかめないまま、彼は黙ったまま妻をみた。彼女の目は自分に注がれている。

「あんなやつをなんだって呼ぶんだ?」彼はたずねた。

「あら、ヘンリー、ばかね。狭量になりたくないでしょう?　他人の意見に寛容になってかれらの言論の自由も尊重しなきゃ」

「俺の家で?」

「まあ、お固いこと!」

一連の言葉ではなく、執拗に彼をねめつける二枚の絵に意識をとらわれて、リアーデンは口がきけなかった。彼はバートラム・スカダーが書いた「蛸(たこ)」の記事を思い浮かべていた。思想の表現ではなく公共の場にぶちまけたバケツのヘドロ——でっちあげがあるばかりでなくただひとつの事実にも触れることなく、冷笑と、裏付けを必要とみなさない非難の忌まわしい悪意だけが明らかな形容詞を垂れ流した記事を。そして、結婚前に求めた誇り高く清純なリリアンの横顔を。

ふと我に返ると、妻は真正面から彼を見つめていた。彼女の横顔の面影は彼の心の中にあったのだ。急に現実に引き戻されて彼女の目をみたとき、彼は彼女が愉しんでいる気がした。だが次の瞬間、自分は正気であり、そんなことはありえないと彼は自分に言いきかせた。

「おまえがあの……」無情なまでに正確に、彼は猥褻な言葉を使った。「を私の家に呼ぶのはこれが最初で最後だ」

「よくもそんな言葉を——」

「リリアン、口応えするな。したら、いますぐやつをたたき出す」

彼は反論して叫ぶ間を彼女に与えた。彼女は口をつぐんだまま、目をそらした。ただ滑らかな頬が、縮んだかのように、すこし内側に窄んだようにみえた。

光と、声と、香水の渦からやみくもに逃れようとしながら、彼は冷たい恐怖が背筋を走るのを覚えた。このまま見過ごすことはできない。リリアンのことを考え、彼女の人間性の謎を解かねばならない。だが彼は彼女のことを考えられなかった。それよりも、答えがとうにどうでもよくなってしまっていることが恐ろしかった。

疲労の洪水がまた押し寄せてきつつあった。リアーデンには高まる波さえみえる気がした。それは彼の内側ではなく外側に、この部屋全体に広がっていく。一瞬、一人きりで灰色の砂漠にさまよい、来ないとわかっている助けを待っているかのように感じた。

彼はふいに立ちどまった。部屋の向こうに、明かりに照らされた戸口で足を停めた、ある傲岸な長身の男の姿が目に入ったからだ。面識はないが新聞の紙面を賑わす悪名高い面々のうち、もっとも軽蔑している顔があった。フランシスコ・ダンコニアだ。

バートラム・スカダーのような男について、リアーデンは深く考えたことはない。だが彼自身の人生の一時間一時間、酷使した肉体や頭脳が痛んだ瞬間の緊張と誇り、ミネソタの鉱山からはいあがり、富を生み出そうと努力した一歩一歩、そして金とその象徴するものに対する深い敬意のすべてをもって、相続した富の素晴らしい可能性に相応しい生き方を知らない放蕩者を彼は軽蔑せずにはいられなかった。あそこに、もっとも軽蔑すべき人間の典型がある。

フランシスコ・ダンコニアが中に入り、リリアンに一礼し、足を踏み入れたことがない部屋を所有するように人波へ歩いていく姿がみえた。人びとは彼の航跡に落とされた釣り糸に曳かれるかのように振りむいて彼を見た。

再びリリアンに近づき、軽蔑というよりは驚嘆をこめて、立腹するでもなくリアーデンは言った。

「おまえがあれを知っていたとはね」

「パーティーで何度か会ったの」

「やつも友達なのか？」

「そんなわけないでしょう！」本気で怒って、つっけんどんに彼女はいった。

「ではなぜ招待したんだ？」

「あのね、あの人を招待しないとパーティーにならないの——重要なパーティーには——彼がこの国にいる間はね。来れば来たで煩わしいけれど、来なければ社交界ではマイナスだから」

　リアーデンは笑った。いつもはそんなことを認めはしない彼女が無防備だったからだ。「いいか」彼は疲れた声でいった。「君のパーティーを台無しにしたくない。だがあの男を俺に近づけるな。紹介するな。知り合いたくない。どう立ち回ればいいか知らんが、君は接客の専門家だ。何とかしろ」

　ダグニーは、近づいてくるフランシスコを見てじっと立っていた。前を通り過ぎるとき、彼は会釈した。立ち停まりはしなかったが、心のなかで一瞬立ちどまったことが彼女にはわかった。気づいたがあえて口にしなかったことをそれとなく仄めかす微笑を浮かべたからだ。彼女は背を向けた。そして彼には一晩中近寄らないでおこうとおもった。

　バルフ・ユーバンクはプリチェット博士の周りの人だかりに加わり、陰気な声で語っていた。

「……いや、人びとに高尚な哲学の領域にまで到達してほしいと望むのはどだい無理なのです。文化を守銭奴の手から奪い取るべきでしょう。文学には国家の補助金が必要です。芸術家が行商人のように扱われ、芸術作品が石鹸のように売られるのは恥ずべきことです」

「つまりあなたのご不満は、作品が石鹸のように売れないということですか？」フランシスコ・ダンコニアがたずねた。

その場の人びとはフランシスコが側にいたのを知らなかった。会話がさっと切断されたようにとまった。彼と面識があった者はほとんどいなかったが、誰もがすぐに彼と気づいた。

「私が言いたかったのは――」バルフ・ユーバンクは憤慨して言いかけたが、すぐにまた口をつぐんだ。聴衆の熱心さは、もはや哲学への興味のためではなかった。

「おや、こんにちは、教授！」フランシスコが、プリチェット博士に会釈した。

プリチェット博士は少しも嬉しそうではなかったが、挨拶し、そこにいた人びとを紹介した。

「たったいまとても面白いお話をしていたところでしたの」生真面目な夫人がいった。「プリチェット博士は、すべてのものには何の意味もない、とおっしゃってましたの」

「確かに博士は、それについて誰よりもよくご存じのはずです」フランシスコは真顔で答えた。

「プリチェット博士のことをあなたがよくご存じだったなんて意外ですわ、ダンコニア殿」彼女はそういってから、なぜ教授が不愉快な顔をしたのだろうとおもった。

「僕は現在プリチェット博士が勤めておられる名門のパトリック・ヘンリー大学の卒業生ですから。師事したのは博士の前任者のひとり――ヒュー・アクストンでしたが」

「ヒュー・アクストン！」魅力的な若い女性が息をのんだ。「そんなはずありませんわ、ダンコニア殿！　あなたはそんなお年じゃありませんもの。わたくしあの方は……前世紀の偉人だと思っておりました」

「おそらく精神においてね、お嬢さん。事実は違います」

「でも随分前に亡くなられたとばかり思っておりましたの」

「おや、違いますよ。今も健在です」

「では、なぜもう彼のことをちっともきかないのでしょう？」

「引退したのですよ。九年前に」

「変ですわね？　政治家や有名な映画俳優が引退すれば、新聞の一面に載りますわ。でも哲学者が引退しても、人は気づかないものなのですね」

「気づきますよ。いずれ」

ひとりの青年が驚いていった。「ヒュー・アクストンは哲学史以外ではもう学習されない古典だと思っていました。彼を最後の理性の擁護者と呼ぶ論文を最近読みましたが」

「ヒュー・アクストンは、結局何を教えたのですか？」真面目な夫人がたずねた。

フランシスコは答えた。「すべてのものには何らかの意味がある、と教えたのです」

「君の恩師への忠誠心は賞賛に値するがね、ダンコニア殿」プリチェット博士がそっけなくいった。

「我々は君自身が彼の教えの実践例だと考えてよろしいかな？」

「結構です」

ジェイムズ・タッガートが人だかりに近づき、目に留まるのを待っていた。

「やあ、フランシスコ」

「今晩は、ジェイムズ」

「ここで会うなんて素晴らしい偶然じゃないか！　ずっと君と話したかったんだ」

「めずらしいな。いつもそうとは限らなかったからね」

「冗談はよせよ、相変わらずだな」タッガートは何気ないふりを装い、フランシスコをひっぱりだせればいいのにと思いながらゆっくりと人だかりから離れた。「ここにいる人間はみんな君と話したがっていることは知ってるだろうに」

「本当か？　逆だと思っていたが」フランシスコはおとなしく彼についていったが、他の人びとに話が聞こえる距離で立ち停まった。

「連絡をとろうとしてずいぶん苦労したんだぜ」タッガートが言った。「だが……状況が状況でかなわなかったんだ」

「僕が君との面会を断ったってことを、僕に隠そうとしているのかな？」

「いや……それは……つまり、なぜ断ったんだ？」

「どんな用事か、皆目見当がつかなかったからね」

「サン・セバスチアン鉱山のことに決まってるだろ！」タッガートはやや声を上げた。

「おや、それが何か？」

「しかし……ほら、いいか、フランシスコ、これは真面目な話だ。災難なんだ。前代未聞の災難——誰も何が何だかわからないんだ。私もどう考えればいいのかわからない。まったく理解できない。私には知る権利がある」

「権利？　ジェイムズ、きみは古くさい考え方をしちゃいないかい？　だけどきみが知りたいことっていうのは何かな？」

「いや、第一に、あの国有化——あれについて何をするつもりだね？」

「何も」

「何も！」

「だけどまさか僕に何かしてほしいと思っているわけじゃないよね。僕の鉱山ときみの鉄道は人民の意志によって接収されたんだ。僕に人民の意志に反対してほしくはないだろう？」

「フランシスコ、これは笑いごとじゃないんだ！」

「そう思ったことはないけど」

「私には説明を受ける権利がある！　君は株主にあの不面目な事件の一部始終を説明する義務がある！　なぜ何の価値もない鉱山に手を出したんだ？　なぜ何百万ドルもドブに捨てたりしたんだ？　どれだけ腐ったいかさまだ？」

フランシスコは礼儀正しく驚いた様子で彼を見ていた。「おや、ジェイムズ」彼はいった。「僕はきみが認めてくれると思ったんだけどな」

「認める？」

「きみならサン・セバスチアン鉱山事業をもっとも高い道徳秩序の理想的な実践と考えてくれると思った。きみと僕の意見がかつてあれほど対立したことを考えれば、てっきり僕がきみの原則に従って行動しているのを喜んでくれると思ったが」

「何の話だ？」

フランシスコはさも遺憾だというように頭を振った。「きみが僕の行為を腐っているなんてののしるわけがわからない。全世界が説いていることを実践する真面目な努力として評価してくれてもいいくらいだ。誰もが自己中心的なのは悪だと信じているんじゃないのかな？　僕はサン・セバスチアン事業に関して完全に無私だった。利益のために働くのは悪ではないのかな？　僕は個人的な利益をまったく考慮しなかった。利益の追求は悪ではないのかな？　僕は利益のために働かなかった——損失をだした。企業の目的と存在理由は生産ではなく従業員の暮らしだと誰もが認めているのではないのかな？　サン・セバスチアン鉱山は産業史上、突出した成功を収めた事業だ。少しの銅も産出しなかったが、生涯かかっても手に入れることができなかったであろう暮らしを何千人という人びとに一日の労働の代償として提供した。その一日分の労働もかれらにはできなかったけれどね。所有する者が寄生虫であり、搾取者であり、すべての仕事を行い生産を可能にするのは従業員だというのが定説じゃなかったのかな？　僕は誰も搾取したりしなかった。役立たずでいることで、サン・セバスチアン鉱山の重荷にならないようにした。重要な人びとの手に預けっぱなしにしておいたんだ。僕はあの資産価値について自分で判断したりしなかった。採鉱はすべて専門家に任せた。たいして力量のある専門家じゃなかったが、彼にはその仕事がとても必要だったんだ。人を雇うとき重要なのは能力ではなくて必要性だと考えられているのではないのかな？　商品を手に入れるには必要性があればいいと誰もが信じているのではなかったかな？　僕は我々の時代の道徳訓を実行した。感謝され表彰されたっていいくらいだ。なぜののしられなきゃいけないのか理解に苦しむね」

聴衆が沈黙するなか、ベティー・ポープがただ一人、頓狂にけらけら笑う甲高い声がきこえた。彼女は何も理解していなかったが、ジェイムズ・タッガートの顔にやりばのない憤懣をみてとったのだった。

人びとはタッガートを見つめ、答えを待っていた。かれらはその問題に無関心だったが、誰かが恥をかく光景を面白がっていた。タッガートは横柄ににやりと笑ってみせた。

「まさか私がそんな話を真にうけるとは思っていないだろう？」彼はきいた。

「かつては僕も」フランシスコは答えた。「誰かがこんなことを真にうけるなんて信じられなかった。僕は間違っていたが」

「けしからん！」タッガートが声をはりあげた。「君の公的責任をそんな風に思慮分別なく軽んじるなど、まったくもってけしからん！」彼は背を向けて足早に離れようとした。

フランシスコは肩をすくめ、両手を拡げた。「ね？　だからきみが僕と話したいとは思わなかったんだ」

　リアーデンはそこから遠く離れた部屋の片隅に一人で立っていた。フィリップが彼に気づいて歩み寄り、リリアンに手を振って呼んだ。

「リリアン、ヘンリーは楽しくなさそうだ」彼はにやにやしながらいった。その嘲笑がリリアンに向けられたものか、リアーデンへのものかは曖昧だった。「何とかできないの?」

「よさないか!」リアーデンが言った。

「何とかできたらと思うわ、フィリップ」リリアンが答えた。「私はいつもヘンリーがのんびりすることを学んでくれればと思っていたの。この人ったら何ごとにも恐ろしく真面目なんですもの。厳格な清教徒(ピューリタン)なのよ。一度でいいから彼が酔っぱらっているところをみたいと思っていたの。だけどあきらめたわ。どうすればいいかしら?」

「さあね。だけど一人きりでつったってちゃねえ」

「やめろ」と言ったリアーデンは、かれらを傷つけたくはないとぼんやりと考えながら、「どれだけ苦労して一人きりになろうしていることか」と思わずつけ加えた。

「ほら――わかるでしょ?」リリアンはフィリップに笑いかけた。「人生や人との交流を楽しむのは鋼鉄を型に流しこむほど単純じゃないの。知的な探求は、市場じゃ学べないわ」

　フィリップはくつくつと笑った。「僕が心配してるのは知的な探求じゃないよ。リリアン、あなたは兄さんが本当に聖人だと思ってるの?　僕なら、兄さんをここにおいてきょろきょろさせとかないな。今夜は美しい女性が多すぎるからね」

「ヘンリーが不倫を想像してたのしむですって?　フィリップ、誉めすぎよ。この人にそんな意気地があるもんですか」彼女はそっけなく、わざとらしく、一瞬、リアーデンに微笑みかけると立ち去った。

リアーデンは弟を見た。「いったい何のつもりだ?」

「ねえ、聖人ぶるのをやめれば! 冗談も通じないの?」

あてもなく人混みを歩きながら、ダグニーは自分がなぜパーティーへの招待を受けたのだろうと考えていた。答えを見つけて驚いた。ハンク・リアーデンに会いたかったからだ。人ごみの中で彼をあらためてみると対照的だった。ほかの人間の顔はどれも代わり映えがせず、どの顔もよく似た顔の無名な全体にじわりと融けているようにみえる。リアーデンの顔はくっきりとした平面で形造られ、透明な青い目と灰色がかった金髪に氷の固さがある。ほかの者たちの間で、その妥協がない顔の輪郭は、霧の中を光線をあびて突き進むかのように際立っていた。

ダグニーの視線はいつのまにかリアーデンに戻っていた。いつみても、彼は自分を見てはいない。わざと避けられているとは思えなかった。考えられる理由がない。にもかかわらず彼女は、確かに避けられている、とおもった。近づいて思い違いだと納得したかった。だが何かがそれを拒み、なぜ気が進まないのかわからなかった。

リアーデンは、母親と二人の貴婦人と、彼の若い頃の苦労について辛抱強く会話を続けていた。その話は母親が始めたものだったが、彼は母親が息子を彼女なりに誇りに思っているのだと自分に言い聞かせて期待に応じた。だが、彼女の振舞いからは、息子を苦労して育てたのは彼女であり、彼女自身が成功の源だといいたげな様子が感じられた。彼は母親から解放されるとほっとして、また窓際の影に逃げた。

プライバシーが物理的な支柱であるかのように、彼はその感覚によりかかり、しばらくじっとしていた。

「リアーデンさん」隣で奇妙に静かな声がきこえた。「自己紹介させてください。僕はダンコニアというものです」

　リアーデンは虚を衝かれて振り返った。ダンコニアの礼儀と声には、まれにしかきくことのない本物の尊敬がこめられていた。

「初めまして」彼は答えた。無愛想でそっけない声だったが、彼は答えた。

「リアーデン夫人は僕をあなたに紹介せずにすむよう気を遣っていらっしゃるようですし、僕にもその理由は推測できます。僕はあなたの家から出ていったほうがよろしいですか？」

　回避せずに問題の本質を突く行為は通常接している者たちの態度とはあまりに対照的であり、はっと目の覚めるようなすがすがしさを覚え、リアーデンはしばらく無言でダンコニアの顔を観察した。フランシスコは実に単純に、非難するでも嘆願するでもなく、だが不思議とリアーデンと彼自身を尊重する言いかたをした。

「いや、君がどんな想像をしたかはともかく、そうは言っていない」

「ありがとうございます。ならばあなたと話をしても構わないのでしょうね」

「なぜ私と話をしたいんだ？」

「僕の動機は現在のあなたにはご興味のないことです」

「私に話せるのは、君に興味のなさそうなことばかりだ」

「リアーデンさん、僕とあなたのどちらか、あるいは両方について、あなたは誤解をしておいでです。僕がこのパーティーにきたのは、あなたにお会いしたかったからなのです」

　興をそそられていたリアーデンの声に軽蔑がまじり、刺を帯びた。「直球で勝負しはじめたんだ。最後までそうしたらどうだ」

「そうしています」

「何の用事だ？　私に損をさせたいのか？」

フランシスコは彼を直視した。「ええ——いずれ」

「今回は何だ？　金鉱か？」

フランシスコはゆっくりと首を振った。意図的な動作の緩慢さが、ほとんど悲しみに近い空気を漂わせた。「いいえ」彼はいった。「あなたに何も売るつもりはありません。実のところ、僕はジェイムズ・タッガートに銅山を売る気もなかったのです。彼は自分からやってきた。あなたは来ない」

リアーデンはくすりと笑った。「それがわかっているなら、まともな会話の土台はある。先を言いなさい。夢みたいな投資が頭にないなら、何で私に会いたがる？」

「面識を得るためです」

「答えになってないぜ。同じことを言い換えているだけだ」

「微妙に違います、リアーデンさん」

「つまり——私の信頼を得るためと？」

「いいえ。誰にせよ、信頼を得るなどという言葉で話したり考えたりする人間を僕は好きになれません。人は行動が正直であれば、あらかじめ他人から信頼を得る必要はなく、合理的な知覚が必要なだけです。そういう道徳的な白地小切手を欲しがる人間には、本人が認めようが認めまいが不正直な意図がある」

リアーデンは、必死に助けを求めて知らずと手を伸ばしてしまったかのように驚きの目を向けた。そしてどれほどこのような人間に出会いたかったかという気持ちが目にありありとあらわれていた。そしてリアーデンは視界も要求も断ち切るようにゆっくり目を伏せた。表情は硬く厳しかった。そこにはおのれに向けられた厳格さがあった。禁欲的で孤独な顔だった。

「わかった」彼は力なくいった。「信頼でなければ何だ？」

「あなたを理解したい」

「何のために？」

「いまの時点ではあなたに興味のない僕自身の理由からです」

「私について何を理解したいんだ？」

フランシスコは黙って外の暗闇をみた。工場の火は小さくなりつつある。荒れ狂う嵐の名残を残すちぎれ雲の形がようやくみえるほどのかすかな赤みが地平線に残っていた。おぼろげな形を現して流れては消えるのは木の枝だったが、それは目に見える風の怒りのようだ。

「あの荒野で守ってくれるもののない動物には大変な夜だ」フランシスコ・ダンコニアは言った。「こういうときこそ、人は人であることに感謝すべきなのです」

リアーデンはしばらく答えなかったが、やがて驚きを帯びた声で独り言のようにいった。「可笑しいな……」

「何が？」

「私がほんの少し前に考えていたことだ……」

「あなたが？」

「……ただそれを表現する言葉を思いつかなかった」

「残りを言いましょうか？」

「ああ」

「あなたはここに立って嵐を見ながら、人が感じられる最高の誇りを感じていた――なぜなら、嵐に対する勝利の証明として、あなたは夏の花や肌も露わな女性をこのような夜に家においておける。そしてあなたがいなければ、ここにいるほとんどの人たちは、この吹きさらしの野原の真ん中で無力なはずだ」

「なぜわかった？」

問いを発すると同時にリアーデンは、この男が明言したのは彼自身の考えというよりは心の奥底の感情であったこと、そして誰にも感情をうち明けたりしない自分は、この問いによってそれを告白したのだと気づいた。フランシスコの目が微笑むように、チェックマークをつけるようにかすかに光った。

「そういう誇りについて君に何がわかる？」リアーデンは、いまの質問でみせてしまった信頼をうち消そうとするかのように、侮蔑をこめてぶっきらぼうにたずねた。

「それは僕がかつて感じていたことです。若い頃に」

リアーデンは彼を見つめた。フランシスコの顔には、嘲りも自己憐憫もない。彫りの深い精巧な顔と澄んだ青い目は冷静さと、いかなる攻撃にもひるまぬ構えを保っていた。

「なぜそんな話をしたいんだね？」咄嗟の気の進まぬ同情に促されてリアーデンは言った。

「こう言っておきましょう――感謝を表すため、と、リアーデンさん」

「私への感謝か？」

「受け入れていただけるなら」

リアーデンの声は硬くなった。「感謝してくれと頼んだ覚えはない。そんなものは必要ない」

「感謝を必要とされているとは言っておりません。しかしあなたが今夜嵐から救っている人たちの中で、感謝の意を表するのは僕だけでしょう」

しばらく沈黙したあと、リアーデンは脅すように低い声でたずねた。「何がめあてだ?」

「あなたが奉仕している人びとの性質に注意を払っていただくことです」

「そんなことを考えたり言ったりするのは人生で一日も真面目に働いたことがない者だけだ」侮蔑をこめたリアーデンの声には安堵の響きがあった。彼は相手の人格に対する彼自身の判断が間違っていたかもしれないという迷いのために矛を収めていた。だが彼は再び確信をとりもどした。「たとえ君らのようにみじめな連中を背負うことになろうとも、働く人間は自分自身のために働くのだと君に言ってもわからないだろう。ああ、君が考えていることを言おう。言いたければ言え。私に人徳がないと、自己中心的だと、身勝手だと、無情だと、残酷だと。その通りだ。他人のために働くなどくだらん話はたくさんだ。私は違う」

はじめて彼は、フランシスコの目に彼自身の感情を表すような、熱心で若々しい色をみた。「いまおっしゃったことの中で唯一間違っているのは、あなたがそれを悪徳だと人に言わせておくことです」リアーデンが呆然として黙りこむと、彼は応接間の群衆を指さしていった。「なぜすすんでかれらを背負おうとするのですか?」

「かれらは生き延びようと必死に、不器用に苦労するあわれな子どものようなものだ。私は――私といえば重荷に気づくことすらない」

「なぜそう言わないのですか?」

「何を?」

「あなたがあの人たちのためではなく、あなた自身のために働いているということを」

「やつらもわかっていることだ」

「ええ、そうです、わかっています。ここにいるすべての人間にはそれがわかっている。だがあの人たちはあなたにわかっているとは思っていない。そしてそれを悟らせまいと全力を尽くしているのです」

「どう思われるか、なぜ気にする必要がある?」

「これは一人一人が立場を明確にしなければならない戦いだからです」

「戦い? 何の戦いだ? 鞭をもっているのは私だ。無防備なやつらと戦いはしない」

「本当に無防備でしょうか? 向こうにはあなたに対する武器がある。それは唯一の武器だが実に始末におえない。いつかご自分でお考えいただきたい」

「どこに証拠がある?」

「あなたが今のように不幸だという許しがたい事実の中に」

リアーデンはいかなる非難や暴言やののしりを投げかけられようと平気でいることができた。だが憐れみだけはごめんだった。冷たい怒りがこみあげてきて、彼はいまおかれている状況をはっきりと思い出した。そして自分の中でわきあがってくる本当の感情を認めまいと戦いながら話した。

「ずうずうしいにも程がある。何がめあてだ?」

「こう言っておきましょう——いずれあなたに必要になる言葉をさしあげたい」

「なぜ私にそんなことを話したいんだ?」

「覚えておいていただきたいからです」

この会話を楽しんでしまった自分にリアーデンは腹を立てていた。そして漠然とした後ろめたさと、未知の危険の気配を感じながら言った。「君がどんなやつか私が忘れるとでも思っているのか?」しかし既に忘れていたことを彼は知っていた。

「僕のことを考えていただきたいとは少しも思っていません」

怒りの底に、リアーデン自身が認めない感情が、言葉にならぬまま、考えぬかないままで残っていた。かすかな痛みだ。その痛みとまともに向き合ったなら、彼はいまも心に響くフランシスコの声をきいたはずだ。「感謝の意を表するのは僕だけでしょう……受け入れていただけるなら……」その言葉と奇妙に厳かで抑揚のある穏やかな声とを。そしてわけもわからぬまま、ああ、受け入れると、自分はその言葉を受け入れる、それを求めていた、と自分の中の何かがこの男に答えるのを。だがそれは言葉にならない感情であり、感謝の気持ちではなく、男が伝えようとしたのも感謝ではないことを彼は知っていた。

彼は声をはりあげた。「君と話すつもりはなかった。だが君が望んだのだから言わせてもらおう。私にとって、人間の堕落の形はひとつ。目標を見失うことだ」

「おっしゃる通りです」

「ほかのやつらはみな許すことができる。悪意があるわけじゃない、能がないだけだ。だが君――君は許されざる人間だ」

「僕が警告したいのは、許すことの罪についてなのです」

「君は人生で、誰よりも良い機会に恵まれていた。それをどうした？　いまいったことを残らず理解する頭脳があるなら、そもそもどうして私に話しかけることができるんだ？　メキシコの事業をあれほど無責任に破壊した後で、どうして人とまともに向き合えるんだ？」

「お望みなら、あなたにはあの件で僕をののしる権利があります」

ダグニーは窓際の影で聞き耳をたてていた。かれらは彼女に気づかなかった。彼女は二人が一緒にいるのをみて、どういうわけか抗しがたい衝動に駆られて近づいた。二人が交わした言葉の内容を是が非でも知らねばならないとおもった。

最後の文句がきこえた。フランシスコが敗北を認める場面をみることがあるとは。いかなる人間といかなる場面で出会っても、彼は相手を完全にやりこめることができた。だが彼は立ちつくし、何の防御もしていない。無関心ではない。彼の顔を熟知している彼女には、平静さを保とうとして彼の頬の筋肉が少しひきつっているのがわかった。

「他人の能力に便乗して生きる人間のうちでも」リアーデンは言った。「君はもっともたちの悪い寄生虫だ」

「そう思われる根拠を僕は与えてきました」

「ならば人として生きる意味について語る権利がどこにあるんだ？　君はそれを裏切った張本人じゃないか」

「憶測されて然るべきことについて不快になられたなら、おわびいたします」

フランシスコは一礼して背を向けると、立ち去ろうとした。リアーデンは思わず、その問いかけが彼自身の怒りを否定することにも、それによってこの男を必死で引きとめようとしていることにも気づかずにいった。「私の何を理解したかったんだ？」

フランシスコは振り返った。表情は変わらず、いまも厳粛で慇懃な尊敬を表していた。「もう理解しました」彼は答えた。

リアーデンは人混みに消える彼を見て立ちつくしていた。クリスタルの皿を持った執事の姿と、もう一つカナッペを選ぼうと前かがみになったプリチェット博士に遮られ、フランシスコの姿は見えなくなった。リアーデンは外の暗闇に目をやった。吹きすさぶ風のほかには何も見えなかった。

物陰から現れたリアーデンをみると、ダグニーは前に進みでて、会話を促すように笑いかけた。彼は嫌々ながら足をとめた。沈黙を破ろうと、彼女は急いで言葉を探した。「ハンク、なぜこんな横領主義のインテリを大勢集めたの？　私なら家に呼んだりはしないわ」

そんなことを言うつもりはなかった。だが言いたいことも思いつかない。彼の前ではじめて、彼女は言葉を失くした気がした。

扉を閉ざすように、リアーデンは目を険しく細めた。「招待してはいけない理由はみあたらないね」彼は冷淡に答えた。

「あら、あなたのお客の選択を批判するつもりはないのよ。だけど……そう、私はどれがバートラム・スカダーかわからないように気をつけてるの。わかったら横っ面をはり倒してしまいそうだもの」彼女は何気ない風を装っていった。「見苦しい振る舞いはしたくないけれど、抑えきれるかしら。リアーデン夫人があの男を招待したってきいて耳を疑ったわ」

「私が招待したんだ」

「でも……」彼女は声を落とした。「なぜ？」

「こういう集まりが重要だとは思っていないからだ」

「ごめんなさい、ハンク。あなたがそれほど寛容とは知らなかったわ。私はそうじゃないから」

リアーデンは何も言わなかった。

「あなたがパーティー好きじゃないのは知っているわ。私もよ。だけど時々思うことがあるの……それを心から楽しめるのはたぶん私たちのほうじゃないかって」

「残念ながら私にその才能はない」

「このパーティーのことじゃないわ。だけどこの人たちが楽しい思いをしているかしら。ただいつも以上に意味や目的を忘れようと無理をしているだけ……ねえ、自分がとてつもなく重要と感じるときだけ、人は心から軽い気持ちになれるんじゃないかしら」

「私にはわからないことだ」

「ときどきふっと頭をよぎるだけなんだけど……初めての舞踏会でおもった……ずっと思ってた。パーティーはお祝い、お祝いは祝うことがある人だけのものであるべきだって」

「考えたこともないね」

ダグニーは、相手の厳格な律儀さに言葉を適応させることができなかった。彼の態度の急変が信じられなかった。事務所で一緒のときは二人とも気楽でいられた。いま彼は、囚人服を着ているかのようだ。

「ハンク、考えてみて。ここにいる誰のことも知らなかったら、綺麗にみえると思わない？　光と衣装と、これを可能にした想像力のすべて……」部屋に目を移したダグニーは、彼が彼女の目線を追わなかったことに気づかなかった。彼は、髪の隙間からあらわな肩に落ちる、柔らかく青い光の影を見下ろしていた。「こういうものすべて、なぜ放蕩者たちにまかせておいたのかしら？　本当は私たちのものなのに」

「どんな風に？」

「わからない……私はいつも、パーティーが珍しいお酒みたいにうっとりさせてくれるものならいいのにと思っていたわ」彼女の笑いには哀しい響きがあった。「だけどお酒も飲まないしね。それも本来の意味を失くしてしまったひとつの象徴」彼は黙っていた。彼女はつけ足した。「私たちが見失ってしまったものもあるのかもしれないわね」

「考えたこともないな」

ふいに侘しい空虚さに襲われ、何かをさらけだしすぎたように漠然と感じ、彼が理解も反応もしなくてよかった、と彼女はおもった。彼女が肩をすくめると、その線がかすかに痙攣するように揺れた。「昔の幻想ね」彼女は冷然としていった。「何年かに一度か二度おそわれる気分なの。最新の鋼鉄の価格指数をみればすっかり忘れるわ」

リアーデンの視線が歩き去るダグニーを追っていた。

彼女があてもなくゆったりと歩いていると、火のない暖炉の傍にいる小さなグループが目に留まった。寒くはないが、暖炉の火を連想して暖まろうとするかのように座っている。

「なぜかわからないけれど、最近、暗闇が怖いの。いいえ、いまは違うわ。一人のときだけ。怖いのは夜。夜そのもの」

話し声は上流の陰気なオールドミスのものだった。集まっている三人の婦人と二人の紳士は身なりもよく、血色も悪くなかったが、通常より声が低く不安げにみえ、年の差は曖昧で誰もが老けてみえる。近頃よく見る、地位ある人びとの様相だ。ダグニーは立ち停まって耳を傾けた。

「だけど、あなた」一人がたずねた。「何に脅えているの？」

「わからないの」オールドミスが言った。「空き巣や泥棒が恐いんじゃないわ。だけど一晩中寝つかれないの。眠りに落ちるのは空が白みはじめてから。とても妙なの。毎晩、暗くなると、今度こそ最後で、もう昼間はこないんじゃないかって気がしてくるの」

「メインの海岸に住んでいる従姉妹も同じことを書いてよこしたわ」女性の一人が言った。

「昨日の夜ね」オールドミスが言った。「沖の方で一晩じゅう撃ち合いがあって眠れなかったの。光らなかったし何も見えなかった。大西洋の霧の中のどこかでときどき爆音が聞こえただけ」

「今朝新聞でそんなことを読んだ気がするわ。沿岸警備隊の射撃練習よ」

「あら、違うわ」オールドミスが冷たく言った。「海岸の人たちはみんな知ってるわ。ラグネル・ダナショールドよ。沿岸警備隊が捕まえようとしていたのよ」

「ラグネル・ダナショールドがデラウェア湾に？」もう一人の女性が息をのんだ。

「ええ、そうよ。これがはじめてじゃないらしいわ」

「捕まったの？」

「いいえ」

「やつを捕まえることは誰にもできんよ」男の一人が言った。

「ノルウェイ民国はあの男の首に百万ドルの懸賞金をかけたらしいわ」

「海賊の首にかけるにしては恐ろしい大金だな」

「だけど海賊が七つの海を荒らしまわっていれば、世界の治安を保ったり、計画をたてたりできないでしょう？」

「昨日の晩、あの男が何を襲ったか知ってる？」オールドミスが言った。「私たちがフランス民国に送ろうとした救援物資の大型貨物船よ」

「奪ったものをどうするの？」

「ああそれは――誰にもわからないわ」

「攻撃された船にいて彼を直接みたという船員に会ったことがあるの。ラグネル・ダナショールドはしごく透明な金髪の持ち主で、感情のかけらもない、この世のものとは思えない恐ろしい形相をしていたそうよ。血も涙もない人間っていうのはあの男のことだって」

「甥はスコットランドの沖で、ある晩、船上のラグネル・ダナショールドをみたらしいの。目を疑ったと書いてきたわ。イギリス民国のどの戦艦よりも立派な船だったそうよ」

「人の目どころか神の目も届かないノルウェイのフィヨルドに身を隠しているらしいな。中世にバイキングが潜んでいたところだ」

「ポルトガル民国も彼の首に懸賞金をかけたそうよ。それからトルコ民国も」

「ノルウェイでは国家的醜聞と考えているってことよ。貴族の出らしいから。一族は何代も前に財産をなくしてしまっているけれど、とてもよい家柄らしいわ。お城の跡がいまもあるそうよ。司教の父親には勘当されて教会にも破門されたけれど、効果がなかったとか」

「ラグネル・ダナショールドがこの国の大学にいたのは知ってらした？　ええ。パトリック・ヘンリー大学よ」

「嘘でしょう？」

「それが本当なのよ。調べればわかるわ」

「気になるのは……ねえ、不気味。このあたりの海岸で出没してるなんて嫌ね。そういうことは荒れた土地にだけおこることだと思っていたわ。ヨーロッパだけで。だけどいまの時代に、デラウェアであんな大盗賊が幅をきかすなんて！」

「ナンタケット湾にも現れたそうだわ。バール港にも。新聞は報道を禁じられてるけど」

「なぜ？」

「海軍が対応しきれていないと知られたくないからよ」

「嫌だわ。不気味ね。暗黒時代の話みたい」

ダグニーは目を上げた。数歩先に、フランシスコ・ダンコニアが立っていた。彼はどこか大げさな好奇心で彼女を見つめていた。目は嗤っている。

「奇妙な世の中ね」低い声でオールドミスが言った。

「新聞で読んだわ」女性の一人が弱々しい声で言った。「困難な時も必要だというのよ。困窮はいいことだって。不便さを甘受することは美徳だって」

「たぶんそうなのね」もうひとりが、自信なさげに言った。

「心配しちゃいけないわ。心配したり人を責めたりしても意味がないって演説をきいたわ。人は自分の行為を決定できない、環境が人をそうさせる。人ができることなんて何もない。受け入れることを学ぶしかないって」

「心配してどうなるでしょう？　人の宿命は何かしら？　達成できないことばかり望んでしまうことじゃなかったかしら？　賢者って希望をもたない人間のことね」

「それは正しい態度だね」

「私にはわからないわ……何が正しいことなのか……どうすればわかるの？」

「やれやれ、ジョン・ゴールトって誰？」

ダグニーは無愛想に背を向け、一団から離れようとした。女性の一人が後を追った。

「でも私は知っているのよ」女性が柔和な口調で、秘密をうち明けるように言った。

「何をですか？」

「ジョン・ゴールトは誰なのか」

「誰？」ダグニーは立ち停まり、声を硬くしてたずねた。

「直接ジョン・ゴールトを知っているという男の人がいるの。私の大叔母の古い友人よ。現場で一部始終をみたの。ミス・タッガート、アトランティスの伝説をご存じ？」

「何を？」

「アトランティス」

「ええ……なんとなくは」

「祝福された者たちの島。何千年も前にギリシャ人はそう呼んだの。アトランティスは地上の人間たちの知らない英雄たちが幸福に暮らしている場所だというわ。英雄の精神をもつ者だけがたどりつくことができて、命の秘密をもってゆき、死ぬことがなく暮らしている。そのときすでにアトランティスの扉は人類には閉ざされていた。だけどギリシャ人はその存在を知っていた。探しだそうとした。それは地球の真ん中、地下に隠れていると言う者もいた。だけどほとんどの人たちは島だとおもっていた。西方の大洋にあるまばゆい島。たぶんアメリカを想像していたのね。結局見つけられなかった。それから何世紀も人は、アトランティスは伝説上の存在だと言いつづけた。そして信じてもいないのに探しつづけた。見つけなければならないとわかっていたから」

「それで、ジョン・ゴールトは？」

「彼がみつけたの」

ダグニーの興味は失せた。「誰だったのですか？」

「ジョン・ゴールトは計り知れない富をもつ億万長者だったの。ある晩ヨットで大西洋の真ん中を航海して史上最悪の嵐と戦いながらそれを見つけた。深海の人間の手の届かないところに。彼は海底で輝くアトランティスの塔を見たの。それはあまりに麗しい光景で、一度目にすると、地上のものが見たくなくなるほどだったらしいわ。ジョン・ゴールトは船を沈めて乗組員全員と沈んでしまったの。みな喜んで従ったらしいわ。私の友人が独り、生き残ったの」

「まあ面白い」

「私の友人は自分の目でみたのよ」女性は気分を害して言った。「何年も前のことだわ。だけどジョン・ゴールトの家族がその話をもみ消してしまったの」

「財産はどうなったのかしら？　ゴールトの財産なんてきいたことないわね」

「一緒に沈んだの」女性は喧嘩腰でつけ加えた。「信じていただかなくて結構よ」

「タッガート嬢は信じていないようですが」フランシスコ・ダンコニアが言った。「僕は信じます」

二人が振り向くと、彼が大げさに真面目ぶった尊大な面持ちで二人を見ていた。

「ダンコニア殿、あなたは何かを完全に信じる気持になったことがおありなの？」女性は怒ったように言った。

「いいえ、奥様」

彼女が憮然として立ち去ると、彼はくすくすと笑った。ダグニーは冷ややかにたずねた。「どういう冗談のつもり？」

「冗談といえばあの愚かな女性のことさ。自分が真実を語っていると知らない」

「あんな話を信じろとでも？」

「いや」

「では何がそんなに可笑しいの？」

「なあに、ここにあるじつにたくさんのことだ。そう思わないかい？」

「ええ」

「いやはや、僕が可笑しいと思うのはまさにそのことだ」

「フランシスコ、私をそっとしておいてくれる？」

「そのつもりだが。今夜話しかけてきたのがきみだったのは知ってたかい？」

「なぜ私を見つめるの？」

「好奇心だよ」

「何の？」

「きみが可笑しいと思わないことへのきみの反応だ」

「なぜ私の反応を気にするの？」

「それが僕の楽しみかたなんだ。ちなみにダグニー、きみはちっとも楽しんでないみたいだがね。それに、きみはここで唯一眺める価値のある女性だ」

フランシスコは、女性ならば即座に立腹して逃げるべき眼差しでダグニーを見たが、彼女は昂然と胸を張って、いつものように背筋を伸ばし、頭を気短にもたげて立っていた。それは女性らしからぬ重役の姿勢だった。だがあらわな肩が黒のドレスに隠れた中身のもろさを露呈し、姿勢がむしろ彼女を正真正銘の女性らしく見せていた。誇り高い強さは強者への挑戦であり、もろさは挑戦が挫かれうることを思いださせた。彼女は意識していなかった。それを見抜くことができる人間に出会ったことがなかった。

フランシスコは彼女の体を見下ろしながら言った。「ダグニー、何とまあ素晴らしい無駄だろう！」

彼女は背を向けて逃げだした。何年ぶりかに顔が火照るのを感じた。その文句は自分が一晩中感じつづけていたことを言い当てていることに突然気づいたからだ。

考えまいとして逃げると、音楽が聞こえてきて彼女は立ちどまった。ラジオをつけたのはモート・リディーで、彼は仲間に合図して叫んでいる。「これだ、これ！　きいてくれ！」

壮烈な大音響はハーレイの協奏曲第四番の冒頭のハーモニーだった。苦しみから勝利へ高まり、苦痛を否定し、遠い憧れを賛美していた。だがやにわに音が崩れた。そして泥と小石を投げつけられたように音が揺れて散りはじめた。それは大衆用に書き換えたハーレイの協奏曲だった。ハーレイの旋律は引き裂かれ、隙間をしゃっくりで埋められていた。偉大なる歓喜の宣言は舞踏室の忍び笑いに変わっていた。だがそれに形を与えているのはハーレイの旋律の残骸であり、それが脊髄のように曲を貫いているのだ。

「なかなかいいだろ?」モート・リディーは自慢げに、同時に神経質そうに仲間に笑いかけていた。「なかなかいいよな? これで今年の最優秀映画音楽賞をもらったんだ。長期契約も。ああ、『天国は裏庭に』の曲だよ」

ダグニーは聴覚を視覚におきかえようとするかのように、耳で聞いたものを目でみたもので打ち消せるかのように、呆然と部屋を眺めていた。そして何かすがるものを探すようにゆっくりと目を動かした。柱にもたれ腕を組んだフランシスコが、彼女を真直ぐ見つめて笑っていた。

こんなに震えてはいけない、と彼女はおもった。ここを出よう。怒りが抑えられなくなるから。何も言ってはいけない。しっかり歩くことだ。ここを出よう。

ゆっくりと歩き始めていた彼女はリリアンの声をきいて立ちどまった。リリアンはその夜、同じ質問に対する答えを幾度も繰り返していたが、ダグニーが耳にしたのは初めてだった。

「これ?」リリアンは小綺麗に装った二人の女性の追及に答え、メタルのブレスレットをつけた腕を伸ばしていた。「あら違いますわ、金物屋じゃなくて、夫からの特別な贈り物ですの。そうねえ、もちろん悪趣味よ。だけどおわかりにならない? 値段がつけられないほど貴重なものですのよ。もちろんいつ普通のダイヤのブレスレットと交換してもいいのですけれど、どういうわけか誰もそんな申し出をしてくれませんの。とても価値があるのですけれど。なぜかって? これはリアーデン・メタルで最初に作られたものですわ」

ダグニーは部屋を見ていなかった。音楽もきいていなかった。ただ鼓膜に重く静かな圧力を感じていた。前後のことは考えなかった。関係する人間、彼女自身のこと、リリアンのこと、リアーデンのこと、彼女の行為が意味することも考えてはいなかった。それは脈絡なく炸裂した一瞬のできごとだった。彼女はきいてしまった。そして青碧のメタルのブレスレットを見ていた。

　何かが手首からもぎとられているのを彼女は感じた。そして極めて穏やかで、ひどく落ち着き、骸骨のように冷たく無情な自分の声が言うのが聞こえた。「私が思っているほどあなたが臆病じゃないのなら、それと交換していただくわ」

　手のひらにダイヤモンドのブレスレットをのせ、彼女はリリアンに差し出した。

「ご冗談ですよね、ミス・タッガート」女性の声がした。リリアンの声ではない。リリアンの目は彼女を真直ぐに見ていた。ダグニーはその目をとらえた。リリアンは相手が本気だと知っていた。

「ブレスレットをください」ダグニーがそう言って手のひらを高くあげると、ダイヤモンドの環が光った。

「ひどすぎるわ！」女性の一人が叫んだ。叫び声は妙に鋭く響きわたった。ダグニーは周囲に人だかりがあること、みなが黙りこんでいることに気づいた。彼女の耳にはいまは周りの騒音も音楽も聞こえる。遠くで流れる切り裂かれたハーレイの協奏曲だ。

　ダグニーはリアーデンの顔をみた。彼の中で、何によってか、その音楽のように切り裂かれたものがあるようだった。彼は二人をみていた。

　リリアンの口が、微笑めいた三日月の形を作った。彼女はメタルのブレスレットを勢いよくはずすと、ダグニーの手のひらに落とし、ダイヤモンドの腕輪を取った。

「ありがとう、ミス・タッガート」彼女はいった。

　メタルを握りしめたダグニーは、その感触のほかには何も感じなかった。

　リアーデンが近づいてきたので、リリアンは振り向いた。彼はダイヤモンドのブレスレットを妻から取りあげ、彼女の手首にはめると、その手を持ちあげて口づけした。

ダグニーには目もくれなかった。

リリアンが陽気に、朗らかに、魅力的に笑うと、部屋の空気は元に戻った。

「いつでもお返しいたしますわよ、ミス・タッガート。気がお変わりになったら」

ダグニーは背を向けた。彼女は落ち着きと解放感を感じていた。重圧感は消えていた。この場を出る必要もなくなっていた。

ブレスレットをカチリと手首にはめると、メタルの重みが肌に心地よかった。なぜか、この飾りを身につけている自分をみられたいような、かつてなかった女性特有の虚栄心がくすぐられたような気がした。

遠くから、憤懣の声が途切れ途切れに聞こえた。「あんな無作法はみたことがないわ……なんて底意地が悪いんでしょう……リリアンが受けてたってよかったわ……数千ドルをドブに捨てたかったなら、いい気味よ……」

一晩じゅう、リアーデンは妻の傍にいた。妻の会話に加わり、妻の友人と笑い、にわかに献身的で気が利く賞賛すべき夫に変わっていた。

妻の仲間に頼まれてグラスの乗ったトレイをもって彼が部屋を横切っている途中――それは誰もみたことのない彼らしからぬくだけた行為だったが――ダグニーが彼に近づいた。そして事務所に二人でいるかのように彼を見上げた。彼女は企業の重役にふさわしい姿勢で頭をもたげて立っていた。彼は彼女を見下ろした。片手の指先から顔まで、彼のメタルのブレスレット以外は何もなかった。

「ごめんなさい、ハンク。でもああせずにはいられなかったの」

彼の目に感情は表れなかった。だがダグニーは不意に、彼が心の中で考えていることをはっきりと悟った。彼は彼女の横っ面をはり倒したいと思っている。

「余計なことだった」彼は冷ややかに答えると、歩き去った。

＊　＊　＊

リアーデンが妻の寝室に入ったのは、とても遅い時間だった。妻は起きていた。寝台のサイドテーブルのランプが煌々と灯っている。

薄緑色のリンネルの枕にもたれて、リリアンはベッドに横たわっていた。薄緑の光沢のある絹のひだにいまも薄紙が挟んであるかのように、マネキンのように一糸乱さず寝衣をまとっている。照明は、一冊の本と果実ジュースと外科医の鋏のように輝く銀の小道具が置かれたテーブルに、林檎の花の色調にした光を落としている。陶器のような色白の腕だ。唇に淡い桃色の口紅をひいた彼女には、パーティーの後にも関わらず、疲れた様子が少しもなかった――そもそも疲労する活力のしるしがなかった。部屋は、眠るために身づくろいをした貴婦人のための、立ち入り禁止の装飾家の展示室に見えた。

彼は正装のままネクタイをゆるめ、髪は乱れたままだった。妻はこの一時間が彼にどんな意味をもっていたかを知りつくしているかのように、驚きもせずに夫をみた。

彼は無言で妻をみていた。この部屋には長い間足を踏み入れていない。いまも入らなければよかったと思いながら、彼は立っていた。

「ふつう話をするものじゃない、ヘンリー？」

「したければすればいい」

「あなたの工場にいる腕利きの専門家に、家の釜をみてもらいたかったわ。パーティーの最中に火が消えてしまって、シモンズが火を起こしなおすのにひと苦労をしたのをご存じ？……ウェストン夫人はうちの料理長が格別だとおっしゃっていたの――オードブルが美味しかったって……バルフ・ユーバンクがあなたについてとても面白いことを言っていたわ。工場の煙突の煙でのろしをあげた志士だって……あなたがフランシスコ・ダンコニアを嫌いでよかった。私もあの人には耐えられないもの」

自分が入ってきたわけを説明する気も、敗北をごまかす気も、立ち去ることによってそれを認める気も彼にはなかった。急に彼には、彼女が何を考え感じたか、どうでもよくなってきた。彼は窓際まで歩き、立ったまま外を眺めた。

なぜ彼女は自分と結婚したのだろう？――彼はおもった。それは八年前、結婚式の日には浮かばなかった疑問だった。以来、苦悩に満ちた孤独の中で、彼は幾度となく同じ問いを繰り返した。答えはみつかっていない。

社会的地位でも金でもない。妻の家族には既にどちらもあった。ほどほどの家柄で財産もそれほど多くはなかったが、二人が出会ったニューヨークの最上流社会に属するには十分だった。九年前、市内の業界関係者に不可能と考えられていたリアーデン・スチールの華々しい成功とともに、彼はニューヨークに彗星のように現れた。彼の登場を鮮烈に印象づけたのは彼の無頓着さだ。金で地位をあがなうべく期待されていたことも、拒絶することを楽しみにしている者たちがいたことも彼は知らなかった。かれらの落胆に気を遣っている暇はなかった。

厚意を求める者たちに招かれ、彼は嫌々ながら社交の場に出席した。彼自身は気づかなかったが、偉業を讃える時代は終わったと唱え、彼を冷たくあしらおうと待ちかまえていた社交界の人びとは、彼の慇懃無礼さに気づいた。

彼が惹かれたのはリリアンの純潔さ――純潔さと振舞いの対照だった。彼は誰かを愛したことも愛されたいと思ったこともなかった。だが気がつけば、明らかに彼を追っているが同時にその不本意な願望と戦う態度で自分に接する女性の姿から目を離せなくなっていた。彼女は自分から会おうとしておきながら、会えばそ知らぬふりで冷淡だった。口数が少ない彼女には神秘的な雰囲気があり、容易にうち解けないという誇りが感じられ、彼の欲望はおろか自分の願望をもあざ笑うようだった。

女性とのつきあいは少なかった。目標に向かって行動し、実社会においても内面的にも、目標と無関係のものはことごとく脇に追いやった。彼の仕事への献身は、一筋の白い合金のなかの一滴の劣悪な成分や不純物も燃し尽くす製鋼炉の火と似ていた。彼には中途半端に関心を持つことができなかった。だが不意に、通りすがりの出会いではごまかせない激しい欲望の高まりを感じることがあった。そして幾年もの間、ごくたまにだが、好ましいと思う女性と欲望に身をまかせた。しかし後には腹立たしい空虚さが残るだけだった。何かを勝ち得たかったのに相手の女性はひとときの快楽を気軽に受け入れるだけで、勝ちとったものに意味はなかったのだと確信するしかなかったからだ。そして何かを勝ち得た喜びはなく、ただ堕落したと感じた。彼は自己の欲望を嫌悪するようになった。それと戦いはしたが、やがて欲望は完全に肉体的なもので、意識からではなく物質からくるのだという教義を信じるようになった。そして肉体が意思とは無関係な選択を自由にしうるという考えにぞっとした。彼は生涯、鉱山と工場で、頭脳の力で、思い通りにものを作ってきた。だから自分自身の体を制御できないことが我慢できなかった。彼は戦った。だがものとの戦いには勝てても、この戦いには勝てなかった。

征服しがたいがゆえに、彼はリリアンを欲した。彼女はかしずかれたがり、それに相応しい女性であるように思えた。だからこそ彼は彼女を自分のベッドに引きずり降ろしてみたかった。引きずり降ろす、というのが頭に浮かんだ言葉だ。その言葉は彼に暗い悦びと、手にする価値がある勝利の感覚を与えた。

なぜだろう――それが低俗な葛藤、彼自身の隠された堕落の象徴ならば――なぜ同時に、妻という称号を女性に与えるという観念に、深い誇りを感じるのだろう、と彼はおもった。それは厳粛で輝かしい感情だった。女性を所有する行為によってその女性に名誉を与えるかのような。リリアンは、それと知らず彼が探していた理想にかなうようにおもえた。優美さ、誇り、純潔。残りは彼のなかにあった。彼は自分自身を彼女に投影していることに気づいていなかった。

リリアンがニューヨークからだしぬけに事務所に現れて、工場を案内して欲しいと頼んだ日のことを彼は思い出した。辺りをみまわしながら仕事のことをたずねる彼女の声に、柔らかく、低く、息をひそめたような語気――賞賛の響き――を彼はききとった。傍に寄り添って毅然と歩く彼女の炸裂する溶鉱炉の火を背景に動く優美な体、そして光に照らされ、鉱床のふきだまりでよろめきながらも機敏に動くハイヒールのステップが見えた。出鋼するスチールを見る彼女の眼差しに、彼自身のスチールへの思いを見るような気がした。彼の顔を見上げる彼女も同じ目をしていたが、そのひたむきさが彼女という女性をいたいけでものしずかに見せた。彼が彼女に結婚を申し込んだのはその日の夕食の席だった。

結婚が苦痛以外での何ものでもないということを彼が認めるまで、しばらく時間がかかった。それを認めた夜のことは今も覚えている。手首の血管を浮き立たせ、ベッドの脇でリリアンを見下ろしたあのとき、自業自得だ、だから耐えて然るべきだと自分に言いきかせた。リリアンは彼を見ずに髪を整えていた。「もう眠ってもいい？」彼女はきいた。

彼女が夫を拒んだことは一度もなかった。何を拒否したこともなかった。彼が望んだときはいつでも言うなりになった。時々は、夫が使う無生物になることが妻の義務だという決めごとに従うように言うなりになった。

彼女は夫を咎めなかった。ただ結婚の秘めた醜い部分を構成する堕落した本能を男が有しているのを当然のことと考えているという態度をはっきりと示した。侮蔑的なほど寛容だった。夫がしている強烈な体験を、嫌悪感を露わにしながらも、笑みを浮かべて眺めていた。「私の知る限りでは何よりもみっともない娯楽ね」彼女はいったことがある。「だけど私は人間が動物よりも高尚だなんて幻想を抱いたことはないわ」

彼女に対する欲望は結婚一週間で消えてしまった。残されたのは、抑え難い必要だけだった。彼は売春宿に足を運んだことがなかったが、そこで感じる自己嫌悪は妻の寝室に足が向かうときのそれとどれほどの違いもないだろうと、ときどきおもった。

彼女はよく本を読んでいたが、白いリボンで栞をつけ、それを脇にやった。彼が果てて目を閉じ、まだ息をはずませて横たわっていると、灯りをつけて本をとり、続きを読み始めた。

この女に二度と手を触れないでいたいと願い、その決意を維持できないでいる自分は、この懊悩に相応しいのだ、と彼はおもった。そして自分自身を軽蔑した。いまでは一片の喜びも意味もない、ただの欲求、抱く間にその女性のことを忘れていられるただの体を必要としている自分を軽蔑した。彼はこの欲求は堕落そのものだと確信するに至った。

リリアンを呪いはしなかった。ただ荒涼とした無関心に似た敬意を妻に抱いていた。自己の欲求に対する嫌悪感のために彼は、女性は純潔であり、純潔な女性は肉体的快楽を感じないものだという信条を受け入れるようになった。

何年にも渡る結婚生活の静かな懊悩を通じて、彼が一顧だにしなかった考えがあった。不貞をはたらくことだ。彼は約束した。それは守るつもりだ。リリアンに対する忠誠心ではない、彼が不名誉から守りたいとおもったのは、リリアンという人間ではなく、彼の妻である人の人格だった。

窓際に立ち、彼はいまそのことを思っていた。彼女の部屋に入ってきたくはなかった。その欲求と戦った。欲求を今夜、堪えがたいものにしている理由をはっきりと知りながら、通常より頑なに抵抗した。いま妻を目の前にして不意に、彼女には触れるまい、と彼はおもった。今夜ここへきた理由によって、あるべからざることだった。

欲求から解放され、肉体にも、この部屋にも、ここにいることにも無関心であるという荒涼とした安堵を感じながら、彼は立っていた。上薬を塗った純潔な女の姿を見まいと、彼は妻に背を向けた。妻に抱きたかった気持ちは尊敬だったが、実際に感じたのは激しい嫌悪だ。

「……だけどプリチェット博士は私たちの文化が廃れていくのは、大学が肉の缶詰業者や、錬鉄工や、シリアル商人の施しに頼らなければならないからだと言っていたわ」

なぜ彼女は自分と結婚したのだろう?――彼はおもった。あの明るくて歯切れのいい声は、ただなんとなく話をしているわけではない。妻は夫がここへ来た理由を知っている。自分が銀のやすりを手に取り、爪を磨きながら陽気に話し続けることが、夫をどのような気持ちにするかを、彼女は知り尽くしている。彼女はパーティーの話をしていた。だがバートラム・スカダーの名前は口にしなかった。ダグニー・タッガートの名前も。

妻は何を求めて自分と結婚したのだろう?　彼女の中に冷たい確固たる目的があるのを彼は感じた。だが咎める理由はみつからなかった。彼女は夫を利用しようとしたことはない。何も要求しなかった。産業資本の権力による名声に満足しているわけではない。それを鼻であしらっていた。彼女自身が選んだ友人といることを好んだ。金目当てではない。ほとんど使わなかった。許される範囲の浪費にも無関心だった。自分にはこの女を責める資格も、絆を断つ権利もない。結婚によって尊重すべき女性だ。何ら物質的なものも彼女は期待していない。

彼は疲れて彼女をみた。

「次にパーティーを開くときは、自分の仲間だけにしておきなさい。きみが私の友人だと思う人間を呼ぶんじゃない。社交の場で会いたくないんだ」

彼女は、驚いて笑い、喜色を浮かべた。「無理もないわね」

それだけ言うと、彼は立ち去った。

妻は自分に何を求めていたのだろう？――彼はおもった。何を求めていたのだろう？　彼が知る世界に、答えはなかった。

第七章　搾取者と被搾取者

線路は岩をぬけて油井やぐらまで昇り、油井やぐらは空に昇っている。ダグニーは橋の上に立ち、高い掘削装置の先端のメタルに太陽が射す丘の頂上を見あげていた。ワイアット油田の畝につもる雪を照らす白いトーチのようだ。

春までにはあの線路もシャイアンから伸びてくる線とつながるだろう、と彼女はおもった。青碧の線路はやぐらを起点に下に伸び、足もとを過ぎて橋を渡っている。ふり向けば真新しい線路は、清涼な空気のなか山腹にゆるやかな弧を描き、はるか遠くで途切れている。その先には骨と神経だけの腕を振りまわすように空中を動くクレーンが見えた。

青碧色のボルトを積んだトラクターが横を走り去った。下方から、鉄ケーブルにぶらさがった作業員が橋の迫台（せりだい）の補強のために真直ぐな岩を峡谷の壁から削り落とすドリルの振動音が間断なく聞こえる。線路沿いにはタイタンパーのハンドルを握り腕の筋肉を強張らせて道床を固める男たちがいた。

「筋肉ですよ、タッガートさん」施行業者のベン・ニーリーは彼女に言った。「筋肉――なにせ建設に必要なのはそれだけですな」

マクナマラに比肩する施行業者はもうどこにもいないらしい。見つかったなかでまだましな業者を選んだ。タッガート社内のスタッフはみな新しいメタルを使う工事に及び腰で、施工管理を任せられる技師はいない。「正直なところですね、タッガートさん」技監はいった。「誰もやったことのない実験ですから私の責任になるのは不公平かと思われます」「責任は私がとります」彼女は答えた。彼はいまだに呑気な学生気分の抜けきらない四十代の男だ。かつてタッガート大陸横断鉄道には業界で右にでる者のいない、寡黙で独学、白髪の技監がいた。だが五年前に辞職した。

彼女は橋の上から眼下の景色を見渡した。足場は深さ五百メートルの山あいに架けられた鋼鉄の細い梁だ。谷底には乾いた川床や積み重なる丸石、幾世紀の年月を経てねじれた木々の輪郭がおぼろに見分けられる。いったい石や木の幹や筋肉でこの大峡谷に橋を架けられるものだろうか、と彼女はおもった。そして何千年もの間あの峡谷の底で暮らしていた裸の穴居人のことが不意に頭に浮かんだのはなぜだろうとおもった。

彼女はワイアット油田を見上げた。線路は油井で側線に分かれている。雪の中に点々と転轍機の小さな円板がみえる。人目にもとまらず、国じゅうに何千と散らばるメタルの転轍機は日光で青碧色に輝いている。このために過ごした時間があった。コネティカット州のアマルガメイティッド転轍信号機製作所社長であるモーウェン氏を相手に、中心のない的を射ようとするように平静を保って根気よく話さねばならなかった数時間だ。「ですが、タッガート様、タッガート様！　私の会社は何代も御社に納品させていただいております。ええ、あなたのおじいさまは祖父の最初のお客様でした。ですからあなたのご依頼とあればなんなりと。ですが――リアーデン・メタル製の転轍機ですって？」

「ええ」

「ですが、タッガート様！　あのメタルを使って仕事をするのがどういうことかお考えください。二千度以下で溶解しないのはご存じですか？……素晴らしい？　そりゃあ、モーターのメーカーならいざ知らず、私にしてみれば新しい型の炉、まったく新しい工程、作業員の訓練、日程の混乱、労務規定の違反、何もかもひっくりかえって、しかも使いものになるかどうかは神まかせ！……タッガート様、どうしてわかります？　誰もやったことがないのにどうしてわかります？……いや、私にはメタルがいいとも悪いとも言えません……いや、あなたがおっしゃる通りの画期的な製品なのか、それとも他の大勢が、じつに大勢の人間が言うように単なる新手の詐欺にすぎないのか、タッガート様、私にはわかりません。……いや、そうじゃない、どちらにしてもそういう問題とは言えません。こういう仕事で危険を冒せる私じゃありませんからね」

彼女は発注価格を倍にした。リアーデンは冶金技師を二名送りこみ、モーウェンの部下に工程の一歩一歩を手取り足取り指導させ、訓練中のモーウェンの部下の給料も支払った。

彼女は足下の線路の犬釘を見た。このために過ごした夜があった。唯一リアーデン・メタルで犬釘を作る意欲をみせたイリノイのサミット鋳造所が、注文の半分が未納のまま倒産した知らせを聞いた夜だ。その夜、彼女はシカゴに飛び、弁護士を三人、判事を一人、州会議員を一人たたき起こし、二人に賄賂を贈り、ほかを脅迫し、誰にも絶対に合法かどうか判断できないほどややこしい緊急許可証を手に入れ、サミット鋳造所の工場の南京錠を外させ、窓の外が白み始める前にたまたま現場にいた着のみ着のままの工員たちに溶解炉で仕事を始めさせた。工員たちはタッガートの技師とリアーデンの冶金技師の下で仕事に残った。リオ・ノルテ線の再建工事は滞らなかった。

ドリルの音がする。再建は橋の迫台のための削岩作業が中断されたときに一度だけ滞ったことがある。「しかたなかったのですよ、タッガート様」ベン・ニーリーは気分を害して言った。「ドリルヘッドがどれだけ早く摩耗するかご存じでしょう。発注はしておきましたが合同工具製作所がちょっとした問題にぶつかりましてね。しかし共同製鉄の鋼鉄の配達が遅れておりまして、連中もしかたなかったんです。ですから我々は待つしかありません。怒っても仕方ないですよ、タッガート様。私は最善を尽くしているんですから」

「あなたを雇ったのは仕事をしてもらうためで、最善を尽くしてもらうためじゃないわ――それがなんだか知りませんが」

「おかしなことをおっしゃいますね。タッガート様、そういう態度はもう時代遅れ、まったくの時代遅れですよ」

「合同工具製作所はもういいわ。鋼鉄も使わないで。リアーデン・メタル製のドリルヘッドを注文してちょうだい」

「私は嫌ですよ。あれを使ったあなたのレールでもう散々な目にあわされているんですからね。うちの工具までどうにかなっちまったらたまりませんよ」

「リアーデン・メタルのドリルヘッドなら鋼鉄の三倍は長持ちするわ」

「たぶんね」

「注文しなさいと言ってるの」

「誰が金を払うんですか？」

「私が払います」

「誰がそれを作る人間を探すんですかね？」

　彼女はリアーデンに電話した。彼はずいぶん前に倒産して閉鎖されていた工具工場を探しだした。一時間もしないうちに彼は工場の最後の所有者の親戚から工場を買収した。その日のうちに工場は再開された。一週間もしないうちにリアーデン・メタル製のドリルヘッドがコロラドの橋に配達された。

彼女は橋を見た。それはまずい形でしか解決できていない問題だったが、よしとせざるを得なかった。黒い峡谷をまたぐ全長三百五十メートルの橋はナット・タッガートの息子の時代に架けられた。それは危険なほど老朽化し、はじめ鋼鉄の行桁で補強され、つぎに鉄の、さらに木の接ぎがあてられていた。いまやほとんど継ぎをあてる価値もなくなっている。リアーデン・メタル製の新しい橋ならば、と彼女は部下の技監に設計図と費用の見積もりを頼んだ。技監が提出した設計図は新しいメタルの高い強度にあわせて下手に焼き直しただけの鉄橋構造だった。論外な費用がそれを実現不可能にした。

「お言葉ですが、タッガート様」気分を害して技監はいった。「メタルを有効に活用していないとはどういう意味でしょうか。この設計は史上最高の橋の応用です。これ以上何をお望みなのですか?」

「新しい建設方法です」

「新しい方法とおっしゃいますと?」

「構造用鋼ができたときはそれを使って木の橋を模造したりしなかったわ」彼女はうんざりしてつけ足した。「古い橋をあと五年もたせるのに必要なものを見積もってちょうだい」

「はい、タッガート様」彼は明るく言った。「橋を鋼鉄で補強しますと――」

「リアーデン・メタルで補強します」

「はい、タッガート様」彼はよそよそしくいった。

彼女は雪に覆われた山々を眺めた。ニューヨークでの仕事も困難に思えるときがあった。これ以上延ばせない期限の厳しさに茫然として事務所の真ん中に立ちつくし――急ぎの会議がひきもきらぬ日、磨耗したディーゼル、ぼろぼろの貨物車両、機能しない信号機、減少する収益について議論しながら、一方でリオ・ノルテ線敷設の新たな緊急課題について考えていたとき。脳裏をよぎる青碧の二本の流れを思い描きながらも会話を続けたとき。なぜあるニュースが気になっていたかに突然気づいて、議論をさえぎり、受話器をつかみ、施行業者に電話をかけて、「現場の食糧はどこで仕入れているの？……そうだと思った。あのね、デンバーのバルトン・ジョーンズ商会は昨日倒産したわ。あなたの指揮下で飢饉を起こしたくなければすぐに代わりの業者を見つけたほうがいいわよ」と言ったとき。彼女はニューヨークの机から線路を敷設していた。それは骨の折れる仕事に思えた。だがいま目の前に線路がある。線路は伸びつづけ、予定通りに完成するだろう。

鋭く小刻みな足音をきいて彼女は振り返った。線路沿いに男が一人歩いてくる。背が高く、若く、帽子もかぶらず冷たい風に黒髪の頭をさらしている。職人用の革ジャケットをはおっていたが、職人にしては歩き方が堂々としすぎていた。近くまで来てようやく誰かわかった。エリス・ワイアットだ。オフィスでの初対面以来、会っていない。

彼は近づいて立ちどまると、彼女を見てにこりと笑った。

「やあ、ダグニー」彼はいった。

強い感情がこみあげてきて、二語にこめられたすべてを彼女は理解した。許し、理解、認知。そして励ましだ。

彼女は物事がこれほど正しくある幸福に、子どものように笑った。

「こんにちは」手を差し出しながら、彼女はいった。

彼の手は、通常の挨拶よりも一瞬長く彼女の手を握り続けた。それは和解の署名だった。

「グラナダ峠に二キロ半の新しい防雪柵を建てるようにニーリーに言うことだ」彼はいった。「古いのはもう腐っている。次の吹雪でだめになるだろう。ロータリー除雪機も送っておきなさい。やつのは庭の雪かきもできんオンボロだ。いつなんどき大雪にみまわれるかわからない」

彼女はしばらく彼を観察した。「しょっちゅうやっているの？」彼女はたずねた。

「何を？」

「作業の点検」

「ときどきね。時間があるとき。なぜ？」

「このあいだ崖崩れがあった夜ここにいた？」

「ああ」

「報告をみて、迅速に見事に線路が片づいていたのに驚いていたの。ニーリーは思ったより有能なのかと思ったわ」

「違うぜ」

「日々の補給品を現場に運ぶ体制を整えたのもあなただったの？」

「もちろんだ。やつの部下ときたら時間の半分はものを探すのに使っていたんだ。水槽に気をつけるように言っときなさい。そのうち夜に凍りついちまう。新しい溝堀機も買っとけばどうだ。やつのは見るからにひどい。配線も点検しなさい」

彼女はしばらく彼をみつめていた。「ありがとう、エリス」彼女はいった。

彼は微笑み、歩きつづけた。彼が橋を渡り、油井やぐらまでの長い道を登り始めるのを彼女は眺めていた。

「あの野郎はここが自分の領地だと思ってますな」

彼女は驚いて振り向いた。ベン・ニーリーがいつのまにか近づき、エリス・ワイアットを指さしている。

「どこが?」

「鉄道ですよ、タッガート様。あなたの鉄道。全世界かもしれん。やつに言わせりゃ」

ベン・ニーリーは陰気なたるみ顔の太った男だ。頑固で虚ろな目をしている。青白い雪明かりで、肌はバターの色を帯びていた。

「何だってうろちょろするんだか」彼はいった。「自分だけに仕事がわかっているみたいに。気取りやめ。自分を何様だと思ってるんだろう?」

「くたばりなさい」ダグニーは冷静に、声も上げずに言った。

ニーリーには何が彼女にそう言わせたのか知らなかった。だが内側のどこか、彼自身の何かが知っていた。意外なことに彼はショックを受けてはいなかった。何も言わなかった。

「宿舎に行きましょう」彼女は疲れた声で、遠くの支線の上の古い鉄道客車を指さしていった。

「誰かにメモを取らせて」

「タッガート様、あの枕木ですが」歩き始めると彼は急いでいった。「あなたの事務所のコールマン氏はあれで了承されましたよ。特に軋むといった話はありませんでした。私にはなぜあなたがあれを――」

「取り替えなさいと言ったわ」

二時間にわたって根気強く指示を続け、げんなりしてその車両からでると、眼下の未整備の道に自動車が停めてある。黒の二人乗りでぴかぴかの新品だ。新車はどこにいても胸のすく眺めだった。滅多にみかけなかったからだ。

彼女はあたりを見回し、橋の裾に立っている長身の男の姿をみて息をのんだ。ハンク・リアーデンだ。コロラドで彼に会うとは思っていなかった。彼は鉛筆とノートを手に、計算に没頭している。

服装が車と同じ理由で目を惹いた。シンプルなトレンチコートをまとい、つばを斜めにして帽子を被っていたが、それらは上等すぎ、みるからに高価すぎ、みすぼらしい身なりの群集にまじっているとこれみよがしに見えた。こなれた着こなしのためよけいにこれみよがしだった。

気がつけば彼女は駆けだしていた。疲れは跡かたもなく吹き飛んでいた。そしてあのパーティー以来会っていないことに気づくと、立ちどまった。

彼は彼女をみとめ、はっとして嬉しそうに手を振り、彼女の方に歩いてきた。彼は笑みを浮かべていた。

「やあ」彼はいった。「現場は初めてかな？」

「五回目よ。三ヶ月で」

「君がここにいるとはね。誰も教えてくれなかった」

「私はあなたがそのうちたまらなくなると思ってたわ」

「たまらなくなる？」

「これを見に来たくて。あなたのメタルよ。お気に召して？」

彼はあたりを見渡した。「鉄道業界に愛想が尽きたらいつでも言ってくれ」

「仕事をくれる？」

「いつでも」

彼女は一瞬彼を見つめた。「半分本気ね、ハンク。あなたは気分がいいでしょうね——私に仕事をくれと言わせて、顧客じゃなくて部下にして命令に従わせれば」

「ああ、いいだろうな」

彼女は硬い顔でいった。「鉄鋼業界には愛想を尽かさないでね。鉄道での仕事は約束できないわ」

彼は笑った。「無駄だせ」

「何が?」

「こっちが条件を決める勝負に勝とうとしても」

彼女は答えなかった。その言葉をきいて自分が感じたことに驚いていた。それは感情ではなく、名状しがたく理解できない官能的な興奮だった。

「ちなみに俺もはじめてじゃない。昨日も来た」

「昨日も?　なぜ?」

「ああ、別の用事でコロラドに来たから、ちょっとのぞいてみようと思った」

「何がめあて?」

「なぜめあてがあると決めてかかるんだ?」

「あなたはちょっとのぞくためだけに来て時間を浪費したりしないわ。二度は」

彼は笑った。「そうだな」彼は橋を指した。「あれがめあてだ」

「あれがどうしたの?」

「近いうちに屑山いきだな」

「それを知らないとでも?」

「あの橋に使うリアーデン・メタル部材の注文仕様を見たが、金の無駄遣いだ。数年の当座しのぎにあてる費用と新しくリアーデン・メタル製の橋を架ける費用とを比較すれば大差がないのに、なぜこんな博物館いきの代物を後生大事にするのかわからないな」

「新しいリアーデン・メタルの橋は考えてみたの。うちの技師たちに見積もらせたわ」

「何と言われた?」

「二百万ドル」

「何だって！」

「あなたはどう思う？」

「八十万」

彼女は彼をみつめた。彼はいたずらにものを言わない男だ。彼女はつとめて平静をよそおってたずねた。「どうやって？」

「こうだ」

彼はノートを示した。殴り書きのメモと、たくさんの数字と、大まかなスケッチがある。彼が説明し終える前に、彼女は概要を理解した。いつのまにか二人は凍てついた材木の上に腰を下ろしており、彼女は脚にざらざらの板と薄いストッキングから伝わってくる冷気を感じた。何千トン級の貨物がからっぽの空間の切れめを渡ることを可能にしうる紙切れの上に、二人は覆いかぶさっていた。推力、引力、荷重、風圧を語る彼の声は鋭く明快に響いている。橋は径間（わたりま）三百五十メートルのシングルトラスだ。彼は新しいトラスの型を考案した。リアーデン・メタルの強度と軽さを備えた部材あっての型であり、これまで造られたことはない。

「ハンク、これを二日で発明したの？」

「まさか。リアーデン・メタルよりずっと前に『発明した』んだ。橋用の鋼鉄を作っているときに。とりわけこういうことができる合金が欲しかった。ここに来たのは自分の目で君たち特有の問題を見るためだけだ」

消耗する暗い戦いで相手にしたものを一掃しようとするかのようにゆっくりと目とこする彼女の手と、苦々しくゆがんだ彼女の口を見て、彼はくつくつと笑った。

「これは大ざっぱな図案にすぎない」彼はいった。「だが何ができるかはわかるだろう？」

「ハンク、何と言えばいいのか」

「言わなくていいぜ。わかっている」

「タッガート大陸横断鉄道を助けてくれるのは二度目ね」

「心理分析が下手になったな」

「どういう意味？」

「タッガート大陸横断鉄道なんか救いたがるものか。全米に宣伝するためにリアーデン・メタルの橋がほしいのがわからないのか？」

「ええ、ハンク。わかってるわ」

「リアーデン・メタルのレールが安全じゃないと騒ぐやつらが多すぎる。だから本当に騒ぎたてることのできるものをくれてやる。リアーデン・メタルの橋だ」

彼女は彼をみると、単純な喜びのために大声で笑った。

「何がそんなに可笑しいんだね？」

「ハンク、その状況でそんな答えを考えつく人を私は誰も、世界じゅうで誰も知らないわ――あなただけ」

「君はどうなんだ？　一緒に答えをつきつけて同じ悲鳴をききたくないか？」

「聞きたいのはわかっているでしょう」

「ああ」

彼女を一瞥して彼は目を細めた。笑いはしなかったが、目が同じことを物語っている。

急に彼女は、パーティーで最後に会ったときのことを思い出した。信じがたい記憶に思えた。互いの気安さ――ふっと軽くなるような、これがどちらにとってもほかの場所では見つけられない感覚だという認識のまじった妙な安らぎをおもえば、考えられない敵意だった。だがパーティーはあったのであり、彼はそれがなかったかのように振る舞っていた。

二人は峡谷の縁まで歩いた。そして暗い谷間、対岸の岩、ワイアット石油のやぐらの上の太陽を一緒に見た。風のなか、凍りついた石の上に少し開いた足を硬く踏みしめて彼女は立っていた。触れてはいないが、肩の後ろに彼の胸の形を感じていた。風が彼女のコートを彼の脚に叩きつけている。

「ハンク、私たち工事を間に合わせられると思う？　あと六ヶ月しかないわ」

「もちろんだ。ほかのどんな橋より時間も労力も少なくて済むだろう。うちの技師たちに素案をかかせて提出させよう。君には何の負担もかからない。ちょっと眺めてみて金が払えるか考えなさい。払えるはずだ。細かい部分はそっちの研修生にやらせればいい」

「メタルはどうなの？」

「工場のほかの注文を全部ストップさせてでもメタルは作らせる」

「そんなに急に作れる？」

「俺が受注して待たせたことがあったか？」

「いいえ。でも、近ごろ事情が事情だから、あなたもしかたないかもしれないと思って」

「誰に口をきいているつもりだ――オルレン・ボイルかね？」

彼女は笑った。「いいわ。できるだけ早く図面をよこして。ざっと見て四十八時間以内に返事するわ。うちの研修生については――」彼女は口ごもって顔をしかめた。「ハンク、なぜ近頃はどんな仕事にも有能な人間を捜すのが難しいのかしら？」

「さあな……」

　彼は空を切る山々の稜線をみた。遠くの谷間から細い煙が噴き出ている。

「君はコロラドの新しい街と工場をみたか？」彼はたずねた。

「ええ」

「素晴らしいだろう？――全米のあちこちから集まってきたやつらだ。みな若くて、裸一貫で始めて山をも動かす勢いだ」

「あなたはどの山を動かすことにしたの？」

「何のことだ？」

「コロラドで何をやっているの？」

　彼はにやりとした。「鉱山の視察だ」

「何の？」

「銅だ」

「まあ、もう十分に忙しいんじゃないの？」

「たしかに面倒な仕事だ。だが銅の供給がひどく不安定になってきている。国内には業界一流の会社が一社もない――それにダンコニア銅金属とは関わりあいたくない。あのプレイボーイは信用できないからな」

「そうね」彼女は目をそらした。

「有能なやつがいなければ、鉄鉱石と同じように、自分で自分が使う銅を採掘しないとな。不履行や調達難で待たされてはたまらん。リアーデン・メタルには大量の銅が必要なんだ」

「鉱山はもう買ったの？」

「いやまだだ。二、三片付けるべき問題が残っている。人と、設備と、輸送手段が要る」

「あら！」彼女はくすくす笑った。「支線敷設のお話？」

「かもしれん。この州の可能性は無限だ。あらゆる天然資源が手つかずで採掘されるのを待っているのは知っているか？　それに工場の成長のしかたときたら！　ここにくると十年は若返った気がするぜ」

「私はしないわ」彼女は山の向こうの東の空を眺めていた。「ほかのタッガート部門との対比を考えてしまう。年々貨物が減っている。出荷量が落ちているのよ。まるで……ハンク、この国のどこがおかしいの？」

「さあな」

「学校で習った、太陽がエネルギーを失って、年ごとに冷えていく話をよく思い出すの。そのとき世界の終わりってどんな感じかしらって思ったのを覚えてるわ。たぶん……こんな感じじゃないかしら。だんだん冷えて、ものが止まっていく」

「俺はその話は信じなかった。太陽のエネルギーが尽きるまでに人類は代替物を見つけるんじゃないかと思っていたからな」

「そう？　面白いわね。私も同じことを考えていたわ」

彼は煙の柱を指さした。「あれが君の新しい日の出だ。あれでほかも養える」

「阻止されなきゃね」

「されることがあると思うのか？」

彼女は足下の線路をみた。「いいえ」彼女はいった。

彼は微笑した。彼はレールを見下ろし、山腹から遠くのクレーン車まで線路を目で追った。彼女の目にはこの瞬間、二つのものが、視界にそれしかないかのように映った。彼の横顔と、空をぬう青碧の帯と。

「俺たちはやりとげたんだな」彼はいった。

あらゆる苦労、眠れない夜、絶望への静かな抵抗の報酬として、彼女が求めたすべてはこの瞬間にあった。「ええ、やりとげたわ」

彼女は遠くへ目を移し、側線のクレーンをみて、ケーブルが古いから取り替えなければ、と思った。これが感情を超越した素晴らしい明快さ、人が感じることができるすべてを感じたあとの報酬だ。かれらが達成したもの、それを認める瞬間、それを共有すること――これ以上どのような親密さを共有できるというのだろう？　いま、彼女はもっとも単純で、ありふれたこの瞬間の関心事に専念していいのだ。目に映るすべてに意味があるのだから。

彼も同じように感じていると確信したのはなぜだろう、と彼女はおもった。彼は突然踵を返すと、車に向かって歩き出した。彼女は後を追った。二人は目を合わせなかった。

「あと一時間で東に出発する予定だ」彼はいった。

彼女は車を指さした。「あれはどこで手にいれたの？」

「ここだ。ハモンドだ。コロラドのハモンド――いまもいい車を作っている唯一の会社だ。今回の出張で買ったばかりだ」

「素晴らしい買い物ね」

「ああ、いいだろ？」

「ニューヨークまで運転して帰るつもり？」

「いや、車は送らせる。自分の飛行機で来たんだ」

「あら、そう？　私はシャイアンから運転してきたの――線路を見なきゃいけないから――だけどなるべく早く帰りたいわ。一緒に連れていってくれない？　あなたのジェットで」

彼はすぐには答えなかった。虚ろな間があった。「悪いな」彼の声が突然乱暴にきこえたのは気のせいだろうかと彼女はおもった。「ニューヨークには戻らない。ミネソタにいくんだ」

「そう、じゃあ定期便を探すわ、今日の便があればいいけど」

彼女は曲がりくねった道に消えていく彼の車を見つめた。一時間後、彼女は車で空港に着いた。人里離れた盆地の小さな着陸場だ。でこぼこの硬い大地にちらほら雪がみえる。片側の監視塔からは電線が垂れ下がっていたが、もう一方の塔は嵐でなぎ倒されていた。

一人きりの係員が彼女を出迎えた。「いいえ、タッガート様」彼は残念そうにいった。「明後日まで飛行機はありません。二日おきにしか東西の定期便は運行してないんですよ。今日予定されていた便もアリゾナで足止めをくらいまして。よくあるエンジン故障です」彼はつけたした。「もう少し早くいらっしゃればよかったんですがね。リアーデンさんが少し前に自家用機でニューヨークに発たれましたから」

「ニューヨークじゃないでしょう？」

「いや、そうですよ。ご自分でおっしゃっていました」

「それは確か？」

「あちらで今夜お約束があるそうです」

彼女は身動きもせず、呆然と東の空を眺めた。彼女にはどんな理由も手がかりも、これを吟味したり、理解したり、これと戦ったりする手だてもなかった。

＊　＊　＊

「まったくなんて道だ！」ジェイムズ・タッガートが言った。「遅れちまう」

ダグニーは運転手の背中越しに前を見やった。ワイパーがみぞれをかきわけるフロントガラスから、一列に連なって動かない黒光りの中古車の屋根がみえる。前方遠く、赤いランプが路面に点っているのは道路工事のしるしだろう。

「一本おきにこれだ」タッガートはいらいらして言った。「なぜ誰も修理しないんだ？」

彼女はシートにもたれ、コートの襟をしめた。疲れていた。朝七時から事務所にいたが、仕事を途中できりあげ、急いで帰宅して正装しなければならなかった。ジムの依頼でニューヨーク企業連盟の夕食会で講演することになっていたからだ。「リアーデン・メタルの話をしてほしいそうだ」ジムは言った。「私より君のほうが適任だ。しっかり論陣を張っておかないと、リアーデン・メタルはたいへんな物議をかもしているからな」

車の中で兄の隣に座り、彼女は引き受けたことを後悔していた。ニューヨークの通りをみながら、彼女はメタルと時間の競走、リオ・ノルテ線のレールと過ぎゆく日々の競走を思った。車に閉じ込められ、一時間も惜しいときに一晩を無駄してしまう罪悪感で、彼女の神経は張りつめていた。

「どこへいってもあれだけ攻撃されているんだから」タッガートが言った。「リアーデンも友人が要るかもな」

彼女は耳を疑って兄を見た。「あの人の味方になりたいって意味？」

彼はすぐには答えず、沈んだ声でたずねた。「全米金属産業会議の特別委員会の報告書だが――君はどう思う？」

「私がどう思うはわかっているでしょう」

「リアーデン・メタルは公共の安全への脅威だと言うんだ。化学組成が不安定で、もろく、分子分解が起こり、突然予告なしに亀裂を起こすと……」彼は答えを請うように口をつぐんだ。彼女が答えなかったので、彼は不安げにたずねた。「きみは気が変わったわけじゃないだろう?」

「何について?」

「あのメタルについて」

「ええ、ジム。私の考えは変わっていないわ」

「だがやつらは専門家だ……あの委員会のやつらは……一流の専門家だ……全米じゅうの大学の学位をもって大企業に勤めている主任冶金学者たちだ……」その男たちとかれらの判断を疑わせてほしいかのように、憂鬱そうに彼はいった。

彼女は不気味におもって兄を見た。彼らしくなかったからだ。

車が前方に揺れ動いた。厚板の仕切りの間を、壊れた水道本管のホールを横目に、車はゆっくりと動いた。掘割道の脇に積み上げた新しい水道管が見える。水道管には「ストックトン鋳造所・コロラド」の商標が刻まれてある。彼女は目をそらした。いまコロラドのことを思い出したくなかったからだ。

「理解できん……」惨めな声でタッガートが言った。「全米金属産業会議の一流の専門家が……」

「ジム、全米金属産業会議の会長は誰? オルレン・ボイルでしょう?」

タッガートは彼女の方を向かなかったが咄嗟に口があんぐりと開いた。「あのデブ、もしも自分が――」彼は言いかけて口をつぐみ、最後まで言わなかった。

彼女は街灯を見上げた。光に満ちたガラスの球だ。暴風をものともせず、板を張った窓やひび割れた歩道を見守るように照らしている。道はずれの川の対岸に工場の光をうけて発電所の輪郭がうっすらと見える。トラックが通り過ぎて彼女の視界を遮った。発電所に油を送りこむタンク車だ。ペンキを塗ったばかりでみぞれをものともしないつややかな緑色の車体には白い文字で「ワイアット石油・コロラド」とある。

「ダグニー、デトロイトの構造用形鋼従業員組合会議の審議内容はきいたか？」

「いいえ。何の審議のこと？」

「どの新聞にも書かれていた。組合員がリアーデン・メタルを扱う仕事をすることを許可されるべきかどうか議論されたんだ。決議にはいたらなかったが、リアーデン・メタルに賭けてみるつもりだった施工業者を思いとどまらせるには十分だった。その業者は即座に注文をキャンセルしたんだぜ！……もしも……もしも皆が皆反対したら？」

「させておけば」

光の点が目に見えぬタワーの天辺をめざして一直線に昇ってゆく。高級ホテルのエレベーターだ。木車は建物の裏道を通り抜けた。重そうな機材箱をトラックから地下に運んでいる男たちがいる。木の枠には「ニールセンモーター・コロラド」とあった。

「ニューメキシコの小学校教職員組合総会の決議も気になるな」タッガートが言った。

「何の決議？」

「やつらは、安全上の理由から、新しいタッガート大陸横断鉄道のリオ・ノルテ線が完成したとき、子どもの乗車を許可すべきでないという見解について決議を通したんだ……タッガート大陸横断鉄道の新路線と明言しているんだぜ。どの新聞も大騒ぎだ。うちの広報には大打撃だ……ダグニー、やつらに答えるにはどうすればいいと思う？」

「新しいリオ・ノルテ線の第一便を走らせることね」

彼はしばらく黙りこんでいた。妙にしょげた顔つきをしていた。彼女にはわかりかねた。兄は悦に入るでもなく、彼女に対抗してお気に入りの権威の意見を使うでもない。励まされたがっているようにみえる。

車がさっと横を通り過ぎた。一瞬力がわく光景――滑らかで堂々たる動きと輝く車体。見なくても製造元がわかる。コロラドのハモンド社だ。

「ダグニー、我々は……あの線路を無事に敷設できるのかな……期限までに」

彼の声に、動物的な恐怖そのままの音、率直な感情が表れるのは奇妙だった。

「しなきゃこの街は終わりよ！」彼女は答えた。

車が角を曲がった。暗い家々の屋根の上に、白く強いスポットライトに照らされたカレンダーの頁が見えた。一月二十九日とある。

「ダン・コンウェイのやつ！」

もう黙っていられないかのように、その言葉は唐突に飛びだした。

彼女は当惑して兄を見た。「なぜ？」

「フェニックス・デュランゴのコロラドの線路をどうしても我々に売ろうとしなかった」

「あなたまさか――」彼女は二の句がつげなかった。叫び出さないように声を抑えて、彼女は言い直した。「まさかあの人にそんな話を持ちかけたわけじゃないでしょうね？」

「持ちかけて当然だろ！」

「あの人が……あなたに……売ってくれると思ったわけじゃないわよね？」

「なぜいけないんだ？」彼のヒステリックで好戦的な態度が戻っていた。「どこよりもいい金額を提示したんだ。我々ならレールを剥がして遠くまで運ぶ費用がかからないし、そのまま使える。それに素晴らしい宣伝になっただろう――世論を尊重してリアーデン・メタルの線路をあきらめることでね。値段だけの価値はあったし善意だった。なのにあいつ、断りやがった。実際あいつはタッガート大陸横断鉄道には一フィートのレールも売らないとぬかしやがった。そしてバラバラに、そのへんのアーカンソーやノースダコタの弱小鉄道に私が申し出た値段よりはるかに安い値で売って損をしている！　あの野郎、利益もいらんとは！　それにやつにたかる禿鷹どもときたら！　あいつら、ほかのどこにいってもレールが手に入らないことがわかっているんだ」

彼女はうな垂れて座っていた。兄を見ているに耐えなかった。

「共食い防止協定の意図に反すると思うな」彼は憤慨して言った。「全米鉄道連盟の意図はノースダコタの辺鄙な路線じゃなくて基幹線を保護することだ。だがいまは連盟のやつらの票集めもできん。あのレールを競り落とそうとして皆あっちにいってるからな！」

彼女は手袋をして言葉を扱えればと願うかのようにゆっくりと言った。「あなたが私にリアーデン・メタルを弁護させたがる理由がわかったわ」

「君が何を――」

「黙って、ジム」彼女は静かにいった。

彼はしばらく黙っていた。そして頭をのけぞらせて横柄にゆっくりと言った。「しっかりリアーデン・メタルを弁護したほうがいいぜ。バートラム・スカダーは相当な皮肉屋だからな」

「バートラム・スカダー？」

「やつは今夜の論客の一人なんだ」

「一人って……ほかに話をする人間がいるなんてあなたは言わなかったわ」

「いや……私は……同じだろ？　やつが怖いわけじゃないだろ？」

「ニューヨーク企業連盟に……バートラム・スカダーを呼んだの？」

「いいじゃないか。よい考えだと思わないか？　やつはビジネスマンに反感を持っているわけじゃない、これといって。招待を受けたんだ。我々も寛容にいろいろな意見を聞いたほうがいいし、やつを味方につけられるかもしれん……おい、そんなに睨むことないだろ？　君なら負かすことができる相手だろ？」

「……負かすですって？」

「ラジオ放送で。君は『リアーデン・メタルは死を招く強欲の産物か？』をテーマにやつと討論することになっている」

　彼女は前にかがんだ。そして運転席とのガラスの仕切りを引き開けると、「車をとめて！」と命じた。

　彼女にはタッガートの言葉が耳に入らなかった。ただおぼろげに彼の声が悲鳴に変わるのをきいた。「みんな待っているんだ！……夕食会には五百人いて、全米に放送されるんだ！……それはないだろ！」彼は彼女の腕をつかんで叫んだ。「だがなぜだ？」

「あなたはどうしようもないバカね。そんなテーマで討論する価値があるなんて、私が思うはずないでしょう！」

　車が止まると、彼女は飛びおりて駆けだした。

　しばらくして、はじめに意識したのは靴だった。彼女はいつものようにゆっくりと歩いていたが、黒い絹のサンダルの薄い靴底の下に冷たい石を感じて妙におもった。額から髪をかきあげれば、手のひらでみぞれの雫が溶けている。

気持ちもいまは落ち着いていた。くらくらする怒りは消えている。重苦しい疲れのほかには何も感じない。頭が少しずきずきとし、彼女は空腹だったこと、企業連盟で夕食をとる予定だったことを思い出した。彼女は歩き続けた。何も食べたくはない。どこかでコーヒーを一杯飲んで、タクシーで家に帰ろうと思った。

あたりを見回してもタクシーは目につかない。この界隈はよく知らなかった。治安のよいところではなさそうだ。通りの向こうに空き地が見える。遠い摩天楼で始まり工場の煙突につながるぎざぎざの線に囲まれた公園だ。荒れはてた家々の窓の明かりと閉店後の薄汚い小さな店がぽつりぽつりと見える。二丁先のイースト・リバーは霧で覆われている。

町の中心部に向かって歩き出した彼女の目の前に、黒い廃墟がたちはだかった。かつてはオフィスビルだったが、むき出しの鉄骨と崩れた煉瓦が突出した隙間から空がみえる。廃墟の影に、死んだ巨人の足元で生きようと奮闘する雑草の葉のような小さな食堂があった。窓が明るいガラスと光の帯になっている。彼女は中に入った。

店内にはぴかぴかのクロムに縁どられたこぎれいなカウンターがある。金属なべが輝き、コーヒーの香りが漂っている。客は浮浪者が数人、カウンターの向こうにいるのは清潔な白シャツの袖をひじまで捲りあげた体格のよい初老の男だ。温かい空気に包まれて彼女はいままで寒かったことに気づき、素直な感謝の気持ちをおぼえた。そして黒のベルベットのケープを体にきつく巻きつけ、カウンターに座った。

「コーヒーをください」彼女はいった。

男たちは特別な好奇心を示すでもなく彼女を見た。晩餐服でスラムの食堂に女性が入って来るのを見ても誰も驚いた様子はない。このごろは誰も何を見ても驚かなかった。店主は無表情で背を向けて注文にとりかかった。その徹底した無関心さには、何もたずねない優しさがあった。

　カウンターにいる四人の男は物乞いなのか労働者なのか、彼女には見分けがつかなかった。このごろではどちらも身なりや振舞いに大差がない。店主が彼女の前にコーヒーカップを置くと彼女はそれを両手でつつみ、温かみを楽しんだ。

　あたりを見回し、職業上の計算癖で、たった十セントでこれほどのものが買えるって何て素晴らしいことかしら、と彼女は思った。彼女の目はステンレスのコーヒー沸かしの筒から鋳鉄のフライパン、ガラス棚、琺瑯（ほうろう）の流し台、ミキサーのクロムの刃へと動いた。店主はトーストを作っていた。パンのスライスを赤熱の電気コイルで焼きながらゆっくりと運ぶ覆いのないベルトの巧みな動きに彼女は見とれていた。するとトースターに刻印された名前が見えた。マーシュ・コロラド。

　彼女はカウンターに置いた腕に頭をうずめた。

「無駄だよ、ねえさん」隣の年寄りの浮浪者がいった。

　彼女は顔をあげて、彼と彼女自身に対して思わず苦笑を漏らした。

「そうなの？」彼女はきいた。

「ああ。忘れたがいい。自分をだましているだけだ」

「何について？」

「何かに価値があるってことについてだよ。屑だよ、ねえさん。何もかも屑と血だ。人に夢を詰めこもうとするやつらを信じなければ傷つかずにすむんだ」

「何の夢？」

「若いときに聞かされる夢だよ――人間の精神について。人間に精神なんかない。人間は知性も魂も美徳も道徳的価値もない低俗な動物だ。たった二つのこと、食べることと子を作ることしか能がない動物なんだ」

　やつれた男の顔は、目の輝きとかつて鋭敏だったらしいしなびた顔つきに、優秀さの名残があった。伝道者か、無名の美術館で幾年も思索して過ごした美学の教授のなれの果てといった様子だ。何に挫折して、どんな過ちを犯して人はここまで落ちぶれてしまうのだろう、と彼女はおもった。

「美と偉大さと崇高な何かを求めて生きてみる」彼はいった。「それで何が見つかるのかね？　革張りの車やばね入りマットレスを作るいんちきな機械ばかりだ」

「ばね入りマットレスの何がいけないんだ？」トラックの運転手らしき男がいった。「お姉さん、こいつの言うことを気になさんな。こいつは自分の言葉に酔うのが好きなだけで、悪気はないんです」

「人間の唯一の才能は下劣な悪知恵を働かせて肉欲を満たすことだけ」年寄りの浮浪者がいった。

「そんなものに知性はいらん。人の心、精神、理想、あくなき野心なんかの話を信じないようにすることだ」

「僕は信じないよ」カウンターの端に座っていた少年がいった。コートの肩がほころび、口の形は生涯にわたって辛酸をなめてきたように角張っている。

「精神？」年寄りの浮浪者がいった。「製造業やセックスに精神は関係ない。それなのに人間が気にかけていることといえばこの二つだけ。物欲――人間が知っていて、気にするのはそれだけだ。我々の偉大なる産業の証――文明と呼ばれるものの唯一の業績として――意図的に、利益目的で、豚のような道徳意識の野蛮な唯物主義者が造ったもの。流れ作業で十トントラックを生産するのに何の道徳もいりはしない」

「道徳って何かしら？」彼女はたずねた。

「善悪を見分ける判断、真実を見る目、それに基づいて行動する勇気、良いものへの献身、いかなる代償を払ってでも善きものの側に立ち続ける決意。だがそんなものどこにある？」

少年がからかい、嘲るように鼻で笑った。「ジョン・ゴールトって誰？」

彼女はコーヒーをすすり、熱い液体が体内の動脈を生き返らせていくかのような快感だけを意識していた。

「わしが教えてやるよ」帽子を目深にかぶった小柄でしなびた乞食がいった。「わしは知ってるんだ」

誰も彼の言うことに耳を傾けもしなければ、注意を払いもしなかった。少年はむやみと激しい目でダグニーを見つめていた。

「あなたは怖くないいんだ」少年は突然、説明もなく、驚きを帯びたぞんざいで生気のない声で断定した。

彼女は少年を見た。「ええ」彼女はいった。「怖くないわ」

「わしはジョン・ゴールトが誰か知っている」乞食がいった。「秘密だが知っている」

「誰？」彼女は何の気なしにたずねた。

「探検家だよ」乞食がいった。「史上最高の探検家だ。若さの泉を見つけた男」

「もう一杯。ブラックだ」カウンター越しにカップを押しやり、年寄りの浮浪者がいった。

「ジョン・ゴールトは何年も探しつづけた。海を渡り、砂漠を横切り、忘れられた鉱山で地下何マイルもの深い場所にもぐって。だがそれは山の天辺に見つかったんだ。山に登るには十年かかった。体の骨をすべて折り、手の皮膚はただれ、家を、名声を、恋人をなくした。だが彼は登りつめた。そして若さの泉をみつけて、人類に持ち帰りたいと思った。だが二度と戻ってこなかった」

「なぜ戻ってこなかったのですか?」彼女はたずねた。

「それは持って下りられないものだとわかったからだ」

＊　＊　＊

リアーデンの机の前に座った男は、ぼんやりとした表情をしており、挙動には重点がなく、相手に顔や人格について特別な印象を与えることも、彼という人物を駆りたてる動機を察知させることもなかった。特徴といえば不釣合いに大きなだんご鼻だけだ。物腰は大人しいが、故意に伏せておきながらも気づかせようとする意図が見え隠れする仰々しい脅しをおもわせる。リアーデンには彼の訪問の目的が理解できなかった。彼は国家科学研究所で判然としない肩書きを持つポッター博士だ。

「用件は何だ?」リアーデンがこの質問をするのは三度目だった。

「リアーデンさん、あなたにご考慮いただきたいのは社会的側面なのです」男は穏やかにいった。「我々が生きている時代に注意を払われることをお勧めします。我々の経済はまだその準備ができていないのです」

「何の準備だ?」

「我々の経済は極めて不安定な均衡状態にあります。崩壊をくいとめるためには全員が力をあわせねばなりません」

「で、私に何をしろと?」

「こうした点について、あなたの注意を促すように言われているのです。リアーデンさん、私は国家科学研究所のものです」

「それはさっき聞いた。だが私に会いにきた用件は何だ？」

「国家科学研究所はリアーデン・メタルについて好意的な意見をもってはおりません」

「それもさっき聞いた」

「それは考慮なさるべき要素ではないのでしょうか？」

「ああ」

オフィスの広い窓から射しこむ光が徐々に弱まってきた。日は短い。リアーデンは男の頬に落ちる均整を欠いた鼻の影と自分に注がれている青白い目をみた。目つきは曖昧だが、その方向は意図があることを示唆していた。

「リアーデンさん、国家科学研究所はこの国の最高の頭脳を代表しているのですよ」

「そうきかされている」

「むろんあなた自身の判断をかれらの判断と対立させたいとは思われないはずです」

「思うね」

男は助けを請うように、リアーデンがとうに理解しているべき不文律を破ったかのように彼をみた。リアーデンは助けようとしなかった。

「知りたかったのはそれだけか？」彼はきいた。

「単なる時間の問題ですよ、リアーデンさん」男がなだめるようにいった。「一時的な延期にすぎません。経済に安定する機会を与えるためだけなのです。ほんの二、三年お待ちいただければ――」

リアーデンは陽気に、嘲るようにくつくつと笑った。「つまり、それがめあてか？　私にリアーデン・メタルを市場に出さないでほしいということか？　なぜだ？」

「ほんの数年です、リアーデンさん。ほんの——」

「いいか」リアーデンは言った。「ではこちらから質問させてもらおう。君らの科学者はリアーデン・メタルは私の主張通りのものじゃないという判断を下したのか？」

「そうした立場を明らかにしたわけではありません」

「役に立たないという判断を下したのか？」

「考慮されるべきは一製品の社会的影響なのです。我々は国全体の立場から考えているわけで、公共の利益と現在の悲惨な危機について懸念し、それは——」

「リアーデン・メタルは良いものなのか？　そうじゃないのか？」

「失業率の危惧すべき上昇から状況を眺めますと、現在——」

「リアーデン・メタルは良いものなのか？」

「鋼鉄が著しく欠乏しているとき、生産過剰な鉄鋼企業の拡大を許可するわけにはまいりません。そのために生産が過小な企業は倒産し、経済の不均衡がうまれ——」

「君は私の質問に答える気があるのか？」

　男は肩をすくめた。「価値の問題は相対的です。リアーデン・メタルが良いものでなければ世間に物理的な危害を及ぼします。実際に良いものなら——社会的に危険です」

「リアーデン・メタルの物理的な危害について言うことがあるなら言いなさい。それ以外の話はやめろ。いますぐ。そういう言語はここでは通じない」

「ですが社会的利益の問題は当然——」

「やめろ」

　男は足場を失くして当惑したかのように見えたが、やがてしかたなくたずねた。「しかし、そうすると、あなたの第一の関心事は何でしょうか？」

「市場だ」

「とおっしゃいますと？」

「リアーデン・メタルには市場があり、私はそれを十二分に生かすつもりだ」

「市場というのはいささか仮定的なものではありませんか？　あなたのメタルに対する世間の反応は肯定的とは言いがたい。タッガート大陸横断鉄道からの注文以外、どこからも大口の――」

「さて、世間が買わないと思うなら、君らは何を心配しているんだ？」

「世間が買わないとすると、あなたには甚大な損失がでますよ、リアーデンさん」

「それは私の問題であって、君らが心配することじゃない」

「一方、もう少し協力的な態度をとって数年待つことに同意いただければ――」

「なぜ待たねばならない？」

「ですが国家科学研究所は現時点で冶金学の分野でのリアーデン・メタルの出現を承認しないとはっきりと申し上げたはずですが」

「それがどうした？」

男はため息をついた。「リアーデンさん、あなたは難しいおひとだ」

遅い午後の空は、窓ガラスと対照的に曇っていくかのように、次第にどんよりとしてきた。男の影は、家具の鋭く真直ぐな面に溶けてしみになりそうに見える。

「君に面会の時間をやったのは」リアーデンが言った。「極めて重要な件について話したいと言ったからだ。言うべきことがそれだけならお引き取り願いたい。私はとても忙しい」

男は再び椅子にどっしりと腰を落ち着けた。「あなたは確かリアーデン・メタルの開発に十年を費やされていたと思いましたが」彼はいった。「いくらかかりましたか？」

リアーデンは目を上げた。彼には不自然に質問がそれたわけが理解できなかったが、男の声にはあるまがいない目的があった。声は硬くなっていた。

「百五十万ドルだ」リアーデンは言った。

「それに対していくらお望みですか？」

リアーデンは一瞬の間をおいた。信じられなかった。「何に対してだ？」彼は低い声でたずねた。

「リアーデン・メタルに関するすべての権利に対してです」

「出ていってくれ」リアーデンは言った。

「そのような態度をとられる理由はどこにもありません。あなたはビジネスマンだ。私はビジネス上の提案をさしあげているのです。言い値でかまいません」

「リアーデン・メタルへの権利は売りものじゃない」

「私は巨額の金の話をできる立場にあります。政府の金です」

リアーデンは身動ぎもせずに座っていた。頬の筋肉は引きつっていたが、無関心な目は、憂鬱な好奇心のかすかな力でのみ焦点があっていた。

「リアーデンさん、あなたはビジネスマンだ。これはあなたにはとても無視できない提案です。あなたは勝ち目のない戦いに挑もうとしておられます。批判的な世論をあおり、リアーデン・メタルの開発につぎこんだ金をすっかり失くしてしまう危険を冒そうとなさっているのです。いっぽう、私たちはその危険と責任からあなたを解放し、向こう二十年間のメタルの売上からも望めないような莫大な利益、即金の利益をあなたにもたらすことができます」

「国家科学研究所は科学機関であって営利目的の企業じゃない」リアーデンが言った。「何をそんなに恐れているんだ?」

「リアーデンさん、あなたは物騒で不必要な言葉をお使いです。私は友好的な段階に対話をとどめておくことを提案しようとしているのです。これは真剣な話なのです」

「そのようだな」

「我々は、おわかりと思いますが、無制限の口座からの白地小切手を差し出しているのです。ほかに何を望まれるのですか? 値段を決めてください」

「リアーデン・メタルへの権利の売却について議論の余地はない。ほかに言うことがあれば、どうかそれだけ言って出ていってくれないか」

男は背にもたれ、勘ぐるような目でリアーデンを見てたずねた。「あなたは何がめあてなのですか?」

「私か? どういう意味だ?」

「あなたは金儲けをするために仕事をされているのですね?」

「そうだ」

「可能な限りの利益をあげたいわけですね?」

「そうだ」

「ならなぜ何年も苦労して、一トン数セント単位で利益を絞りだしたいと思われるのですか?——権利を売って楽にひと財産を手に入れないで。なぜです?」

「なぜならそれは私のものだからだ。君にその言葉の意味がわかるか?」

男はため息をついて立ち上がった。「リアーデンさん、決断を後悔されるようなことにならなければいいんですが」男の声はむしろ逆をほのめかす口調だった。

「ごきげんよう」リアーデンは言った。

「国家科学研究所はリアーデン・メタルを糾弾する公式な声明を発表するかもしれないと申し上げるべきでしょう」

「それはかれらの特権だ」

「そうした声明はあなたの仕事をやりにくくしますよ」

「間違いなくね」

「それ以上の結果については……」男は肩をすくめた。「いまは非協力的な人間にとってはよい時代じゃありません。この時期、人には味方が必要です。リアーデンさん、あなたは人気がない」

「何が言いたいんだ？」

「もちろん、ご理解いただいているでしょう」

「いいや」

「社会は複雑な機構です。多くの問題が瀬戸際で決定を待っています。いつ何時その一つについて決定が下され、微妙な均衡のなかで何が決定的な要素になるかは誰にもわかりません。これでおわかりでしょうか？」

「いいや」

黄昏のなかを出鋼されたスチールの赤い炎が突き抜けた。深い金色をした橙の輝きが、リアーデンの机の後ろの壁に射した。その輝きが彼の額をゆっくりなぞった。彼の顔には不動の静謐さがあった。

「リアーデンさん、国家科学研究所は政府の機関です。いつ通過するかもしれない議会の審議待ちの法案があります。この頃ビジネスマンは特に攻撃の対象になりやすい。もちろん、私の言うことはおわかりいただけると思いますが」

リアーデンは立ち上った。彼は笑みを浮かべていた。あらゆる緊張が解けたようだった。

「いいや、ポッター博士。私にはわからんね。わかったりすれば君を殺さねばならん」

男は扉に向かって歩いていくと立ちどまり、今度だけは、単なる人間的な興味を示すようにリアーデンを見た。リアーデンは炎の輝きがゆらめく壁を背にして身動きせず、くだけた姿勢で、ポケットに手をいれて立っていた。

「教えてください」男はいった。「ここだけの話、これは単なる個人的な興味です。なぜそこまでやるのですか？」

リアーデンは穏やかに答えた。「教えてやるよ。君にはわからんだろう。あのな、それはリアーデン・メタルが良いものだからだ」

＊　＊　＊

ダグニーにはモーウェン氏の真意がつかめなかった。アマルガメイティッド転轍信号機製作所は唐突に彼女の注文に応じられないと知らせてきたのだ。これといった問題はなく、原因はわからず、かれらは何の説明もしようとしなかった。

彼女はモーウェン氏に直接会いにコネティカットにかけつけたが、面会してもいっそう重苦しく暗澹たる気持ちになっただけだった。リアーデン・メタルの転轍機を作り続けることはできない、とモーウェン氏は述べた。唯一の説明として、彼女の目を避けながら彼はいった。「嫌がる人間が多すぎます」

「何を？　リアーデン・メタル？　それともあなたが転轍機を作ること？」

「両方ですよ、たぶん……人が嫌がります……私は問題をおこしたくありません」

「どんな問題をですか？」

「どんな問題もです」

「リアーデン・メタルに反対する意見で真実であるものをひとつでも聞いたことがある？」

「ああ、何が真実か誰にわかります？……全米金属産業会議の決議によれば――」

「ねえ、あなたは生涯ずっと金属を扱う仕事をしてきたのよ。この四ヶ月、リアーデン・メタルを使って仕事をしてきたわ。これまで扱ってきたなかで最高のものだってことがわからないの？」彼は答えなかった。「わからないの？」彼は目をそらした。「何が真実なのかわからないの？」

「やれやれ、タッガートさん。私は商売でやっているのです。ただの無力な凡人なんです。金を稼ぎたいだけですよ」

「人はどうやってお金を稼ぐと思う？」

　だがこれ以上何を言っても無駄だとわかっていた。モーウェン氏の顔と、とらえどころのない目を見ながら、かつて人里離れた路線区域で電話線が嵐で吹き飛ばされたときと同じ気持ちを彼女は感じていた。連絡が途絶え、言葉が何も伝達しない音になってしまったときの気持ちだ。

　議論しても無駄だ、と彼女はおもった。議論に反駁も賛成もしない人びとに頭を悩ませても。ニューヨークへの帰路を落ち着かぬ気持ちで列車に座り、モーウェン氏のことにかまう必要はもうない、別の転轍機の製造業者を探すことだけを考えよう、と彼女は自分に言いきかせた。心当たりの名前を頭にめぐらせながら、もっとも楽に説得し、頼みこみ、賄賂をきかせられるのは誰だろう、と彼女は考えていた。

オフィスの控え室に入った瞬間、彼女はすぐに何かが起こったことを察知した。彼女が入ってくる瞬間を誰もが待ち望み、そして恐れていたかのように一斉に彼女に向けられた部下の顔に、不自然な静けさがあったからだ。

エディー・ウィラーズが立ち上がり、彼女は当然察知してついてくるだろうというように、彼女のオフィスの扉に向かった。彼女には彼の顔が見えていた。それが何かは知らないが、これほど彼を傷つけなければよかったのに、と彼女は思った。

「国家科学研究所が」二人きりになると、彼は静かにいった。「リアーデン・メタルの使用について警告する声明をだした」彼はつけくわえた。「ラジオで流れていた。夕刊にも載っている」

「何と書いてあるの?」

「ダグニー、やつらは何も言ってないんだ!……本当は何も言ってないのに、そこにある——あるようでない。ひどいのはそのことなんだ」

彼は声を抑えることに懸命で、言葉を制することができなかった。初めて見た悪を泣き叫ぶことで否定しようとする子どもの呆然と戸惑う憤りによって言葉が押し出されていた。

「エディー、何と書いてあるの?」

「やつらは……読んだほうがいい」彼女のために机上に置いた新聞を彼は指した。「やつらはリアーデン・メタルが悪いとはいってない。安全ではないとも言っていない。やつらがしたこととき たら……」彼は両手を広げて落とし、なすすべはないという素振りをした。

かれらのしたことは一目瞭然だった。「一定期間酷使すると突然亀裂が生ずるかもしれない可能性があるかもしれないが、この期間は予想できない……分子反応の可能性は現在のところ定かではないものの完全に否定することはできない……このメタルの張力の強さは明白であるとしても通常以上の圧力下での作用に関する特定の疑問は除外できない……メタルの使用を禁止すべきだという主張を支持する証拠は無いが、特性についての更なる研究は有用であろう」

「こんなものとは戦えない。こんなものには答えられないよ」エディーがゆっくりと言った。「撤回を要求できない。試験結果を見せて証明することもできない。やつらは何も言ってないんだ。反駁しうることも専門的なレベルでやつらに恥をかかせられるようなことも言っていない。卑怯者のやりくちだ。詐欺師やゆすり屋ならわかるよ。だけどダグニー！　国家科学研究所なんだ！」

彼女は無言でうなずいた。窓の向こうの遠くに目を据えて、彼女は立っていた。暗い道の果てでは、電光掲示板の電球が意地悪くウインクするかのように明滅している。

エディーは残った力を振り絞り、軍隊報告の口調で言った。「タッガート株は暴落した。ベン・ニーリーは辞めた。全米鉄道労働者組合は組合員にリオ・ノルテ線での勤務を禁じた。ジムは街から姿を消した」

彼女は帽子をとり、コートを脱ぎ、部屋を横切ってゆっくりと、おもむろに机に座った。目の前に大きな茶封筒がある。リアーデン・スチールの封筒だ。

「きみが出かけたすぐ後に特別便で送られてきたんだ」エディーが言った。

彼女は茶封筒に手を置いたが開けなかった。橋の設計図だとわかっていた。

しばらくして、彼女はたずねた。「声明をだしたのは誰？」

エディーは彼女をみて、頭を振りながら、短く苦笑した。「違うよ」彼はいった。「僕もそれは考えた。研究所に電話をかけて確かめた。違った。あれは調整官のフロイド・フェリス博士のオフィスからの発表だった」

彼女は何も言わなかった。

「それにしても！　スタッドラー博士は研究所の所長だ。研究所そのものなんだ。知らなかったはずはない。あの人が許可したんだ。そこでなされたなら、あの人の名の下になされたんだ……スタッドラー博士……覚えてる？……僕らが大学にいたとき……世界じゅうの偉人についてどんなふうに話していたか……正真正銘の知の巨人たち……僕らはきまってあの人の名前をあげたものだったし——」彼は口ごもった。「ごめん、ダグニー。何を言っても無駄だね。ただ——」

彼女は茶封筒に手を押しつけたまま座っていた。

「ダグニー」低い声で彼はたずねた。「人に何が起こっているんだろう？　なぜあんな声明がまともに取り上げられるんだろう。どうみても胡散臭い、どうみても汚い。まともな人間ならドブに捨てるものを。どうして」——精一杯抑えた彼の声は、必死の反抗的な怒りに震えていた。「どうしてそんなものを受け入れられるんだろう。読んでいないの？　見てないの？　考えてないの？　ダグニー！　人は何でこんなことをするのか——どうすれば僕たちはこんなものと一緒に生きていけるんだろう？」

「落ち着いて、エディー」彼女はいった。「落ち着いて。心配しないで」

＊　＊　＊

国家科学研究所の建物は、ニューハンプシャーの川岸の丘の斜面、川と空の中間にぽつんとたっている。遠目には原生林に忘れられた記念碑のようだ。敷地内は整然と樹木が植えられ、公園道が整備されており、すこし離れた谷間には小さな街の屋根も見える。だが、近くでその建物の厳粛さを損ねることは誰にも許されていない。

白い大理石の壁は建物に古風な壮麗さを与えているが、長方形の巨大な構造には近代工場の清楚な美しさがある。それはどこか神秘的な建物だった。川の対岸から、人びとは敬意をもってそれを眺め、これは建物の輪郭のように気高い人格の持ち主である人物への記念碑だと思った。入口の大理石には献辞が刻まれている。「恐れを知らぬ精神と、ゆるぎない真実のために」静かで何もない通路の何十もの扉に小さな真鍮の板がかかり、その中のひとつに、ロバート・スタッドラー博士、とあった。

ロバート・スタッドラー博士は二十七歳のとき、宇宙線に関する論文を発表し、先人の科学者たちが唱えていた理論のほとんどを覆した。後続の科学者たちは、着手する研究すべての基礎に博士の業績がどこかで関わっていることを知ることになった。三十歳で博士は当世最高の物理学者として認められた。パトリック・ヘンリー大学がまだその栄誉に値する名門学府だったころ、博士は三十二歳で物理学部の学部長に就任した。ある評論家をして「ロバート・スタッドラー博士が研究している宇宙現象のうち、おそらく彼自身の頭脳ほど驚異的なものはあるまい」と言わしめたのはロバート・スタッドラー博士だった。ある学生の発言を訂正して「自由な科学の探求？　はじめの形容詞はよけいだ」と言ったのもロバート・スタッドラー博士だった。

四十歳のとき、ロバート・スタッドラー博士は全米に向けて国家科学研究所の設立を支持する演説を行った。「科学を金（ドル）の支配から解放しよう」彼は訴えた。この問題はそれまで決着がつかないでいた。無名の科学者集団がいつのまにか議会の審議に法案を持ちこんでいたものの、法案については世論にためらいと疑問、漠然とした不安があったからだ。ロバート・スタッドラー博士の名前は彼が研究した宇宙線のようにこの国のすべてに作用し、いかなる障壁も貫き通した。祖国が生んだ偉人その人への贈り物として、国民は白い大理石の殿堂を建てた。

研究所にあるスタッドラー博士のオフィスは、さえない企業の経理職員の事務所のような小部屋だった。美しいとはいえない黄色い楢製の安物の机、ファイルキャビネット、二脚の椅子、チョークで数式を書いた黒板がある。何もない壁を背にその椅子に座ったダグニーは、この部屋には尊大さと優雅さがあると思った。この部屋の主人の、こうした環境も気にならぬほどの偉大さを仄めかす尊大さ。彼が真実ほかに何も必要としていないという優雅さだ。

もものしい名目の何かの記念行事や一流の財界人や有力な技術者団体が主催する晩餐会などで、彼女は何度かスタッドラー博士と顔を合わせたことがある。二人とも、しかたなくそうした式典に出席していたが、博士は彼女と話すのは苦にならないようだった。「タッガートさん」彼は言ったことがある。「通常、私は人に知性を求めないことにしているんですよ。このような場所で知性のある人に出会えるとは、まったくほっとしますな！」彼女はその文句を思い出しつつオフィスに入った。そして科学者の流儀で、先入観なく、感情を排し、観察し理解することだけを念頭に、彼を見つめながら腰をおろした。

「タッガートさん」彼は嬉々としていった。「あなたは実に面白いお方だ。先例を破るものは何でも面白い。来客は決まって苦痛な任務であるものなのに、あなたにここでお会いできて素直に嬉しいと感じている自分に正直驚いています。突如として、真空の頭に理解を強いようとすることなく話せる喜びがわかりますかな？」

博士は、陽気でくだけた姿勢で机の縁に腰掛けていた。背は高くないが、ほっそりした体躯のために、元気な少年のように若々しい活力が溢れているような雰囲気がある。やせた顔は年齢を感じさせない。気どりのない顔だが、広い額と大きな瞳に現れる知性の印象が強烈すぎて、いったん顔を見てしまうと忘れられなくなる。目じりには諧謔を帯びた皺が混じり、口もとはかすかに苦味走っていた。五十歳を過ぎた人物にはとても見えず、年齢の唯一のしるしはわずかに混じる白髪だけだ。

「あなたのことをもっときかせてください」博士はいった。「常々、重工業などというあなたにはふさわしくない分野で何をなさっておいでなのか、どうすればああいう連中に我慢できるのかをおたずねしてみたいと思っていました」

「スタッドラー博士、あなたのお時間をあまり無駄にはできません」礼儀正しく、感情を交えぬ的確さで彼女は話した。「それに、私がお話に伺った件は極めて重要なのです」

彼は笑った。「それこそビジネスマンのしるしだ――すぐさま用件に入りたがる。いや、ご随意に。だが私の時間ならお構いなく――ごゆっくり。さて、何について話をされたいということだったかな？　ああそう、リアーデン・メタルでしたな。私が熟知しているテーマではありませんが、お役にたてることがあれば――」彼は招くような手振りをした。

「リアーデン・メタルに関してこの研究所から出された声明をご存じですか？」

彼はやや顔をしかめた。「ええ、きいてはいますよ」

「声明をお読みになりましたか？」

「いや」

「それはリアーデン・メタルの利用を阻止する意図で出されたものです」

「ああそう、その程度は理解しています」

「なぜか教えていただけますか？」

彼は両手を広げた。魅力的な手――気力と知力を思わせる長く骨ばった美しい手だ。「私は本当に知りません。フェリス博士の職分ですからな。むろん彼には彼なりの理由があったことでしょう。

フェリス博士とお話になりますか?」

「いいえ。スタッドラー博士、あなたはリアーデン・メタルの冶金学的特性について何かご存じですか?」

「いや、まあ、少しなら。だがねえ、何をそんなに心配しておられるのかな?」

彼女の目の中で驚きの光があらわれて消えた。淡々とした口調を変えることなく彼女は答えた。

「私はリアーデン・メタル製のレールで支線を敷設中なのですが、それは――」

「ああ、そうでした! 確かちらっと耳に挟んだことがあります。いけないことだが定期的に新聞を読んでいないので、お許し願いたい。新しい支線を敷設しているのはあなたの鉄道なのですな?」

「私の鉄道の存亡はあの支線の完成いかんにかかっているのです――そして、おそらく長い目でみればこの国の存亡も」

諧謔を帯びた目じりの皺が深くなった。「タッガートさん、あなたはそんなことを断言できますか? 私にはできないでしょうな」

「この場合ですか?」

「どのような場合でもです。国が将来どのような進路をとるかなど誰にも予見できません。計算可能な継起的現象ではなく、時代に支配され、何でもおこりうる無秩序なのですから」

「スタッドラー博士、あなたは国の存続には生産が必要だとお考えですか?」

「それはまあ、ええ、勿論です」

「この研究所の声明によって私たちの支線の敷設工事がとまってしまったのです」

彼は笑いもせず、答えもしなかった。

「あの声明はリアーデン・メタルの性質に関するあなたの結論を表したものなのですか?」

「読んどらんと言ったはずだ」彼の声がやや鋭い語気を帯びた。

彼女は鞄を開け、新聞の切抜きを取り出して差しだした。「お読みください。そして、これは科学が語るに相応しい言語かどうか教えていただけますか？」

彼は切抜きをざっと見て、侮蔑的な微笑を浮かべると、不快感のあらわな仕草でそれを脇に押しやった。「むかむかするでしょう？」彼はいった。「しかし人を相手に何ができるでしょう」

彼女は理解することができずに、彼を見た。「あの声明を承認なさっていないのですか？」

彼は肩をすくめた。「私の承認も不承認も無関係だ」

「リアーデン・メタルについて御自身の見解はお持ちですか？」

「さあ、冶金学は必ずしも——どう言えばいいかな——私の専門とは言えないのでね」

「リアーデン・メタルのデータを吟味されたことはありますか？」

「タッガートさん、ご質問の意味がわかりかねますな」彼の声はかすかな苛立ちを帯びていた。

「リアーデン・メタルに関するあなた御自身の判断をうかがいたいのです」

「何の目的で？」

「メディアに公表するためです」

彼は立ち上がった。「無理だ」

理解をしいようとする硬い声で、彼女はいった。「決断を下すために必要な情報は、すべて提供いたします」

「それに関してはいっさいコメントを公表できませんな」

「なぜですか？」

「くだけた会話のなかで説明するには複雑すぎる状況なのです」

「ですがリアーデン・メタルが、事実極めて価値の高い製品だとおわかりになれば――」

「それとこれとは無関係だ」

「リアーデン・メタルの価値とは無関係だと？」

「ほかに考慮すべき問題がある。事実の探求以外に」

彼女は耳を疑って訊き返した。「事実の探求以外に、科学がどんな問題に関係するとおっしゃるのですか？」

苦味走った口もとの筋が鋭くなり、微笑めいたものに変わった。「タッガートさん、あなたには科学者の悩みがおわかりにならない」

彼女は言葉を継ぎながら、俄然理解し始めたというようにゆっくりといった。「本当はリアーデン・メタルの真価をご存じなのですね」

彼は肩をすくめた。「ああ、知っている。私が目にした情報からすると、驚くべきもののようだ。目ざましい成果といえよう――技術的には」彼はオフィスをせかせかと歩きまわっていた。「実際、私もいつかリアーデン・メタルほど耐熱性のある実験専用のモーターを注文したいものだ。ある現象に関連して私がしたかった観察をするのに非常に有用だろう。既にわかっているのは分子が加速して光の速さに近づくと――」

「スタッドラー博士」彼女はゆっくりたずねた。「あなたは真実をご存じなのに、それを公表しないとおっしゃるのですか？」

「タッガートさん、あなたは実際的な問題を扱っているのに抽象的な言葉を使われている」

「私たちは科学の問題を扱っているのです」

「科学？　あなたは適用すべき基準をとりちがえていませんか？　真実が絶対的基準であるのは純

粋科学の領域においてだけです。応用科学、科学技術を扱うとき――我々は人を相手にしなければならない。そして人を扱うとき、真実以外に考慮すべき問題が関わってくる」

「どういった問題でしょうか？」

「タッガートさん、私は科学技術者じゃありません。人びとをうまくあしらう才能も趣味もない。いわゆる実用的な問題に関わりを持つことはできないのです」

「あの声明はあなたの名のもとに出されたのです」

「私はまったく関係ない！」

「あなたはこの研究所の名前に責任があります」

「そんな責任を引き受けた覚えはない」

「人はあなたの名誉がこの研究所の全活動を正当なものにする保証だと考えるのです」

「人がどう考えるかなど私の知ったことか。そもそも考えることがあればの話だがね！」

「人はあなたの声明を受け入れました。それは嘘だったのです」

「大衆相手にどうやって真実を語れるというのかね？」

「おっしゃる意味がわかりません」つとめて穏やかに、彼女はいった。

「真実か否かは、社会の問題とは関係ないのです。原則が社会に影響を及ぼしたことなどありはしませんからな」

「それでは何が人に行動の道を示すのですか？」

彼は肩をすくめた。「そのときどきの都合だ」

「スタッドラー博士」彼女はいった。「私の支線の敷設が阻止されているという事実が意味することと、その影響を申し上げねばならないと思います。史上最高のレールを使っているからという理由で、公共の安全の名のもとに、私は鉄道の建設を阻止されているのです。六ヶ月後にあの路線を完成させていなければ、この国で最高の産業区域が輸送手段なしにとり残されてしまうのです。もっとも優れており、その富を奪うのが好都合だと考える人間がいたという理由で破壊されてしまうのです」

「さあ、それは邪悪で不正で痛ましいことかもしれない。だが、それが社会に生きるということです。必ず犠牲になる者がいる。きまって不当なかたちで。人のなかで暮らすというのはそういうことです。一人の人間に何ができます?」

「あなたはリアーデン・メタルに関する真実を述べることができます」

彼は答えなかった。

「私を助けると思ってそうしてくださいと頭を下げることもできます。国の災難を回避するために、とお願いしてもいいのです。でもあえてしません。どちらも正当な理由ではないかもしれませんから。理由はひとつ、あなたがそれを言わなければならないのは、それが真実だからです」

「あの声明について私は相談を受けとらん!」それは自然と口をついた叫びだった。「私なら断じて許可しなかった! 私も君と同じくらい不愉快だ! だが公然と否定することはできないんだ!」

「相談を受けておられないのですか? それではあの声明が出された理由を追及したいと思われませんか?」

「いま研究所を潰すことはできない!」

「理由が知りたいと思われませんか?」

「理由ならわかっとる! やつらは言おうとはしないがわかる。それに私も連中を責められはしないんだ」

「教えていただけますか？」

「あなたが望むなら言おう。本当のことが知りたいんだね？　この研究所の予算を票決する低能な連中がやつらのいう結果を強く要求してくるとすれば、フェリス博士もいたしかたあるまい。やつらには抽象科学なんて観念が理解できんのだ。やつらが判断できるのはそこから生まれた最新装置の見地からだけ。フェリス博士がどうやってこの研究所を存続させてきたか知らんが、彼の実用的手腕には舌を巻くばかりだ。彼が第一級の科学者だなどと思ったことはない。だが何と貴重な科学の従者であることか！　彼が最近容易ならぬ問題に直面しているのは知っている。彼は私を蚊帳の外におき、いっさい気苦労をかけまいとしてくれているが、噂は確かにきいている。研究所は非難されており、それは、かれら曰く、充分な成果をあげていないからだということだ。大衆は効率を求めている。こういう時代、人の贅沢な日常の快適さが脅かされると、真っ先に犠牲にされるのは間違いなく科学だ。ここは唯一残された研究機関だ。民間の研究基金は事実上もはや存在しない。産業界を牛耳っている強欲なごろつきを見なさい。やつらが科学を支援するなど期待できんだろう」

「いまあなたを支援しているのは誰ですか？」彼女は低い声でたずねた。

彼は肩をすくめた。「社会だ」

ようやくのことで、彼女はいった。「あの声明が出された理由を教えてくださるところでした」

「あなたにも推測できなくはないでしょう。この研究所に冶金学部門が設けられて十三年経つが、二千万ドルかけて銀の光沢剤と防腐剤を一種類ずつ開発しただけで、しかもどちらも既存品ほどよくないことを考えると――民間の一個人が冶金学界全体に革命をもたらす製品を発表して画期的成功を収めれば、世間がどんな反応をするかは想像に難くない！」

彼女はうな垂れた。何も言えなかった。

「冶金学部門を私は責められんよ！」彼は怒って言った。「こうした結果は予測できるものじゃない。だが世間にはわからんのだ。ならば何を犠牲にすべきか？　高性能の精錬機械か、それとも地上に残された最後の科学機関、人間の知識の全未来か？　それが選択肢だ」

彼女はうな垂れて座っていた。しばらくして、彼女はいった。「わかりました、スタッドラー博士。もう議論はよしましょう」

立ち上がるために必要な機械的動作を思いだそうとするように、彼女は手で鞄を探った。「タッガートさん」彼は静かにいった。それは懇願に近かった。目を上げた彼女はおだやかで虚ろな顔をしていた。

彼は近寄り、彼女を彼の腕の中に閉じ込めておきたいかのように片手を彼女の頭上について壁にもたれた。「タッガートさん」彼の声には優しく苦い説得力があった。「私はあなたより長く生きている。信じなさい、ほかにこの世で生きていく道はない。人の心は真実にも理性にも閉ざされている。合理的な議論では及ばない。かれらの前に知性は無力だ。それでも我々はかれらと折り合いをつけていかねばならん。何か成し遂げたければ、我々にそうさせておくようにかれらを惑わすか、あるいはそれを強制しなければならない。かれらに理解できることはそれだけだ。知性の働きや精神の目的をかれらが支持すると思いなさるな。御しがたい動物にすぎないのだから。強欲で身勝手な金目当ての搾取家連中――」

「スタッドラー博士、私もその金めあての連中の一人です」彼女は低い声でいった。

「きみは、まだ人生経験が浅くて人間の愚かさを完全には理解していないとびぬけて頭のいい子どもだ。私は生涯それと戦ってきた。とても疲れているんだ……」彼の声の誠実さは本物だった。彼はゆっくりと彼女から離れた。「この世で人が作りだした悲惨な混乱をみて叫びだしたかった時期があった。頼むから聞いてほしかった――もっと良い生きかたを私が教えられた――だが私の言うことに耳を傾ける者はいなかった。聴く耳をもたなかった……知性？　そんなもの、ごくまれに、気まぐれに、人の中で一瞬光っては消える閃光のようなものだ。本質も、未来も……そして消滅もわかりはしない……」

彼女は立ちあがりかけた。

「待って、タッガートさん。あなたにはわかっていただきたいのです」

従順な無関心さで、彼女は彼に顔を向けた。彼女の顔は青ざめてはいなかったが、肌が色彩を失くしたかのように、面が妙に露わにくっきりと際立ってみえた。

「あなたは若い」彼はいった。「あなたの年齢の頃、私も今のあなたと同じように理性の無限の力を信じていた。合理的な存在としての人間の輝かしい未来を信じていた。だがあれ以来、あまりにも多くを見すぎた。あまりにも頻繁に幻滅を味わいすぎた……一つだけ話をしよう」

彼はオフィスの窓際に立っていた。外はもう暗い。はるか下の暗い川淵から闇がせまってきているようだ。対岸の丘から漏れる光が水面で揺れている。なおも濃い群青色の夜空だ。地平線の近くで不自然に大きく見える一つの星が、空をよけいに暗くみせていた。

「パトリック・ヘンリー大学にいたとき」彼はいった。「三人の生徒がいた。それまでにも頭のいい学生は何人もいたが、この三人は教師冥利に尽きる生徒たちだった。自分の指導を待つ若い人間の精神の最高の賜物を授かりたいと願うことがあるとすれば、かれらこそ正にその賜物だった。かれらには、将来、世界の進路を変えると思わせる知性があった。それぞれの生い立ちはまったく異なっていたが、かけがえのない親友同士だった。かれらは妙な専攻の選び方をした。二つの分野――私の専門とヒュー・アクストンの専門、物理学と哲学を専攻したんだ。近頃よくある専攻の組み合わせじゃない。ヒュー・アクストンは優れた人物で、卓越した頭脳の持ち主だった……あの大学が後任にすえたどうしようもないやつと違って……アクストンと私はこの三人の生徒について少しばかり嫉妬しあったものだ。ふたりの間の競争のようなものだった。お互いの気持ちを理解していたから友好的な競争だ。ある日アクストンがかれらを自分の息子だと考えていると言ったのを聞きとがめて私はちょっと憤慨したものだ……私は自分の息子だと思っていたからね……」

彼は振り返って彼女をみた。いまでは頬に年齢の苦い筋がくっきりと現れている。彼はいった。

「この研究所の設立を支持したとき、三人のうちの一人が私を罵倒した。それ以来彼とは会っていない。初め二、三年は気になってしかたがなかった。たまに、向こうが正しかったのか、と思ったりもした……もう随分前に、それも気にならなくなった」

彼は微笑した。いまはその微笑にも表情にも、苦々しさしかなかった。

「その三人、知性の賜物が呈した希望のすべてを託された三人、素晴らしい将来を嘱望されていた三人――そのうち一人はフランシスコ・ダンコニアで、堕落したプレイボーイになってしまった。もう一人はラグネル・ダナショールド、ただの盗賊だ。人間の精神の希望なんてそんなものだよ」

「三人目は誰ですか?」彼女はたずねた。

彼は肩をすくめた。「三人目はそういう悪名さえ広めていない。跡も残さず姿を消した――広大な凡庸の無の世界へ。おそらくどこかで経理助手でもやっていることだろう」

＊＊＊

「嘘だ！　私は逃げてないぞ！」ジェイムズ・タッガートが叫んだ。「たまたま具合が悪くなったからこっちに来ただけだ。ウィルソン医師にきいてみろ。インフルエンザの一種なんだ。証明してくれるだろう。それに、どうして居場所がわかったんだ？」

　ダグニーは部屋の真ん中に立っていた。コートの襟と帽子のつばに溶けかけた雪片がついている。彼女は周りを見まわし、認める時間があれば悲しみだと気づいたはずの感情をおぼえた。

　部屋はハドソン川のほとりの古いタッガート領にある屋敷の一室だ。ジムはその屋敷を相続したが、めったに訪れてはいなかった。子供時代、この部屋は父親の書斎だった。いまそこには使われてはいるが住まれていない部屋のように、わびしい空気が漂っていた。二脚を除きすべてカバーで覆われた椅子、火のない暖炉、ねじれたコードを床にのばして弱い熱を放つ電気ストーブ、ガラスの表面に何もおいていない机がある。

　ジムは長椅子に横たわり、スカーフ代わりにタオルを首に巻きつけていた。隣の椅子には吸殻があふれた古い灰皿、ウイスキーボトル、つぶれた紙コップ、床には二日前の新聞が散らかっている。暖炉の上に、かすんだ鉄橋を背景に立つ祖父の全身の肖像画が掛かっていた。

「ジム、議論している暇はないの」

「おまえの考えだったんだ！　役員会でおまえの考えだったと認めてくれるんだろうな。あのいまいましいリアーデン・メタルのおかげでこのざまだ！　オルレン・ボイルを待ってさえいれば……」髭を剃っていない彼の顔は入り乱れる感情で引きつっている。狼狽、憎悪、やや勝ち誇った様子、犠牲者にあたることができる安堵感――そして救済の一縷の望みを見てとり、用心深く助けを請うしるしの混じった表情だ。

　彼はいったん口をつぐんだが、彼女は答えなかった。彼女はコートのポケットに手を入れて、立ったまま彼を見つめている。

「今さら手の打ちようがない！」彼は呻いた。「ワシントンに電話をつないで、緊急事由でフェニックス・デュランゴを接収させて我々に譲らせようとしたが、あいつら話をしようともしないんだ！　抵抗が大きすぎます、とかなんとか言って、馬鹿げた前例にびくびくして！……全米鉄道連盟に期限を延ばさせてダン・コンウェイにもう一年やつの鉄道を運営させる許可をおろさせた――それで時間がかせげただろう――だが、やつがそれを拒否した！　エリス・ワイアットとコロラドのあいつの仲間に、ワシントンに働きかけてコンウェイの営業命令をださせようとした――だが全員、ワイアットはじめ全員揃って拒否しやがった！　あれはあいつらの生命線だから我々よりひどい痛手を被るのがわかっているのに、わざわざ自滅をまねくようなもんだ――なのにあいつら拒否してきた！」

彼女は短い笑みを浮かべたが、何も言わなかった。

「もう打つ手がない！　身動きできん。あの路線は放棄も完成もできない。やめることも続けることもできない。資金もない。誰にも相手にされない！　リオ・ノルテ線がなければ何が残る？　なのに完成できないんだ。ボイコットされるに決まっている。ブラックリストに載っちまった。鉄道労働者組合に訴えられるぞ。そうとも、そういう法律がある。あの線を完成できない！　ちくしょう！　どうすればいいんだ！」

彼女は待った。「ジム、言いたいことはそれだけ？」彼女は冷ややかにたずねた。「それなら、どうするか教えてあげる」

彼は、重いまぶたを持ち上げ、彼女を見上げて黙りこんだ。

「これはね、ジム、提案じゃないわ。最後通牒よ。聞くだけ聞いて承諾して。私がリオ・ノルテ線の敷設工事を終わらせます。タッガート大陸横断鉄道じゃなく、私個人が。副社長の仕事は休職するわ。私自身の名前で会社を設立します。あなたの役員会はリオ・ノルテ線を私にまかせればいい。私が私の仕事を請負います。資金も自力で集めます。何もかも引き受けて単独で責任をもつわ。あの路線の完成は間に合わせます。あなたたちがリアーデン・メタルがどれほどのものか確かめた後、私はあの線路をタッガート大陸横断鉄道に譲渡して復職します。それだけよ」

　寝室用スリッパを足のつま先でぶらぶら揺らしながら、彼は無言で彼女を見ていた。希望が人の顔に表れて醜く見えうると思ったことはなかったが、いま彼女はそれを目にしていた。そこには狡猾さが混じっていた。彼女は兄から視線をそらした。どうしてこのような瞬間にまず考えるのが、彼女をやりこめる材料を探すことなのかと思いながら。

　すると突拍子もなく、まず彼の口をついて出たのは、「だが、その間、誰がタッガート大陸横断鉄道を経営するんだ?」という不安げな声だった。

　くすくす笑った彼女は、自分の笑い声が老けた苦味を帯びていることに驚いた。彼女はいった。

「エディー・ウィラーズよ」

「なに！　やつには無理だ！」

　彼女は再び無愛想で無慈悲な笑いかたをした。「あなたはこういうことについては私より頭の回転が速いと思っていたわ。エディーは副社長代理の肩書きを名乗って、私のオフィスで私の机に座るの。だけどタッガート大陸横断鉄道を経営するのは誰だと思う?」

「だがどうやって——」

「私がエディーのオフィスとコロラドを飛行機で往復するわ。電話も使えることだし。いままでやっていたことをそのまま続けるだけ。あなたのお友達のための見世物以外は何もかも同じ……それと私の仕事が少しやりづらくなるってこと以外は」

「見世物？」

「ジム、私の言うことはわかっているはずよ。あなたや役員会がどんな駆け引きに巻きこまれているのか私にはさっぱりわからない。どの中間をとって互いの誰に対して幾つの目的があって駆け引きしているのか、幾つの方向に幾つの建前を守らなきゃならないのか私は知らない。わからないし、どうだっていい。あなたたち全員、私を盾にすればいいわ。リアーデン・メタルに脅威を感じているお友達とした取引のせいであなたが怖気づいているのなら——そうね、これはあなたには一切関係ない、あなたはやっていないってかれらに保障してみせるチャンスよ——私がやるわ。あなたは一緒になって私を罵倒してればいい。家の中にいて、危険を冒さず、敵も作らなくていいわ。ただ邪魔しないで」

「そうだな……」彼はゆっくりと言った。「無論、大鉄道会社の政策に関わる問題は複雑だ……いっぽう、小さな個人名義の別会社なら——」

「ええジム、そう、全部わかってるわ。あなたがリオ・ノルテ線を私に引き渡すと発表した瞬間にタッガート株は上昇しはじめるでしょう。大企業に噛みつくって餌がなければ、南京虫たちがどこからともなく這い出してくることもなくなるでしょう。かれらが私をどうするか決めるまでには、私は路線を完成させているわ。それから私は、あなたにもあなたの役員会にも、説明したり、議論したり、許可を申請したりしたくないの。なさねばならない仕事を私がやるとすれば、そんな時間は少しもないわ。だから独りでやります」

「そして……君が失敗したら？」

「失敗したら、独りで倒れるわ」

「そうした場合、タッガート大陸横断鉄道はどんなかたちでも君を助けることはできないってことは理解しているだろうな？」

「ええ、わかっているわ」

「我々を頼ってこないだろうな？」

「ええ」

「きみの活動が我々の評判に影響しないように、我々との公式な関係はすべて断ち切るだろうな？」

「ええ」

「失敗したり醜聞が広まったりした場合……君は永久に休職扱いになる……つまり、副社長の役職への復帰を君は要求しないってことに同意しておいたほうがいいと思うな」

彼女は一瞬、目を閉じた。「いいわ、ジム。そういう場合には、復帰しません」

「リオ・ノルテ線をきみに引き渡す前に、路線が成功した場合には、君は会社とともに、支配持分を元値で我々に譲渡するという合意文書を作ったほうがいいだろう。さもないと、我々にはあの路線が必要だからといって、君は我々からたなぼたの利益を絞りとろうとするかもしれないからな」

彼女の目の中に、刺すような痛みが一瞬あらわれたが、施しを放り投げるかのような言葉の響きをもたせて、彼女はなげやりに言った。「いいわ、ジム。それで文書を作らせて」

「さて、当座のきみの後任だが……」

「何？」

「まさか本当にエディー・ウィラーズにやらせたいわけじゃないだろう？」

「いいえ、やらせたいわ」

「だが副社長らしい立ち居振舞いすらできないぜ！　存在感も態度も——」

「彼は自分の仕事と私の仕事をよくわかっているわ。私が求めるものも知っている。信頼しているの。彼となら仕事ができるわ」

「もうすこし見栄えのいい若い男を選んだほうがいいと思わないか？　家柄がよくて、社交的な場でもそれらしく振舞えるような――」

「ジム、後任はエディー・ウィラーズよ」

彼はため息をついた。「まあいいだろう。ただ……ただ慎重にやらなければ……タッガート大陸横断鉄道をいまも経営しているのが君だと疑われないように。それを誰にも知られてはいけないんだ」

「ジム、誰もが知ることになるわ。だけど誰も公然と認めないから、皆満足するでしょう」

「だが、体裁は保たなければ」

「ええ、いいわよ！　私と道で会っても気づかないふりをしたければすればいいわ。あなたは私になんか会ったことがないって言えばいいし、私はタッガート大陸横断鉄道なんか聞いたこともないって言うわ」

考えようとして床を見つめながら、彼は黙りこくっていた。

彼女は振り返って、窓の向こうに広がる大地をみた。空は一面灰色がかった冬の蒼白色だ。はるか下、ハドソン川の岸に、かつてフランシスコの車を見つけようと目を凝らした道があった――ニューヨークの塔を探そうとして登った崖も見える――森の向こうのどこかに、ロックデイル駅に続く小道がある。だが大地はいま雪に覆われ、みえるのは彼女が覚えている田舎の風景の残骸のようなもの――雪の中から空に昇る裸の細い枝の薄い模様だけだ。それは思い出に望みを抱いてとっておくものの何を取り戻す力もない昔の写真のような、灰色と白の模様だった。

「何と呼ぶんだ？」

　彼女は不意を突かれて振り向いた。「何？」

「君の会社を何と呼ぶんだい？」

「あら……そうね、ダグニー・タッガート線かしら」

「だが……それは賢明かね？　誤解されるおそれがある。タ、、、ッガ、、ートの名前で――」

「じゃあ、どう呼んでほしいの？」彼女はどっと疲れ、憤慨してつっけんどんに言った。「なにがし嬢？　それがし夫人？　ジョン・ゴールト？」彼女は口をつぐんだ。そして急に冷たく、明るく、危険な微笑を浮かべた。「そう呼ぶことにするわ。ジョン・ゴールト線、と」

「まさか！」

「決めたわ」

「だがそんな……ただのばかげたスラングじゃないか！」

「そうよ」

「こんな真剣な事業で冗談じゃない！……そんな野蛮で……みっともない！」

「いけないかしら？」

「だがいったいぜんたい、なぜ？」

「あなたが驚いたように世間もそれで驚くからよ」

「君はいままでうけをねらったことなんかないじゃないか」

「今回はねらうわ」

「だが……」彼は迷信におびえるように声を落とした。「なあ、ダグニー、わかるだろ、それは……それじゃ縁起が悪い……その言葉の意味は……」彼は口をつぐんだ。

「その言葉の意味は？」

「わからん……だが、その言葉を使うときに人がいつも感じているのは――」

「恐怖？　絶望？　空虚さ？」

「そう……そうだ、そういう意味だ」

「じゃあそれを顔面に叩きつけてやるわ！」

彼女の目のきらきら輝く怒り、はじめて浮かんだ愉快そうな色をみて、彼は黙らなければならないことを悟った。

「ジョン・ゴールト線の名前で書類を作って、お役所で必要な手続きを踏んでちょうだい」彼女はいった。

彼はため息をついた。「ま、君の路線だからな」

「間違いなくね！」

彼は驚いて彼女に目をやった。副社長の態度と品位を捨て、操車場か建設現場の作業員のように、彼女は幸福そうにくつろいでいるようだった。

「書類と法務については」彼はいった。「多少の困難があるかもしれない。我々が許可を申請しなければならないのは――」

彼女はつかつかと彼に歩みより、面と向かった。明るく烈しい色がいまもわずかに彼女の顔に残っている。だが陽気な色ではなく、彼女は笑ってはいなかった。それは奇妙にあらあらしい顔つきだった。もう二度とこんな顔を見ずにすませたいものだ、と彼はおもった。

「いいこと、ジム」人間のものとは思えない口調で彼女はいった。「この取引のそちらの条件としてあなたができることは一つしかないし、それだけはやってもらうわ。ワシントンの人間を近づけないで。許認可も免状も法的に必要な無駄な書類すべて通すのよ。私の邪魔をさせないで。やつらが邪魔なんかしようものなら……ジム、祖先のナット・タッガートは、もともと申請する必要もない許可を与えようとしなかった政治家を殺したと言われているわ。ナット・タッガートが本当にやったのかどうかは知らない。だけど私に言えるのは、彼がやったとすれば、どう感じたかはわかるってことよ。もしやってなければ——私がかわりに一族の伝統をまっとうする。本気よ、ジム」

＊　＊　＊

フランシスコ・ダンコニアは彼女の机の前に座っていた。虚ろな顔だ。ダグニーが明快で事務的な会議口調で鉄道会社の設立とその趣旨を説明する間、表情は虚ろなままだった。耳を傾けてはいたが、一言も発しなかった。

これほど消耗して気力のない彼の表情を彼女は見たことがなかった。嘲弄も敵意もなく、あたかもこの瞬間には属さない届かぬ存在であるかのように思われた。だが目は一心に彼女を見つめ、彼女が考えうる以上のことを見通しているようだ。それは外からの光線は通しても中の光は漏らさない、一方通行のガラスを思わせた。

「フランシスコ、ここに来てもらったのは、オフィスにいる私を見てほしかったからなの。見たことがないでしょう。むかしのあなたにとっては意味があったでしょう」

彼はゆっくりとオフィスを見渡した。壁には、タッガート大陸横断鉄道の地図——銅像のモデルとなったナット・タッガートの原画——毎年写真を変えてタッガート路線上の各駅に配られる、かつてロックデイルの最初の仕事場に掛かっていたような鮮烈な原色の大判の鉄道カレンダーの三点のほかには、何もなかった。

彼は立ちあがり、静かにいった。「ダグニー、きみ自身のためと、そして」――ほとんどそれとわからぬようなためらいがあった――「そして、きみが少しでも僕に憐れみを感じるなら、いま頼もうとしていることを頼まないでくれ。だめだ。もういかせてくれ」

それは彼らしくなく、彼からきこうとは思いもよらなかった言葉だった。しばらくして、彼女はたずねた。「なぜ？」

「いまは答えられない。僕にはどんな質問にも答えられない。話さないほうがいいっていうのはそのためでもあるんだ」

「私が頼もうとしていることがわかるの？」

「ああ」彼を見返した彼女の目はあまりにも雄弁に必死で訴えていたので、彼はしかたなくつけ足した。「僕がそれを拒絶することも」

「なぜ？」

彼は暗い笑みを浮かべ、これが予期して避けたかったことだ、と彼女に示すように両手を広げた。

彼女は静かにいった。「フランシスコ、それでもやってみずにはいられないの。頼まずにはいられないの。それは私が決めること。それについてどうするかはあなたが決めればいいわ。だけど私はそれで、やるだけのことはやったと思えるから」

彼は立ったまま、同意のしるしに頭を少し傾けていった。「それできみが救われるなら、話をきくよ」

「リオ・ノルテ線を完成させるのに千五百万ドル必要なの。自由にできる私名義のタッガート株をそっくり担保にして七百万は何とかしたけど、それ以上は調達できない。だから新会社の名前で総額八百万ドルの社債を発行するわ。その社債をあなたに買ってもらえるかどうか訊きたくて来てもらったの」

　彼は答えなかった。

「フランシスコ、私はただの物乞い。お金をねだっているの。仕事をする人間がお願いなんてするものじゃないっていつも思っていた。提供するものの価値に基づいて、価値のあるものを価値のあるものに交換するものだと思っていた。これは違う。そうじゃないやりかたで行動してどうやって存在しつづけられるのかわからないけど。あらゆる客観的な事実から判断して、リオ・ノルテ線は全米一の鉄道になる。これまでのどんな基準から判断しても、これ以上はない投資よ。だけどそのことが足かせになっている。人に有望な事業を提示しても資金を調達できない。有望だという事実のために断られるのよ。私の会社の社債を買ってくれる銀行はない。だから見返りを提供するからといってお願いできない。お願いすることしかできない」

　彼女の声は事務的な正確さで言葉を発していた。口をつぐんで、彼女は答えを待った。彼は無言のままだった。

「私が何もあなたに提供できないことはわかっているの」彼女はいった。「投資観点からじゃ説得できないわね。あなたはお金が稼ぎたいわけじゃないもの。あなたはとっくに産業プロジェクトへの関心を失くしているわ。だからそれが公平な取引だなんて振りはしない。あなたには何でもないお金ですもの」

彼女は息を吸いこんでいった。「お金を恵んでください。ただの物乞いなのよ」

「やめろ」彼は低い声でいった。その奇妙な響きが苦痛なのか怒りなのかはわかりかねた。彼は目を伏せていたからだ。

「フランシスコ、そうしてくれる？」

「だめだ」

しばらくして彼女はいった。「あなたに来てもらったのは、賛成してくれると思ったからじゃなくて、私の言っていることを理解できるのはあなたしかいなかったから。だから試さずにはいられなかった」感情を悟られまいとするかのように、彼女の声はますます低くなった。「ねえ、私にはあなたが本当にいなくなってしまったってことが信じられない……だって私の声が届いているのがわかるもの。あなたの生き方は堕落しているけれど、振る舞いは違う。堕落した話をしているのに、話しかたが堕落してない……試さずにはいられなかった……だけどもうこれ以上あなたを理解しようとして悩むことはできない」

「ヒントをあげるよ。矛盾は存在しない。矛盾にぶつかったと思ったら前提を確認するんだ。どちらかが間違っているとわかるから」

「フランシスコ」彼女は囁いた。「あなたに何がおこったのか、なぜ教えてくれないの?」

「いまの時点では答えが疑問よりも君を傷つけるから」

「そんなにひどいことなの?」

「きみ自身でたどりつかなければならない答えだ」

彼女は頭を振った。「何をさし出せばいいのかわからない。あなたにとって価値があるものが何なのかもうわからない。乞食でさえ見返りに何か値打ちのあるもの、乞食を助けたいと思わせる理由をさし出すものでしょう?……それならと思ったの……むかし、あなたにとってはすごく意味のあることだった――成功するってこと。産業的な成功。私たち二人がそのことをどんなふうに話していたか覚えてる? あなたはとても厳しかった。私にとても多くを期待した。期待に応えろと言ったわ。私は応えたのよ。タッガート大陸横断鉄道のなかでどこまで上昇できるか、あなたは知りたがった」彼女は手を動かし、オフィスを指さした。「私はここまで昇りつめたわ……だから思ったの……かつてあなたに価値があったものの記憶にまだ少しでも意味があるなら、ただの慰みでいい、刹那の悲しみでもいい、それともただ……ただお墓に花を供えるように……あなたはお金をくれるんじゃないかって……思い出のために」

「だめだ」

ようやくのことで、彼女はいった。「お金はあなたにとって何の意味もない――あなたは無意味なパーティーでそれだけのお金を浪費してきたわ――もっとたくさんのお金をサン・セバスチアン鉱山で無駄にして――」

彼は目を上げた。彼女を直視し、目の中に初めて生きた反応の輝きがあらわれた。それは明るく、情け容赦なく、信じられないことに誇らしげな、あたかもその非難から強さをえたかのような目つきだった。

「あら、そうね」ゆっくりと、彼の思考に答えるかのように彼女はいった。「それもそうだわ。あの鉱山のことで私はあなたを罵って、非難して、思いつく限りのやりかたで侮辱したのに、今になってあなたのところに戻ってきた――お金のために。ジムみたいに、あなたがこれまで出会ってきたたかり屋みたいに。あなたの勝ちだし、あなたが私を笑い飛ばして軽蔑したとしても文句の言える筋合いじゃないのは確か。そうね――たぶん私はそれをあなたに提供できるわ。あなたが気持ちいい刺激を求めているなら、ジムやメキシコの社会主義者が這いつくばるのをみて楽しかったなら――私を打ちのめせば楽しくはない？　快感じゃない？　私があなたに叩きのめされたと認めるのをききたくはない？　目の前に這いつくばるのを見たくない？　好きなかたちをいってちょうだい。お望みのままよ」

彼があまりにも素早く動いたので、いつのまに動いたのかさえ彼女は気づかず、ただ最初に彼の身震いを見たような気がした。彼は机をまわり、彼女の手をとって唇にあてた。あたかも彼女に強さを与えようとするかのような謹厳な敬意を表する仕草にみえたが、手を彼が唇に、そして顔にあてたとき、そこから強さを求めているのは彼だとわかった。

彼は彼女の手を落とし、相手の顔と脅えてじっと動かない目を見下ろすと、顔に湛えた苦悩と怒りと優しさを隠そうともしないで微笑んだ。

「ダグニー、這いつくばりたいって？　きみにはその言葉がどういう意味かわかってないし、これからもわからないだろう。人はそんな風に真正直に敗北を認めて這いつくばったりはしないものだ。君が僕にそうして頼みこむことがどれほど勇敢なことだったか、わからないとでも思うのかい？だけど……もうよしてくれ、ダグニー」

「かつてあなたにとって私が意味したもののために……」彼女は囁いた。「あなたの中にほんの少しでも残っているものがあるなら……」

この表情は前にもみたことがある、最後に彼女の隣でベッドに横たわり、夜の街の輝きを背景に見せたあの表情だ、と思った瞬間――彼から聞いたことのない叫び声が炸裂するのを彼女は聞いた。

「愛しい人よ、できないんだ！」

かれらは見つめあい、二人とも驚愕してものも言えずにいたが、やがて彼の顔色が変わった。それはスイッチを切るかのように、ぞんざいで唐突な変わりようだった。彼は笑って彼女から離れ、すっかりくだけてむっとするほど無礼な声でいった。

「表現形式の混乱をどうか許してくれたまえ。しょっちゅう女性相手にそう言っているものだから。いくぶん状況は異なるが」

彼女はうな垂れ、相手の目も忘れ、体を硬くしてじっとうずくまった。

顔を上げた彼女は、無関心に彼をみた。「わかったわ、フランシスコ。芝居上手ね。信じてしまったわ。私が差し出した慰みをそんなふうに楽しむのがあなたのやりかたなら見事成功よ。もう頼まないことにするわ」

「警告したね」

「あなたがどちら側の人間かわからなかった。ありえないとおもっていた——だけど、オルレン・ボイルや、バートラム・スカダーや、あなたの昔の教授の側だったのね」

「僕の昔の教授？」彼は鋭い声でたずねた。

「ロバート・スタッドラー博士」

ほっとして、彼はくすくす笑った。「ああ、あれ？　彼は自分の目的が他人の手段を奪うことを正当化すると考えているたかり屋だよ」彼はつけ足した。「ねえダグニー、きみが僕をどちら側の人間と評したか覚えていてくれないか。いつか僕はそのことを持ちだして、きみが同じ発言を繰り返したいかどうかたずねるから」

「持ち出してくれなくて結構よ」

背を向けて出口にむかい、簡単な挨拶の手振りをして彼はいった。「建設できるものなら、リオ・ノルテ線の幸運を祈るよ」

「建設してみせるわ。それにあの路線はジョン・ゴールト線と呼ぶことにしたの」

「何だって！」

それは悲鳴に近かった。彼女は嘲るように笑った。「ジョン・ゴールト線」

「ダグニー、いったいぜんたい、なぜ？」

「気に入らない？」

「どうしてわざわざそんな名前を選んだんだ?」

「なにがし氏やそれがし氏よりいい響きでしょ?」

「ダグニー、なぜ?」

「あなたを脅えさせる力があるからよ」

「どういう意味かわかっているのか?」

「不可能なもの。手の届かないもの。そしてあなたたちみんな、その名前を恐れているみたいに私の路線を恐れているの」

彼は笑いだした。彼女を見ずに笑っており、彼女の存在を忘れ、遠くで、彼女には何の関係もないものを——荒々しいまでの陽気さと苦々しさのなかで——笑っているのだと、なぜかはっきりと彼女は確信した。

振り向いた彼は真顔でいった。「ダグニー、僕がきみならやめとくね」

彼女は肩をすくめた。「ジムも気に入ってなかったわ」

「きみは何が気に入っているんだい?」

「大嫌いよ! あなたたちが全員が待っている没落、あきらめ、いつだって助けを求める悲鳴にしか聞こえないばかげた質問が大嫌い。ジョン・ゴールトに助けを求める声にはうんざり。私はそいつと戦うつもりよ」

彼は静かにいった。「そうなるね」

「そいつのために鉄道を作ってみせる。来るなら来て奪ってみせればいいわ!」

彼は悲しげな微笑を浮かべてうなずいた。「やつはそうするだろう」

＊＊＊

出鋼したスチールの輝きが天井をつたって壁一面を照らし出した。リアーデンはランプ一つの光の中で机に座っている。光の輪の向こうでは、オフィスの暗闇が外の暗黒と溶けあっている。彼にはそこが製鋼炉の光線が気ままに漂うからっぽの空間であり、机が空中にぶら下がって密かに監禁された二人をのせる筏であるかのような気がしていた。机の前に座っているのはダグニーだ。

彼女はコートを脱ぎ捨て、グレーのスーツを着て細く締まった体の輪郭を映してそこに座り、幅広のアームチェアに斜めにもたれている。机の縁に置いた手だけが光の中にあり、その向こうに、顔、白いブラウス、開いた襟の三角形がほんのりと青白く見えた。

「いいわ、ハンク」彼女はいった。「新しいリアーデン・メタル橋で進めましょう。これはジョン・ゴールト線の所有者本人からの正式な注文です」

机の明かりの下に広げた橋の設計図を見下ろしながら、彼は微笑んだ。「我々が提出した構想を吟味する機会はあったのかな？」

「ええ。感想や賞賛は必要ないでしょう。注文が物語っているわ」

「よろしい。ありがとう。メタルの圧延に入ろう」

「ジョン・ゴールト線が発注できる状態にあるか、機能してるか訊きたくない？」

「必要ない。君の訪問が物語っている」

彼女は微笑んだ。「そう。これで決定ね、ハンク。直接それを伝えて、橋の詳細をつめるために来たの」

「よかろう。実は興味がある。誰がジョン・ゴールト線の社債を買ったんだ？」

「誰にもそんな余裕はなかったんじゃないかしら。全員が成長企業を抱えている。全員が自分の事業に資金を必要としている。でもあの路線が必要だから、救済なんか求めようとしなかった」彼女は鞄から一枚の紙を取り出した。「これがジョン・ゴールト株式会社」その紙を机越しにリアーデンに手渡しながら、彼女はいった。

リストにある名前のほとんどを彼は知っていた。「エリス・ワイアット、ワイアット石油、コロラド。テッド・ニールセン、ニールセン・モーター、コロラド。ローレンス・ハモンド、ハモンド自動車、コロラド。アンドリュー・ストックトン、ストックトン鋳造所、コロラド」他州からの名前もある。彼はその名前に目を留めた。「ケネス・ダナガー、ダナガー石炭、ペンシルベニア」払込金額は、五桁から六桁まで様々だ。

彼は万年筆に手を伸ばし、リストの一番下に「ヘンリー・リアーデン、リアーデン・スチール、ペンシルベニア百万ドル」と書いてリストを戻した。

「ハンク」彼女は静かにいった。「あなたに出資してもらいたいとは思ってなかったの。リアーデン・メタルにすでにあれだけ投資してれば誰よりも苦しいはずだわ。これ以上リスクを負えないでしょう」

「人の親切は受けない」彼は冷ややかに答えた。

「どういう意味？」

「私の事業に私自身が負う以上のリスクを他人に負ってくれとは言わない。ばくちなら、賭金も皆と合わせるまでだ。君は線路が私の最初の宣伝の場になると言わなかったか？」

彼女は頭を傾けて重々しくいった。「いいわ。ありがとう」

「ちなみに、この金を捨てるとは思っていない。任意に社債を株式に転換できる条件があるとも認識している。だから法外な利益を稼げると期待しているんだ――君は私のためにそれを稼ぐ」

彼女は笑った。「まあ、ハンク、私は臆病なバカばかりと話してきたせいで自分まで、あの路線がどうしようもない損失を出すと思いこみだしていたようね！　ご指摘ありがとう。ええ、あなたのために法外な利益を稼ぐわ」

「臆病なバカのせいじゃなきゃ、そもそもこの事業にリスクはなかった。だが、やつらを負かさねばならん。勝てる勝負だ」彼は机上の書類のうち二通の電報に手を伸ばした。「まともな人間もまだ存在している」彼は電報を差しだした。「君にも興味があるだろう」

一通にはこう書かれていた。「着手は二年内を予定していたが、国家科学研究所の声明を読んで直ちに実行に移すことにした。これを、コロラドからカンザスシティーまで六百マイル分の、リアーデン・メタル製十二インチのパイプラインを建設する確約と考えてくれ。詳細は追って。エリス・ワイアット」

もう一通にはこうあった。「発注の件。進めてくれ。ケン・ダナガー」

彼は説明をつけ足した。「やつもすぐに話を進める準備はできていなかったんだ。八千トンのリアーデン・メタル。構造用鋼だ。炭鉱のための」

二人は顔を見合わせてほほ笑んだ。それ以上の言葉は必要なかった。

彼女が返す電報を受けとろうと、彼は目線を落とした。明かりに照らされて、机の縁に置いた彼女の手の肌が透通ってみえる。くつろいで無防備に伸びた指は細長い、若い娘の手だ。

「コロラドのストックトン鋳造所が」彼女はいった。「あの注文を引き継いでくれるの。アマルガメイティッド転轍信号機製作所が投げた分をね。メタルについて先方から連絡があると思うわ」

「連絡はもうあった。工事現場の連中は？」

「ニーリーの技師は残っているわ。有能な人員、必要な人たちはね。現場監督もほとんど。続けてもらうのはそう難しくないでしょう。どちらにしても、ニーリーはあまり役に立ってなかったから」

「人手は足りてるのか？」

「雇いきれないくらい応募があるわ。組合も介入してはこないでしょう。応募者のほとんどが偽名を使っているの。組合員ね。仕事がどうしても必要なのよ。線路沿いに少しは警備をおくつもりだけど、問題があるとは思えないわ」

「君の兄貴の取締役会は？」

「自分たちがジョン・ゴールト線とは無関係で、どれほどこの事業がけしからぬと思っているかを知らせる声明を新聞に載せようと躍起になってる。私の要求にはすべて同意したけれど」

彼女の肩の線は張りつめているように見えたが、まるで飛行機のシートに座っているかのようにゆったりとのけぞっている。緊張は彼女には自然な状態であり、グレーのスーツを着て暗闇に紛れた彼女の全身の緊張は、不安のしるしではなく楽しんでいる証拠らしい。

「エディー・ウィラーズが業務副社長の任務を引き継いだわ」彼女がいった。「何か必要になれば彼をつかまえて。私は今夜コロラドに発つから」

「今夜？」

「ええ。時間を取り戻さなきゃ。一週間つぶしてしまったから」

「自家用機で？」

「ええ。十日後には戻ってくるわ。月に一度か二度はニューヨークにくるつもり」

「向こうではどこに住むんだ？」

「現場よ。私の鉄道客車の個室――つまり、エディーのを借りてるってことだけど」

「安全なのか?」

「何か危険でも?」そして彼女は驚いて笑った。「あら、ハンク、私が男じゃないと思ってくれたのは初めてね。もちろん安全よ」

彼は彼女を見てはいなかった。机上の紙に書かれた数字を見ていた。「うちの技師に橋の費用の詳細を準備させたんだ」彼はいった。「それに必要な建設時間からおおよその日程を組ませた。これについて君と話したかったんだ」彼は書類を差し出した。彼女は椅子の背にもたれてそれを読み始めた。

光のかけらが彼女の顔に落ちた。固く閉じた官能的な唇の鮮明な輪郭がみえる。やがて彼女がもっと深くもたれ、彼には輪郭と伏せた濃いまつげがかすかに見えるだけになった。

俺にはなかっただろうか?——彼は思った。はじめてきみをみたときから、このことを考えてはいなかったろうか?　二年間ほかのことは考えなかったのではなかったか?……彼は身動きせず、じっと彼女を見つめていた。これまで言葉にすることを許さなかった言葉、感じていても、知っていても、直視せず、頭の中で押し殺して破壊できればと望んだ言葉を、彼はきいていた。それは彼女にその言葉を告げているかのように唐突で衝撃的だった……はじめてきみを見たときから……ただきみの体、きみの口、俺を見るきみの目つきだけを……きみに話した文句のひとつひとつ、きみが安全だと疑わなかったすべての会議の間じゅう、討議したすべての問題の重要さに関わらず……俺を信用していたんだろう?　きみの偉大さを認める?　男であるかのように、きみにふさわしい評価をする?……俺がどれだけ裏切ってきたか知らないのか?　人生でただ一つの輝かしい出会い——尊敬する唯一の人物——知っている限りで最高のビジネスマン——戦友——絶望的な戦いの同志……何より低俗な欲望——これまで出会った最高のものへの応えとして……俺が何者か知っているのか？　それを考えていたのは考えられないはずのことだったからだ。屈辱的な、きみに触れてはならない要求。俺はきみ以外の誰も欲しいと思ったことはない……はじめてきみを見るまで、欲しいということがどういうことか知らなかった。俺は思っていた。自分は違う。そんなものに惑わされたりはしない……以来……二年間……ひとときの休みもなく……本当に何かを欲しがるということがどういうことかわかるか？　きみを見ていたとき何を思っていたかききたいか？……眠れない夜……電話の向こうからきみの声をきいたとき……仕事中にその念を払えなかったとき……きみが思いも及ばないものにきみを貶めること――そしてそれをやったのは俺だと思うこと。きみをただのメスにして動物の快楽を与え、きみがそれを必要とするのをみること、おねだりするのをみること、きみの高邁な精神が猥褻な肉体の要求に依存するようになるということ。いまのように清潔で誇り高い強さをもって世界に向き合うきみを見て――そして俺のベッドで俺が考え出す破廉恥な気まぐれにきみが貶められるのを見るだけのために俺がやる行為に、口にもできないような興奮のために、きみが服従するのをみること……きみが欲しい――それで地獄に落ちようとも！……

彼女は暗闇にもたれて書類を読んでいた――反射した炎の光が彼女の髪に触れ、肩に動き、腕に落ち、むきだしの手首を照らした。

……俺がたったいま、この瞬間に考えていることがわかるか？……きみのグレーのスーツと開襟シャツ……きみはこんなにも若々しくて清楚で自信満々だ……もしも俺がきみをひっぱたいて、そのオフィススーツのまま投げ倒してスカートをまくりあげたら――

彼女は彼を見上げた。彼は机上の書類を見下ろした。その瞬間、彼はいった。「橋にかかる実際の費用は当初の見積もりより少ない。橋にこれだけの強度があれば、いずれ二本目の線路も併設できるのはわかると思うが、場所を考えれば二、三年以内に十分採算がとれるだろう。費用を配分する期間を——」

彼が語る間、彼女は、オフィスの暗闇でランプの光の中にある彼の顔を見ていた。ランプは視界の外にあったが、彼女には、机上の書類を照らしているのは彼の顔であるかのような気がしていた。彼の顔と声、心、唯一の目的への意志の冷たく輝かしい晴朗さ。しっかりと落ち着いた目、引き締まった頬の筋肉、やや蔑むような弓なりの口の輪郭。無情なほど禁欲的な線を一つの主題が貫きとおすかのように、彼の顔は言葉に似つかわしかった。

＊　＊　＊

その日は大事故のニュースで始まった。大西洋南部鉄道の貨物列車が、ニューメキシコの山の急曲線で旅客列車と正面衝突し、転覆した貨物車は、勾配一面に飛び散った。その列車には、アリゾナの鉱山からリアーデンの工場に向かう五千トンの銅が積まれていた。

リアーデンが大西洋南部鉄道の総責任者に電話して受けた答えは、「やれやれ、リアーデンさん、どうしてわかりますか？　事故の始末にどれくらいかかるかなんて誰にわかるでしょう？　過去最悪の部類です……私にはわかりません、リアーデンさん。あの地域にはほかに路線はありません。線路は四百メートル近く駄目になっています。がけ崩れもありました。救難列車も通り抜けられないもので。あの貨物をいったいどうやって、いつレールに戻すかは私にもわかりません。二週間以上はかかるでしょう……三日？　不可能です、リアーデンさん！……ですがどうしようもないんです！……ですがあなたの顧客に天災だと言えるのは確かです！　待たせたらどうするかですって？　こういう場合はあなたのせいではありません！」というものだった。

そのあとの二時間、秘書と物流部門の若い技師二人を動員し、地図と電話を駆使して、リアーデンは、事故現場に向かうトラック部隊と大西洋南部鉄道の最寄り駅でそれを迎えるホッパー貨車の列を編成した。ホッパー貨車はタッガート大陸横断鉄道から借用した。トラックは、ニューメキシコ、アリゾナ、コロラドの全州から駆りだされた。リアーデンの技師は電話で個人営業のトラックの所有者を、電話で有無を言わさぬ高額の報酬を提示して駆り集めた。

リアーデンが近く入荷を予定していた三件中の三件目だ。うち二件は配達されていなかった。仕入先の一社が倒産し、別の業者は、やむをえぬ事情だと、いまも納期の延長を求めてきている。

ひっきりなしに続く会議を中断することも、声をあげることも、ストレスや不安や危惧をみせることもなく、彼は事故に対処した。突然砲火をあびた軍隊の司令官のように、迅速な的確さをもって行動した――秘書のグウェン・アイヴスが冷静な補佐役を務めた。彼女は二十代後半の娘で、落ち着いて和やかな感情を抑えた顔には、最高のデザインを施したオフィスの備品にも似つかわしい上質さがある。冷徹なまでに有能な従業員の一人だ。任務をこなす彼女の流儀には、仕事中のいかなる感情の要素も許しがたい不品行とみなす合理的な清廉さがあらわれていた。

緊急事態が終わったときの彼女の唯一のコメントは「社長、仕入先すべてにタッガート大陸横断鉄道で輸送するように依頼すべきだと思います」だった。「私もそう考えている」彼は答え、つけ足した。「コロラドのフレミングに電報を打って、例の銅鉱山のオプションを行使すると伝えてくれ」

彼は机に戻り、一方の電話で工場長と話し、他方を購買部長とつないで銅の在庫の日付とトン数を残らず確認していた――一基の製鋼炉の一時間の遅れの可能性も偶然や他人にまかせてはおけない。出鋼されているのはジョン・ゴールト線向けのレールの最後の出荷分だ――そのときブザーが鳴り、アイヴス嬢の声が、彼の母親が外で面会を要求していると告げた。

家族には何があっても予約なしに工場に来ないように頼んであった。家族がここをうとんじ、彼のオフィスにめったに姿を現さないことを、彼はむしろ幸いだと思っていた。彼はいま、構内から立ち退くよう母親に命じたいという激しい衝動に駆られていた。かわりに列車事故の対処に要したよりも多大な労力をもちいて、彼は静かにいった。「わかった。通してくれ」

彼の母親はけんか腰でありながら、言い訳がましい雰囲気をただよわせていた。オフィスが彼に意味するものもお見通しだというかのように、彼女という人間よりも大切なすべてに対する憤りを宣言するかのように、彼女は息子の部屋を見まわした。鞄や手袋や洋服の裾の位置を直しては戻し、アームチェアに腰を落ち着けるまでに長い時間をかけて、彼女はぶつぶつと言った。「母親が自分の息子に会うのに控え室で待たされて速記者のお許しを請わなきゃならないなんざ結構なことだよ。その息子ときたら――」

「母さん、重要なことなのか？　今日は予定がいっぱいなんだ」

「問題を抱えているのはおまえだけじゃない。もちろん重要なことだよ。そうじゃなきゃ、こんなところまで、わざわざ運転してくると思うかい？」

「何の件？」

「フィリップのことだよ」

「それが？」

「フィリップは幸せじゃない」

「それで？」

「あの子は、おまえの情けにすがって小遣いをあてにして、自分自身のお金一セントにも頼れないのは正しいことじゃないと感じているんだよ」

「いやはや！」驚きの笑みを浮かべて彼はいった。「あいつがそれに気づくのをずっと待っていたんだ」

「繊細な人間がそんな立場に置かれるのはよくないね」

「まさにその通り」

「賛成してくれて嬉しいよ。だからおまえ、あの子に何か仕事をやっておくれ」

「何か……何だって？」

「おまえが仕事をやらないといけないんだよ。ここ、この工場で――だけど、もちろん、机とオフィスがあってまともな給料がもらえる感じがよくてきれいな仕事だよ。おまえの日曜いや臭い溶鉱炉に関わらなくてもいい地位の仕事をね」

彼は耳を疑った。「母さん、本気じゃないだろ？」

「もちろん本気だよ。あの子はプライドが高すぎて頼めないだけで、本当はそれを望んでいるってのがあたしにはわかる。だけどおまえのほうから申し出て、お願いしてるのはおまえだって形にすれば――なんてことはない、あの子は喜んで引き受けるだろうよ。だからおまえと話をするのにここに来なけりゃならなかったんだ――あたしがそう仕向けたとあの子が思わないようにね」

いま耳にしていることの意味を、彼は自分の認識能力の範囲内では理解できなかった。いかなる節穴でも見落とせないはずのある一つの考えが、強い光線のように頭を貫いた。その考えは当惑の悲鳴となって飛び出した。「だがやつは鉄鋼の仕事について何ひとつ知っちゃいない！」

「だからどうしたっていうんだい？　あの子には仕事が必要なんだよ」

「だがやつにはどうしたって仕事ができん」

「あの子には自信をつけて自分は重要だと感じる必要があるんだ」

「だがまったく何の役にも立たん」

「あの子は必要とされていると感じる必要があるんだ」

「ここで？　俺があいつをほしがる理由がどこにある？」

「おまえは他人を大勢雇っているじゃないか」

「俺が雇っているのは生産する者たちだ。あいつに何が提供できるっていうんだ？」

「あの子はおまえの弟だろ？」

「それとこれとはどう関係があるんだ？」

今度は彼女が衝撃をうけて黙りこみ、耳を疑って目をむく番だった。しばらく二人は、惑星間の距離を隔てているかのように、じっと見つめあっていた。

「あの子はおまえの弟なんだ」自分に疑う余地を与えられない魔法の公式をレコードで繰り返すような声で、彼女はいった。「あの子には世間的な地位が必要なんだよ。施しじゃなくて、相応の報酬として自分が金を受け取っていると感じられる給料が必要なんだ」

「相応の報酬？　だがやつは俺にとって五セントの価値もない」

「それが真っ先に考えることかい？　おまえの利益？　自分の弟を助けてくれと頼んでいるのに、おまえはあの子からどうやって五セントを取れるかを考えて、それがおまえの金にならなければ弟を助けない——そういうことかい？」彼女は彼の目つきをみて視線をそらしたが、慌てて声をはりあげながら話した。「ああ、そうだよ、おまえはあの子を援助している。そのへんの浮浪者を助けるようにね。物質的な援助——おまえに理解できるのはそれだけだ。あの子の精神的な必要や、あの子の立場がどんなにあの子の自尊心を損ねているかを考えたことがあるかい？　あの子は物乞いみたいに暮らしたくはないんだ。おまえから独立したいんだよ」

「できもしない仕事のために稼いでもいない給料を俺から取ることで？」

「おまえの損にはならないよ。ここにはおまえのためにお金を稼いでる人間が大勢いるんだから」

「やつがそんな詐欺を働くお膳立てをしろってことか？」

「何もそんな言い方をしなくってもいいじゃないか」

「それは詐欺か——詐欺じゃないのか？」

「だからおまえとは話ができないんだ——おまえは人間じゃないからね。おまえには憐れみも、弟への思いやりも、同情もないんだ」

「詐欺じゃないのか？」

「おまえには人への情けがないんだよ」

「そんな詐欺が正しいと思うのか？」

「おまえはこの世で一番不道徳な人間だ——正しいことしか考えない！　これっぽっちも愛ってものを感じないんだ！」

彼はだしぬけにきっぱりと立ち上がり、動作によって面談の終了と訪問者のオフィスからの退出を命じた。「母さん、俺は製鉄所を経営しているんだ——売春宿じゃなく」

「ヘンリー！」憤慨のあえぎは彼の言葉の選択に向けられたにすぎなかった。

「フィリップのための仕事について二度と俺に話さないでくれ。俺はスラグ掃きの仕事でもあいつにやりはしない。あいつを俺の工場の中に入れる気もない。これきり、あなたにも理解してもらいたい。あなたが望むやりかたであなたがあいつを助けようとするのは構わないが、俺の工場がそのための手段だと考えているとは二度と思わせないでくれ」

彼女の緩んだ頬の皺がちょろちょろと流れ、せせら哂いめいた形になった。「何がおまえの工場だ——そりゃ聖堂か何かかい？」

「どうして……ああ」その考えにはっとして、彼は穏やかに答えた。

「おまえは少しも人のことや自分の道徳的義務のことを考えないのかい？」

「あなたが何を道徳と呼ぶことにしているのか俺にはわからない。ああ、俺は人のことは考えない——ただフィリップに仕事をやったりすれば、仕事が必要でそれに値した有能な人間に、俺は一人として面と向きあえなくなるだろう」

　彼女は立ちあがった。そして頭を肩にうずめ、正義をふりかざす苦い声で、彼の真直ぐな長身に向かって言葉を押し上げるようにいった。「それが残酷なんだ。そこがおまえの性悪で自分勝手なとこなんだよ。弟を愛していれば、あの子がそれに値しないからこそ仕事をやるもの——それこそ本当の愛と親切と兄弟の絆ってものだよ。そうじゃなきゃ何のための愛だね？　人が仕事に値するなら仕事をやることには何の美徳もありゃしない。美徳というのは値しない者たちに与えることなんだよ」

　信じ難いがために恐怖もわかぬ見慣れない悪夢に襲われた子どものように、彼は母親を見ていた。「母さん」彼はゆっくりと言った。「あなたには自分の言っていることがわかってないんだ。俺にはどうしても、あなたが本気だと思うほど、あなたを軽蔑できない」

　そのとき彼女の顔に浮かんだ表情は何よりも彼を驚愕させた。それは敗北の色を帯びながら相手の無知をあざける処世の知恵を彼女が有しているかのような、妙にずるくて皮肉な表情だった。

　理解すべき問題を垣間見たという警告のように、その表情の記憶は彼の頭の中に残った。だがそれと取り組む気にはなれず、それが考えるに値する問題だとも思えず、自分のぼんやりとした困惑と嫌悪感のほかに手がかりは見つからず——そのようなことに関わっている時間はなく、そんなことをいまは考えられず、彼は机の前に座っている次の訪問者と対面しており――彼は自分の命のために嘆願する男の話をきいていた。

男はそのような言葉は使わなかったが、それがこの状況の本質だとリアーデンは知っていた。男が言葉にしているのは、五百トンの鋼鉄を求める嘆願だった。

彼はミネソタのワード収穫機会社のワード氏だ。悪い評判を聞いたことがなく、急成長もしないが破産もしない地味な会社だ。ワード氏は工場の所有者一族の四代目として、精一杯、良心的に会社を経営していた。

感情を抑え角張った顔をした五十代の男だ。ぱっと見ただけで、この人物は顔に悩みをあらわすのは人前で服を脱ぐのと同じように無作法なことだと考えていることがわかる。淡々と事務的に彼は話していた。父親の代から取引を続けてきた小さな鉄鋼会社がいまはオルレン・ボイルの共同製鉄の傘下にある、と彼は説明した。最後に発注した鋼鉄は一年も待たされている。そしてリアーデンとの個別の面会の約束をどうにかして取りつけることに、この一ヶ月を費やしていた。

「リアーデンさん、あなたがいま工場をフル稼働させていらっしゃることは存じております」彼はいった。「古い大口の顧客でさえも順番待ちで、あなたは新しい注文を受けている場合じゃないことも。ここはこの国で唯一まともな――つまりあてにできる――製鉄所ですからね。私を特別扱いしたいと思っていただくような理由は何も申しあげられません。だがほかに私に残された道といえば、工場を永久に閉鎖して、そして私は」――彼の声がほんの少しだけ途切れた――「私には閉鎖するという道がまだぴんとこないんです……いまはまだ……だからあまり見こみがないとしても、お話だけは……とにかく、できるだけのことは全部試してみなければならなかったのです」

それはリアーデンにも理解できる言語だった。「お力になれればと思います」彼はいった。「ですがすべてに優先させなければならない非常に大量の、非常に特別な注文がありまして、いまは私にとって最悪の時期なんです。」

「存じております。ですがリアーデンさん、話だけでも聞いていただけませんか？」

「もちろんです」

「金の問題でしたら、言い値でお支払いします。そうすることであなたに価値のある取引にできれば、ええ、お好きなだけ上乗せいただいて通常の倍請求してください。ただ鋼鉄を買わせてくださ い。ただ続けていく道を残しておけさえすれば、今年赤字で収穫機を売る結果になっても構いません。必要なら二、三年は赤字でも何とかやっていけるだけの個人的な蓄えがあります――というのも、思うに、こんなことは長く続きようがない、状況はよくなるはずですし、よくならなければならないんです。さもなきゃ、我々は――」彼は最後まで言わなかった。だが断固として言い直した。

「状況はよくなるはずです」

「なりますよ」リアーデンが言った。

ジョン・ゴールト線の考えが、自信に溢れた言葉の響くハーモニーのように彼の頭に浮かんだ。

ジョン・ゴールト線の建設工事は着々と進んでいる。リアーデン・メタルへの攻撃はやんだ。大陸を横切り遠く離れて、彼とダグニー・タッガートはいま何もない空間に立ち、邪魔されることなく仕事を終えられるような気がする。連中はそっとしておいてくれるだろう、と彼はおもった。その言葉は彼の頭の中で戦場の賛歌のように響いた。そっとしておいてくれるだろう。

「私の工場では年間一千台の刈取り機を生産することができます」ワード氏がいった。「昨年は三百台作りました。そのための鋼鉄を、倒産処分から、あちこちの大企業に頼みこんで数トンずつ、それとくず屋みたいに普通なら考えもしない場所を駆けずりまわってはかき集めて――いや、そんな愚痴であなたを退屈させるつもりはありません。ただ、こんなやり方で仕事をする時代がこようとは思いもよらなかっただけです。そして、その間ずっと、オルレン・ボイル氏は来週鋼鉄を配達すると約束しつづけていました。だがあの人がやっとのことで出鋼するものは、なぜか誰も口にしない理由で新しい顧客にまわり、私はただかれらが何か政治的なコネがある者たちだと囁かれているのを聞いただけです。いまじゃ私はボイル氏と連絡をとることもできません。ここ一ヶ月はワシントンにいるそうです。そしてあそこの事務所ときたら、鉱石が手に入らないからしかたないの一点張りです」

「やつらに関わっても時間の無駄ですよ」リアーデンが言った。「あの会社からは何もでてこないでしょう」

「あの、リアーデンさん」彼は信じようにも信じられない発見をしたような口調でいった。「ボイル氏の事業の運営のやりかたにはどこかうさんくさいところがあるように思うんです。彼のめあてが何なのかわかりません。高炉の半数は休止したままなのに、先月は新聞がみなこぞって共同製鉄について大々的に取りあげていました。製品について？　いや、そうじゃない——ボイル氏が従業員のために建てたばかりの素晴らしい集合住宅についてです。先週はボイル氏が全米の高校に送った鉄ができるまでの過程と、鉄が世の中のためにどれほど役に立つかを見せるビデオの話でした。いまボイル氏はラジオ番組を担当していますが、そこでは国にとっての鉄鋼産業の重要性について話して、鉄鋼産業を全体として保護しなければならないと言いつづけています。彼がどういう意味で『全体として』と言っているのかわかりません」

「私にはわかります。放っておきなさい。やつもこのままでは済まされませんよ」

「あの、リアーデンさん、私にはね、やることすべてが人のためだけだってまくし立てる人間が、どうも好きになれんのですよ。それは事実じゃないし、たとえ事実だとしても、それが正しいとは思えません。だから私は、鋼鉄が必要なのは私自身の事業を救うためだと言います。私のものですから。そしてそれを閉鎖しなければならないとすれば……いや、いまどき誰もわかってはくれません」

「わかりますよ」

「ええ……ええ、あなたはわかってくださるだろうと……ですから、そう、それが私にとって一番大切なことです。だがそれにしても、大勢の顧客もいます。かれらは何年も私と取引を続けてきているんです。私を頼りにしているんです。ほかに農機具を手に入れる場所を見つけることはほぼ不可能なんです。ミネソタがどんなことになってきているかおわかりでしょうか。農家が機具を手に入れられず、収穫期の最中に機械が壊れて部品がなく、交換もできない……あるのはオルレン・ボイルのビデオだけ……まあそれはいいとして……それに従業員もいます。父の代からの者も。やつらはほかに行き場がありません。こんなご時勢では」

不可能だ、とリアーデンはおもった。この先六ヶ月、どの炉も一時間、一トン単位で、急ぎの注文のために予定が組まれている工場からこれ以上鋼鉄を捻出できない。だが……ジョン・ゴールト線がある、と彼はおもった。あれがやれるならできないことはない……彼はいますぐ新しい問題を十個でも引き受けたい気がした。何ひとつ不可能なことがない世界にいるかのような気がしていた。

「いいですか」電話に手を伸ばしながら、彼はいった。「工場長に確認して、今後数週間の出鋼の予定を調べてみましょう。現在の受注分から数トン借りる方法があるかも――」

ワード氏は素早く彼から目をそらしたが、リアーデンには、その瞬間の彼の顔がみえた。リアーデンはおもった。彼にとってはこんなに切実なことで、私には何でもないことだ！

彼は受話器を持ち上げたが、すぐに落とさなければならなかった。オフィスの扉がバタンと開き、グウェン・アイヴスが駆けこんできたからだ。

アイヴス嬢がこのような無礼を働くことも、冷静沈着な彼女の顔が不自然にゆがんでいるように見えることも、目が見えていないらしいことも、よろめく寸前で足音が乱れていることも何もかも、ありうべからざることだった。彼女はいった。「お邪魔して申し訳ありません、社長」だが彼女にはオフィスもワード氏も、彼のほかには何も目に入っていないことは明らかだった。「機会均等化法案がたったいま議会を通過したことをお伝えしなければと思いまして」

「まさか！　な、なんてことだ！」感情を出さぬワード氏が叫んだ——リアーデンを見つめながら。

リアーデンは立ち上がっていた。不自然に上半身を傾け、片方の肩を前に落として。だがほんの一瞬のことだった。それから視界をとり戻すかのように彼はあたりを見回し、「失礼」といい、アイヴス嬢とワード氏を同時に一瞥すると、彼はふたたび腰を下ろした。

「ムーチから連絡はあったか？」

「法案が審議されているとは知らされていなかったな？」抑えた冷静な声で彼はたずねた。

「はい、社長。どうやら意表を突く動きらしく、議決まで四十五分しかかかっていません」

「いいえ、社長」彼女は「いいえ」を強調した。「五階の事務の男の子が走ってきて、たったいまラジオで聞いたといって教えてくれたのです。新聞に電話して確認しました。ワシントンのムーチ氏と連絡をとろうとしましたが、彼のオフィスからは応答がありません」

「最後にやつから連絡があったのはいつだ？」

「十日前です、社長」

「わかった。ありがとう、グウェン。オフィスに電話をかけ続けてくれ」

「はい、社長」

彼女は出ていった。ワード氏は立ちあがり、帽子を手にしていた。彼はつぶやいた。「おそらく、私はもう――」

「おかけください！」リアーデンはあらあらしく言った。

ワード氏は、彼を見つめながら従った。

「行うべき取引がありましたね？」リアーデンが言った。ワード氏は話をするリアーデンの口をゆがめている感情をはっきりとは理解しかねた。「ワードさん、この世でもっとも卑劣な野郎どもが我々を非難する理由は何でしたっけ？　そうそう、ほかでもない、我々のモットー、『平常通りの営業』だ。さあ、ワードさん、平常通りの営業ですよ！」

受話器を取り上げて、彼は工場長を呼び出した。「なあ、ピート……何？……ああ聞いた。まったく。その話は後だ。それより追加で鋼鉄を五百トン、二週間以内にくれないか？……ああ、だろうな……ああ、厳しいのは承知だ……日付と数字をくれ」彼は話をきき、素早くメモを取り、「そうだ。すまんな」というと受話器を置いた。

紙の端でさっと計算しながら、彼はしばらく数字を吟味していた。そして頭をあげた。

「よろしい、ワードさん」彼はいった。「鋼鉄は十日以内にお手元に届くはずです」

ワード氏が退出すると、リアーデンは控え室に出た。いつもと変わらぬ声で、彼はアイヴス嬢にいった。「コロラドのフレミングに電報を打ってくれ。オプションを解約しなければならない理由は向こうにもわかるだろう」服従の合図のしかたで、彼女はうなずいた。彼を見てはいなかった。

次の訪問者に向かい、オフィスに招き入れる仕草で、彼はいった。「初めまして、どうぞ中へ」後で考えよう、と彼は思った。一歩一歩、人は進みつづけなければならない。しばらく、不自然なほど明快に、安易なほどの乱暴な単純さで、意識の中に一つの考えだけが残った。止められてなるものか。過去も未来も無く、ただその文句だけが頭を離れなかった。何に止められてはならないのか、なぜこの文句が決定的で絶対的なものなのかを考えはしなかった。ただその考えにとらえられ、それに従った。彼は一歩一歩進んだ。そして予定通り、面会の日程をすべてこなした。

最後の訪問者が去り、オフィスから出たときはもう遅かった。ほかのスタッフは帰宅しており、アイヴス嬢だけが、空っぽの部屋の中でぽつんと机に座っていた。彼女は膝の上で両手をきつく握り締め、背筋をしゃんと伸ばして座っていた。頭を低くすることなく、厳格に水平にもたげ、凍りついた顔をしていた。抑えきれなかった涙が音も立てず、眉一つ動かさない彼女の頬を流れ落ちている。

彼女は彼を見ると、顔を覆うむなしい素振りをしようとするでもなく、「すみません、社長」とやましそうに淡々とわびた。

彼は彼女に近づいた。そして「ありがとう」と優しくいった。

彼女は驚いて彼を見上げた。

彼は微笑んだ。「だがなあグウェン、君は私を過小評価しちゃいないかな? 私のことで泣くのは早すぎないか?」

「ほかのことは許せました」彼女は小声でいった。「だけどあの人たち」――彼女は机の上の新聞を指さした――「あの人たちはそれを反強欲のための勝利と呼んでいるのです」

彼はからからと笑った。「そんな言葉の歪曲で君が怒り狂うのはわかるよ」彼はいった。「だがほかには何だね?」

彼を見て、彼女の口元がわずかに緩んだ。崩壊しはじめた世界にあって、彼女が守れなかった犠牲者こそ、彼女が唯一頼りにできる支えだった。

彼はそっと彼女の額をなでた。堅物の彼にしては例外的ないたわりであり、彼が一笑にふさなかったことの無言の容認だった。「グウェン、帰りなさい。今夜はもういい。私もあと少しで帰るから。いや、待たなくていい」

真夜中を過ぎてなおも机に座り、ジョン・ゴールト線の橋の設計図の上にかがみこんでいたとき、麻酔のカーテンが破れたかのように、もうこれ以上逃れられない感情に不意に胸を突かれ、彼は仕事をする手をはたと止めた。

倒れこみそうになりながら、なおもわずかに抵抗しつつ、机の縁に胸を押しつけて体を押しとどめ、あと自分に成し遂げられることは机に頭を落とさないようにすることだけだというかのように頭を垂れて、彼は座っていた。中身もなくとめどない鋭い痛みのほかには何も意識せず、しばらく彼はじっと座っていた――それが心の痛みなのか体の痛みなのかもわからず、思考を停めたおそろしく醜い痛みだけにさいなまれ、彼は座っていた。

しばらくして痛みがおさまった。彼は頭をあげ、静かに起き上がり、椅子の背にもたれた。いま彼は、この瞬間を何時間も後回しにしたことで、自分は責任を回避していたわけではなかったと知った。このことを考えなかったのは、考えるべきことが無かったからだ。

思考――彼は静かに自問した――それは人が行動するために使う武器だ。いかなる行動も不可能だった。思考は人が選択をするための道具だ。選択肢は残されていない。思考は人の目的と、そこへ到達するための道を定める。おのれの人生がずたずたに引き裂かれる問題において、彼は声も目的も道も防御手段も持たないのだ。

このことを考えて彼ははっとした。自分が恐れを知らなかったのは、いかなる災難がふりかかろうとも行動できるという万能薬を持っていたからだということを、初めて理解した。いや、勝利の確信ではない——誰がそんなものを持てるだろう？——ただ行動する機会、必要なのはそれだけだ。いま彼は、客観的に初めて、恐怖の本質とは何かを考えていた。両手を背中で縛られて破滅への道を歩まされることだ。

ああ、ならば手を縛られたまま進めばいい、と彼は思った。鎖につながれたまま進め。進むことだ。止められてなるものか……だが別の声が、聞きたくないことを、彼がその声に抗して叫びながら反撃する一方で囁いていた。そんなことを考えても意味がない……無駄だ……何のために？……放っておけ！

その声を彼は押し殺せなかった。ジョン・ゴールト線用の橋の図面を前にじっと座り、なかば音、なかば光景として放たれる告知を彼は聞いていた。かれらはおまえ抜きで決めた……おまえを呼ばず、意見を求めず、話もさせなかった……かれらにはおまえに知らせる義務さえなかった——おまえの人生の一部を切り捨て、おまえが不具者として歩く準備をしなければならないということを……決定に関わったすべての人間が誰であれ、どういった理由であれ、何の必要があれ、おまえはかれらが考慮しなくてもいい人間だった。

長い道の果てに「リアーデン鉱石」と書いた看板がみえる。金属の黒い層の上に掲げてある……重ねた年月と幾つもの夜の上……血滴を刻んだ時計の上に……遠い日と道の向こうの看板への対価として喜び勇んで流した血……努力と強さと精神と希望によって支払われた……座して投票するどこかの連中の気まぐれで破壊された……どんな考えで？……誰の意志がかれらを権力の座につけたのか？——何の動機がかれらを動かしたのだろう？——何を知っていたというのだろう？——誰が人に頼らずに、地中から一塊の鉱石でも掘り出せるというのだろう？……会ったこともなく、金属の層を見たことも無い者たちの気まぐれで破壊された……かれらがそう決めたから破壊された。だが何の権利で？

彼は頭を振った。深く考えてはいけないことがある、と彼はおもった。見るものを汚染する忌まわしい毒がある。人間がみるに相応しいものには限界がある。こんなことを考えたり、覗きこんだり、根源の性質を知ろうとしたりしないことだ。

静かで空虚な気持ちになり、明日になれば大丈夫だ、と彼は自分に言い聞かせた。今夜の自分の弱さは許そう、これは葬式で許される涙のようなものであり、それから人は開いた傷口や、不具にされた工場をかかえて生きていくことを学ぶのだ。

彼は立ち上がり、窓際まで歩いていった。工場は見捨てられて稼動していないようだ。黒い煙突、長く渦巻く蒸気、斜めに交差するクレーンと橋の上に、ほのかな赤い空の断片が見えた。

かつて感じたことがない荒涼とした寂しさを彼はおぼえた。グウェン・アイヴスとワード氏は、希望と安心と新たな勇気を自分に求めることができた。自分はそれを誰に求めればいいのだろう？今度ばかりは、彼にもそれが必要だった。見栄も警戒もなく悩む自分を見せられ、ただ「疲れた」といって寄りかかり、一瞬の休息を見いだせる友人がいれば、と思った。知っているすべての人間の中で、いま傍にいてほしいと願う人物が一人でもいるだろうか？　彼は心の中で即座の衝撃的な答えをきいた。フランシスコ・ダンコニア。

怒りの苦笑で、彼は我に返った。願望のばかばかしさが彼を揺さぶり、冷静に戻した。自分の弱さに溺れるからこうなるのだ、と彼はおもった。

考えまいとしながら、彼は窓際に立っていた。だが彼は心の中で言葉を聞き続けていた。リアーデン鉱石……リアーデン石炭……リアーデン・スチール……リアーデン・メタル……何の役に立ったのだろう？　なぜ自分はこんなことをやってきたのだろう？　また何かをやりたい理由がいったいどこにあるのだろう？

鉱山の岩棚の上での初日……風の中で、製鉄工場の廃墟を見下ろしていた日……このオフィスで、この窓で、ここに立ち、橋は、ほんの数本のメタルの棒で信じ難い重量に耐えうるようにできると考えていたとき。もしもトラスをアーチと組み合わせて、上層部の構材をカーブさせて斜めに補強を――

彼ははっと身を固くした。あの日、トラスをアーチと組み合わせることは考えなかった。

次の瞬間、彼は机に戻り、その上におおいかぶさり、片方のひざを椅子のシートにつき、腰をかけようと考える間もなく、直線や曲線、三角形、何列もの計算を、設計図に、吸い取り紙に、誰かの手紙に、見境なく書き散らしていた。

一時間後、彼は電話をかけ、側線の客車の中にあるベッドの傍の電話が鳴るのを待っており、そして言っていた。「ダグニー！　俺たちのあの橋――君に送った図面は全部ごみ箱いきだ。じつは……何？……ああ、あれ？　クソクラエ！　たかり屋も連中の法律も気にするな！　放っとけ！　ダグニー、何を気にすることがある！　いいか、君がリアーデン・トラスと呼んであがめていた仕掛けがあるだろ？　あんなのこれっぽっちの価値もないぜ。これまで作られたどんなものにも及ばないトラスを考えついたんだ！　君の橋はいちどに四本の列車を運べて、三百年使えて、費用は一番安い排水渠以下だ。二日以内に図面を送るが、たったいま教えてあげたかった。あのな、トラスをアーチと組み合わせるだけのことだったんだ。斜めに補強すると……何？……きこえないぜ。風邪でもひいたのかい？……何をいまさら礼なんて言うんだ？　俺が説明するまで待て」

第八章　ジョン・ゴールト線

その従業員はテーブル越しにエディー・ウィラーズを見て微笑した。

「逃亡者気分だ」エディー・ウィラーズが言った。「僕がここに何ヶ月も来てないわけはわかるだろう？」彼は地下食堂を指さした。「いま僕は副社長ってことになっている。業務取締役副社長だ。頼むから真にうけないでくれ。できるだけ我慢したけどいたたまれなくなって一晩だけでもと思って……昇進なんてものがあって初めて夕食に降りてきたときにやたらじろじろ見られて、また来る勇気がなかったんだ。ま、見させとくことにするよ。きみはあんな風には見ないけど。きみには関係ないみたいでよかった……いや、彼女ならここ二週間みてないね。だけど毎日電話で話すし、一日二回のときもある……ああ元気でやってるよ。仕事に夢中だ。電話の向こうから聞こえる音をなんていうんだっけ――音響振動だよね？　そう、彼女の声って光振動みたいに響くんだ――わかるかな。苦しい戦いに独りで挑んで勝利するのが楽しいらしい……そりゃ勝ってるぜ！　しばらく新聞でジョン・ゴールト線についての記事を見ないわけを知ってる？　万事順調だからなんだ……ただ……リアーデン・メタルのレールは史上最高の線路になるかもしれないけど、それを活用できる馬力のある機関車がなきゃ何の役に立つ？　いま会社にあるぽんこつの蒸気機関車ときたら――旧式トローリー車のレールでも十分すぎるくらいだ……それでも希望はある。連合機関車製作所が倒産した。ここ数週間で一番よかったことだな。工場の買い手はドワイト・サンダースだからね。あの若い敏腕の技術屋はこの国で唯一まともな工場を持っていたんだ。連合機関車製作所を買収するために航空機工場を弟に売らなきゃならなかった。機会均等化法案のせいでね。ああ、兄弟間の談合だろうけど彼を責められるかい？　とにかく、やっと連合機関車製作所からディーゼル機関車が出てくるってわけ。ドワイト・サンダースがやりはじめるよ……ああ、彼女は彼が頼りなんだ。なぜそんなこと訊くんだい？……ああ、いまの僕たちになくてはならない人物だね。僕らは彼が作るディーゼル機関車の最初の十台の購入契約を交わしたところだ。契約を結んだって電話したら彼女は笑って言ったよ。『ね？　恐れる理由なんてないでしょう？』……彼女にはわかるからね――口にしないがわかっている――僕が怯えていること……ああそうだよ……さあね……何だかわかってれば、僕自身何かできれば恐れたりしない。だけどこれは……ねえ、僕が業務副社長なんて、ほんと笑止千万じゃないか？……だけどたちが悪いだろ？……何の名誉？　僕には自分が実際は何者なのかよくわからない。道化か幽霊か代役か、それともただの腐った傀儡か。彼女のオフィスで机に座っているともっと気分が悪くなる。殺人者みたいな気がしてくるんだ……ああ、彼女の傀儡をやることになってるのは知ってる――それなら名誉だ――だけど……だけど何となく、僕はとんでもないかたちでジェイムズ・タッガートの傀儡になっているって気がするんだ。なぜ彼女に傀儡が必要なんだ？　なぜ隠れなきゃいけないんだ？　なぜ彼女がビルから追い出されなきゃならないんだ？　彼女が速配荷物専用口の向かいの路地裏のちっぽけな小屋に引っ越したのを知ってるか？　いつか見るといい。あそこがジョン・ゴールト株式会社の事務所なんだ。そのくせ誰もが今もタッガート大陸横断を経営しているのは彼女だと知っている。なぜ素晴らしい仕事を隠さなきゃならない？　なぜ認めてもらえない？　なぜやつらは彼女の業績を奪って――僕に盗品を受け取らせるんだろう？　自分たちの破滅を阻止できる人間は彼女しかいないのに、なぜ力の限り彼女の成功を妨げようとするんだろう？　なぜ自分たちの救世主を苦しめる？……どうしたんだ？　なぜそんな目で見るんだ？……ああ、きみにはわかるんだね……そこには漠然としているけどどこかよこしまなものがある。だから怖いんだ……ごまかせるとは思えない……なあ、変な話、ジムとかこのビルにいる彼の仲間全員が知ってるように思えるんだ。この場所全体のどこかに後ろめたさと陰険さがある。後ろめたくて陰険で重苦しいものが。タッガート大陸横断鉄道はいまでは魂を失くした人間みたいなもの……魂を裏切ったというか……いや、彼女は気にしてない。この間はニューヨークに前触れもなく帰ってきて――僕は自分の……彼女のオフィスにいたんだけど――急に扉が開いて彼女が現れた。彼女は言ったよ。『ウィラーズさん、鉄道オペレーターの仕事を探しているんですがチャンスをいただけませんか？』僕は誰もかれもが恨めしくなったけど思わず笑っちゃった。彼女に会えて嬉しくて、それに彼女ときたら本当に幸福そうに笑っていたんだ。空港から直行して――スラックスとトラベルジャケットで――格好よかったよ――外の風にずっとあたっていたのか、休暇帰りで日焼けしているみたいに見えた。椅子から立とうとする僕を制して机の上に腰かけて、ジョン・ゴールト線の新しい橋の話をした……いや、訊いてないよ。なぜあんな名前をつけたか……どういう意味があるのかは知らないな。挑戦みたいなものかな……誰に対する？　さあね……まあ、どうだっていいじゃないか。何の意味もないんだ。ジョン・ゴールトなんていないし。でもあんな名前使わなきゃいいのにな。僕は好きになれないんだけど、きみは？……いいと思うって？　あんまり嬉しそうには見えないけど」

＊　＊　＊

ジョン・ゴールト線の事務所の窓は、暗い路地裏に面している。机から目を上げたダグニーに空は見えず、視界を遮るビルの壁が見えるだけだ。それはタッガート大陸横断鉄道の高層ビルの側壁だった。

新しい本部は崩れそうな建物の一階の二部屋だ。建物はぐらつきこそしないが、上階の占有は危険なので立入り禁止になっている。建物がかくまうテナントは、ビルと同様に過去の惰性で居座りつづけているだけで、倒産寸前だった。

彼女は新しい事務所が気に入っていた。経費の節約になるからだ。部屋には余計な家具もなく不必要な人間もいない。家具は中古だ。できるだけ有能な部下を集めた。たまにニューヨークに戻ってきても彼女には仕事部屋を眺めている暇などなく、ただその機能だけを認識していた。

今夜に限って手をとめ、窓ガラスに降りかかる霧雨と路地を隔てたビルの壁とを見つめたのはなぜだったのか。

真夜中を過ぎていた。少人数の部下たちはみな帰宅している。コロラドに戻る自家用機に乗るために、彼女は午前三時には空港に着いていなければならなかった。仕事はほぼ片付き、あとはエディーの報告書をいくつか読むだけだ。急がねばという緊張感が不意にとぎれ、彼女は仕事ができなくなった。報告書を処理する力が残っていない。帰宅して睡眠をとるには遅すぎ、空港に向かうには早すぎる時間だ。疲れているのよ、と心のなかでつぶやくと、容赦なく、自嘲的に彼女は自分の気分をながめた。これは通り過ぎるものだ。

あるニュースの短信を聞いて二十分後、彼女は自家用機の操縦室に駆けつけて急遽ニューヨークに飛んだ。ラジオの声は、ドワイト・サンダースが、突然、理由も説明もなく辞職したと伝えていた。彼女はニューヨークに急ぎ、彼を見つけてひきとめたかった。だが大陸の空を横断するあいだ、彼をみつける手だてはないと感じていた。

春の雨が薄い霧のように窓の外を覆っている。彼女は座って、タッガート・ターミナルの開放された速配荷物専用口を見ていた。天井の鉄筋の間に裸電球がともり、古びたコンクリートの床の上に荷物が積んである。見放された廃墟のようだ。

彼女は事務所の壁に走るひび割れを見た。物音はしない。荒れはてたビルで彼女は独りきりのはずだ。街中に一人きりでいるかのようにも思えた。すると、何年も抑えてきた感情が押し寄せてきた。この瞬間だけではなく、この部屋の静けさのせいでもない、雨に濡れて光っている道路の空虚さ以上の孤独。到達する価値のあるものがない灰色の荒野の孤独。子どものころの孤独だった。

彼女は立ち上がり窓際へ歩いた。ガラスに顔を押しつけると、上空の遠い天辺まで急激に収斂していくタッガート・ビルの全容が見える。自分のオフィスだった部屋の暗い窓を彼女は見上げた。自分が帰ることのない逃亡者であり、あのビルとはガラス一枚と雨のカーテンと、そして数ヶ月の期間以上のものに隔てられている気がした。

壁土の崩れかけた部屋で窓ガラスに顔を押しつけて、届かない場所にある自分が愛したすべてを彼女は見ていた。この寂しさはどこからきているのかわからない。浮かんだのは、これは私が待ち望んでいた世界ではない、という言葉だけだった。

十六歳のとき、高層ビルのように遠くに伸びて一点で収斂するタッガートの長い線路をみながら、彼女はエディー・ウィラーズに言ったことがある。いつも地平線の向こうで線路を握りしめている男の人がいる気がするの――ううん、父さんやオフィスの男の人たちじゃないわ――いつかその人に会いたいな。

彼女は頭を振り、窓から離れた。

彼女は机に戻った。そして報告書を手に取ろうとした。だが不意に机に倒れこみ、腕に頭をうずめた。いけないと思ったが立てなかった。かまわない、誰も見てやしないから。

それは認めまいとしてきた欲求だった。彼女はいまその欲求と対峙していた。感情が世界から受けとるものに対する反応ならば、彼女が線路と建物とほかにもたくさんのものを愛しているなら、その愛を大切に思うなら——いまだ感じたことのない最大の反応がひとつある、と彼女はおもった。この世で彼女が愛したすべてのものの目的にかなう集大成として、究極の表現としての感情を見つけること……互いの世界に意味を与えあう、彼女自身の精神のような精神に出会うこと……違う、フランシスコ・ダンコニアじゃない、ハンク・リアーデンでもない、これまで出会い、崇拝したどの男性でもない……感じたことはないが、それを経験するためなら命も惜しまないという感情をもつ力が自分にはあるという認識においてのみ存在する男……そっと体をよじらせ、胸を机に押しあて、筋肉と神経を通り抜ける欲求を彼女は感じていた。

それが欲しいものなの？　それほど単純なことなの？——だがそれほど単純なことではないことはわかっていた。仕事への愛と肉体の欲求の間には、一方が他方に権利と意味を与え、一方が他方を完成させるかのような切り離せないつながりがある——そしてこの願望は、同等の偉大な存在によってしか満たされはしない。

彼女は腕を顔に押しあて、うち消すようにやおら頭を振った。そんなものに出会いはしない。彼女自身の人生の理想によってのみ求める世界を得ることができる。その理想だけを——そしてその道からの反射光のようにまれな瞬間を——知り、守り、貫こう……

彼女は頭を上げた。

窓の外、路地の歩道に、事務所の戸口に立つ男の影がある。

扉は数歩先だが、彼女の視界には男も彼を照らす街灯も入らず、見えるのは舗道の石に落ちる影だけだ。男は身じろぎせずに立っている。

男は今にも入ってきそうなほど扉に近かったので、彼女はノックの音を待った。だが急に後ずさりしたかのようにその影がいきなり揺れると、彼はきびすを返して歩きはじめた。地面に映る影が帽子のつばと肩の輪郭だけになったとき、男は立ち止まった。影はしばらく動かず、ゆらめき、男が戻ってくるとふたたび長くなった。

怖くはなかった。彼女は机に座り身動きせず、ぼんやりとその影を見つめていた。男は戸口で足を留め、まもなく離れた。そして路地の真ん中あたりで立ち停まり、せかせかと歩いては止まった。影は舗道の上を不規則な振り子のように振れ、音のない戦いの道筋を描いていた。それは入るべきか逃げるべきかと迷っている男の影だった。

彼女は不思議と落ち着いてそれを眺めていた。それに対して行動をおこす力はなく、ただ観察するだけだった。ぼんやりとおぼろげに考えていた。暗闇から私を見ていたのだろうか？　私が机に倒れこむのを明るい窓から見ていたのだろうか？　あの人は誰？　私がいまあの人を見ているように、あの人も私がわびしい孤独に悩むのを見ていたのだろうか？　何も感じなかった。死んだ街の静寂の中でかれらは二人きりであり――彼女には彼がはるか遠くにおり、正体も明かさず悩みだけを映し、互いに縁遠い問題を抱える味方の生存者であるようにも思えた。男の影は足早に視界から消えてはまた現れた。暗い路地裏の光る舗道の上で何かに苦悩する影を、彼女はじっと見つめていた。

その影はまた一度離れていった。彼女は待った。それは戻ってこなかった。やがて彼女は立ち上がった。戦いの結果を知りたかった。いま彼はそれに勝った――あるいは負けたのだからと彼の正体と動機を知りたい衝動に駆られた。彼女は暗い控え室を駆け抜け、扉をバタンと開けて外を見渡した。

　路地は空っぽだった。舗道はまばらな灯りの下で濡れた鏡の帯のように先細りして遠くに消えている。視界には誰もいない。廃れた店の壊れた窓に暗い穴が見える。その先には下宿屋の扉があった。路地の向こうでは、タッガート大陸横断鉄道の地下トンネルに続く黒い隙間を照らす電球の下で、雨が輝いていた。

＊　＊　＊

　リアーデンは書類に署名し、それを机越しに押しやると目をそらし、もう二度とこのことは考えたくない、早くこの瞬間を忘れ去るときがきてほしいと思った。

　ポール・ラルキンがおずおずと書類に手を伸ばした。彼は機嫌を取るようにふがいなくみえた。「ただの法律上の手続きだよ、ハンク」彼はいった。「僕がこれからもずっとこの鉱山を君のものとして考えるってことは知ってるだろ」

　リアーデンはおもむろに頭を振った。それは単なる首の筋肉の動作であり、見ず知らずの他人に話しているかのように、彼の表情は少しも変わらなかった。「いや」彼はいった。「資産は所有するかしないかだ」

「だが……だが僕が頼りになることは知ってるだろ。粗鉱の調達なら心配しなくていいんだ。僕らは合意に達した。僕を信頼できることはわかるだろ」

「わからん。できればいいとは思うが」

「だが約束してるじゃないか」

「これまで他人の口約束だけをあてにしたことはない」

「なんで……なんだってそんな言いかたをするんだい？　友達じゃないか。きみが望むことは何だってやるぜ。生産しただけ全部あげてもいい。鉱山はいまもきみのもの——きみのときと何らかわりはない。不安がらなくたって。僕は……ハンク、どうしたんだい？」

「しゃべるな」

「だけど……どうしたんだい？」

「気休めはたくさんだ。自分が安全だという振りはしたくない。安全じゃないからな。我々が達したのは私が守らせることのできない合意だ。私が自分の立場は十分理解しているということは承知しとけ。約束を守るつもりなら、くだくだ説明しないで、ただ実行しろ」

「なんだってこれが僕のせいみたいに僕を見るんだい？　僕がどれだけきみに同情してるかわかってるだろう。鉱山を買ったのは、きみの役に立ちたかったから——つまり、まったくの他人よりは友達に売りたいんじゃないかと思ったからだぜ。僕のせいじゃないんだ。あのけちな均等化法案は僕だって好きになれないし、誰が後ろにいるかも知らない。通過するなんて夢にも思わなかったし、そのことを聞かされてものすごいショックを——」

「もういい」

「だけど僕はただ——」

「なぜそのことについてわざわざ話したがるんだ？」

「僕は……」ラルキンの声は弁解がましく響いた。「ハンク、僕は最高値で買ったんだ。法律には『妥当な代償』とある。つけ値はほかの誰よりも高かったんだぜ」

リアーデンは机の上に広げたままの書類を見た。書類に定められた彼の鉱山の対価を彼は思った。総額の三分の二はラルキンが国庫から借りた金だ。最近の法律は「機会に恵まれなかった新たな所有者に公正な機会を与えるため」にこうした借入金に関する条項を設けていた。残りの金額の三分の二は、彼の鉱山を抵当に彼がラルキンに貸した金だ……そして政府の金、彼の財産に対して支払われた金はそもそもどこから来ているのだろう、と彼は不意におもった。誰の仕事がその金を提供したのだろう?

「心配いらないよ、ハンク」不明瞭でくどくど言い訳がましくラルキンが言った。「書面上の体裁だけだから」

ラルキンは自分に何を求めているのだろう、とリアーデンはぼんやりと思った。物品売買の事実だけでなく、彼、リアーデンが発言するはずの言葉、当然与えるはずだと思われている情けに属する行為を、この男は待っているような気がしていた。ラルキンは人生でもっとも幸福な瞬間にあって、胸がむかむかするような物乞いの目をしている。

「怒ることないだろ、ハンク? 形をかえたお役所の法務手続きだよ。歴史的条件が変わっただけ。歴史的条件ならどうしようもないんだ。誰のせいでもない。だがどんなときでもうまくやる方法はある。ほかの連中を見てみなよ。気にしてないぜ。やつらは——」

「やつらはゆすりとられた財産を運用するために、自分があやつれる人形を活用しようとしている。私は——」

「おいおい、なぜそんな言葉を使うんだい?」

「私はその手の駆け引きは苦手だと——君も知っているだろうが——言っておいたほうがいいだろう。君を縛りつけて間接的に私の鉱山を所有するために君をおどしつける方法を考えている暇もなければそういうつもりもはない。所有権は共有できないものだ。君の臆病さにつけこんでその権利にしがみついていたいとは思わない――君をだし抜いて脅しをかけておこうと絶えず策略をめぐらせて。私はそんな仕事のやりかたはしないし、臆病者と取引もしない。鉱山は君のものだ。そこで生産する粗鉱を優先的に私に売りたければそうすればいい。裏切りたければ、それも君次第だ」

ラルキンは傷ついた様子だった。「きみは不公平だ」正義をふりかざして責めるように彼はややよそよそしく言った。「僕は不信感を抱かれるような根拠を与えていない」彼はせかせかと書類をとりあげた。

書類がラルキンのコートのポケットの中に消えたのをリアーデンは見た。コートがパッと開き、たるんだ胴にはりついたチョッキの皺とシャツの脇の下の汗のしみが見えた。

不意に頭の中に、二十七年前に見たある顔が浮かびあがってきた。いまでは思い出せない町で、通りがかりの街角にいた説教師の顔だ。記憶にはスラムの暗い壁と秋の夜の雨と、そして正義をかざす悪意を帯びた口だけが残っており、小さな口が引きつって暗闇に向かって叫んでいた。「……もっとも貴い理想は――人間が兄弟のために生き、強者は弱者のために働き、能あるものは能がないものに奉仕することだ……」

十八歳のハンク・リアーデンだった少年も見えた。その顔の緊張、歩く速さ、眠らない夜の精力に酔った体の高揚感、誇り高くもたげた頭、求める物には容赦なく邁進する者の澄んで落ち着いた無情な目。そしてポール・ラルキンのそのころの姿――老けた童顔で、愛想笑いを浮かべ、つまらなそうに、救いとチャンスを世界に請う若者が見えた。あのころのハンク・リアーデンが、その若者こそ君の道程の目標だ、腱を痛めて振り絞った力の回収者だといわれていたならば果たして――

その考えは思考ではなく、頭を殴りつける拳固のようなものだった。やがてまた冷静に考えはじめ、リアーデンは少年が感じていたはずの気持ちを知った。ラルキンという忌まわしくて湿っぽい存在を粉々に踏みにじり、跡形残らず消してしまいたいという願望だ。

こうした感情を経験したのははじめてだった。まもなくそれが憎悪と言われているものだとわかった。

立ちあがって別れの口上をぼそぼそとつぶやきながら、傷つけられたのはラルキンの方であるかのように、ラルキンが傷ついて非難がましく唇をかんでいることに彼は気づいた。

ペンシルベニア最大の石炭会社を所有するケン・ダナガーに炭鉱を売ったとき、リアーデンはまったくといっていいほど痛みを感じなかった。嫌悪感もおぼえなかった。ケン・ダナガーは近寄りがたく険しい顔をした五十代の男で、鉱夫として世に出た人物だ。

リアーデンが譲渡物件の権利書を手渡すと、平然としてダナガーは言った。「君には元値で石炭を売るつもりだと言ってなかったと思うが」

リアーデンは驚いて彼を見返した。「違法だぜ」彼はいった。

「自宅の居間で現金を渡したところで誰にも見つからんよ」

「リベートじゃないか」

「ああ」

「そんなことをしたら何十もの法律にひっかかるぜ。捕まったら私より君のほうがひどくやられちまう」

「ああ。だから君は安全だ——俺の善意に振りまわされることはない」

リアーデンは楽しそうに微笑んだが、一撃をくらったように目を閉じた。そして頭を振った。

「ありがとう」彼はいった。「だが、私はやつらとは違う。元値で人に働いてもらおうなんて思っちゃいない」

「俺だってやつらとは違うぜ」ダナガーは怒って言った。「いいか、リアーデン、稼ぎもしないで何を手に入れているか俺が知らないとでも思うのか？　いくら金を出しても支払ったとはいえないものだ。近頃では」

「君は進んで自分から私の資産を買うために入札したいと言ってきたわけじゃない。私が買ってくれと頼んだんだ。粗鉱業界にも君のような人間がいて鉱山を引き継いでくれていればと思う。だがいなかった。頼みをきいてくれるならリベートは要らない。ただ私が石炭を真っ先に入手できるように、君に誰よりも高い金を払うチャンスをくれ。私からどれだけぼったくってもいい。うちの問題はうちで何とかする。ただ石炭をくれ」

「まかせろ」

リアーデンは、しばらく、なぜウェスリー・ムーチから連絡がないのだろうと思っていた。ワシントンへの電話はつながらなかった。やがてムーチ氏の辞職を告げる趣旨の一文からなる簡単な手紙が届いた。二週間後、ウェスリー・ムーチが経済企画国家資源局の局長補佐に任命されたことを報じる記事を新聞で読んだ。

こんなことに煩わされてはいけない――静寂の中、あの忌まわしい不慣れな感情の突然の接近と戦いつつリアーデンが考えたことは幾夜もあった――世界には言語に絶する邪悪が存在することはわかっている。そんなものの細部に頭を悩ませてもどうにもならない。少し仕事がきつくなるだけだ。ほんの少しだけきつく。そんなものに負けてどうする。

リアーデン・メタルの橋の梁や桁が圧延工場からジョン・ゴールト線の工事現場に連日出荷されており、青碧色のメタルははじめて形を得て、峡谷をつないで空中をきり、春先の太陽光線で輝いている。苦痛を感じている暇はなく、怒る力も惜しい。数週間後、その感情は消えていた。盲目的な憎悪の刺すような痛みはおさまり、戻ってこなかった。

エディー・ウィラーズに電話した夜、彼は自信にあふれて抑制のきいた人間に戻っていた。「エディー、私はニューヨークのウェイン・フォークランドにいる。明日の朝ここに来てくれないか。朝食を一緒にとろう。話があるんだ」

エディー・ウィラーズは重い罪悪感をおぼえながら約束の場所に向かった。彼は機会均等化法案の衝撃から立ち直ってはいなかった。打撲の青黒いあざのように鈍い痛みがいまも彼の中に残っている。街の景色も好きになれなかった。街にはいま悪質な未知の脅威が潜んでいるかのようにみえる。彼は法案の犠牲者に向きあうのが怖かった。エディー・ウィラーズ自身が何かひどいやりかたでその罪に加担したような気がしていた。

リアーデンに会った瞬間にその気持ちは消え失せた。リアーデンの態度には犠牲者を思わせるものは少しもない。ホテルの部屋の窓の向こうでは、早朝の春の日光が街の家々の窓に差し込み、空は初々しい水色、オフィスはまだ閉まり、街には悪意など存在せず、喜びいさんで始動するばかりのようだ——リアーデンと同じように。彼は快眠のあとのさわやかな顔つきをしており、室内ガウンをはおり、着替えのために刺激に満ちた職務を遅らせるのさえもどかしいようだ。

「おはよう、エディー。こんなに早く呼び出してすまない。この時間しかあいてなかったんだ。朝食後すぐフィラデルフィアに戻らないといけない。食べながら話そう」

彼のガウンは紺のフランネルで、胸ポケットに白い「HR」の頭文字が縫いつけてある。彼は若々しくみえ、この部屋も、世界さえも我が家であるかのようにくつろいでいた。

エディーはウェイターが素早くてきぱきと朝食用のテーブルを部屋に転がしてくるのを見て緊張

した。糊がきいた白いテーブルクロスの新鮮さと、銀食器とオレンジジュースのコップを砕いた氷で冷やすボールに燦燦と降りそそぐ陽光を彼は楽しんだ。そうしたものがどれほど爽快な刺激を与えてくれるものか、彼は初めて知った。

「この件ではダグニーに電話したくなかったんだ」リアーデンが言った。「彼女は手一杯だからね。君と私とで数分あれば片づく話だ」

「僕に権限があればですが」

リアーデンは微笑した。「あるよ」彼はテーブル越しに身をのりだした。「エディー、現在のタッガート大陸横断鉄道の財務状況はどうなんだ？　逼迫しているのか？」

「逼迫しているどころじゃありません、リアーデンさん」

「給与は払えているのか？」

「あまりきっちりとは払えていません。新聞を遠ざけてはいますが周知の事実だと思います。会社は未払いだらけで、ジムも言い訳が尽き始めているところです」

「リアーデン・メタルへの最初の支払期日が来週ってことを知っているかい？」

「はい、知っています」

「ではモラトリアムに合意しよう。君たちの支払期日を延期しよう――ジョン・ゴールト線の開通から六ヶ月後まで金を払わなくていい」

エディー・ウィラーズはコーヒーカップをガチャンと置いた。言葉を失っていた。

リアーデンはくつくつと笑った。「どうした？　受諾する権限はあるだろ？」

「リアーデンさん……僕にはわかりません……何と申し上げればよいのか」

「なあに、『オーケー』だけでいいじゃないか」

「オーケーです、リアーデンさん」エディーの声はほとんど聞きとれなかった。

「書類を作成して君に送る。君はジムにこのことを伝えて署名させればいい」

「はい、リアーデンさん」

「ジムと関わりあいたくないんだ。やつだと、私の頼みをきいてやったんだって体裁を整えるのに二時間はかかるからね」

エディーは身じろぎもせず、皿を見つめて座っていた。

「どうした?」

「リアーデンさん……お礼を言いたいのですが……適切な言いかたがみつからなくて――」

「いいかい、エディー。君には良いビジネスマンの素質があるんだから、ちょっとはっきりさせておいたほうがいいことがある。こういう状況で礼も何もないんだ。私はこれをタッガート大陸横断鉄道のためにやっているんじゃない。こちらの単純で実際的で利己的な事情だ。君の会社の命取りになるかもしれない時期に、なぜいま君たちから金を回収しなければいけないんだね? 君の会社がろくでもない会社なら回収するよ。すぐに。私は慈善はやらないし、無能なやつらに賭けたりはしない。だが君たちはいまも全米一の鉄道だ。ジョン・ゴールト線が完成したら財務的にもどこよりも健全になるだろう。だから待つだけの十分な理由があるんだよ。それに君たちは私のレールのせいで窮地におちいっている。私は君たちが勝つのを見とどけるつもりだ」

「リアーデンさん、それでもお礼を言わなければ……慈善よりずっと大事なことで」

「違うんだ。わからないかね? 私は大金を受け取ったばかりなんだ……欲しくもないのに。投資することもできない。使い道がない……だからある意味、その金をやつらに対する同じ戦いに使えれば私も嬉しい。君たちのやつらとの戦いを、私が期日を延ばして助けられるようにしたのはやつらなんだ」

　エディーは傷口に触られたかのように縮み上がった。「ひどいのはそのことなんです！」

「何だい？」

「やつらがあなたにしたことと、そのお返しにあなたがなさっていること。つまり――」彼は口ごもった。「すみません、リアーデンさん。こんな風に仕事の話をするなんて」

　リアーデンは微笑した。「ありがとう、エディー。君が言おうとしていることはわかる。だが忘れるんだ。やつらのことは放っておきなさい」

「はい。ただ……リアーデンさん、もうひとつよろしいですか？　こんなことを言うのはまったく不適切ですし、僕は副社長として話すわけじゃありませんが」

「なんだい？」

「あなたの申し出がダグニーや私やタッガート大陸横断横断のまともな人間全員に何を意味するかを申し上げる必要はありません。もうご存じでしょう。そして私たちを信頼してもいいことも。だけど……だけど、ジム・タッガートもその恩恵を受けるなんてあんまりだと思うのです――彼や彼のようなやつらにあんな仕打ちをされたあとであなたがやつらを救うなんて――」

　リアーデンは笑った。「エディー、やつみたいな連中のことは気にするな。私たちは特急を運転していて、やつらは屋根の上で指導者とは何かについて騒ぎたてている。私たちが気にすることはないんだ。一緒に乗せてやる力が充分ある――そうだろう？」

＊　＊　＊

「もたないだろう」

夏の日差しが街の窓に炎を描くように照りつけ、通りの埃を火花のように輝かせている。屋根からカレンダーの白い頁にまで熱気が立ち昇っている。電動のカレンダーはまわりつづけ、六月の最後の一日が過ぎていった。

「もたないだろう」人びとは口々にいった。「ジョン・ゴールト線の開通便が走ったときには、レールが裂けるだろう。橋まで辿り着きはしない。辿り着いたところで、機関車の下で橋が崩壊するだろう」

コロラドの勾配から貨物列車がフェニックス・デュランゴの線路を走り、北はワイオミングのタッガート大陸横断鉄道の本線に、南はニューメキシコの大西洋南部鉄道の本線に接続している。タンク貨物車の列がワイアット油田から遠方州の工場まで四方に拡がっていく。それは人の話にはのぼらない。大衆の知識において、タンク貨物は光線のごとく音もなく動き、光線のごとく、電球の光、高炉の火、モーターの回転になって始めて人目につくものだ。従って貨物車が注目をあびることはなく、当たり前の事物とみなされていた。

フェニックス・デュランゴ鉄道は七月二十五日に営業をうち切ることになっていた。

「ハンク・リアーデンは強欲の化けものだ」人びとは言った。「やつが築いた財産を見ろ。いくらかでも還元したことがあるか？　社会意識を示したことがあるか？　金。ほしいのはそれだけだ。金のためならなんだってやる。橋が崩壊して人の命が失われたところで気にするものか」

「タッガート家は代々の禿鷹集団だ」人びとはいった。「一族の血なんだ。あの一族の創始者が史上もっとも悪名の高い反社会的悪党で、国から搾れるだけ搾り取って私腹を肥やしたナット・タッガートだったことを考えてみろ。タッガートの一員なら利益を出すために人の命を犠牲にすることも辞さないのは確かだ。劣悪なレールを買ったのも鋼鉄より安いから——運賃さえ回収してしまえば大惨事がおころうが人体がバラバラになろうが知ったことかってわけだ」

ほかの誰かが言っていたから、人はそう言っていた。なぜそう言われており、いたるところでそれを耳にするのかは知らなかった。理由を与えることも求めることもなかった。「理性はあらゆる迷信のなかでもっとも愚直なものだ」プリチェット博士は説いていた。

「世論の出所？」クロード・スラゲンホップがラジオ演説でいった。「世論に出所なんてありません。世論は自発的で一般的なものです。集合的精神の集合的本能の反映なのです」

オルレン・ボイルはニュースの雑誌としては最大部数を誇る『グローブ』誌へのインタビューに応じた。インタビューは冶金学者の社会責任の重さに関するテーマを扱い、金属にきわめて重要な役割があり、その品質には人命がかかっていることが多々あるという事実を強調していた。「新商品を発売するにあたって人間をモルモットとして使うべきではないように思える」彼はいった。だが具体的な名前はあげなかった。

「いやなに、あの橋が崩壊するとは言っておりません」共同製鉄の主任冶金学者がテレビ番組でいった。「そんなことはまったく言ってはおりません。ただ申し上げているのは、もしも私に子どもがいれば、あの橋を渡る開通便には乗せないだろうということだけです。だが人それぞれですし、私が異常に子ども好きなだけですよ」

「私はリアーデンとタッガートの仕掛けが崩壊すると主張しているわけではない」バートラム・スカダーが『未来』誌に書いた。「するかもしれないし、しないかもしれない。それは重要な問題ではない。重要な問題は、これまでの経歴からすると公共心に基づく行動が著しく欠けている放逸な個人主義者二人の高慢と利己主義と強欲に対して社会にはどのような防御策があるかということだ。

見たところ、この二人は識者の圧倒的多数の意見に反し、自身の判断力について思い上がって、同胞の命を危険にさらすこともいとわない。社会はこれを許すべきだろうか？　橋が崩壊すれば予防措置を講ずるには遅すぎはしないだろうか？　馬が逃げてから厩に鍵をかけるようなものではないだろうか？　このコラムの信条は、ある種の馬は常に一般社会原則に基づいて轡をかませ閉じこめておくべきということである」

「公平無私な市民の委員会」と称する団体は政府の専門家によるジョン・ゴールト線の調査を開通許可前に要求する請願の署名を集めた。署名者には「市民としての義務感」以外には何の動機もないことが請願書に明記されていた。バルフ・ユーバンクとモート・リディーが率先して署名した。すべての新聞で請願に大きな紙面が割かれ、多くのコメントが寄せられていた。公平無私な人びとの意見であるからと、その懸念は尊重された。

ジョン・ゴールト線建設の進捗について新聞は紙面を割かなかった。現場の取材に送られた記者もいない。メディアの一般方針は、五年前、ある著名な編集者によって述べられていた。「客観的事実はない」彼はいった。「事実についての報道はおしなべて主観にすぎない。したがって事実についての記述は無益である」

リアーデン・メタルの商業化の可能性を探るべきだと考えた実業家もいた。かれらはアンケート調査をした。試供品を検証する冶金学者も建設現場を訪ねる技士も雇わずにかれらは世論調査をした。あらゆる種類の頭脳を代表すると保障された一万人に質問がなされた。「ジョン・ゴールト線に乗りますか？」圧倒的な答えは「いいえ、お断り！」だった。

リアーデン・メタルを公然と擁護する声は聞かれなかった。とてもゆっくりと、ほとんど人目を忍ぶようにタッガート大陸横断鉄道の株価が市場で上昇しつつあるという事実に注目する者もいなかった。株価を動かしていたのは、傍観して安全に投資する者たちだった。モーウェン氏は姉の名義でタッガート株を購入した。ベン・ニーリーが購入した分は従兄弟名義だ。ポール・ラルキンは偽名を使っていた。「物議をかもすのはよくないからね」そのうちの一人がいった。

「ああそうですね、むろん敷設は予定通り順調です」ジェイムズ・タッガートは取締役会で肩をすくめていった。「ええ、ご安心ください。私の妹は人間というよりは生まれつきの内燃機関ですので成功して当然です」

橋の桁に亀裂が生じて崩壊し、三名の作業員が死亡したという噂をきいたとき、ジェイムズ・タッガートは飛び上がって秘書室に駆けつけ、コロラドに電話させた。庇護を求めるように秘書の机に体を押しつけ、混乱して焦点の合わぬ目をして待った。にもかかわらず彼は突然にやりとしていった。「いまヘンリー・リアーデンの顔を見られさえすれば」

噂がデマだと知って「助かった！」といった声には落胆の響きがあった。

「やれやれ！」フィリップ・リアーデンは同じ噂をきいて友人にいった。「たまには兄貴も失敗するさ。たぶん、僕の偉大な兄貴は自分で思うほどすごくはないのかもしれない」

「あなた」リリアン・リアーデンが夫に言った。「昨日お茶会で、ダグニー・タッガートがあなたの愛人だっていう女の人たちと戦ってあげたわ……あら、お願い、そんな目で見ないでください！ばかばかしくて、こてんぱんにやっつけてやりましたの。ただあのバカなあばずれたちときたら、ひとりの女性があなたのメタルのために全世界を敵にまわす理由がほかに想像できないのね。あのタッガートの女はセックスなんてしてないし、あなたのことなんて歯牙にもかけないのに――それに、あなた、あなたにそんな勇気があるなら、どうせないんだけど、上等のスーツをきた計算機じゃなくて、金髪の色っぽいコーラスガールに――あらヘンリー、ただの冗談よ！――そんなふうに見ないで！」

「ダグニー」ジェイムズ・タッガートが惨めな声で言った。「ぼくたちはこれからどうなってしまうんだろう？　タッガート大陸横断鉄道はこんなに人気がなくなってしまった！」

ダグニーはいま、いつも楽しくてしかたないというように、内側に尽きない喜びの流れがあり、いとも簡単にそれがあふれてしまうかのように笑った。口をあけて気さくに笑う彼女の日焼けした肌と対照的に歯が真っ白くみえる。広々とした大地ではるか彼方を眺めるような目つきだ。ここ数回のニューヨークの帰還で彼女など眼中にないかのように彼女が自分を見ることに彼は気づいていた。

「どうする？　大衆は圧倒的に我々に反対しているんだ！」

「ジム、ナット・タッガートについての話を覚えてる？　彼が羨んだ競争相手は、『大衆なんざクソクラエだ！』といった人だけだった。彼は自分が言いたかったそうよ」

夏の日、都会の夜の重い静寂の中——公園のベンチで、街角で、窓際で——ジョン・ゴールト線の短い記事を読んでふたたび街に目を戻しては不意に湧く希望に胸を突かれた孤独な男女がいた。かれらはこうした出来事をみたくてたまらなかった若者たち——あるいは、そうした事件が実際に起こっていた世界を見てきた老人たちだった。鉄道に関心はなく、ビジネスのことは何も知らず、わかっていたのは逆境と戦い勝利を収めつつある者がいるということだけだった。かれらはその戦士たちの目的を称賛するわけではなく、世論の声を信じていた——それでもなお線路が伸びているという記事を読めば、かれらは一瞬心が晴れやかになるのを感じ、自分自身の問題が容易に思えてくるのはなぜだろうと思った。

シャイアンのタッガート大陸横断鉄道の貨物操車場と暗い路地裏のジョン・ゴールト線の事務所の従業員のほかに知る者はおらず、ひっそりとではあるが積荷注文が続々と寄せられていた——ジヨン・ゴールト線の開通便に。ダグニー・タッガートは、開通便を通例通りの有名人や政治家を乗せた旅客特急ではなく、特別貨物にすると発表した。

貨物注文はコロラドの新工場に最後の生き残りを託す遠くの全米の農場や材木置場や鉱山から届いていた。これらの荷主については、公平無私ではないからと、何も書かれなかった。

フェニックス・デュランゴ鉄道は七月二十五日に閉鎖されることになっていた。ジョン・ゴールト線の開通は七月二十二日に予定されている。

「えーと、こういうことですよ、タッガートさん」機関士組合の代表がいった。「我々はあなたにあの列車の運行を許すわけにはいかないと思います」

ダグニーは事務所のしみだらけの壁を後ろに擦りきれた机に座っていた。彼女は身じろぎもせずにいった。「出ていきなさい」

それは、鉄道の重役のぴかぴかのオフィスでは男が聞いたことのない言葉だった。彼は当惑した。

「私が言いたかったのは——」

「言うことがあるならはじめから言い直しなさい」

「何ですと？」

「あなたたちが私に何を許すかきくつもりはありません」

「いや、つまり我々の組合員にあなたの列車の操縦を許すつもりはないってことです」

「それなら別ね」

「ま、そう決めたんですよ」

「誰が？」

「委員会がね。あなたがやっていることは人権の侵害だ。人を無理やり働かせて見殺しにしちゃいけない――あの橋が崩壊するとき――あなたが金を稼ぐために」

彼女は一枚の紙を取って彼に手渡した。「文書にしてちょうだい」彼女はいった。「そういう趣旨の契約を結びましょう」

「何の契約ですかね？」

「あなたの組合員は今後一切ジョン・ゴールト線の列車の操縦には雇わないって契約よ」

「いや……ちょっと待った……私は何も……」

「そういう契約を結びたくないの？」

「いや、私は――」

「なぜいやなの？　橋は崩壊するとわかっているんでしょ？」

「私がほしいのは、ただ――」

「あなたがほしいものはわかっているわ。あなたはあなたの組合員を私が与える仕事によって――そして私をあなたの組合員によって束縛したがっている。あなたは私に仕事を提供してほしいにもかかわらず、私が提供する仕事を作るのを不可能にしたがっている。では決めてちょうだい。列車は運行されます。それについてあなたに決定権はないわ。でもあなたはそれが組合員によって操縦されるかどうかを決めることができます。あなたが機関士たちに操縦を許さないと決めても列車は走るのよ。たとえ私自身が機関車を操縦しなくてはならないとしても。それにどちらにせよ、橋が崩壊すれば鉄道はどこにも存在しなくなるわ。だけど崩壊しなければ、あなたの組合員は誰も絶対にジョン・ゴールト線で仕事を得ることはないでしょう。あなたの組合員が私を必要としている以上に私がかれらを必要としていると思うなら、その判断に従って決めなさい。私に機関車が操縦できて、かれらには鉄道が敷設できないと思うなら、その判断に従って決めることね。さあ、あの列車の操縦を組合員に禁じるつもり？」

「禁じるとは言ってませんよ。何も禁じるなんて。しかし……しかし誰もやったことがないことに命の危険を冒すことを強制しちゃいけません」

「あの便の操縦を誰にも強制するつもりはないわ」

「どうなさるおつもりですかね？」

「志願者を募ります」

「それでも誰も志願しなければ？」

「それは私の問題であなたは関係ないわ」

「ま、私は拒否するよう忠告するつもりだと言わせてもらいます」

「お好きなように。何とでも忠告してちょうだい。言いたいように言えばいいわ。でも選択はかれらに任せるのよ。禁止しようなんて考えないことね」

タッガート全社の機関車庫に貼られた通達には「エドウィン・ウィラーズ、業務取締役副社長」と署名されていた。そこにはジョン・ゴールト線の開通便の操縦を希望する機関士は、ウィラーズ氏のオフィスに七月十五日の午前十一時までにしらせるように、とあった。

彼女の事務所の電話が鳴ったのは、十五日の午前十一時十五分前だ。事務所の窓の外にあるタッガート・ビルの上階にいるエディーからだ。「ダグニー、こっちに来たほうがいいと思う」彼の声はいつもと違っていた。

通りを横切り、大理石の廊下を通りぬけ、ガラス板にいまも「ダグニー・タッガート」の名前を掲げた部屋の入口へと彼女は急いだ。そして扉を開けた。

オフィスの控え室は人であふれかえっていた。机の間に、壁沿いに、男たちがところ狭しと立っている。彼女が部屋に入ると、みな急に口をつぐんで帽子をとった。白髪頭や筋肉質の肩がみえる。そして机にいる部下たちの笑顔と、部屋の突き当たりのエディー・ウィラーズの顔がみえた。何も言う必要はなかった。

エディーは開放したオフィスの扉の脇に立っていた。その場の人たちは彼女に道をあけた。彼の手が部屋を指し、そして手紙と電報の山を指した。

「ダグニー、ひとり残らずだよ」彼はいった。「タッガート大陸横断鉄道の機関士ひとり残らず。こられた者はみんなここにいる。シカゴ部門のように遠くから来た者もいる」彼は郵便を指した。「残りがこれ。正確にいうと連絡がないのは三人だけ。北部の森林で休暇中の者、入院中の者、無謀運転で刑務所にいるのが一人——自動車のだけど」

彼女は男たちを見た。真面目な顔に押し殺した笑みが浮かんでいる。彼女は感謝の意を表して頭を傾けた。ひとつの判決が彼女とこの部屋の全員とビルの壁の向こうの世界に下され、その判決を受け入れるかのように、彼女はしばらく頭を下げたまま立っていた。

「ありがとう」彼女はいった。

ほとんどの男たちは何度も彼女の顔を見ていた。頭を上げる彼女を見て大勢が——驚嘆してはじめて——業務副社長の顔はひとりの女性の美しい顔だと知った。

群集の後ろで突然陽気な叫び声が上がった。「ジム・タッガートくたばれ！」

それに答えてわれるような歓声があがった。男たちは笑い、にわかに拍手喝采しはじめた。ささいな文句にしては大きすぎる反応だったが、その言葉はかれらをわかせるのに必要な口実となった。かれらは一見そういった男を称えて権威に挑むかにみえた。だが部屋じゅうの誰もが本当に賞賛をあびているのは誰かを知っていた。

彼女は手を上げた。「早すぎるわ」彼女は笑いながらいった。「あと一週間待って。お祝いはそのときね。その時はまかせて、盛大にやるわよ！」

開通便の機関士を決める抽選が行われた。全員の名前を書いて折りたたんだ紙のひとつを彼女はとりあげた。当選者は部屋にはいないが、運転の技術なら会社で一、二を争う機関士、ネブラスカ部門のタッガート・コメットのパット・ローガンだ。

「パットに電報で貨物に降格されたって伝えて」彼女はエディーに言った。そして「ああそう、その便の運転室に私も一緒に乗ると彼に伝えて」と何気なく、たったいま決めたことのようにつけたしたが、誰もだまされなかった。

隣にいた機関士がにやりとした。「そうなさるとおもいました、ミス・タッガート」

＊　＊　＊

ダグニーが事務所から電話をかけてきた日、リアーデンはニューヨークにいた。「ハンク、私は明日記者会見を開くつもりなの」

彼はからからと笑った。「冗談だろ！」

「本気」彼女の声は真面目に響いたが、危険なほどに、やや真面目すぎた。「新聞が突然私を発見して質問をあびせ始めたの。それに答えるつもり」

「楽しめよ」

「ええ。明日はマンハッタンにいる？　あなたにも同席してほしいわ」

「よろしい。面白そうじゃないか」

ジョン・ゴールト線の事務所で開かれた会見に来た若い記者たちは、自分の仕事が世界から事件の本質を隠すことだと考える訓練を受けてきていた。かれらの日課は、何の意味も伝えないよう慎重に選ばれた言葉で公益についてぶつぶついう公人の聴衆を務めることだ。具体的なことを言う結果にならないようにだけ気をつけながら、好きなように言葉を組み合わせて垂れ流すことが日々の仕事だった。かれらにはいま行われている会見が理解できなかった。

ダグニー・タッガートは、スラムの地下室のような事務所で机の後ろに座っていた。彼女は紺のスーツに上等の白いブラウスを身につけ、儀礼的で、ほとんど軍隊的なまでに高潔な空気を漂わせていた。背筋を伸ばして座った彼女の態度は凛々しかったが、ほんのすこしだけ凛々しすぎた。

リアーデンは部屋の隅で壊れたアームチェアに寝そべり、長い脚を片方の肘にかけ、もう片方にもたれていた。彼の態度は小気味よいほどくだけていたが、ほんのすこしだけくだけすぎていた。

軍隊報告のように明快単調な声で、メモも見ず聴衆を真直ぐに見て、ダグニーはレールの性質、橋の許容能力、建設方法、費用などジョン・ゴールト線の技術的事実を列挙した。そして銀行家の淡々とした口調で路線の財務的見通しを説明し、多額の予想利益を明言した。「以上です」彼女はいった。

「以上?」記者の一人がいった。「人びとへのメッセージはないのですか?」

「今申しあげたのがメッセージです」

「だが、いやはや――つまり、自分を弁護されないのですか?」

「何に対してですか?」

「路線を正当化することをおっしゃりたくないのですか?」

「いま言いました」

口もとに絶えず冷笑を浮かべた男がたずねた。「とにかく、私が知りたいのは、バートラム・スカダーが述べたように、あなたの路線がよくないことに対してどういった防御策があるかってことなんですがね？」

「乗らないでください」

別の記者がたずねた。「あの線を建設した動機を教えてはいただけないんですか？」

「いま言いました。予想される利益です」

「ああ、ミス・タッガート、それを言っちゃ駄目だ！」若い記者が叫んだ。新米の彼はまだ仕事に対して正直で、なぜかわからないがダグニー・タッガートに好感を抱いていた。「それを言ってはいけません。それがあなたについて、みんなが話していることなんだ」

「そうなのですか？」

「それに、そういう意味じゃないに違いありませんし……あなたもその意味をもう少しはっきりさせたいに違いありません」

「あら、お望みなら……鉄道の平均利益率は投下資本に対して二パーセントです。これほど多くの貢献をしてこれほど留保が少ない産業は不道徳と考えるべきでしょう。ご説明しましたように、ジョン・ゴールト線の輸送需要に対する費用を考えますと予想利益は投資に対して十五パーセントはくだりません。むろん、近頃は利益率が四パーセントを超える産業は横領と考えられているようです。しかし可能ならば、ジョン・ゴールト線が二十パーセントの利益を私にもたらすように最善を尽くすつもりです。それがこの線を建設した動機です。これでおわかりでしょうか？」

若い記者はなすすべもなく彼女をみていた。「ミス・タッガート、あなたのために利益を稼ぐ、という意味ではないですよね？　つまり、もちろん弱小株主のためですよね？」彼は期待をこめて回答をうながした。

「あら、違いますわ。私は、たまたまタッガート大陸横断鉄道の大株主の一人なものですから、利益の分配も多くなるでしょう。さて、リアーデンさんは利益を分配する株主がいないというもっと幸運な立場におられます──リアーデンさん、ご自分で説明なさいますか?」

「ええ喜んで」リアーデンが言った。「リアーデン・メタルの構造式が私個人の秘密であり、また、この合金は君たちが想像もできないほど安く作れるという私の見地からすると、今後数年間私は二十五パーセントの利益率を達成すべく世間から巻きあげるつもりです」

「リアーデンさん、世間から巻きあげるとはどういうことですか?」若い記者がたずねた。「広告で読んだのですが、あなたの合金は他の製品より三倍耐久性があり半額で購入できるということが本当なら、世間は得をしませんか?」

「おや、気づいたかね?」リアーデンが言った。

「二人とも、記事になるとわかって話しているのかな?」冷笑を浮かべた男がたずねた。

「ですが、ホプキンズさん」礼儀正しく、驚いたようにダグニーが言った。「記事にならなければ、私たちがあなたがたにお話する理由がありますか?」

「あなたたちが言ったことをすべて引用してほしいんですか?」

「一言一句引用してくだされればとおもいます。いまから申しあげる言葉をどうか書きとめていただけますか?」彼女は記者たちが鉛筆を構えるのを待って口述した。「ミス・タッガートによれば──かっこ──ジョン・ゴールト線でどっさりお金を儲けるつもりです。私が稼いだのですから。かっことじ。どうもありがとうございました」

「みなさん、何かご質問は?」リアーデンがたずねた。

質問はなかった。

「では、ジョン・ゴールト線の開通についてお話しましょう」ダグニーが言った。「開通便はワイオミング州シャイアンのタッガート大陸横断鉄道の駅から七月二十二日の午後四時に発車します。八十両編成の特別貨物です。八千馬力、四ユニットのディーゼルが牽引しますが――これは今回タッガート大陸横断鉄道からリースするものです。コロラドのワイアット・ジャンクションまでノンストップで、平均時速百マイルで走ります。どうなさいましたか？」長く低い口笛の音を聞いて彼女はたずねた。

「ミス・タッガート、何とおっしゃいましたか？」

「時速百マイル、と言いました――勾配やカーブも含めてです」

「ですが、むしろ通常より速度を落として……ミス・タッガート、少しは世論を考慮されないのですか？」

「ですが、考慮するからです。世論を意識しなければ平均時速六十五マイルで充分だったことでしょう」

「誰が開通便の列車を操縦するのですか？」

「その件についてはなかなか大変でした。タッガートの機関士全員が名乗りでましたので。機関助士も制動士も車掌も。その便の乗務員すべてについて抽選を行いました。機関士はタッガート・コメットのパット・ローガン、機関助士――レイ・マッキム。私も一緒に機関車の運転室に乗ります」

「まさか！」

「開通式にはどうぞご参加ください。七月二十二日です。メディア関係者は大歓迎です。通常の方針と異なり、私は宣伝魔になっていますから。本当です。スポットライト、ラジオのマイク、テレビカメラがあれば嬉しく思います。橋の周りにカメラを数台おかれてはいかがでしょう。橋の崩壊は面白い写真になるでしょう」

「ミス・タッガート」リアーデンが訊いた。「その機関車に私も乗るとなぜおっしゃらなかったんです？」

彼女が部屋の向こうの彼をみた瞬間、互いの視線をとらえたかれらはしばらく二人きりになった。

「ええ勿論でしたね、リアーデンさん」彼女は答えた。

＊＊＊

七月二十二日、タッガートのシャイアン駅のホーム越しに互いを見るまで彼女は彼に会わなかった。

ホームを踏んだとき彼女は誰を探していたわけでもなかった。空も太陽も大群衆の騒ぎも区別がつかず、衝撃と光の興奮だけを感じ、あらゆる感覚がひとつになったかのような気がしていた。にもかかわらず最初に見た人間は彼であり、どれほど長いあいだ彼だけを見ていたのか、彼女にはわからなかった。彼はジョン・ゴールト便の機関車の傍に立ち、彼女の意識の外にいる誰かと話していた。灰色のスラックスとシャツを着ている彼は熟練機械工のようにみえるが、リアーデン・スチールのハンク・リアーデンとして周囲の注目をあびている。頭上高く、機関車の銀のフロントにタッガート大陸横断鉄道のＴＴの頭文字がみえる。車体頭部は後方の空に向かって流線を描いていた。

二人の間には距離と人だかりがあったが、彼女が足をふみだした瞬間、彼の目は彼女に移った。

二人は見つめあい、彼女には相手が自分と同じように感じていることがわかった。この行事は将来をかけた重大な事業ではない。今日はただ楽しめばいい一日だ。仕事は終わった。しばらく未来を考えなくていい。現在をいとおしむに値することをしたのだ。

自分がとてつもなく重要だと感じるときだけ、人は心から軽い気持ちになれる、と彼女はいったことがある。この列車の運行が他人にどのような意味をもつかは別として、かれらにとっては二人の人間そのものが、この日唯一の存在意義だ。他人が人生に何を求めているかは知らないが、この感情への権利こそ、二人が見つけたいと願ったすべてだった。二人の間ではあたかもホーム越しに言葉がかわされたようなものだった。

そのあと、彼女は彼に背を向けた。

彼女もまた注目をあびていること、人垣にとり囲まれていること、そして自分が笑いながら質問に答えていることに彼女は気づいた。

これほどの大群衆が集まると彼女は予想していなかった。人びとはホームを、線路を、駅前広場を埋めつくしていた。側線の有蓋車の屋根、家という家の窓にいた。何かがかれらをここに引きつけ、その空気が直前になって、ジェイムズ・タッガートにジョン・ゴールト線の開通式に出席したいと思わせた。彼女はそれを許さなかった。「来たらね、ジム」彼女はいった。「あなたをタッガートの駅から放り出させるわ。この行事ばっかりはあなたに立ちあってほしくないの」そして彼女は、開通式でのタッガート大陸横断鉄道の代表者にエディー・ウィラーズを選んだ。

彼女は群集をみて、この行事はあまりに彼女の個人的なものであり、それを伝えることは不可能なはずなのにと驚くと同時に、かれらが開通式を見たいと思うのは同然だと納得した。何かを成し遂げる光景は人への最高の贈り物だから。

世界の誰に対しても彼女は怒りを感じなかった。耐え忍んできたことが存在するが痛まない傷のように、いまや霧の彼方へ遠のいていった。この瞬間の現実の前にああした困難は続きようがなく、この日の意義は機関車の銀のプレートに降りそそぐ太陽のように輝かしく、烈しいほど明快で、いまは誰もがそれを認めることができ、それは誰にも疑いようがなく、彼女は誰を憎むこともない。

エディー・ウィラーズは彼女を見ていた。彼はタッガートの重役、部門長、市の職員、そして市内で時速百マイルのスピードを出す認可を得るために説きふせ、賄賂を送り、脅した地元役人の面々に囲まれてホームに立っていた。このとき、今日この場でだけは、副社長の肩書きは彼にとって本物になり、彼はそれに相応しい振舞いをした。だが周囲の人間と話す間も、彼の目は人ごみの中のダグニーを追いかけていた。彼女はブルーのスラックスとシャツを身につけ、公式な義務の一切を彼に委ね、乗務員のように、列車のことだけを考えていた。

彼を見つけると、彼女は近づいて握手した。そして口にせずともわかりあえるすべてを総括するように微笑んだ。「さあエディー、いまはあなたがタッガート大陸横断鉄道なのよ」

「ああ」低い声で厳粛に彼はいった。

質問をあびせる記者たちが、彼女を引き離した。記者たちは彼にも質問している。「ウィラーズさん、この線に関するタッガート大陸横断鉄道の方針は？」「つまりウィラーズさん、タッガート大陸横断鉄道は利害関係のない第三者にすぎないんですね？」彼は最善を尽くして答えた。彼はディーゼル機関車を照らす太陽を見ていた。だが実際に目に映っていたのは、森の野原の太陽と、大人になったら鉄道の経営を手伝ってほしいと自分にいった十二歳の少女だった。

カメラ部隊に向かって機関車の前に乗務員が並ぶのを、彼は距離をおいて眺めていた。ダグニーとリアーデンは夏の休暇写真を撮るようにポーズをとって微笑している。背が低くて逞しい機関士のパット・ローガンは、白髪まじりで人をくったように謎めいた顔をしているが、ややおどけて無頓着な様子だ。機関助士のレイ・マッキムは若い荒くれ者の大男だが、はにかみながらも得意げな表情を浮かべてにやりとした。残りの乗務員たちは、カメラにむかっていまにもウィンクしそうな顔をしている。あるカメラマンが笑いながらいった。「みなさん、もっと暗い顔をしていただけませんか？　編集者がほしがってるのはそういうのなんでね」

ダグニーとリアーデンは記者団の質問に答えていた。いまかれらの回答には嘲笑も苦々しさもなかった。かれらは楽しんでいた。そして誠実な質問に答えるように対応していた。いやおうなしに、誰も気づかないうちに、それは現実になった。

「この便で何が起こるとおもいますか？」ある記者が制動士の一人にたずねた。「目的地に到着するとおもわれますか？」

「いくとおもうよ」制動士が答えた。「君もね、お兄さん」

「ローガンさん、お子さんはいらっしゃいますか？　保険は余分にかけられましたか？　いや、橋のことを考えているんですが」

「私が渡るまで、あの橋を渡らんことだ」パット・ローガンは軽蔑をこめて答えた。

「リアーデンさん、あなたのレールがもちこたえるとどうしてわかりますか？」

「印刷機の作り方を教えた男」リアーデンが言った。「彼にはどうしてわかったのかな？」

「あの、ミス・タッガート、何が三千トンの橋の上の七千トンの列車を支えるのでしょう？」

「私の判断です」彼女は答えた。

自分の職業を軽蔑していた記者たちは、今日はなぜこんなに楽しいのだろうとおもった。ここ数年舌鋒で名を馳せて歳の倍は皮肉屋にみえる若い男の記者が突然いった。「これになりたかったんだ。ニュースの報道マンに！」

駅舎の時計の針は三時四十五分をさしていた。乗務員たちは最後尾にある専用車両に向かい始めた。群衆の騒ぎはおさまりつつある。人びとはいつのまにか静まっていた。

三百マイル先のワイアット油田まで山中をうねる路線上の交換手全員からの合図を運行指令員が受信した。彼は駅舎から出てきてダグニーを見ると、前方良好の合図を送った。機関車の傍に立ち、ダグニーは手をあげて、合図確認のしるしに同じ手振りを繰り返した。

有蓋車の長い列が、四角い骨が連なる脊髄のように等間隔で遠くへ伸びている。後方で車掌の腕が空気をさっと払うと、彼女はそれに腕で合図して答えた。

彼女が真っ先に列車に乗り込むのをリアーデン、ローガン、マッキムは気をつけの姿勢で黙って待っていた。彼女が機関車脇の階段を上り始めたとき、ある記者がまだきいていなかった質問を思い出した。

「ミス・タッガート」後ろから彼は声をかけた。「ジョン・ゴールトって誰？」

片手で金属の手すりをもち、一瞬、群集の頭上に浮いたまま彼女は振り向いた。

「わたしたちです！」彼女は答えた。

彼女の次にローガンが運転室に入り、マッキムが続いた。最後にリアーデンが入ると、閉じる金属の決定的な堅さで機関車の扉がガシャリと閉まった。

空に架かった信号橋の光が青になった。線路の間には地面にそって青い光が点々と続き、次第に小さくなってレールが曲がるところで途切れており、そのカーブには、それも光であるかのようにみえる夏草の緑に囲まれて青信号が立っている。

二人の男が機関車の前方に渡した白い絹のリボンを持っていた。コロラド部門の監督長と現場に残ったニーリーの技監だ。エディー・ウィラーズがリボンを切り、新しい線路が開通することになっていた。

はさみを手に機関車を背にした彼に、カメラマンたちは細かく注文をつけてポーズをとらせた。何枚か撮れるように儀式を数回繰り返すのだと説明され、新しいリボンが用意されていた。彼は言われた通りに動きかけてから、立ちどまった。「いや」彼は唐突にいった。「まやかしはやめよう」

静かな威厳のある副社長の声で、彼はカメラを指さして命令した。「下がって——もっと後ろだ。僕が切るとき一枚撮ったらすぐに道をあけなさい」

言われたとおりに、かれらは急いで線路の向こうに移動した。あと一分だ。エディーはカメラに背を向け、機関車の方を向いて二本のレールの間に立った。はさみを白いリボンの上に構えた。そして帽子をとり、脇に投げ捨てた。彼は機関車を見上げていた。微風が彼の金髪をなでた。機関車の大きな銀のシールドにはナット・タッガートの標章が刻まれている。

エディー・ウィラーズは、駅の時計の針が四時きっかりをさした瞬間に手を上げた。

「発車オーライ、パット！」彼は叫んだ。

機関車が前進した瞬間、彼は白いリボンを切ってさっと退いた。

運転室の窓が通り過ぎ、ダグニーが手を振って挨拶を返しているのがみえた。やがて機関車が消え、貨物が次々と通り過ぎるたびに反対側の混雑したホームが現れては消えるのを、彼は眺めていた。

＊　＊　＊

地平線のカーブの一点からジェット噴流のように青碧色のレールが走ってくる。近づいては枕木が溶け、車輪の下の滑らかな流れに吸い込まれていく。機関車の脇で地面すれすれにぼやけた縞が張りついている。木と電信柱がいきなり視界にとびこんできては、ひき戻されるように通り過ぎる。緑の平野はゆったりと後方に伸びて流れている。空の端の長い山なみは逆方向に動いて列車についてくるようだ。

彼女は床下に車輪があるようには感じなかった。持続する推進力にのって機関車がレールの上に浮き、気流に乗り滑らかな飛行をしているかのような動きだ。速度も感じなかった。青信号の光が数秒ごとにかれらに向かってきては過ぎていくのが不思議なほどだ。信号は二マイルおきにあるのだから。

パット・ローガンの前の速度計の針は百を指している。

彼女は機関助士の椅子に座り、時折ローガンに目をやった。彼はやや前のめりになって肩の力を抜き、気まぐれのようにスロットルレバーに片手を軽くおいて座っていたが、目は前方の線路に据えられている。プロの余裕があり、自信にあふれてくだけてみえるが、それは途方もない集中力、絶対的な無情さで仕事に集中する余裕だ。レイ・マッキムはかれらの背後のベンチに座っている。リアーデンは運転室の真ん中に立っていた。

ポケットに手を入れて動かないように足を開いて踏ん張り、彼は前方を見ていた。みたいものは線路だけだ。彼はレールを見ていた。

所有権——振り返って、彼女はおもった——その本質をまったく知らないにもかかわらず、その現実性を疑う人がいなかっただろうか？　違う、登記簿や印鑑や許可証や免許証じゃない。それはあそこにある——あの人の目の中に。

運転室を満たす音は、通り過ぎる宇宙の一部だ。モーターの持続低音――様々な部品がぶつかりあう鋭い金属音――振動するガラス板の高くかぼそい旋律。

すべてが後ろに流れていく――水槽、木、掘っ立て小屋、穀物サイロ。上昇して曲線を描いては落ちていくワイパーの動きだ。電線が列車と競いあい、心動記録器が安定した心拍音の記録を空に描くように規則正しいリズムで電柱から電柱へ上がっては下りている。

線路と遠景を溶かす霞、いつなんどき引き裂かれて大災害が現れるかもしれぬ霞が前方にみえる。彼女は機関車後方の運転室にいて、障害物が現れれば自分の胸とガラス板が何よりも先にぶつかるというのに、ここにいれば安全だと、これまでにないほど安心できるのはなぜだろうとおもった。その答えを理解して、彼女は微笑んだ。それはすべてを見通し、進路を完全に把握した第一人者でいる安心感だ――先にたつ未知の力によって未知のものの中にひきこまれていく盲目的な感覚ではない。それは人生で最高の興奮、信じるのではなく、知ることだ。

運転室のガラス窓が平野をいっそう広大にみせている。大地はそれをみるものにも、動くものにも果てしなく拡がっている。だが手が届かないほど遠いものはない。前方に湖の輝きをちらとみたかと思うと――またたく間にそれは隣にあり、通り過ぎていた。

視覚と触覚の奇妙な短縮だ、と彼女はおもった。願望と達成の――彼女は頭の中でカチリとつながった言葉にはっとした――精神と肉体の。まずビジョン――次にそれを表現する物理的な形。まず思考――次に選んだ目標へ一直線に進む目的ある動き。どちらか一方だけで意味がある？　動かず望むのは――あるいは目的なく動くことは悪じゃなかっただろうか？　誰の悪意が世にはびこり、その二つをひき離して対立させたのだろう？

彼女は頭を振った。過去の世界について考えたり悩んだりしたくない。どうでもいいことだ。そんなものからは時速百マイルで飛び去りつつある。彼女は傍の開いた窓にもたれ、額の髪をなでる風の速度を感じた。後ろにもたれ、その心地よさだけを意識していた。

にもかかわらず彼女の頭はめまぐるしく回りつづけていた。線路脇の電柱のように、思考の断片が去来する。肉体的快楽？――彼女はおもった。これは、鋼鉄製の列車……リアーデン・メタルのレールの上を走る……石油燃料と発電機で動く……これは空間を物理的に動く物理的な興奮……だけどそれがいま感じていることの原因と意味なのだろうか？……人はこれを野卑な動物の快楽と呼ぶのだろうか？――いま私たちの下でレールが粉々に砕けてもかまわないようなこの気持ち――もちろん砕けはしないけれど――だけどこれを経験したらもういいんじゃない？　この野卑で物理的で不謹慎な肉体の快楽を。

髪を風になびかせて、彼女は目を閉じたまま微笑んだ。目をあけると、リアーデンが彼女を見下ろして立っている。レールを見るのと同じ目つきだ。彼女はがんと意思の力がなぎ倒されたように感じて動けなくなった。そして椅子にもたれ、相手を見つめ返した。風がシャツの薄い生地を彼女の体に押しつけている。

彼は目をそらし、彼女は二人の前で開けていく大地の景色の方を向いた。

考えたくはないが、機関車の音の下で鳴りつづけるモーターの低音のように、思考の音はやまない。彼女は運転室の中を見まわした。天井の細かい鉄網と、スチールの板同士を隅でつなぎとめている目釘の列――誰がこれを作ったのか？　人間の筋肉の乱暴な力？　十六のモーターのとてつもない力がパット・ローガンの前の四つの計器と三本のレバーに従うように、それを一人の男の手が苦もなく操れるように誰がしたのか？

これらのものと、これらを可能にした才能――それを追求することが邪悪だと人はいうのだろうか？　これが物理的世界への低俗な関心といわれるものなのだろうか？　これがものへの隷属の状態なのだろうか？　これが精神の肉体への服従なのだろうか？

問題を窓から投げ捨てて線路にふりとばすかのように、彼女は頭を振った。夏の平原の上に太陽が輝いている。考えなくていい。この疑問は彼女が既に知っていて、ずっと前からわかっていた真実の細部にすぎない。電信柱のように過ぎ去るにまかせよう。彼女にわかっていることは、一直線に上方を飛んでゆく電線のようなもの。それと、この旅と、彼女の気持ちと、人間の地すべてにあてはまる言葉は、ものごとはこんなにも単純で正しいということだ！

田舎の風景がみえる。すこし前から、線路脇に妙に一定の間隔で現れる人の姿があった。あまりにも早く通り過ぎるので意味がわからなかったが、やがて映画のコマのように断続的な映像が全体にとけあい、彼女は理解した。完成以来、線路には警備を置いてきたが、鉄道用地一マイルおきに立つ標柱に一人ずつ人間の鎖を連ねるほどの人数を雇ったわけではない。若い学生も、背中が空を向くほど腰の曲がった老人もいる。全員が、高価なライフルから年代物のマスケット銃まで、ありあわせの武器を身につけている。全員が鉄道帽をかぶっている。タッガートの従業員の息子やタッガートで終身勤務した退職者たちだ。招集されたわけではなく、この列車を守るためにやってきたのだ。機関車が通り過ぎると、それぞれ順番に、直立不動で軍隊式の敬礼のようにかれらは銃をもち上げた。

それがわかったとき、彼女はだしぬけに、叫ぶように笑いだした。子どものように体を揺すり、解放感をこらえきれずにすすり泣くように、彼女は笑った。名誉の護衛兵たちにとうに気づいていたパット・ローガンは微笑を浮かべてうなずいた。彼女は開いた窓に寄りかかり、歓喜して腕を大きく振り回しながら、線路脇の男たちに手を振った。

遠い丘の頂上に、空を背にして手を振る群衆がみえる。眼下の谷に散在する村の灰色の家々は、底に沈んで忘れられてしまったかのようだ。屋根の線は傾き、たわみ、年月が壁の色を洗い流していた。おそらく何世代にもわたって人びとはそこに住み、東から西に移動する太陽のほかに日々の変遷を記すものはなかったのだろう。いまその人びとが、長く重い沈黙を破る角笛のように、銀冠の彗星（コメット）が平野を突き抜けていくのを見るために丘に登っていた。

通り過ぎる家が増えて線路に近くなると、窓やポーチ、そして遠くの屋根にいる人びとがみえた。踏切の前で道をふさぐ群集がいる。道は送風機の輻のように素早く流れ、人の姿ははっきりとみえず、列車に向かって速い風に揺れる小枝のように振られる手がみえるだけだ。かれらは赤信号や「とまれ、左右確認、耳でも確認」の標識の下で手を振っていた。

時速百マイルで飛ぶように通過した市中の駅は、ホームから屋根までが揺れ動く人波の彫刻のようにみえる。さっと振り上げられた腕、宙に舞う帽子、そして機関車の脇にさっと何かが放り投げられたかと思うと、花束だった。

いくつもの町を次々と通り過ぎていったが、停車しない駅は、ただ見物し、歓声をあげ、そして希望を持とうとやって来た人であふれかえっていた。古い駅舎のすすけた軒下に花輪が、年月を経て朽ちた壁には星条旗がかかっている。教科書の鉄道史のページで羨みながら眺めた、開通祝いに人びとが集まった時代の写真のようだ。それは国じゅうを駆けめぐるナット・タッガートが、行く先々で成功の光景を喜ぶ人びとに迎えられた時代だった。その時代は過ぎ、年月がたち、どこにも歓迎すべき出来事はなく、ナット・タッガートの建物の壁のひび割れが年々ひどくなるだけだ、と彼女はおもっていた。だが人びとは彼の時代の人びとがそうしたように、同じものに惹かれてやってきたのだ。

彼女はリアーデンをみた。壁を背に立ち、群集に気づかず、賞賛をあびていることにも無関心だ。線路と列車の調子を職業的興味から、専門家の真剣な目で吟味している。頭の中で「うまくいく！」という考えが鳴り響いているこのときに、「気に入られている」などと悦に入る態度は問題外だと一蹴しそうな様子だ。

灰色一色のスラックスとシャツを身につけた長身の姿は、行動するために余計な衣服をとりはらってあるかのようにみえる。スラックスは長い脚線、苦もなく立ちつづけ、いつでも前進できそうな身軽で安定した姿勢を強調している。半袖で長い腕が逞しくみえ、開襟シャツからは引き締まった胸がのぞいている。

頻繁に振り向きすぎだとはっと気づいた彼女は、背を向けた。だがこの日は過去とも未来とも繋がってはいない――思考は前後の意味から切り離されていた――彼と同じ空気の箱に一緒に封じこめられているという生々しく烈しい感情の意味だけを彼女は意識しており、彼のレールが列車の飛行を高めるように、彼の存在の近さが彼女の意識を強烈に昂ぶらせていた。

彼女はやおら後ろを振り向いた。彼はこちらを見ていた。そして目をそらさず、冷ややかに、完全に意識したうえで彼女の視線を捉えた。彼女は自分の笑みの完全な意味に気づかないふりをして、ただ自分の笑顔が相手の強情な顔に鋭い一撃を加えることを確信して微笑んだ。急に彼女は、彼が身震いするのをみたい、悲鳴をあげさせてみたいという衝動にかられた。そしてむこうみずな驚きをおぼえながら、なぜ呼吸が苦しいのだろうと思いつつ、ゆっくりと顔をそむけた。

椅子にもたれ、前を向いて座ったが、自分と同じく彼も意識しているということがはっきりとわかる。その自意識は快感だった。彼女が足を組むとき、窓枠に腕をかけるとき、額から髪をかきあげるとき――体の動きの一つ一つにことさら意味をもたせていたのは、あの人はこれを見ているかしら、という認めたくない言葉だ。

町が後ろに遠ざかった。線路は近寄り難く厳しくなっていく自然に続いている。レールがカーブの後ろに消えていき、山の尾根がひだを折るように近づいてくる。コロラドの平らな岩棚が線路の端に進んできた——遠い空が青々とした山なみに吸いこまれていく。

はるか前方に、工場の煙突にかかる煙のもや——そして発電所の網目、ぽつんと立つ鉄筋の建物の尖塔がみえた。デンバーに近づいていた。

彼女はパット・ローガンを一瞥した。さっきより少し前かがみになっている。彼の指先と目がわずかに緊張したのが彼女にも見てとれた。彼は彼女と同様に、この速度で市中を通過する危険を知っていた。

それは数分のことだったが、一連の光景としてかれらの目に映った。まず、ぽつりぽつりと立つ工場の輪郭が窓ガラスを通りすぎ——輪郭がかすんだ街路にまじりあい——タッガートの駅に列車を吸い込む漏斗の口のようにレールのデルタが目の前に広がり、ただ地上に小さな青い光が散らばるだけで行く手を遮るものは何もなく——運転室の高みから、側線の貨物車の平屋根の帯が流れるのが見え——車両庫の黒い穴が顔前を飛び去り——天井のガラス板に伝わる車輪の振動と、鉄柱の間の暗闇で液体のようにゆらめく群集の大歓声との音が炸裂する中を猛烈な速さで走りぬけ——輝くアーチとその向こうの広い空にぶらさがる青信号、宇宙のドアノブのように、前の扉を次から次へと開けていく青信号に向かって、かれらは飛んでいた。そして列車の背後に交通で固まった街路、人で膨らんだ開いた窓、サイレンがうなる音が消えていく——遠くの高層ビルの天辺から——見物のために静止した町を銀色の弾丸が貫くと同時に、見物人の誰かが撒いた紙吹雪が空中に舞った。

ふたたび岩だらけの勾配にでた——唐突に、街から花崗岩の壁に投げつけたかのように山脈が前方に現れ、やがて薄い岩棚にとり囲まれた。垂直の崖の側面に貼りついた列車に地表が近づいては離れ、ねじれた丸石の重厚な層が盛り上がって太陽を遮ったかとおもうと、大地も空も見えず、青みがかった黄昏を走るだけになった。

列車の両脇を研ぐように迫る岩壁の間でレールはとぐろを巻くように進んでいる。だが、ときおり視界が広がり、レールの先で山が二枚の翼のようにぱっと開いた――片方の翼は一面松の葉でできた緑の硬い絨毯――もう片方は赤茶けた裸岩製だ。

開いた窓から見下ろすと車体の縁がみえる。はるか下方、岩棚から岩棚へ細い流れの糸が落ちている。水に落ちる茂みはチラチラ光る白樺の先端だ。機関車の後ろの有蓋貨車が花崗岩の急斜面にからみついていく――何マイルも続くゆがんだ岩を下にして、列車の後ろで、青碧のレールがほどけていった。

岩壁が途中でいきなり上方に突き出て、窓ガラスを埋めると運転室を暗くし、もはや逃れられないかのように迫った。だがカーブできしる車輪の音がきこえると光がふたたびあふれ、狭い岩棚に伸びるレールがみえた。岩棚は空中で途切れていた。機関車の先は真直ぐ空を目指している。遮るものは何もなく、岩棚に沿った曲線に青碧の二本の細いメタルが伸びているだけだ。

十六台のモーターの凄まじい連打を受け、七千トンの鉄鋼と貨物の重力に耐え、それをつかみ、それを曲線沿いに振り回すことは、彼女の腕の幅ほどもない二本の細い金属がなすにしては驚異的なわざだ、とダグニーはおもった。何がそれを可能にしたのだろう？　何の力が目に見えない分子の配合に、わたしたちの命と八十台の貨物を待つすべての人たちの生活がかかる力を与えたのか？瞼には試験炉の光の中でメタルの試作品である白い液体を見つめる男の顔と手が浮かんだ。

不意にこみあげてきた感情に彼女は押し流されそうになった。そしてモーター室に向かい、扉をバタンと開けて、機関車の心臓部の振動音がする方に逃げた。

すこしの間、彼女の感覚は聴覚ひとつになったかのようで、耳に残っているのは上がっては下がり、また上がる長い轟音だけになった。振動する金属の密閉室の中に立ち、彼女は巨大な発電機をみつめていた。胸中の勝利感はこれらの利器と、これらの利器に対する彼女の情熱と、彼女が選んだ生涯の仕事の合理性に負うものであり、それを自分の目で見て確かめたかった。激しい感情の異常なまでの明快さのなかで、これまで知らずにいたが知るべきことをいま理解しようとしているような気がした。大声で笑ったが、その声も聞こえない。切れ目のない爆音の中では何も聞こえない。唇から声がさらわれる感覚が心地よくて、「ジョン・ゴールト線！」と彼女は叫んだ。

モーター部のエンジンと壁に挟まれた狭い通路を彼女はそろそろと移動した。自分が侵入者のごとく不作法に、ある生きものの銀の皮膚の下にすべりこみ、灰色の金属の筒、よじれたコイル、蓋をした管、金網の中で猛烈に渦巻く羽のなかに命の鼓動を観察している気がする。頭上の巨大で複雑な物体から目に見えない回路が流れ出て、その中で猛威をふるうものは、ガラスの目盛のもろい針に、計器で点滅する緑と赤の丸いビーズに、「高電圧」とステンシルで刷った高く平たい小部屋に導かれていた。

機械をみるといつも心が踊り、自信が湧いてくるのはなぜだろう？――彼女はおもった。この巨大な物体のなかには、非人間的なものに属する二つの側面、理不尽さと無目的さがすがすがしいほど皆無だ。モーターのあらゆる部分は「なぜ？」「何のために？」という問いに対する答えを具現化したものだ――彼女が崇拝する精神が選ぶ生涯の歩みのように。モーターは鋼鉄で鋳造された道徳律なのだ。

これらは生きている、と彼女はおもった。これらはすべて生きた力の――この複雑なものをすべて理解し、目的を定め、形を与える精神の働きの物理的な形なのだから。彼女は一瞬、モーターが透明になり、その神経組織の網がみえた気がした。電線と回路全体よりも入り組んでおり、それらよりも重要な接続網、これらの部品ひとつひとつを最初に造った人間の頭脳の理性の回路だ。

これらは生きている、と彼女はおもった。だがその魂は遠隔操作でこれらの機械を動かしている。魂はこの偉業に匹敵する能力をもつ人間ひとりひとりのなかにある。地上からその魂が消えてなくなれば、モーターは止まる。なぜならそれがすべてを動かす力――いずれ原始の泥になる床下の石油ではなく――寒さに震える野蛮人が住んでいた洞窟の壁の染みの色に錆びるスチールの筒でもなく――生きた精神の力――思考と選択と目的の力だから。

運転室に戻る途中、笑いたい、ひざまずいて両手を上げたい、形に表せないこの感情を解き放ちたいと彼女はおもった。

彼女は立ち止まった。リアーデンが運転室の扉の階段の脇に立っている。彼女が逃げだしたわけも彼女の気持ちも見通しているかのようにこちらを見ている。狭い通路越しに体で見つめあうように、二人はじっと立っていた。胸の鼓動がモーターの鼓動と呼応し、その両方が彼から来ているようだ。強いリズムは彼女の意思をなぎ倒した。口にできぬ瞬間があったことを互いに意識しながら、二人は無言で運転室に戻った。

目の前の崖が明るく澄んだ金色に変わった。眼下の谷に細長い影が伸びている。太陽は西の山頂に沈みつつある。列車は西上方、太陽に向かって進んでいた。

空は線路と同じ深い青碧色に染まり、遠くの谷に煙突がみえた。コロラドの新しい街、ワイアット油田から放射線のように広がる街だ。モダンな家の幾何学的な輪郭、平らな屋根、大きな窓ガラスがみえる。遠すぎて人の顔は見えない。あの距離からは誰も見ていないだろうと彼女がおもった瞬間、建物の合間から花火が打ち上げられ、町の上空に高く昇り、暮れていく空に金色の星の噴水を散らせた。列車の中からは見えない場所から誰かが山腹に流れる列車を見ていて、黄昏の空にひとつ、祝いの象徴か救援の合図に使う火の矢で歓迎の挨拶を送ったのだ。

次の曲がり角をこえると急に遠くまで視界が開け、紅白の二点の電光が低空にみえた。飛行機の光ではない——円錐形に組んだ金属の桁に支えられている——それがワイアット石油の油井やぐらだとわかった瞬間、線路がさっと下方に伸び、山が振り払われたかのように大地がぱっと広がり——その底、ワイアットの丘のふもと、峡谷の暗い裂け目に架かるリアーデン・メタルの橋がみえた。

列車は飛ぶように下り、彼女は綿密な傾斜変更、大きなカーブによる段階的な下降を忘れ、列車が頭から下に突っ込むような錯覚を覚えた。近づくにつれて大きくなる橋——山壁の隙間から差しこむ長い夕日に照らされ、青碧に輝く小さな四角い金属の編模様のトンネルと、空中を縦横に横切る行桁が見える。橋の傍には黒だかりの人びとがいたが意識をかすめ、消えていった。きこえたのは車輪が加速して高まっていく音——車輪のリズムにあわせて心から離れず、大きくなっていく曲の主題——急に運転室のなかにあふれだしたが、心の中でしかきこえないはずのリチャード・ハーレイの協奏曲第五番——このために彼はこの曲を書いたのだろうか？　こんな気持ちを彼は知っていたのだろうか？——列車のスピードは速くなり、山から踏み切り台を蹴るように飛びはねて地上を離れ、空中を漂っている感覚を彼女は味わった。フェアな実験じゃない。飛んでいる列車ではあの橋にはかすりもしない、と彼女はおもった——リアーデンの顔を見上げて、その顔の下で自分の顔を動かさないように頭をのけぞらせて、彼女は相手の目をとらえた——金属の轟音、足下で打ち鳴らされる音がきこえ、橋の斜めの柱がフェンスの杭沿いに走りすぎる金属の棹の音とともに窓を通り過ぎていった——そしてにわかに窓が明るくなり、急激な下降の勢いで列車は丘を登り、ワイアット石油の油井やぐらが目の前にたぐり寄せられていた――パット・ローガンが振り向き、リアーデンを見上げて微笑した――リアーデンは言った。「これでおしまいだ」

屋根の縁の看板は「ワイアット・ジャンクション」と読めた。何か変だと思いながらそれを見つめていて、やがて彼女は気づいた。看板の字は動いていない。機関車がとまっているとわかったとき、彼女はこの旅でもっとも鮮烈な感動をおぼえた。

どこかで声がして下をみると、プラットホームに人がいる。運転室の扉がバタンと開き、自分がまず降りなければと彼女は端まで歩いた。その瞬間、自分の体のしなやかさ、開放された空気の流れのなかに全身を伸ばして立つ軽快さを感じた。そして金属の手すりをつかみ、階段を降りはじめた。半ばまで降りたとき、あばら骨と腰が男の手に挟まれ、体が階段から引き離され、空中を飛んで地面に置かれた。信じがたいことに、目の前で笑っている若々しい男はエリス・ワイアットだ。硬く嘲笑的だったと記憶している顔には、いま本来いるべき世界に生きている子どもの純粋さと、積極性と、明るい善良さがあった。

彼の肩によりかかり、地面は動いていないのに足元がぐらつくように感じながら、腕に抱かれて彼女は笑い、彼の言葉を聞いて答えていた。「だけどわたしたちならやるってわからなかった？」

まもなく周りの顔がみえた。ジョン・ゴールト線の社債を買ったニールセンモーター、ハモンド自動車、ストックトン鋳造所などの会社そのものである男たちだ。彼女は握手をしたが、演説はしなかった。エリス・ワイアットを後ろに、ややくだけた姿勢で、目にかかる髪をかきあげ、額に煤のしみをつけたまま彼女は立っていた。そして無言で、にんまりと笑みをこらえている列車の乗務員たちと握手を交わした。周りではフラッシュがさかんにたかれ、山の勾配にある油田の掘削装置から手を振っている人たちもいる。彼女の頭上、群集の頭上には、銀のシールドに浮かぶＴＴの文字が、沈む太陽の最後の光線に照らされている。

エリス・ワイアットが場をしきっていた。群衆を手でさっとかきわけて道をあけながら彼女をエスコートしていたとき、カメラをもった男が一人、横にぬっと現れた。「ミス・タッガート」彼は声をはりあげた。「人びとへのメッセージをお願いします」エリス・ワイアットは貨物車の長い列を指さした。「これがメッセージだ」

そして彼女はオープンカーの後ろに座っており、山道のカーブを上がっていった。隣がリアーデン、運転手がエリス・ワイアットだ。

車は崖っ縁に建つ一軒家でとまった。目の届くところにほかの住民はおらず、眼下の勾配一面に油田がひろがっている。

「もちろん、俺の家に泊まっていくんだ。ふたりともだぜ」かれらが家に入ると、エリス・ワイアットは言った。「ほかにどこに泊まるつもりだったね?」

彼女は笑った。「さあ。何も考えてなかったわ」

「最寄の町は車で一時間だ。乗務員たちはそちらへ行った。きみの地区本部の連中が慰労会をやる。町じゅうまきこんでね。だがテッド・ニールセンやほかのやつらには、きみたちには晩餐会も式典もやらないといってある。そうしてほしければ別だが?」

「まあ、結構よ!」彼女はいった。「ありがとう、エリス」

大きな窓と高価な家具がいくつか置かれた部屋の晩餐テーブルにつく頃、外はもう暗くなっていた。夕食は、白いジャケットを着た静かな人物、この家で唯一主人以外の住人である、いかめしい顔の慇懃な老インド人によって饗された。部屋じゅうから窓の向こうまで火が点が散っている。テーブルの上のろうそく、油井やぐらの灯り、そして星だ。

「もう手一杯だと思っているのか？」エリス・ワイアットは言った。「一年くれれば、休む暇もないくらい仕事をやるよ。ダグニー、一日にタンク列車二便だって？　いまに四便でも六便でも、満たしてほしいだけ必要になる」手が山にかかる光をさっとはらった。「これ？　こんなもの、これからやることに比べれば何でもない」彼は西の方角を指さした。「ブエナ・エスペランサ道。ここから五マイルだ。みんな俺がそれをどうするんだろうと思っている。油母頁岩（オイルシェール）だ。金がかかりすぎるからって頁岩から原油を抽出しようとするのをやめたのは何年前だっけ？　ま、俺が開発したプロセスを見るまで待つことだ。これまでないほど安い原油をやつらの顔面にあびせてやる。無限の供給源、最大の石油タンクも泥溜りにみえる未開発の供給源になるんだ。パイプラインは注文したかな？　ハンク、きみと俺はパイプラインをあらゆる方向に拡張して……おっと、申しわけない。駅で話したとき自己紹介をしていなかった。名乗ってもいなかったね」

リアーデンはにやりとした。「見当はついているが」

「すまない、うかつにも興奮しすぎていたな」

「何に興奮していたのかしら？」ダグニーはあざ笑うように目を細めてたずねた。

ワイアットはしばらく彼女を見つめかえしていた。微笑むように答えた声には、妙に真剣な烈しさがあった。「これまでくらった中でいちばん見事なしっぺ返しに」

「つまり、初対面のときのこと？」

「ああ、初対面のときのことだ」

「もういいわ。あなたは正しかった」

「そう。きみ以外のすべてについてね。ダグニー、何年も幻滅しつづけたあげく例外をみつけるってこと……ああ、あんな連中はどうだっていい！　ラジオをつけて今夜きみたちのことをやつらが何と言っているかききたいか？」

「いいえ」

「よかった。俺もごめんだ。勝手にしゃべらせとこう。やつらはみな、いま時流にのろうとしている。俺たちが時流なんだ」彼はリアーデンを見やった。「何をにやにやしている？」

「前から君という人間がどんな人物なのか見てみたかったんだ」

「俺が自分という人間でいられたことなんかなかったな――今夜がはじめてだ」

「こんな風に、すべてから何十マイルも離れて、独りで暮らしているのかい？」

　ワイアットは窓を指さした。「ほんの数歩しか離れていないぜ――すべてから」

「人はどうなんだ？」

「仕事で会いに来る者のための客室はある。それ以外の種類の人間とはできだけ距離をおきたいんだ」身をのりだして、彼は客のグラスにワインを注いだ。「ハンク、コロラドに越してこないか？　ニューヨークも東海岸もほっとけ！　ここはルネサンスの首都だ。第二期ルネサンス――油絵や大聖堂じゃなく――リアーデン・メタル製の油井やぐら、発電所、モーターのルネサンスだ。石器時代も鉄器時代もあったが、これからはリアーデン・メタル時代と呼ばれることになるぜ――きみのメタルが可能にしたことは無限だからな」

「私はペンシルベニアに数平方マイルの土地を買うつもりだ」リアーデンは言った。「製鉄所のまわりにね。このあたりに支社を建てたほうが安くついたろうし、そうしたかったが、できないわけは知っているだろう。そう、やつらのことはほっとけばいい！　どのみち私にかないはしない。製鉄所は拡張する。それに彼女がコロラドへの貨物輸送を三日に縮めてくれたら、どちらがルネサンスの首都になるか競争だ！」

「一年ちょうだい」ダグニーが言った。「ジョン・ゴールト線を運営して、タッガート全社を再建する時間を――そうすれば大陸横断貨物を三日にできるわ。太平洋から大西洋まで、リアーデン・メタルの線路でね！」

「てこをくれ、といったのは誰だっけ？」エリス・ワイアットが言った。「行く手を遮られることのない通行許可さえくれれば、地球だって動かしてみせる！」

ワイアットの笑い声の何がいいのだろう、と彼女はおもった。この人たちの声にはきいたことのない響きがある。彼女の声にさえも。テーブルから立ち上がった時、ろうそくが部屋の唯一の照明だったと気づいて、彼女は驚いた。鮮烈な光のなかにいる気がしていたからだ。

エリス・ワイアットはグラスを手にとり、二人の顔を見て言った。「たったいまそうあるらしき世界に！」

彼は一息にグラスを空にした。

グラスが壁に砕け散る音が聞こえたのは、腕がぐるりと振り回され、その手が恐ろしく乱暴に部屋の向こうの壁にグラスを叩きつけた瞬間だった。それは祝いのジェスチャーではなく、抑えきれぬ怒りの発露であり、苦痛の悲鳴であり、憎悪にみちた動作だった。

「エリス」彼女は小声でいった。「どうしたの？」

彼は振り向いて彼女をみた。また急激に彼の目は澄みわたり、表情は落ち着いていた。彼女を怯えさせたのは、彼が穏やかな笑みを浮かべたことだ。「すまない」彼はいった。「気にしないでくれ。これが続くと考えることにしよう」

ワイアットが外の階段から家の二階にのぼり、客室の扉の前にある広々としたベランダまでかれらを案内したとき、眼下に広がる大地には月光の縞模様がついていた。おやすみと彼がいい、階段を降りていく音がきこえた。月光は色と同様に音も消してしまうようだ。足音が遠い過去に吸いこまれて聞こえなくなると、最果ての地で長く続いた孤独のような静寂がおとずれた。

彼女は自分の部屋の扉に向かおうとしなかった。彼は身じろぎもしなかった。足もとは細い欄干があるだけで、外には空き地が広がっている。下方には険しい岩の層が伸びており、輝く岩に黒い十字の目をくっきりと切りつけて、やぐらの鋼鉄の影が続いている。澄んだ空気のなかで紅白の灯りが鋼鉄の桁の縁にとらえられた雨滴のように震えている。はるか遠く、青い光の滴が三つ、タッガートの線路沿いに並んでいる。その先のすこし白んだ空の端の下に架かる網模様の長方形が橋だ。ジョン・ゴールト線の車輪がなおも疾走しつづけているかのように、彼女は音も動きもないリズムを感じ、緊張で胸が高鳴った。無言の呼びかけに抵抗しながら応じるように、彼女はゆっくりと振り向いて彼をみた。

彼の表情をみて彼女は初めて、この旅の最終目的地はここだ、とはじめから自分は知っていたことを悟った。その顔は人間らしいものとして教えられてはいない。ゆるんだ筋肉でも、たれさがった唇でも、単なる飢えでもない。引き締まった筋が、表情に独特の純粋さを、形に鋭利な端正さを与え、精悍で若々しい顔にしていた。口は固く閉じて、やや内側に引いた唇がその輪郭をくっきりと際立たせている。目だけはかすんでおり、下瞼がはれぼったく、憎悪と苦しみに似た何かのこもった視線を投げかけている。

衝撃が彼女の体にひろがり、全身を麻痺させた――喉と胃にきつい圧迫感がある――息が止まるほどの静かな痙攣のほかには何も意識していなかった。だが言葉にならない感情をおぼえていた。ハンク、お願い――いますぐ――なぜってそれはおなじ戦い、うまくいえないけどおなじ形の……なぜってそれはあのひとたちに対するわたしたちの存在そのもの……あのひとたちがそのためにわたしたちを苦しめる才能、幸福になる力……いま、こんなふうに、ことばも疑問もなく……なぜって、わたしたちがそうしたいから……

それは憎悪の行為のような体を打ちつける鞭の鋭利な衝撃だった。男の手にとらわれたとおもうと、脚が脚に引きつけられ、胸は強く押されて反り、唇がうばわれていた。

彼女の手は彼とのすべての会合で秘められていた欲求を発散しながら、男の肩から腰へ、そして脚へと動いた。その口から自分の口をむりやり引き離したとき、彼女は勝ち誇って音もなく笑っていた。ハンク・リアーデン——修道院のようなオフィス、仕事の会議、厳しい交渉のあのいかめしくて近づき難いハンク・リアーデン——いま思いだせる？——わたしは思い出しているの。あなたをこんなふうに貶めたと思う快感のために。彼は笑みを見せず、硬い敵の顔をして彼女の頭をぐいと動かし、傷めつけようとするかのようにふたたび唇をとらえた。

彼の震えが伝わってきて、こういう悲鳴をあげさせたかったのだ——苦しい抵抗の果てにこんなふうに降伏させたかったのだ、と彼女はおもった。だが同時に、勝利したのは彼であり、自分の笑みは男の勝利への献辞であり、自分の反抗は服従であり、暴力的なまでの自分の強さの目的はすべて、男の勝利をより偉大にするためだけにあることを彼女は知っていた。彼女がいまや欲望を満たす道具に過ぎないと思い知らせたいかのように、彼は彼女の体を強く抱いていた。そして彼女自身がそこまで貶めてほしいと願うことも彼の勝利を意味している。彼女はおもった。わたしという人間のすべて、人としてもっている誇りのすべて、自分の勇気と、仕事と、頭脳と自由についての誇りのすべて——それこそあなたの肉体の快楽のために提供できるもの、それこそあなたに仕えさせたいもの——そして、あなたがこの体にそれを求めていることが、わたしへの最高の報いなのだ。

背後の二つの部屋には明かりが灯っている。彼は手首をとり、同意や抵抗の合図はいらないことを身振りにいわせて、彼女を自分の部屋の中へ投げ入れた。彼女の顔をみながら、彼は扉に鍵をかけた。真直ぐに立ち、相手を見つめたまま、彼女は腕をテーブルのランプに伸ばして明かりを消した。彼は近づいた。そして嘲るように手首を一振りすると、ふたたび明かりをつけた。そしてはじめて笑みをみせた。行為の目的をはっきりと知らしめるような、侮蔑をこめた緩慢で官能的な笑みだった。

彼女の顔が自分に押しつけられ、その唇が彼の首筋から肩をたどって落ちていくあいだ、彼は倒れかかった女の体をベッドに横たえつつ、服を剥ぎとっていった。男への情欲をあらわにする女の仕草のひとつひとつが強烈な衝撃になり、内側はこらえきれない怒りでわなないていた——にもかかわらず、どのような仕草によっても、この女の欲望の証拠をもっと見たいという渇きは満たされないのだ。

彼女の裸体を見下ろして覆いかぶさる彼の声がきこえた。それは意思確認というよりは侮蔑まじりの勝利宣言にちかかった。「欲しいか?」目を閉じ、口を開けた彼女の答えは、言葉というよりは呻きにちかかった。「はい」

腕に感じたのは彼のシャツであり、口に触れた唇は彼のものだとわかっていたが、そのほかの彼女のすべてのなかで、肉体と精神の間に境がないように、二人の存在の間には境がなかった。過去の年月のあらゆる段階において、かれらはひとつのことに忠実でいるためにたゆまず一途に歩み続けた。存在への愛のために。与えられるものは何もなく、人は自分自身の願いをたて、それを成就させていかねばならないという認識のもとに道を選んだ。そして金属やレールやモーターを造る過程を通じて、人間はこの世界を自らの楽しみのために作り変えるのであり、人間の精神が生命のない物質に、それを自分が選んだ目標に役立つ形にすることによって意味を与えるのだという信念によって行動してきた。その道が二人をこの瞬間に導いたのだ。人間の最高の価値観への答えとして、いかなる形の賛辞でも表現しきれない賞賛として、精神が肉体を鋳なおしてそれを賛辞に変えて——証しとして、承認として、報酬として——存在の承認がほかに要らないほど、強烈な歓喜の頂点にまで。彼女の喘ぐような呻きを彼がきいた瞬間、彼の体の震えを彼女は感じた。

第九章　聖人と俗物

赤い光の帯が、手首から肩まで等間隔につけたブレスレットのように腕に輝いている。見慣れない部屋の窓のベネチアブラインドから射しこむ光の帯だ。二の腕に黒っぽい血のついたあざがある。腕は体をつつむ毛布の上だ。脚と腰がついていることはわかるが、体のほかの部分には、太陽光線で作った籠にゆられ、空中にゆったり伸びているかのような軽い感覚だけがあった。

寝返りをうって彼を見ながら、彼女はおもった。あの超然とした態度、ガラスで仕切られたような堅苦しさ、断じて感情に左右されない誇りから――言葉にはならず、昼日中には口にできない何時間もの激しい行為のあとで隣にいるこのハンク・リアーデンへの変化。だがその行為の記憶は互いを見る目のなかにあり、二人とも口にしたい、何度も言いたい、互いの顔面にあびせたいと思っているのだ。

彼は口もとに微笑をたたえた若い娘の顔を見ていた。自然にくつろぐ姿が輝き、絡まった髪が波うって頬から肩に落ちている。その目は、彼がのぞんだ行為をすべて受けいれたのと同様、言いたいこともすべて受けいれる覚悟があるように彼をみている。

彼は手を伸ばし、彼女の頬にかかった髪を、こわれものに触れるようにそっとかきわけた。そして髪を指先で持ち上げたまま彼女の顔を見つめると、にわかにその髪を握って唇にあてた。くちづけは優しかったが、髪をもつ指先から伝わってくるのはどうしようもない悲しみだ。

枕に体を落として目を閉じ、彼はじっと横たわっていた。顔は若々しく穏やかだ。緊張に支配されることなくその顔をみていた彼女は不意に、彼が耐えてきた不幸の大きさに気づいた。だけどもう過ぎたことだ、と彼女はおもった。それは終わったのだ。

彼女を見ずに彼は起きあがった。またもや虚ろで近寄り難い顔をしている。床から衣服を拾い、部屋の中央に立ち、半ば背を向けて着替え始めた。彼女がいないかのようにではなく、存在が問題にならないかのように振舞っている。シャツのボタンを留めて、スラックスのベルトを締める動作は義務を遂行するように迅速で正確だ。

枕にもたれて観察しながら、その動く姿に彼女は見とれていた。灰色のスラックスとシャツが似合う――ジョン・ゴールト線の熟練整備士みたい、と彼女はおもった。太陽の光と影が描く縞模様は刑務所にいる囚人のようだ。だがそれはもはや監獄の檻ではなくジョン・ゴールト線が叩き壊した壁のひび、ベネチアブラインドの向こうの世界でかれらを待ちうけるものの予告なのだ。ワイアット・ジャンクションからの第一便で、新しいレールに乗って帰る旅路――タッガート・ビルの彼女のオフィスへ帰る旅路と、いまは自由に勝ちとることができるすべてのものを彼女はおもった。だが、まだいいだろう。考えたくはない。初めて唇が重なったときの感触を彼女は思いだしていた。感じるままでいい。ほかのすべてがどうでもいいと感じるこの瞬間をいとおしむために――彼女はブラインドの向こうの空のかけらをみてゆったりと微笑んだ。

「はっきり言っておく」

着替えを済ませた彼が、ベッドの脇で彼女を見おろして立っていた。明晰で抑揚がなく、淡々とした口調だ。従順にリアーデンを見上げた彼女に、彼はいった。

「俺が君にいだいている感情は軽蔑だ。だが自分を軽蔑する感情に比べたら、君への軽蔑など何でもない。君を愛してはいない。誰も愛したことがない。初めて会ったときから君が欲しいと思った。人が売春婦を求めるように——同じ理由と目的で——君が欲しかった。二年間、自分を呪いながら過ごした。君はそんな欲望を超越していると思ったからだ。だが違う。君は同じくらい破廉恥な動物だ。そのことを知って嫌悪感をいだくべきだ。だがそれがない。昨日までは、俺がさせたことが君にできるというやつがいれば、そいつを殺していただろう。今日、君をそのあばずれにしておくためなら俺は死んでもいい。君にみた偉大さのすべて——動物の快楽の興奮にふける淫らな才能と引き換えなら、それも要らない。俺たちふたり、君と俺は、強さを誇る偉大な人間だったな？　だが、これが俺たちのなれの果てだ——それについて自分を欺こうとは少しも思わない」

おのれの言葉で自らを打ちのめすように、彼はゆっくりと話した。声には感情がこもらず、生気のない努力があるだけだ。話す意欲がある口調ではない、気のすすまぬ義務を果たすような醜い苦悩にみちた響きだ。

「俺は一切誰も必要としないことを誇りにしてきた。だが君が必要だ。常に信念にもとづいて行動することを誇ってきた。だが自分が軽蔑する欲望に屈した。俺の精神、俺の意志、俺の存在、俺の生きる力を、君への——敬愛したダグニー・タッガートでさえない——君の体、君の手、君の口、そして君の筋肉が痙攣するひとときへのみじめな依存におとしめた欲望に。俺は約束を破ったことがなかった。いまや生涯の誓いを破ってしまった。隠さねばならない行為を犯したことがなかった。これからは嘘をつき、人目を忍び、隠れることになる。何を望んでも声高に世界の表舞台で勝ちとれた。いま欲しいのは自分自身に口にするのさえおぞましいことだけだ。だがそれが唯一の欲望だ。君を俺のものにする。そのために工場、メタル、全人生をかけた仕事の業績、持っているすべてをあきらめてもいい。自尊心という自分自身以上の代償を払ってでも、君を俺のものにする。それをはっきり言っておく。行為の本質を曖昧にしたままの欺瞞も、責任の回避も、暗黙の許しもいらない。愛や価値、忠実や尊敬についての欺瞞もいらない。笠に着る名誉はかけらもほしくない。俺は慈悲を求めたことがない。自分で決めてこうしたんだ。だからその結果は、自分の選択の完全な認識も含めてすべて甘んじて受ける。それは堕落だ。俺はあるがままに受けとめる。そして、そのためならどんな高い徳だろうが捨ててしまってもかまわない。さあ、殴りければ殴ってくれ。そうしてくれたほうがましだ」

真直ぐに座り、毛布を喉もとに引きつけて体を覆い、彼女は耳を傾けていた。はじめ、彼女の目は衝撃のために呆然として曇った。そのあと熱心に聴きはじめ、目こそ相手の顔に据えられてはいるものの、その顔以上のものを見ているようにみえた。かつて対峙したことのない新たに露呈した事実を一心に観察するかのように。彼女に見つめられて、彼は自分の顔にさす光線が強まる気がした。光が彼女の顔に反射していたからだ。彼女の顔からは衝撃が消え、やがて驚きもなくなっていった。その顔は、静かでありながら不思議な輝かしい晴朗さを帯びていた。

彼が話し終えると、彼女は急に笑いだした。

意外なことに、その笑いには怒りがまったくなかった。問題を解決する糸口を見つけて笑うようにではなく、問題などはじめからなかったと気づいて喜ぶように、単純に、気楽に、楽しそうに、あからさまに彼女は笑っていた。

やおら腕を強く振り、毛布を投げ捨てて彼女は立ち上がった。そして床の洋服を見て足で脇に蹴った。裸のまま彼に向かって立ち、彼女は言った。

「ハンク、あなたが欲しい。わたしはあなたが考えているよりずっと動物的よ。初めてみた瞬間からあなたが欲しかった。ただくやしいのは、それを知らなかったことだけ。二年間、なぜ事務所であなたを見上げる瞬間に、ほかのどんなときよりも明るい気持ちになれたのかわからなかった。あなたがいる場所で感じた気持ちの本質も、そう感じた理由もわからなかった。いまはわかる。ハンク、わたしが欲しいのはそれだけ。ベッドにあなたがいてほしい。あなたはそれ以外の時間、わたしに煩わされなくていい。欺瞞なんか要らないわ。わたしのことを考えないで。感情ももたないで。気にしないで——あなたの精神も、あなたの意志も、あなたの存在も、あなたの魂もいらない。ただ、何よりも低俗な欲望を満たすためにわたしのところに来てくれればいい。わたしはあなたが軽蔑する快楽の興奮だけがほしい動物——ただそれはあなたから欲しい。あなたはそのためにどんな高い徳も捨てるというけれど、わたしは——わたしには捨てる美徳なんかない。求めてない、極めようとも思わない。世界一の絶景にかえても機関車の運転室にいるあなたの姿を一目みたいと思うほどわたしは低俗。そして、その姿をみて無関心じゃいられない。わたしに依存することになるなんて恐れなくていいわ。あなたの気まぐれに振りまわされることになるのはわたし。あなたはいつでも望むときに、どこででも、どんな条件ででも、わたしをものにできる。淫らな才能といったの？　それはあなたのどんな持ち物よりもしっかりあなたに縛りつけられているわ。思うままにして——認めてかまわない——あなたから守るものも、とっておくものもありはしない。あなたはこれが成功への脅威だと考えるけれど、わたしはそうじゃない。わたしは机に座り、仕事をして、つらくなったら、ご褒美に夜はあなたのベッドにいると考えるでしょう。堕落ですって？　わたしはあなたよりもずっと堕落している。あなたはそれを罪悪と考え、わたしは——誇りに思っている。いままで成し遂げたどんなことよりも、あの路線を敷設したことよりも。これまで達成したことのうち何よりも誇りに思うことは何かとたずねられたら、こう言うわ。わたしはハンク・リアーデンと寝ました。それだけのことをしてきたのですって」

彼がベッドに彼女を押し倒したとき、二つの体は、空中でぶつかる二つの音のように出会った。彼の苦痛の呻きと、彼女の笑い声のように。

＊　＊　＊

雨は暗い通りでは見えないが、街灯の下でランプのかさの縁飾りのように降っている。ポケットを探り、ジェームズ・タッガートはハンカチを失くしたことに気づいた。憤然と悪意をあらわにして、ハンカチの紛失も、雨も、鼻かぜも自分に対する誰かの個人的な陰謀だというように、彼は半ば声にだして悪態をついた。

薄い粥のような泥が歩道を覆っている。靴底がべとつき、襟首を冷気がつたって落ちる。歩きたくも立ち停まりたくもなかった。行き場がなかった。

取締役会議の後オフィスを出ると、彼は突然ほかに約束がなく、これからの長い夜をつぶすのにつきあってくれる人間が誰もいないことに気づいた。新聞の一面は、ラジオが昨日一晩中叫び続けたように、ジョン・ゴールト線の大成功について騒ぎたてている。タッガート大陸横断鉄道の名はその線路のように大陸をまたいで新聞の見出しを飾り、彼は祝辞に答えて微笑んだ。会議で長テーブルの上座に着き、役員連中が証券取引所のタッガート株の急上昇について語るあいだ、かれらが慎重に彼の妹との合意を確認し――念のため、と言っていた――大丈夫、抜け穴はない、彼女があの路線をタッガート大陸横断鉄道に直ちに返還しなければならないことは間違いないと言い、かれらの輝かしい未来と会社に尽くしたジェイムズ・タッガートの功労を讃えるあいだ、彼は微笑を浮かべていた。

会議中、早く終わらせて帰りたいとばかり考えていた。そのあと通りに出たとき、今夜はどうしても家には帰りたくないと思った。少なくとも数時間は一人でいたくないのに、呼び出せる人間が誰もいない。人に会いたくなかった。脳裏に彼の有能さについて話す役員たちの目がちらついて離れない。ずるそうな薄皮をかぶせた表情は彼を侮辱しているようであり、なお恐ろしいことに、かれら自身への侮蔑も浮かべていた。

うな垂れて歩く彼の首筋をときおり雨の針が刺した。新聞の売店を通り過ぎるとき、彼は必ず目をそらした。新聞はジョン・ゴールト線と、聞きたくないもう一つの名前を甲高く叫んでいる。ラグネル・ダナショールドだ。工作機械の緊急贈与貨物を搭載したノルウェイ民国行きの船が昨夜ラグネル・ダナショールドに襲われた。そのニュースに、なぜかひどく個人的に感情をかき乱された。その気持ちには、ジョン・ゴールト線について感じていることと共通の性質があるようだ。

風邪をひいているからだ、と彼はおもった。風邪じゃなきゃこんなふうに感じはしないだろう。風邪を患っている人間の調子がいいはずはない――しかたない――今夜何をしろというんだ？　歌って踊れとでもいうのか？――彼は、だれも見ていない自分の気分をめぐって、見知らぬ審査員にその問いを憤然と投げつけた。そしてまたハンカチを探し、悪態をつき、どこかに立ち寄ってティッシュペーパーを買うことにした。

かつて賑わった界隈にある広場の向こうに、この時間にも未練がましく営業している安物雑貨屋の窓の灯りがみえる。広場を横切りながら、近いうちにつぶれそうな店がもう一軒あった、と彼はやや気分がよくなった。

中は煌々と灯りがともり、疲れ顔の女子店員が数人、客のいないレジにぽつぽつといた。無気力にひとりでやってくる客のために大音響でレコードがかけられている。店員に彼の風邪の責任があると仄めかすような声でタッガートはティッシュペーパーを求めたが、音楽は彼の声の棘を呑みこんだ。背後のレジを向いた若い娘は、素早く振り返って彼の顔を見た。娘はパックを一つ取ったが、躊躇して手を止め、強い好奇心をもって彼をまじまじと見つめた。

「あなたはジェイムズ・タッガートさんですか？」娘はたずねた。

「ああ」彼はぶっきらぼうにいった。「それがどうした？」

「まあ！」

　爆竹の音をきいた子どものように娘は息をのんだ。そして映画スターだけに向けられると彼が考えていた目つきで彼を見ていた。

「タッガートさん、わたし、あなたの写真を今日の朝刊でみました」ぽっと顔を赤らめて早口で娘はいった。「どんなに偉大な業績か書いてありました。それから本当はあなたが何もかもやったのだって。知られたくなかっただけで」

「ああ」タッガートが言った。彼は微笑していた。

「写真通りですね」彼女は途方もなく驚いたように言うと、「こんなところに本物が歩いているなんて信じられない！」と、つけ足した。

「いけないかな？」彼は面白がるように言った。

「だって、みんなが、全米じゅうがその事件で大騒ぎで、あなたが当事者で――その本人がここにいるなんて！　わたしは重要な人に会ったことがないんです。重要なものに近づいたこともないんです。新聞に載るようなニュースにはっていう意味ですけれど」

　自分の存在が場を華やがせた経験が彼にはなかった。この娘は疲れが吹き飛び、雑貨屋がドラマか奇跡の一場面になったかのような顔をしている。

「タッガートさん、本当なのですか？　あなたについて新聞に書かれていることは」

「何と書いてあったのかな？」

「あなたの秘密のこと」

「どの秘密だい？」

「えっと、みんながあなたの橋について、もちこたえるかどうか意見を戦わせているときに、あなたは議論したりしないでただ行動したってこと。それは誰も確信が持てないときから、橋は持ちこたえるって確信があったからで——だから線路の建設はタッガートの事業で、あなたが影の指導者だったのだけれど、あなたはそのことを伏せておいて、それは自分の功績になるかどうかなんて気にしなかったからだって」

広報の新聞発表用の原稿を彼はみていた。「ああ」彼はいった。「そのとおりだ」自分にそそがれた娘の目をみていると、本当にそうだった気がしてきた。

「タッガートさん、あなたって素晴らしい方なんですね」

「君は新聞で読んだことをいつもそうやって詳しく覚えているのかね？」

「あら、ええ、そうかもしれません——面白いことは全部。大きなこと。そういう記事を読むのは好きなんです。わたしには大きなことは何も起こりませんから」

自己憐憫なしに、娘は陽気にいった。娘の声と動作には若々しくて、決然とした粗っぽさがある。赤茶けた巻き毛の頭、両目は離れ気味だ。上向きの鼻の頭にはそばかすがある。よく見れば人はこういう顔を魅力的だというのかもしれないが、よく見る理由もない、と彼はおもった。機敏で、興味津々で、世界じゅう至るところにわくわくする秘密が隠されているはずだという期待に満ちた表情をしているほかには、よくある顔だ。

「タッガートさん、偉人でいるのってどんな気分ですか？」

「普通の女の子でいるのってどんな気分だい？」

彼女は笑った。「あら、とても素敵ですよ」

「ならきみは私より幸せだね」

「まあ、どうしてそんな――」

「新聞に載る大事件と関係なければ、たぶん私よりついているだろうな。大きなことか。そもそも何を大きなことだと言うんだろうね？」

「えっと……重要なこと」

「何が重要なんだね？」

「タッガートさん、あなたのほうが教えてくださらなくちゃ」

「重要なものなんてないんだ」

娘は唖然として彼をみた。「よりにもよってあなたともあろうお方が、今夜という今夜にそんなことを！」

「もっと言うと、私はちっとも素敵な気分なんかじゃないね。こんなに落ちこんだことなんてはじめてといっていいくらいだ」

これまで誰からも示されたことのない心配そうな表情で自分の顔を観察している娘を見て、彼は驚いた。「タッガートさん、ずいぶんとお疲れなんですね」大真面目に娘はいった。「くたばれ、っておっしゃればいいのに」

「誰に？」

「あなたを落ちこませている人に。おかしいです」

「何が?」

「あなたがそんなふうに感じていらっしゃるってことが。苦労なさったかもしれませんが、みんなやっつけたんだからもう楽しむべきですよ。それだけのことをなさったんですから」

「それでどうやって楽しめと言うのかな?」

「まあ、わたしにはわかりませんわ。でも、あなたは今夜祝賀パーティーにいらしてると思ってました。お偉方が大勢いて、シャンパンがあって、あなたにいろんなもの、街から街への鍵みたいなものが贈られるような盛大なパーティー——ひとりで歩きまわって、よりにもよってティッシュペーパーなんてくだらないものを買うかわりに!」

「すっかり忘れてしまわないうちに、そのティッシュをくれないか」といい、彼は十セント硬貨を娘に手渡した。「派手なパーティーといえば、今夜、私が誰にも会いたくないかもしれないってことは考えもしなかったのかな?」

娘は真面目に考えた。「ええ」彼女はいった。「考えもしませんでした。でも、なぜかはわかる気がします」

「なぜだい?」それは彼には答えられなかった疑問だった。

「あなたにつりあう人がいないんです、タッガートさん」ごく単純に、へつらいとしてではなく、事実として彼女は答えた。

「きみはそう思うんだね?」

「タッガートさん、私は人があんまり好きじゃないように思います。たいていの人は」

「私もだ。誰ひとり」

「あなたのようなお方は——あなたは、ほうっておけば人がどれくらい意地悪になれるか、他人を踏みつけて背中におぶさろうとするかなんてご存じないと思っていました。世界一流の大物はやつらを避けることができて、いつもかもノミにたかられずにすむって。でもたぶん違うんですね」

「ノミにたかられるっていうと？」

「えっと、つらくなると自分に言いきかせるんです――あさましいノミみたいないろんなものにいつも噛みつかれているような気がしないところへ逃げ出さなきゃ、って――でもたぶん、どこも同じなんですね。ノミが大きくなるだけで」

「ずっと大きくなる」

娘は考えこむようにおし黙った。「おかしなものですね」彼女は自分の頭に浮かんだ考えに、悲しそうにいった。

「何がおかしいのかな？」

「いちど、偉大な人物は常に不幸で、偉大なほど不幸だって書いてある本を読んだことがあったんです。わたしはそんなはずないって思いました。でもたぶん本当なんですね」

「きみが考える以上にね」

心をかき乱された顔をして、娘は目をそらした。

「なぜきみは偉人のことなんか気にするんだい？」彼はたずねた。「何か、ちょっとした英雄崇拝者かね？」

振り返って彼を見た娘の表情は大真面目なままだったが、内なる微笑の輝きがあった。静かに感情を排した声で答えながら、彼女はこれまで彼に向けられたなかでもっとも雄弁で情熱的な視線を送った。「タッガートさん、ほかに何を仰ぎみられるっていうんですか？」

突然、ベルでもブザーでもないキイキイとした音が鳴りだし、神経にさわるほどしつこく鳴り響きつづけた。

目覚ましの大きな音に起こされたように、娘はびくりとしてため息をついた。「閉店時間です、タッガートさん」彼女は残念そうにいった。

「帽子をとってきなさい——外で待っているから」彼はいった。

人生におけるあらゆる可能性のうち、これだけは考えられなかったかのように、娘はじっと彼を見つめた。

「ご冗談では？」娘は消え入りそうな声でいった。

「冗談ではないよ」

娘はくるりと背を向け、レジも義務も男性の招待を嬉々として受けてはならないという女性のたしなみもすべて忘れ、従業員室の扉まで一目散に走っていった。

しばらく彼は目を細めて娘を追っていた。自分の感情の本質を明らかにしたりはしなかった——感情を明確に認識しないことが人生で唯一不変のルールであり、ただ感情があった——その独特の感じが心地よく、それだけわかればよかった。だがそれは決して口にしようとはしないある考えから生まれていた。これまでしばしば、生意気な小細工をし、彼を尊敬するふりをして、あきらかな目的のために白々しい世辞を並べたてる下層階級の小娘たちに出会ってきた。そういう女たちに入れこみはしなかったが憤慨もしなかった。一緒に時を過ごして退屈な慰みをみつけ、双方に自然に思えた戯れのなかで対等の地位を与えてきた。この娘は違う。頭に浮かんだ言葉は、このバカな餓鬼は本気でそう思いこんでいる、というものだった。

歩道で雨に打たれてじれったくその娘を待つということ、彼女こそまさしく今夜必要としていた人物であったということを彼は不愉快には思わず、その矛盾に悩まされもしなかった。彼は自分のとはない。

欲求の本質をはっきりと言葉にしなかった。明確にせず口にもしないことが矛盾として衝突するこ
　出てきた娘の内気さと高くもたげた頭の妙な組み合わせが彼の目をひいた。彼女は不恰好なレインコートをまとい、下襟につけた安物のアクセサリーと、巻き髪の頭に大胆につけたフラシ天の花の小さな帽子が野暮ったさに輪をかけている。だが、もたげた頭がその服装を不思議と魅力的にみせていた。そのような服でさえ、どれほどうまく着こなしているかがわかったからだ。

「うちでちょっと飲んでいくかね？」彼はたずねた。

　正しい承諾の言葉など自分に言えるはずがないというように、無言で大真面目に娘はうなずいた。そして彼を見ずに、あたかも自分自身に告げるようにいった。「あなたは今夜誰にも会いたくなかったのに、わたしといたいと思っていらっしゃるんですね……」それほど厳粛な誇らしい声の響きを彼はきいたことがなかった。

　タクシーの中で彼の隣に座っているあいだ、娘は黙っていた。そして通り過ぎる摩天楼を見上げた。しばらくして彼女はいった。「ニューヨークではこういうことが起こるってきいていましたけれど、まさか自分の身に起こるなんて」

「きみ、出身はどこ？」

「バファローです」

「家族はいるのかね？」

　彼女は躊躇した。「たぶん。バファローに」

「たぶんってどういう意味だね？」

「捨ててきたのです」

「なぜ？」

「何者かになりたければ離れなきゃと思ったんです。きれいにきっぱりと」

「なぜだね？　なにがあったんだ？」

「何もなかったんです。そして何もおこりっこなかった。それに我慢できなかったんです」

「どういう意味だね？」

「えっと、家族は……あの、たぶん本当のことをお話しなきゃいけませんね、タッガートさん。わたしの父はどうしようもない人で、母はそれを気にするでもなくて、わたしは七人家族のうちいつも仕事についているのは自分だけっていうのに嫌気がさしちゃったんです。みんなはいつもついてないとかいって、あれやこれやで。ここを出なきゃ私まで駄目になる——わたしもいくところまでいって、みんなみたいに腐りきってしまうって思ったんです。だから、ある日列車の切符を買って家を出ました。さようならも言わなかった。私が出てくってこともあの人たちは気づかなかったんじゃないかしら」娘はふと思いついて小さく控えめに笑った。「タッガートさん」彼女はいった。「あれはタッガートの列車でした」

「こっちにはいつ来たの？」

「半年前です」

「ひとり暮らしかね？」

「はい」娘は幸福そうにいった。

「やりたかったことってのは？」

「えっと、あの——何かになる、どこかに到達するってことです」

「どこに？」

「えっと、わかりません。ですが……ですが人は世界でいろんなことをしています。わたし、ニューヨークの写真をみて思ったんです」――娘はタクシーの窓に降りかかる雨筋の向こうの林立する巨大な建物群を指さした――「思ったんです。ああいうビルを建てた人がいる――その人はじっと座って台所が不潔で雨漏りがして水道管が詰まってまったくひどい世の中だなんてぶつぶつ文句を言ったりせずに……タッガートさん」――彼女は慄然とし、彼を真直ぐに見た――「わたしたちはぞっとするほど貧しかったのに、それをどうにかしようなんて気がこれっぽっちもなかった。それがたまらなかったんです――家族がそれをなんとも思わなかったってことが。指一本動かすほども。ゴミバケツを空にするほども。そして隣の家の女性が言うには家族を助けるのはわたしの義務で、わたしも、彼女も、わたしたち誰も、何になろうがどうせ同じこと、どのみち人に何ができるだろうって！」明るい目の向こう、彼女の内側に、傷ついて頑なになった何かがあった。「あの人たちのことは話したくありません」彼女はいった。「あなたとは。このこと――つまり、わたしがあなたと出会ったってこと――それはあのひとたちには起こりっこなかったことです。それをあの人たちと分かち合うつもりはないわ。わたしのものだもの。あの人たちのじゃなく」

「きみ年はいくつ？」彼はたずねた。

「十九です」

　リビングの照明で彼女をみて、もう少し栄養をつければスタイルは悪くない、と彼はおもった。背丈と骨格のわりに痩せすぎているようだ。娘はぴったりとした着古しのリトルブラックドレスを着て、チャラチャラ鳴る仰々しいプラスチックのブレスレットで手首を飾り、そのみすぼらしさをごまかそうとしていた。そして立ったまま、何にも触れてはならず、すべて恭しく記憶しなければならない美術館にいるように、彼の部屋を見まわしていた。

「名前は？」彼はたずねた。

「シェリル・ブルックスです」

「まあ、かけなさい」

彼女がアームチェアの肘に腰掛けておとなしく待つ間、彼は無言でカクテルを作った。グラスを手渡すと、彼女は忠実にひとくち、ふたくちと真面目に飲みこみ、グラスを固く握り締めた。彼女には飲みものの味もわからないこと、それに気がつかないこと、そんなことを気にかけている余裕がないことを彼は知っていた。

彼は自分の酒をぐっと飲みほすと、いらいらしてグラスを下に置いた。酒を飲む気分ではなかった。彼女の視線を意識し、あの優しい素直な目のなかで自分の動作、カフスボタン、靴紐、ランプのかさ、灰皿が持つとてつもない重みを考えて小気味よくおもい、その感覚を楽しみつつ、不機嫌な顔で部屋を歩きまわった。

「タッガートさん、何があなたをそんなに不幸にしているのですか？」

「なぜ私が幸福かどうかなんて気にするんだね？」

「だって……えっと、あなたに幸せになって誇りに思う権利がなければ、誰にそんな権利があるというんです？」

「こっちが教えてほしいね——誰にそんな権利があるのか！」ヒューズがとんだかのように言葉が炸裂して、彼はいきなり彼女のほうを向いた「やつは鉄鉱も高炉も発明してないだろ？」

「誰がですか？」

「リアーデンだ。やつが精錬と化学と空気圧縮を発明したわけじゃない。ほかに何千人もの人間がいなければ、やつはやつのメタルを開発できはしなかったはずだ。やつのメタルだと！　なぜ自分のものだなんて考えられるんだ？　なぜ自分の発明だと思えるんだ？　誰もが他人の仕事を使う。誰も何も発明したりしないんだ」

　彼女は困惑して言った。「だけど鉄鉱石もほかのものもずっと前からありました。なぜほかの誰もあのメタルを作らなかったのに、リアーデンさんは作ったのでしょう？」

「何か高邁な目的のためにそうしたんじゃない。自分の利益のためだけだ。ほかの理由で何かしたことなんか一度もない」

「タッガートさん、それのどこがいけないのですか？」突然謎が解けたかのように穏やかに彼女は笑った。「ナンセンスですわ、タッガートさん。本気でおっしゃっているわけじゃありませんよね。あなたは、リアーデンさんがご自分の利益をすべて自分で稼いで得られたこともご存じですし、あなただってそうですわ。あなたはただ謙虚であろうとしてそんなことをおっしゃっているんですね。誰もがあなたがたの素晴らしい業績を知っているのに——あなたと、リアーデンさんと、あなたの妹さん。あのかた、素晴らしい人に違いないわ！」

「そうかい？　それはきみの考えだ。あいつは何か崇高な理想のためじゃなくて、ただ自分が楽しいから線路や橋を作って生きているだけの強情で無神経な女だ。楽しんでやっているなら何を感心することがあるね？　素晴らしい業績なんて言えるんだか——コロラドの儲かってる産業資本家のために線路を敷設することが。荒廃地域には交通機関が要る貧民がたくさんいるっていうのに」

「ですが、タッガートさん、あの路線を敷設するために戦ったのはあなたですよ」

「ああ、それは義務だったからだ——会社と株主と従業員に対するね。だが楽しんでいたと思っちゃいかん。はたして素晴らしい業績なんだか——あの複雑なメタルの開発が。世界各国でただの鉄が必要なときに——じゃあ何かね、きみは中華人民国じゃ民家に木の屋根を葺く釘さえ足りていないのを知っているかね？」
「でも……でもそれがあなたの落度だとは思えませんけれど」
「誰かが気にかけなきゃいけないんだ。自分の財布に関係なく幅広い視野を持つ人間が。いまどき繊細な人間なら――まわりでこれほど苦しんでいる人びとがいるというのに――金属をざぶざぶ浪費していんちきな合金をこねまわすのに十年も捧げたりはしないんだ。きみはそれが素晴らしいことだと思うのかね？　やれやれ、あんなもの優れた能力でもなんでもなくて、自分の溶鋼を頭からかぶってもこたえないほどあつかましいってだけだ！　世間にはもっと能力のある人間が大勢いる――だが新聞には載らないし、踏切でぽかんと口をあけて見物したりもしない――普通の神経の人間は、人類の苦しみが心に重くのしかかっているときに、崩壊しない橋を開発したりはできないものだからだ」

　陽気な熱っぽさがなくなり、目が沈み、彼女は黙っておとなしく彼を見ていた。彼は少し気分がよくなった。

　酒をとってぐっと飲みこむと、彼は唐突に思い出し笑いをした。

「だがおかしかったな」彼の声はくつろぎ、生き生きとして、相棒に内緒話をする口調に変わった。「昨日ワイアット・ジャンクションからラジオの第一報が流れてきたときのオルレン・ボイルときたら！　青ざめちまって――そりゃもう真っ青でね、のらくらはしゃぎまわりすぎた魚の色だ！　その悪い知らせを聞いてやつが昨日の夜何をしたか知ってるか？　バルハラホテルにスイートを借りて――それがどういうことかわかるだろ――最後にきいたときは、あいつ今日もまだそこで、ごく親しい仲間とアムステルダム街北側の女の半分を連れこんで上や下へで飲んだくれていたらしい」

「ボイルさんって、どなたです？」彼女は呆然としてたずねた。

「ああ、ですぎたことをする傾向があるデブのうすのろだ。賢いやつだがときどきずる賢くなりすぎる。昨日のやつの顔は見物だったよ！　実に愉快だった。あれと——フロイド・フェリス博士。あの気取りやが、ちっともお気に召さない、ああ、全然お気に召さないって顔だった！——国家科学研究所のお上品なフェリス博士、エナメルの語彙を駆使する公僕——だがまあうまくやったほうだといってやらなきゃな、一段落ごとにしどろもどろになってただけで——いいか、今朝の会見で、やつときたらこうだ。『国がリアーデンにあのメタルを与えたのだから、彼は国家にそれ相応の還元をすべきなのです』ありゃなかなか気がきいてたな。あの貨物でうまい汁をすった連中のことを考えると……ま、それを考えると。あれはバートラム・スカダーよりましだった——スカダーさんときたら、メディア仲間の紳士諸君に見解を発表してほしいといわれて『ノーコメント』しか考えつかなかったんだ。『ノーコメント』だぜ——生まれたときから、きいてもきかなくてもアビシニアの詩歌から繊維業界の女子トイレの状態まで、御託を並べて口を閉じたことがないあのバートラム・スカダーが！　それからプリチェット博士、あのバカおやじ、リアーデンはあのメタルを自力で開発したわけじゃないって確証をつかんだと触れまわっているそうだ——リアーデンが無一文の発明家からあの構造式を盗んでそいつを殺してしまったと匿名の信頼できる筋からきいたからってね！」

彼は楽しそうにくすくすと笑っていた。彼女は高等数学の講義を聴くように、何も理解できぬまま、耳を傾けていた。言語の形式さえつかめなかったが、それは謎を深くするだけの形式だった。彼の言葉が——彼の口からでたからには——通常であればそうと解釈されることを意味するはずはないと信じていたからだ。

彼はグラスに酒をついで飲みほしたが、陽気さが急に消えた。彼はアームチェアにドスンと落ち、彼女の方を向き、禿げかけた頭の下からくもった目を上げた。

「あの女、明日戻ってくるんだ」面白くなさそうに、彼は力なく笑った。

「誰がですか？」

「妹だよ。私のいとしい妹。ああ、彼女はさぞかし自分が偉いと思っていることだろうな？」

「妹さんがお嫌いなんですか、タッガートさん？」彼は同じく力のない声で笑った。その声があまりにも雄弁だったので答えは必要なかった。「なぜです？」彼女はたずねた。

「あの女は自分がとてもできる人間だと思っているからだ。何の権利があってそんなことを考えられるんだ？　自分ができると考える権利が誰にある？　できるやつなんかいない」

「心にもないことですよね、タッガートさん」

「私が言いたいのは、我々は所詮ただの人間だってことだ――人間とは何だ？　生まれながらに骨の髄まで腐った、弱くて、醜くて、罪深い生き物だ――だから謙虚であることが第一の美徳だ。人はひざまづき、おのれの汚れた存在の許しを請いつつ生きていかねばならん。自分ができる人間だと思えば――そのとき人は堕落する。何をしたかはともかく、高慢が何よりも重い罪なんだ」

「ですが、自分が本当によいことをしたと思ったら？」

「そのときはそれについて謝罪しなきゃいかん」

「誰にですか？」

「それをしなかったものたちにだ」

「わたし……わたしにはわかりません」

「きみにはわかるわけがない。それは、何年も何年も高度な知的世界を追求してはじめてわかることだ。きみはサイモン・プリチェット博士の『宇宙の形而上学的矛盾』という本のことをきいたことがあるか？」彼女は怯えて頭を振った。「いずれにせよ、何がよいものかどうしてわかる？　誰にわかる？　いったい誰に知りうるんだ？　絶対的なものなんかない――プリチェット博士が反駁不可能なまでに証明したとおりだ。何も絶対じゃない。すべては意見の問題だ。橋が崩壊しなかったとどうしてわかる？　しなかったと思うだけだ。そもそも橋が存在したとどうしてわかる？　哲学の理論――プリチェット博士の理論のようなもの――は単なる学術的な、別世界の、非実用的なものだと思っているだろ？　だがそれは間違っている。そうとも、大間違いだ！」

「ですがタッガートさん、あなたが建設した線路は――」

「ああ、そもそも、あんな線路がなんだっていうんだ？　ただの物質的業績にすぎん。何か重要な意味があるかね？　物質的なものに大いなる意味があるかね？　あんな橋をぽかんと眺めていられるのは低俗な動物だけだ――人生にはもっと高尚なことがたくさんあるっていうのに。だがいったい高尚なことが認められたことがあるか？　あるもんか！　人びとをみろ。物質の屑のいんちきな組み合わせに新聞の一面であれだけの大騒ぎだ。やつらが何かもっと崇高なことを気にするか？　精神の現象が一面に載るか？　繊細な感受性をもった人間に注目して価値を認めるか？　それなのにきみは、この腐敗した世の中で偉大な人間が不幸になる運命にあるってのは本当かと思うと言うんだな！」彼は身を乗りだして彼女を凝視した。「教えてやろう……いいことを教えてやろう……不幸は美徳の証しなんだ。人が不幸なら、本当に、真実不幸なら、それはその人物がより高級な人間だってことなんだ」

彼女は困惑し、不安げな顔をした。「ですがタッガートさん、あなたは欲しいものをすべて手に入れられました。いま全米一の鉄道を建設して、新聞はあなたを現代で最高の経営者と讃えていて、会社の株式で一夜にして莫大な財産を築いて、欲しいものはすべて手に入った――それが嬉しくないんですか？」

　答えるまでの短い間、彼のなかに不意に恐怖がわいたのを察知して彼女は怯えた。彼は答えた。

「嬉しくないいね」

　彼女の声はなぜかわからないが、囁きに変わった。「橋が崩壊すればいいと考えてらしたのですか？」

「そんなことは言ってないだろ！」彼は刺々しくいった。そして肩をすくめ、軽蔑の仕草で手を振った。「きみには理解できんよ」

「すみません……まあ、わたしったら学ばなきゃいけないことがひどくたくさんあるわ！」

「私はあんな橋を超越したことへの飢えについて話しているんだ。物質的なものでは満たされない飢えの話をね」

「何なんですか、タッガートさん？　あなたが欲しいものって何ですか？」

「ああ、まただ！『何ですか？』とたずねた瞬間に、何もかもに烙印を押して数字にしなきゃいけない無骨で物質的な世界に逆戻りするんだ。私は唯物論的な世界の言語では表現できないことについて話している……人には絶対に届かない精神の高尚な領域だ……そもそも人間の業績が何だっていうんだ？　地球は宇宙をぐるぐるまわっている原子にすぎん──太陽系にとって、あの橋が何の重要性をもつというんだ？」

　彼女の目がにわかに理解した幸福な色で明るくなった。「タッガートさん、あなたは偉い方ですね。あなたほど成功してもまだ十分じゃないと思われているなんて。きっと、どんなに多くを成し遂げたとしても、あなたはさらに上を望まれるのですね。野心家なんですね。それこそ私が何より尊敬することなんです。野心。つまり、行動すること、立ちどまったりあきらめたりしないで行動することと。タッガートさん、わたし、わかります……大きな考えが全部はわからなくても」

「いずれわかるよ」

「まあ、わたし、わかるように一生懸命努力します！」

彼女の憧れのまなざしは変わっていなかった。柔らかいスポットライトを浴びながらのように、彼はその視線をうけて部屋を歩きまわった。彼は酒を注ぎにいった。簡易バーの後ろの隅に鏡が架かっている。彼は自分の姿を一瞥した。人間の優美さを故意に否定するように、だらしなく、くだけた姿勢で曲がった長身、薄い髪、たるんで腫れぼったい口だ。彼女が自分をまったく見てはいないことに彼は不意に気づいた。彼女が見ていたのは、誇り高く肩をそらし風に髪をなびかせた、ものを造りあげる英雄の姿だ。勝利の感覚に似た満足感をおぼろげに味わいながら、これはこの子をはめるいい冗談だ、と彼はけらけらと笑った。それはまんまと騙してやったという優越感だった。

酒をすすりながら寝室の扉をちらとみた彼は、この手の冒険のお決まりの結末を考えた。たやすいことだ。この子は畏れおおくて抵抗するどころではないだろう。つやつやと輝く赤茶けた髪——光の下で首をかしげて座っている娘——滑らかで健康そうなくさび形の肩。彼は目をそむけた。面倒なだけだ、と彼はおもった。

彼が感じた欲望のうずきは、物理的な不快感以上のものではなかった。行動をおこさねばという衝動を煽っていたのは娘についての思いではなく、このような機会をみすみす逃しはしないであろう男たちすべてに対する意識だ。この娘はベティー・ポープよりも、おそらく彼に差しだされたうちでは誰よりもまともな人間であることを、彼は心の中で認めた。だがそう認めたところで心を動かされたわけではない。ベティー・ポープにいだいた気持ち以上のものを感じてはいなかった。何も感じてはいなかった。このあとの快楽の見つもりは労力に値せず、快楽をおぼえたいという欲求がなかった。

「もう遅いな」彼はいった。「家はどこだね？　もう一杯飲んだら送るよ」

スラム街のみすぼらしい下宿の戸口で彼が別れを告げたとき、彼女は、ききたくてたまらぬ質問をきくまいと葛藤しながら躊躇していた。

「また……」彼女は言いよどんだ。

「何だ？」

「いいえ、なんでもありません、なんでもないんです！」

彼にはその質問が「また会えますか？」だとわかっていた。また会うことはわかっていたが、答えないことが快感だった。

もう一度、おそらくこれが最後かもしれないというように彼を見上げ、そして必死で、声を抑えて彼女はいった。「タッガートさん、わたし、とてもあなたに感謝しているんです。だって、あなたは……つまり、ほかの人だったらたぶん……つまり、ほかの人が求めるのはそれだけ。でもあなたはそれよりずっといい人です。ええ、比べものにならないくらい！」

やや好色な笑みを浮かべて彼は顔を近づけた。「もしそうしてたら？」彼はたずねた。

自分の言葉に愕然として、彼女は身をひいた。「まあ、そういう意味じゃありません！」彼女は呻いた。「あら、どうしましょう、わたしったらそんなことを仄めかすつもりじゃ……それとも……えっと」彼女は猛然と顔を赤らめ、くるりと向きを変えると走りだし、下宿の長く急な階段を駆け上がって消えた。

彼は歩道に立ち、善行をなしたかのような、妙に重くもやもやした満足感――ジョン・ゴールト線の三百マイルの線路脇に立って歓声をあげたすべての人間に復讐したかのような満足感をおぼえていた。

＊　＊　＊

フィラデルフィアに到着すると、帰りの夜のことは込みあう駅のホームや走る列車の尊敬すべき昼間の現実にあっては認識に値しないかのように、リアーデンは一言も発しないで列車を降りた。彼女は一人でニューヨークまで帰った。だがその夜遅く、アパートのドアベルが鳴ったとき、ダグニーは自分がそれを予期していたことがわかった。

彼は何も言わずに部屋に入ると、無言の対面を言葉より親密な挨拶にして彼女を見た。彼の顔には、二人ともが何時間も欲望にもだえていたことを認めて嘲る侮蔑的な笑みがうっすらと浮かんでいる。リビングの真ん中に立ち、彼はゆっくりとあたりを見渡した。これが彼女のアパート、この街の中で考えてはいけないのに考えずにはいられなかった立ち入れない場所、二年間の苦悩の中心だった場所――いま所有者然として、何気なく予告なく入った場所だ。彼はアームチェアに腰をおろし、脚を前に伸ばした――彼女は座るにも彼の許可が要り、待つことに快楽を覚えるかのように目の前に立っている。

「あの線路の建設で君は見事な手腕を発揮したと言ってやろうか?」彼はたずねた。彼女は驚いて見返した。こうした手放しの賛辞を彼からきいたことはなかったからだ。声の賞賛の響きは本物だったが、顔には嘲りの色が残っている。見当もつかない意図があるように思われた。「俺は一日じゅう君についての質問に答えていた――君とあの線路とメタルとその未来について。それと、メタルの注文を数えて。毎時間数千トンの割合で舞いこんでくるんだ。いつだったかな、九ヶ月前?

どこからも一つの回答も得られなかった。今日、リアーデン・メタルが緊急に必要だといって個人的に話したがる連中の話を聞かずにすむように、電話線を切らねばならなかった。君は今日、何をした?」

「さあ。エディーの報告をきこうとして――人びとから逃げようとして――ジョン・ゴールト線によこす車両をみつけようとしていたわ。予定のダイヤではたった三日でたまった注文もさばききれないんですもの」

「大勢の人間が今日君に会いたがっただろう?」

「そうね、ええ」

「君と一言口をきくためには何でもしただろう?」

「たぶん……そうね」

「記者連中が、君はどんなかと訊きつづけるんだ。地元紙の若いのは、君は偉大な女性だと言ってたぜ。君と話せる機会があっても萎縮してしまうだろうってな。その通りだ。みんながぞくぞくして騒いでいる未来――それは君が築いたものだ。君にはやつらの誰にも考えられない勇気があったからな。やつらがいま我がちに寄ってたかる富への道は、君の強さで切り拓いた道だ。すべてを敵にまわして立つ強さで。自分自身の意志以外のものを認めない強さで」

彼女ははっと息をのんだ。相手の目的がわかったからだ。ひるまずに耐えつづけるように腕を脇にたらし、厳しい顔で彼女は直立していた。賞賛の下で屈辱の鞭を受けるように、彼女は立っていた。

「やつらは君にも質問をあびせたんだろ?」彼は身を乗り出して真剣に話した。「賞賛しながら君を見つめていた。君が山頂を極めて立ち、やつらにできることはずっと遠くから帽子をとることぐらいだというように見つめていたんだ。そうだな?」

「ええ」彼女は囁くようにいった。

「君に近づいてはいけないし、君がいる場所では話をしてはいけない、君の服の裾に触れてもいけないと思っていただろう。やつらにはそれがわかっていたし、その通りだ。君を尊敬の目で見ていたんだろ?　君を見上げていたんだろ?」

　彼は彼女の腕をつかみ、床にひざまづかせ、その体をねじって自分の脚に押しつけ、かがんで口づけした。彼女は嘲るように音もなく笑ったが、目は閉じかけて悦びでかすんでいた。

　数時間後、ベッドで彼女の体を愛撫しながら一緒に横たわっていたとき、急に自分の腕を彼女の背中にまわして覆いかぶさり、彼はたずねた——表情の真剣さから、声に隠れたうめきの響きから、彼の声が低くしっかりとしていたにもかかわらず、その質問が何時間も彼を悩ませつづけたあげくにとびだしたことは明らかだった。

「ほかの誰に抱かれたんだ?」

　彼はその問いがある光景を微細に視覚化するかのように彼女を見た。憎みつつも頭を離れなかった光景だ。声にこめられていたのは軽蔑と憎悪と苦悩——そして苦悩とは無縁の妙な貪欲さだ。彼女の体をきつく抱いて、彼はたずねた。

　彼女は平然と答えたが、質問の意味ならわかりきっていると告げるように、目には危険な煌きがあった。「ほかにはひとりしかいないわ、ハンク」

「いつだ?」

「十七のとき」

「続いたのか?」

「何年かはね」

「誰だ?」

彼女は身をひいて、腕にもたれた。彼は顔をこわばらせて近づいた。彼女は目を閉じた。「答えないわ」

「愛していたのか?」

「答えない」

「そいつと寝るのは好きだったのか?」

「ええ!」

彼女の目の中の笑いは、彼の横っ面をひっぱたく音のようであり、それは彼が恐れると同時に求めていた答えだと知っている笑い声だった。

彼は彼女の手を背中でねじり、抵抗できないようにして、彼女の胸を自分に押しあてた。痛みが肩をひき裂くのを彼女は感じたが、彼の言葉に怒りを、しゃがれ声に快感の響きをきいた。「そいつは誰なんだ?」

彼女は答えずに彼をみた。濃い瞳は妙に輝いており、苦痛でよじれた口は嘲笑の形をしている。それが降伏の形に変わるのを唇の感触で彼は感じた。乱暴に滅茶苦茶に彼女を抱けば見知らぬライバルの存在を女の過去から消してしまえるかのように。そればかりでなく、そうすれば女のどの部分も、ライバルさえも、快楽の道具に変えてしまえるかのように。腕をつかんだときの彼女の夢中な動きによって、相手もこう抱かれたかったのだと彼は知った。

＊　＊　＊

夕暮れの燃えるような空を背景にベルトコンベヤーのシルエットが動き、小さな黒いバケツが地中から次々にあふれだしてきて斜線を描くように、遠くの塔の天辺まで石炭を運んでいる。コネティカット州のクイン・ボールベアリング社の側線に連なる無蓋貨車に、青い作業服の若者が機械を固定する鎖を締める音の間をぬって、遠くでカタカタ鳴る音がきこえる。

通りの向かいにあるアマルガメイティッド転轍信号機製作所のモーウェン氏が、傍で見物していた。工場から帰宅する途中だ。太鼓腹で背の低い彼は薄手のコートをはおり、白髪と金髪の混じった頭に山高帽をかぶっていた。九月になってはじめての冷気が感じられる。クイン工場の建物の扉はすべて大きく開かれ、男たちとクレーンが機械を運び出している。胴体を残して重要な器官をことごとく持ち去るようだ、とモーウェン氏はおもった。

「またかい？」答えはわかっているが、親指で工場を指してモーウェン氏は訊いた。

「え？」立っている彼に気づかなかった若者が訊きかえした。

「また別の会社がコロラドに移るのかね？」

「ええ」

「この二週間でコネティカットから出て行くのは三社目だ」モーウェン氏がいった。「それにニュージャージー、ロードアイランド、マサチューセッツ、東海岸全域を見ると……」若者は注意も払わず、耳を傾けてもいないようだった。「水漏れする水道管みたいだな」モーウェン氏がいった。「水は全部コロラドに流れていく。金もだ」若者は荷台に鎖を投げて渡し、首尾よくそれに続いて粗布で覆われた大きな積荷によじのぼった。「人はいくらか生まれ育った州に郷愁とか忠誠心とかをもつものだと思うんだが……みな逃げていく。人びとに何がおこってるんだか」

「あの法案ですよ」若者がいった。

「どの法案だね？」

「機会均等化法案」

「どういう意味だね？」

「クイン氏は一年前からコロラドに支社を開くつもりだったそうです。だが法案でその道が絶たれた。だから一切合財まとめてあちらに移ることにしたんですよ」

「そんなことがまかり通っていいもんかね。法案は必要だった。恥も外聞もない——古くからの会社はもう何代もここにいた。法律で取り締まるべきだ……」

若者は機敏に、てきぱきと楽しそうに仕事をこなしていた。後ろでは空を背景に上昇するベルトコンベヤーがカタカタと鳴りつづけている。夜の赤い輝きの中、長い幟を半旗の位置に掲げた旗棹のように煙をくゆらせて、遠くに四本の煙突が立っている。

モーウェン氏は父親と祖父の時代から、それらの煙突が描くスカイラインを見て育った。事務所の窓から三十年間、同じベルトコンベヤーを見てきた。クインの決断について知っていたものの、信じてはいなかった。むしろ、いかなる言葉を聞いたり話したりしてもそうしてきたように、声には物理的な現実との決まった関係はないというように、その言葉を受けとめていた。いまそれが現実だったと悟った。そしてその進行を食いとめる望みがまだあるかのように、側線の無蓋貨車の傍に立っていた。

「間違ってるな」彼はいった。彼は空の輪郭全体に向かって話していたが、声が届くのは上にいる若者だけだ。「親父の時代はこんなじゃなかった。俺は大物じゃない。誰とも争いたくなんかない。世界はどうなっちまったんだ？」答えはなかった。「なあ、たとえばきみ——きみもコロラドに連れていかれるのかね?」

「僕ですか?　いや、僕はここの社員じゃない。日雇いですよ。さっきこの仕事を見つけて搬出を手伝っているだけで」

「すると、連中が越していったらどこに行くつもりだね?」

「何も考えてません」

「もっと出ていくやつらが増えたらどうするんだね?」

「様子見ですかね」

モーウェン氏はふと疑問をいだいて目をあげた。答えが彼自身と若者のどちらを指すのかわからなかったのだ。だが仕事に集中している若者は下を向かない。若者が覆いをかけた隣の貨物に移ったので、モーウェン氏はそれについていき、若者を見上げ、宙に請うようにいった。「私には権利がないのかね?　ここで生まれたんだ。大人になっても古くからの会社は当然あると思っていた。父親と同じように工場を経営するんだと思っていた。人は地域社会の一部でそれに頼る権利があるだろう?……それを何とかしてもらわんと」

「何を?」

「いや、さあね、君は素晴らしいと思ってるんだろ?　タッガートのにわか景気とリアーデン・メタルとコロラドへのゴールドラッシュとあそこでのどんちゃん騒ぎ。ワイアットとやつの一味が、やかんが噴きこぼれるみたいに増産してるのを!　どいつもこいつも素晴らしいと思っているんだ——いく先々で耳にすることといったらそれだけ——有頂天になって夏休みの六歳児みたいに計画をたてて——国をあげてハネムーンか、毎日が独立記念日かなにかと勘違いしてるぜ!」

若者は何もいわなかった。

「なに、私はそうは思わんな」モーウェン氏が低い声でいった。「新聞もそうは言っちゃいない——いいかね——新聞は何も言っちゃいないんだ」

モーウェン氏には何の返答もなく、ただ鎖のガチャガチャ鳴る音が聞こえた。

「なぜみんなコロラドに押しかけるんだ?」彼はきいた。「ここになくて向こうにあるものって何なんだね?」

若者はにやりとした。「ここにあって向こうにないものかもしれませんね」

「何だって?」若者は答えなかった。「わけがわからんよ。あっちは遅れた、未開の、啓蒙されていない場所だ。近代的な政府さえない。どこの州と比べても最悪の政府だ。どこより怠慢でね。何もしない——裁判所と警察をおいとくだけ。住民のためには何もしない。誰も助けない。なんだってそんなところに優良企業がこぞっていきたがるんだか」

若者はモーウェン氏を見下ろしたが、答えなかった。

モーウェン氏はため息をついた。「何かがまちがっている」彼はいった。「機会均等化法案は健全な考えだ。機会はすべての人間に必要だからな。クインのような連中が不正にそれを利用するのはまったく恥ずべきことだ。なぜ他社の誰かにコロラドでボールベアリングを生産させなかったんだ?……コロラドの連中は我々をそっとしといてくれりゃいいのに。あそこのストックトン鋳造所は転轍信号機事業に参入する権利はなかったんだ。ずっと私の事業だったんだから私に先任権がある。不公平だ。共食いだ。新参者は強引な割り込みを許されるべきじゃない。私に転轍機と信号機をどこで売れというんだ? コロラドに大鉄道は二社あった。いまフェニックス・デュランゴが消えてタッガート大陸横断鉄道しか残ってない。不公平だ——あいつらがダン・コンウェイを追い出したのは。競争の余地がなけりゃ……それに私はオルレン・ボイルに発注した鋼鉄で半年も待たされている――それでいまのやつときたら何も約束できない、リアーデン・メタルがボイルの市場を叩き潰して、みながあのメタルに飛びついているから事業を縮小しなきゃならんとかで。不公平だ――リアーデンがそうやってほかの連中の市場を荒らすのを許されてるってのは……それに私だってリアーデン・メタルが欲しい――だが入手しようとしてみろ！　三州にまたがって予約待ちの行列だ――ワイアットやダナガーなんかのあいつの古い仲間以外は屑さえ手に入らん。不公平だ。差別だ。私は隣のやつと何ら違わない人間だ。あのメタルの分け前にあずかれていいはずなんだ」

若者は目を上げた。「僕は先週ペンシルベニアにいましたが」彼はいった。「リアーデンの製鉄所をみました。ああいうのを活気があるっていうんだ！　新しい平炉を四基も造っていて、さらに六基造るっていうんだ……新しい製鋼炉」彼は南をみていった。「この五年間、大西洋岸では誰も新しい製鋼炉は造ってない……」空を背景に、覆いをかぶせたモーターの上で、遠くにいる恋人をみるように、熱意と切望のまじった微笑を浮かべて彼は薄闇を見つめていた。「活気がある……」彼はいった。

やがて彼の微笑が不意に途切れた。てきぱきした動作の流れが始めて途切れ、彼は鎖をぐいと引っ張った。その動作には怒りがこもっていた。

モーウェン氏は空の輪郭とベルトコンベヤーと車輪と煙をみた――夜気に重く静かに垂れこめる煙は、日没の向こう、ニューヨーク市まで長い霞になって伸びている――煙突とガスタンクとクレーンと高電圧線の輪があるニューヨークの神聖な火の輪をおもい、彼はまた安心できる気がした。見慣れた通りの煤けた建物一つ一つに電力が流れている。上にいる若者の姿は悪くない。彼の仕事のやり方には人を安心させるものがある。空の輪郭と馴染む何かが……だがモーウェン氏はなぜか、亀裂がどこかでひろがっており、固い不朽の壁を破壊しつつあるような気がした。

「何とかしてほしいもんだ」モーウェン氏がいった。「友人の会社が先週倒産した――石油事業だ――オクラホマに油田をもっていたが――エリス・ワイアットに太刀打ちできずに。不公平だ。弱者にも機会を残すべきなんだ。ワイアットの生産高を制限すべきだ。ほかをみな市場から締め出すほどの生産を許可されるべきじゃない……昨日はニューヨークで車をおいて各駅停車で家に帰るはめになった。ガソリンが入れられずに。市内じゃ石油が足りないらしい……何かが間違っている。何とかしてもらわんと……」

スカイラインをみて、モーウェン氏はこの漠然とした脅威は何だろう、破滅を招いているのは誰なんだろうとおもった。

「あなたはどうしたいとお考えなんです?」若者がたずねた。

「え、私かね?」モーウェン氏はいった。「知るもんかね。私は大物じゃない。国の問題を解決できるもんか。ただ生計をたてたいだけだ……わかっているのは、誰かが何とかしなけりゃってことだけだ……何かが間違ってる……いいかね――きみ、名前は?」

「オーウェン・ケロッグです」

「いいかね、ケロッグ、世界には何が起こるとおもう?」

「あなたは知りたくもないでしょう」

遠くの塔で夜勤への交代を告げる号笛が鳴り、モーウェン氏はもう遅いと気づいた。彼はため息をつき、コートのボタンを留め、背を向けた。

「ま、なされていることもある」モーウェン氏はいった。「段階的措置はとられている。建設的な措置だ。議会は経済企画国家資源局の権限を拡大する法案を可決した。調整官長にはとても有能な男を任命した。聞いたことはない気がするが、新聞は注目すべき人物と言っている。ウェスリー・

ムーチとかいう名前だったな」

＊　＊　＊

ダグニーはリビングの窓際に立ち、街の景色を眺めていた。深夜の街の光は黒い燃え殻の中で明滅する最後の残り火のようだ。

彼女は安らいでいた。思考の働きをとめて自分自身の感情をとり戻し、駆け足で過ぎたこの一ヶ月のひと時ひと時を見つめることができれば、とおもった。タッガート大陸横断鉄道のオフィスに復帰したことを実感している暇がこれまでなかった。やるべきことが多すぎて、流刑からの帰還だったことを忘れていたのだ。彼女の復帰についてジムがどう言及したか、そもそも発言したかさえも気にとめていなかった。反応を知りたかった人物が一人だけいて、彼女はウェイン・フォークランド・ホテルに電話をかけた。だが、フランシスコ・ダンコニア殿はブエノスアイレスにお帰りになりました、と言われただけだった。

長い法務書類の最後に署名をし、ジョン・ゴールト線を終結させた瞬間はおぼえている。いまやそれはふたたびタッガート大陸横断鉄道のリオ・ノルテ線となった――乗務員たちが古い名前で呼ぶのをやめようとしないというだけで。彼女もまたその名前を捨て難く、意識して「ジョン・ゴールト線」と呼ばないようにしては、なぜか胸をしめつけるかすかな悲しみをおぼえた。

ある夕方、突然の衝動にかられて、路地裏にあるジョン・ゴールト株式会社の事務所を最後に一目みておこうと、タッガート・ビルの角を曲がった。なぜそんな衝動にかられたのかわからない。ただ見るだけ、と彼女はおもった。歩道沿いに厚板の壁が立てられている。古いビルは取り壊されていた。ついに見切りをつけられたのだ。彼女は厚板の上にのぼり、あの夜見知らぬ人の影を歩道に落としていた街灯の明かりで事務所の窓から中をのぞきこんだ。一階には何も残っていない。仕切りは取りはらわれ、壊れたパイプが天井からぶらさがっており、床には瓦礫の山があるだけだ。見るべきものは何もない。

彼女はリアーデンに、春の夜ここに来て、中に入りたい欲望と戦いながら窓の外に立っていたことがあるかどうかたずねたことがある。だが答えをきく前から、彼ではないことはわかっていた。なぜそんなことをたずねたのかは言わなかった。それを思い出すといまも時々心が騒ぐのはなぜなのかわからなかった。

リビングの窓の外に、真っ暗な空につけた小さな荷札のように、明かりに照らされた長方形のカレンダーがぶらさがっている。それは九月二日と読めた。めくられていくページと競走したことをおもいだし、彼女はゆったりと微笑んだ。もう締め切りはない。壁も脅威も制限もないのだ。

アパートの扉の鍵が回る音がきこえた。今夜彼女が待ち望み、聞きたかった音だ。

何度もそうしてきたように、彼女が渡した鍵で、その音だけを前触れにしてリアーデンが入ってきた。彼は帽子とコートを椅子に投げた。いまでは見慣れた仕草だ。彼は晩餐用の正装をしていた。

「こんばんは」彼女はいった。

「この部屋に君がいない夜はいつくるんだろね」彼は応えた。

「そのときはタッガート大陸横断鉄道のオフィスに電話しないとね」

「毎晩？　ほかにいくところはないのかい？」

「ハンク、嫉妬？」

「いや。どんな気持ちになるか、と思って」

彼は部屋の反対側で、彼女に近づきたい気持ちを抑えて、望むときにいつでも近づける快感をわざと先にのばしながら、彼女を見つめて立っていた。彼女はオフィス・スーツのグレーのタイトスカートと男物のように仕立てた透ける白のブラウスを身につけていた。ブラウスは腰の線の上にふわりと広がり、引き締まったヒップを強調している。ランプの光を後ろにして、ゆったりとしたブラウスの輪の中に、すらりとした体のシルエットがみえた。

「晩餐会はどうだった？」彼女がたずねた。

「まずまずだ。できるだけ早く逃げてきたが。なぜこなかったんだい？　きみも招待されていたんだ」

「公の場で会いたくなかったの」

答えの意味はわかっているというかのように、彼は彼女を一瞥した。やがて彼の表情は楽しげな笑みに変わった。「実に面白かったよ。全米金属産業会議はもう二度とわざわざ俺を主賓にするような試練をくぐろうとはしないだろう。しないですむならね」

「何があったの？」

「何もない。たくさんの演説だけ」

「あなたにとっては試練だった？」

「いや……ああ、ある意味ではね……本当に楽しみたかったから」

「何か飲む？」

「うん、いいね」

彼女は背を向けた。彼は後ろから肩をつかんでひきとめた。そして彼女の頭を反らせて口づけした。彼が頭をあげると、彼女は権利を主張するように、持ち主の仕草で、その頭をまたひきつけた。

そして離れた。

「酒はもういいよ」彼はいった。「本当に欲しかったわけじゃない——君が仕えるのを見たかっただけだ」

「あら、だったら仕えさせて」

「いや」

彼は微笑し、長椅子に横たわり、頭の後ろで腕を組んだ。くつろいでいた。ここは初めて見つけた家だった。

「あのな、晩餐で最悪だったのは、そこにいた全員が、ただこれを早く済ませたいと思っていたことだ」彼はいった。「そもそもなぜそんな会を開きたいと思ったのかな。要らなかった。僕のためならなおさらね」

彼女は煙草の箱をとりあげ、彼に差し出し、もったいぶって仕える素振りで煙草の先にライターの火をつけた。彼がくつくつ笑うと彼女も応えて笑い、部屋の向かいの椅子の肘に腰かけた。

「ハンク、なぜ招待をうけたの？」彼女はたずねた。「あなたはあの団体に加入するのをいつも断っていたじゃない」

「和解の申し入れを断りたくなかったんだ——自分が相手を負かして、相手にもそれがわかっているときにね。これからも絶対に加入しないつもりだが、主賓として出席してほしいという招待——まあ、いさぎよい負け方だなと思ったんだ。やつらも寛容だと」

「あの人たちが？」

「俺が、と言いたいのか？」

「ハンク！　あれだけ邪魔されたっていうのに——」

「俺は勝っただろう？　だから思った……あのな、あいつらがメタルの価値にもっと早く気づかなかったことを俺は根に持ったりはしなかった——最終的にわかればいいんだ。誰もが自分のやりかたで学び、のみこみの早さも人によって違う。むろん、やつらはひどく臆病で、嫉妬や偽善もあったが表向きだけだと思ったんだ——いまや俺が正しいことは証明されたのだから、こんなにはっきりと証明されたのだから！——やつらが俺を招待した本当の動機はメタルの価値がわかったからだと思ったし——」

彼が短い間をおくと、彼女は微笑んだ。彼が最後まで言わなかった文句を彼女は知っていた。

「——そのためなら俺は誰のどんなことでも許せる」

「だがそうじゃなかった」彼はいった。「そして俺にはやつらの動機がわからなかった。ダグニー、そもそも動機があったようには思えないんだ。あの晩餐会は俺を楽しませるためでも、俺から何かを得るためでも、世間体のためでもなかった。目的も意味もなかったんだ。やつらはメタルを糾弾したときにも本当に気に病んでいたわけじゃない——いまも気にしちゃいない。俺がやつらみんなを市場から締めだしてしまうと本気で恐れているわけでもない——それすら心配しちゃいないんだ。晩餐がどんなだったかわかるか？　敬意を表すべき値打ちのあるものがあって、敬意を表するときにはこうするものだときかされた——それで古きよき時代から遠いこだまに曳かれる亡霊みたいに、型どおりのことをしたんだ。俺は……俺には耐えられなかった」

硬い顔で彼女はいった。「それでもあなたは寛容じゃないっていうの！」

彼は彼女を見上げた。楽しそうな明るい目に変わっていた。「なぜ君がそんなに怒るんだい？」

優しさを隠して低い声で彼女はいった。「あなたは楽しみたかったのに……」

「自業自得だろう。期待しちゃいけなかったんだ。何を求めていたんだか」

「わたしにはわかるわ」

「ああいう場で楽しい思いをしたことはない。なぜ今回は特別だとおもったのか……あのな、俺はまるでメタルがすべてを、人さえも変えたかのような気がして出かけたんだ」

「ええそうよ、ハンク、わかるわ！」

「だがあそこは何かを探す場所じゃない……覚えているかい？　君は一度、お祝いは祝うことがある者だけのためにあると言ったことがある」

煙草の火が止まった。彼女は動かなかった。あのパーティーや彼の家庭のことを彼女が口にしたことはなかった。しばらくして、彼女は静かにいった。「覚えているわ」

「君の言いたかったことがわかる……あのときもわかっていた」

彼は彼女を真っ直ぐにみていた。彼女は目を伏せた。

彼は黙っていたが、ふたたび話し始めた声は陽気だった。「たちが悪いのは人が突きつける侮辱じゃなくて賛辞だな。今夜まくしたてられたようなのには我慢できなかった。特にやつらがみんな——やつら、この街、この国、そしてたぶん世界がどれほど俺を必要としているか言いつづけたときはね。栄誉の極みについてのやつらの概念ってのは、自分を必要とする人間を相手にすることらしい。俺は自分を必要とする連中に我慢ならない」彼は彼女を見た。「君には俺が必要かい？」

真面目な声で、彼女は答えた。「どうしようもなく」

彼は笑った。「いや。それは俺の言う意味じゃないな。君はやつらのようには言わなかった」

「どうやって言ったかしら？」

「商人——欲しいものに代償を支払う者のように。やつらはすずの器を引換券として使う物乞いみたいにそう言うんだ」

「ハンク、わたしは……代償を払っているの?」

「うぶなふりをするな。言いたいことはわかってるだろ」

「ええ」彼女は小声で言って微笑んだ。

「ああ、かまうもんか!」彼は脚を伸ばしながら、長椅子の上で体の向きをかえ、そうしてくつろげる贅沢を堪能するように幸福そうにいった。「俺は公の場には向かないんだ。とにかく、もういい。やつらにわかろうがわかるまいが俺たちは気にしなくていい。そっとしといてくれるよ。前方良好。副社長殿、次の事業は何でしょうか?」

「リアーデン・メタルの大陸横断線路よ」

「いつ欲しい?」

「明日の朝。実際にできるのは今から三年後」

「三年でできると思うか?」

「ジョン・ゴールト線……リオ・ノルテ線がこのまま順調なら」

「もっとよくなる。まだ始まったばかりだ」

「分割での計画はたてさせてあるの。お金が入ってきたら、本線の線路を一区間ずつ剥がしてリアーデン・メタルのレールと交換するつもり」

「いいぜ。いつでも始めたいときに」

「古いレールは支線に移していく——そうしないともう長くはもたないから。三年以内に、あなたのメタルに乗ってサンフランシスコまで行けるようになるわ。誰かがあちらであなたのために晩餐会を開きたければ」

「三年以内には、俺はコロラド、ミシガン、アイダホにリアーデン・メタルの製鋼所を作る。それが俺の分割計画だ」

「あなたの工場？　支社？」

「ああ」

「機会均等化法は？」

「あんなものが三年先にもまだ存続しているなんて思わないだろ？　ああいうナンセンスは一掃されるとこんなにもはっきり立証してみせたんだ。全米中が味方だ。いまブレーキをかけたい者がいるか？　あんな空言に耳をかす者が？　ワシントンではいま現在も、もっとまともなロビイストが動いている。次の会期で均等化法は撤廃にしてくれるだろう」

「そうなれば……とは思うけれど」

「この数週間は新しい製鋼炉を始動させるのにひどく手間取ったが、もう大丈夫だ。完成間近だし、俺は座ってみてればいい。机の前に座って、金をかき集めて、のらくらして、注文どおりメタルが出鋼されるのをみて、あちこちで客をえり好みできる……なあ、明日の朝のフィラデルフィア行きの始発は何時だい？」

「さあ、覚えてないわ」

「覚えてない？　使えない業務副社長だなあ。七時までに工場にいかなきゃいけないんだ。六時前後の列車はあるか？」

「たしか始発は五時半よ」

「それに間に合うように起こしてくれるか？　それとも列車を待たせといてくれるか？」

「起こしてあげるわ」

彼女は座り、黙っている彼をみていた。入ってきたとき彼は疲れた顔をしていたが、いまは疲労の色が消えている。

「ダグニー」突然彼はたずねた。声の調子が変わり、秘めた真剣さを帯びていた。「なぜ公の場で会いたくなかったんだ?」

「あなたの公の生活の……一部になりたくないから」

彼は答えなかったが、しばらくして何気なくたずねた。「最後に休暇をとったのはいつだ?」

「たしか二年……いいえ、三年前だったわ」

「何をした?」

「アディロンダックの山にひと月。一週間で戻ってきちゃったけど」

「俺も五年前に同じことをやったよ。オレゴンだったが」天井をみながら、彼は仰向けに寝そべっていた。「ダグニー、一緒に休暇をとろう。俺の車で何週間か遠出しよう。どこでもいい、ただ誰も俺たちを知らない裏道を通って。行く先を告げずに、新聞もみずに、電話にもさわらないで——公の生活はまったくなしで」

彼女は立ちあがった。彼に近づき、彼を見下ろし、ランプの光に背を向けて長椅子の脇に立った。笑みをこらえた顔を見られたくなかったからだ。

「二、三週間離れても大丈夫だろ?」彼がいった。「もう何もかも軌道に乗ったし順調に進んでいる。安全だ。あと三年はもうこんなチャンスはないぜ」

「いいわ、ハンク」懸命に平静をよそおいながら、彼女はいった。

「いいのか?」

「いつ出発したいの?」

「月曜の朝だ」

「わかった」

彼女は背を向けて離れようとした。彼は彼女の手首をつかみ、彼女を引き摺り下ろし、自分の上に彼女の肢体を伸ばした。彼女がくずれおちると、不自然な姿勢のままできつく抱き、片手を髪にあてて彼女の唇を自分の口に押しつけ、もう片方の手を彼女の肩甲骨から薄いブラウスの下へ、腰へ、そして脚へと動かした。彼女は囁いた。「これでもあなたが必要じゃないっていうの……」

彼女は身を引き離して起きあがり、髪をかきわけた。彼はじっと横たわり、意味深で少し嘲けるような好奇心に瞳を輝かせ、目を細めて彼女を見上げた。彼女は彼を見下ろした。スリップの紐がほどけて肩から脇に斜めにさがっており、彼はブラウスの透明な膜の下の胸を見つめていた。彼女は紐を直そうと手をあげた。彼はその手を叩きおろした。彼女はわかっているというように、嘲りを返すように微笑した。そして悠然と部屋を横切り、彼の方を向き、テーブルの縁に手をついて肩をそらし、テーブルにもたれた。彼が好きなのはその対照だった——服装の厳格さと半裸の体。彼の女である鉄道会社の重役。

彼は座りなおし、長椅子にゆったりともたれ、脚を組んで前に伸ばし、手をポケットにいれ、資産を評価する目つきで彼女を眺めていた。

「副社長殿、リアーデン・メタルの大陸横断線路を欲しいとおっしゃいましたか？」彼はきいた。「もし俺がやらなかったら？　いま俺は顧客を選べるし、好きに価格を設定できる。一年前なら、俺と寝ることを交換条件にしていただろう」

「そうしてくれればよかったのに」

「受けていたか？」

「もちろんよ」

「仕事として？　売買として？」

「あなたがバイヤーだったらね。そうなってればよかったでしょう？」

「きみはよかったと思うのか？」

「ええ……」彼女は囁いた。

彼は彼女に近づき、肩をつかみ、薄い布地の上から胸に唇をあてた。

そして彼女を抱きながら、長い間黙って彼女を見ていた。「あのブレスレットはどうした？」彼はたずねた。

これまでそれを話題にしたことはなかった。彼女が確かな声を出せるようになるまで間があった。

「持ってるわ」彼女は答えた。

「勘ぐられたりすれば、困るのはあなたのほうよ」

「つけてほしい」

「つけろ」

彼女はリアーデン・メタルのブレスレットを取り出してきた。それを無言で差しだすと、手のひらに青碧の鎖を光らせて彼を真直ぐに見た。視線をとらえたまま、彼はブレスレットを彼女の手首に巻いた。留め金が彼の指の下でカチリと音をたてて閉じた瞬間、彼女は頭を彼の手に近づけて接吻した。

＊　＊　＊

大地が車のボンネットの下を流れていく。人間の労働のしるしといえばウィスコンシンの丘陵の曲線からほどけるハイウェイと、雑草と木のやぶの海に架かる危なっかしい橋だけだ。澄んだ青空の下、橙色のしぶきを散らし、ときおり山腹に赤い潮を噴き上げ、窪地に緑の淵を残し、黄葉の海は静かに流れていく。絵葉書写真の色の合間、クロムスチールに陽光をうけて空を映して黒く輝くボンネットは宝石職人の作品のようだ。

ダグニーは前に脚を伸ばし、窓の隅にもたれていた。広々と快適な車の座席の空間と、肩を照らす太陽の温かみが心地いい。田舎の風景は美しいとおもった。

「俺がみたいのは」リアーデンが言った。「看板広告(ビルボード)だ」

彼女は笑った。彼女が口にしなかった疑問に、彼は応えた。「誰に何を売るのかって？　この一時間、車一台、家一軒見ていないからな」

「それが気になるんだ」彼はハンドルに手をおいたまま前かがみになった。顔をしかめている。「道を見てみろ」

長いコンクリートの道は、タイヤやオイルやカーボンの跡のような動きの光沢剤が太陽と雪に浸食されたかのように、砂漠にとり残された骸骨の粉っぽい灰色に色褪せていた。青々とした雑草がコンクリートの角ばった割れ目から伸びている。この道は何年も誰にも使われず、修理もされていない。だが亀裂は数えるほどだった。

「いい道だ」リアーデンが言った。「長持ちするように作られてある。この道を建設した男は、そのあと何年も、かなりの交通量を見越すだけの理由があったはずだ」

「ええ……」

「どうも不気味な光景だな」

「そうね」彼女は微笑んだ。「だけど、看板広告が田舎の風景を台無しにするっていう文句をどれほどきかされたか考えてみて。これが、かれらが憧れる手つかずの田舎なんだわ」彼女はつけたした。「私が嫌いなのはそういう人たち」

この日の楽しみの下にある小さな亀裂のような不安を、彼女は感じたくはなかった。この三週間、くさび形のボンネットを流れ過ぎゆく田舎の光景に、その不安をふと感じることがあった。彼女は微笑んだ。大地は通り過ぎてゆくが、彼女の視界の中ではこのボンネットが不動の点なのだ。このボンネットが、かすんで解けていく世界の中心であり、焦点であり、安全な場所……目の前のボンネットと、彼女の隣でハンドルを握るリアーデンの手が……これを世界のかたちにしておけばいいのだと考えながら、彼女は微笑んだ。

放浪を始めて一週間、見知らぬ岐路につきあたっても気の向くままに進んでいたある朝、出発してまもなく彼がいった。「ダグニー、休息に目的があってはいけないかな？」彼女は笑って答えた。「いいわよ。どの工場をみにいきたいの？」彼は微笑して——負わなくともよい罪、必要のない説明のために——答えた。「サギノー湾付近に鉄鉱石の廃山があるときいたことがある。枯渇したと言われているが」

二人はミシガンを北上してその鉱山まで行った。からっぽの採掘坑の岩棚を歩いていくと、頭上には骸骨のような古びたクレーンがたわみ、足元では錆びた弁当箱がカタカタ音を立てている。彼女は悲しみよりも鋭い不安に衝かれた気がした——だがリアーデンは陽気にいった。「枯渇だと！ばかな！　ここから俺なら何十万トンでも何百万ドルでも引き出してみせる！」車に戻る途中、彼はいった。「適当な人間さえ見つかれば、明日の朝にもあの鉱山を買ってやって採掘の準備を整えて」

翌日、イリノイの平原まで西へ、そして南へと運転していたとき、長い沈黙のあと突然彼がいった。「いや、やつらがあの法案を片づけるまで待たないとな。あの鉱山を採掘できるやつなら俺が教えてやる必要はない。俺を必要とするやつなんか役に立たたん」

いつもと同じく、完全に理解されているという確信をもって、かれらは自分の仕事の話をすることができた。だが互いについては一切ふれなかった。彼は、この情事は二個の精神の交流において認識すべからぬ名のない物理的事実であるかのように振舞っていた。毎晩、体内を駆けぬける興奮の震えをすべてさらけだしても、それに呼応する彼自身の内部の慄きは絶対に悟らせない、そんな不可解な他人の腕に彼女は抱かれているようだった。裸で彼の傍に横たわる彼女の腕には、リアーデン・メタルのブレスレットがあった。

道端のむさ苦しいホテルの登録簿に「スミス夫妻」と署名するのは彼にとって苦痛であり、嫌でたまらないことを彼女は知っていた。お決まりの嘘につかうお決まりの名前を記入するとき、嘘をつかせる者たちへの怒りのために引きつる彼の口もとを見た夜がいくつもあった。彼女はまた、無頓着にだが、ホテルのフロント係の態度には客と係員は快楽を求める共犯者なのだと仄めかすようなわけ知り顔のずるい空気があることにも気づいた。だがふたりきりでいるとき、彼女を抱く彼にとって、それはどうでもよく、目は生き生きとして罪悪感はなかった。

小さな町、人気のない道、もう随分と長い間見ていないような場所に、かれらは車を走らせた。町の有様を見て、彼女は落ち着かない気持ちがした。何日もたってから、何が欠けている気がしていたかがわかった。塗りたてのペンキだ。家は直立する意志を失って、プレスしていないスーツを着た男のように立っている。軒の蛇腹は沈んだ肩、ゆがんだポーチの階段は破れた裾、壊れて羽目板で直した窓はあて布のようだ。道端の人びとは、珍しい光景を見つめるようにではなく、輝く黒の物体は別世界の幻覚であるかのように新車を凝視していた。道には乗物がほとんどなく、たまに目にしても多くは馬に引かれていた。馬力という言葉の本来の形も用法も彼女は忘れていた。その復活を見たくはなかった。

ある日踏切で、リアーデンが何かを指さしてけらけらと笑い、丘の背後から地元の小鉄道の列車が、高い煙突から黒い煙を吐き出す年代物の蒸気機関車に牽かれてよろめきながらやってくるのを見たとき、彼女は笑わなかった。

「まあ、ハンク、おかしくなんかないわ！」

「わかってる」彼はいった。

そこから一時間ばかり、七十マイルほど離れて、彼女がいった。「ハンク、タッガート・コメットがあんな蒸気機関に牽かれて大陸を横断するのを想像できる？」

「どうしちまったんだ？　しっかりしろ」

「ごめんなさい……ただディーゼル機関を生産できる人間を見つけなきゃ、私の新しい線路も、あなたの新しい製鋼炉も何の役にも立たないんじゃないかって考えずにはいられないの。一刻も早く見つけなければ」

「コロラドのテッド・ニールセンがやってくれるよ」

「ええ、彼が何とか新しい工場をたちあげられればね。無理してジョン・ゴールト線の債券にお金をつぎ込んだから」

「結果的にかなり儲かる投資になったんじゃないのか？」

「ええ、でもそれで身動きが取れなくなっていた。もう再開準備はできているけれど、道具がみつからないの。どこにいこうが、どんな値をつけようが、工作機械が買えないらしいわ。口約束と滞納ばかりで。あの人、閉鎖した工場で古いガラクタを掘り出そうとして全米じゅう隅から隅まで探しまわっているの。早く始めなきゃ——」

「大丈夫だ。いまのあいつを邪魔だてできる者がいるか？」

「ハンク」彼女は唐突にいった。「見たい場所があるんだけど、行っていい？」

「ああ。どこへでも。どこだい？」

「ウィスコンシンなの。父の時代、あそこに素晴らしいモーターの会社があったわ。うちもそこに支線があったんだけれど廃線になったの——七年ほど前——工場が閉鎖されたときに。いまは荒廃地域に入っていると思う。そこにテッド・ニールセンが使える機械がいくらか残っているかもしれない。見落としているってこともあるし——そこは忘れられて、交通手段もないのよ」

「俺がみつけてやろう。工場の名前は？」

「二十世紀モーター社」

「ああ、あそこか！　俺の若い時分は超優良のモーター製作会社だった。おそらく全米一だったな。破産のしかたにどこかふに落ちないところがあった気がする……はっきりとは思い出せないが」

道を訊きながらそこまで辿りつくのに三日かかったが、白っぽくなって、忘れられた道が見つかった——そしていま金貨の海のように輝く黄葉のなかを、二十世紀モーター社に向かっていた。

「ハンク、テッド・ニールセンに何か起こったらどうしましょう？」黙って車を走らせていると、彼女が不意にたずねた。

「なぜやつに何かが起こるんだ？」

「わからないわ。だけど……そうね、ドワイト・サンダースが消えた。連合機関車はもう駄目。ほかの工場はディーゼルを作れる状態じゃない。口約束はききあきたわ。だとすれば……動力のない鉄道が何の役に立つかしら？」

「それをいうなら、動力なしで何かの役に立つものがあるのか?」

木の葉が風に揺れてきらきら輝いている。それらは雑草から茂みへ、木々へと様々な炎の色をして動き、長々と伸びていた。燃え盛る黄葉の豊饒たる手つかずの大地は、ある目的の達成を讃えているようにみえる。

リアーデンは微笑んだ。「荒野についてひとつ言えることがある。俺はこれが気に入り始めている。誰も発見してない未踏の地だ」彼女は陽気にうなずいた。「いい土壌——ものが成長する様子を見て。私ならあの茂みを取り払って——」

二人の顔から微笑が消えた。道端の雑草の中にみえた残骸は、錆びついたボンベとガラスの欠片——ガソリンスタンドのポンプの死骸だった。

目に入ったのはそれがすべてだった。黒ずんだ柱、コンクリートの板とガラスの粉塵の輝き——ガソリンスタンドの成れの果て——が藪に呑みこまれ、容易に見過ごされ、あと一年は誰の目にもとまらないだろう。

かれらは目をそらした。うちつづく雑草の茂みにほかに何が隠されているか知りたいという気もおこらず、かれらは車を走らせつづけた。二人のあいだの沈黙には同じ重苦しい疑念があった。その茂みがどれほどのものを、どれくらいの速さで呑みこんだのかという疑念だ。

丘の曲がり角で道は突然途切れていた。残されているのは、くぼんだ長い道の跡のタールと泥から突き出るコンクリートの塊だ。コンクリートが打ち砕かれて持ち去られた地面には雑草さえ育っていない。遠い丘の頂上に電信柱が一本、空を背景にして、広大な墓地にかかる十字架のように斜めに立っていた。

道らしい道のない土の上を、溝をつたい、荷馬車の轍に沿って低速でのろのろと進み、タイヤを一輪パンクさせて三時間後、ようやく電信柱の立つ丘の向こうの谷間にある村落に辿りついた。

いまも数軒の家が、かつて工場町だった廃墟に建っている。動かせるものはみな移されていたが、人が残っている。空っぽの建物は時間ではなく人に浸食されて立つ瓦礫だった。壁板はでたらめに引きちぎられ、屋根はところどころ穴が開き、中身がすっかり持ち去られた穴蔵がある。盲目の手が、翌朝からまた生きていかねばならないという概念もなく、そのときどきの要求に即したものを何もかもうばっていったかのようだ。廃墟の中に人の住む家がまばらに散らばっている。この街で唯一動いているのは家の煙突から出る煙だけだ。町のはずれには校舎だったコンクリートのぬけ殻が立っている。それは頭蓋骨のようにみえた。ガラスのない窓が空っぽの眼窩、壊れた金網が絡みつく髪だ。

町の向こう、遠い丘の上に二十世紀モーター社の工場が建っていた。外壁、屋根の線と煙突は要塞のように余分なものがなく、何ものにも動じないようにみえた。銀の水槽が横向きに傾いてさえいなければ、工場はいまも稼動しているようにみえただろう。

木と丘の勾配がもつれあい連なる丘陵に、工場につながる道の跡はない。煙が微かに立ち昇る最初に目についた家の戸口まで、かれらは車を進めた。扉は開いていた。老女がエンジンの音をきいて足を引きずるように歩いて出てきた。ぶくぶくとした女は、腰が曲がり、はだしで、小麦袋で作った服を身につけていた。そして驚きもせず、興味を示すでもなく車をみた。疲労以外の感情をもつ力を失くした者の虚ろな目つきだ。

「工場への道を教えていただけますか?」リアーデンがたずねた。

女はすぐには答えず、口がきけないかにみえた。「どの工場?」女はきいた。

リアーデンは指をさした。「あれです」

「あれなら閉鎖されてるよ」

「閉鎖されているのは知っています。ですがあそこに行く方法はありますか？」

「さあね」

「何か道のようなものは？」

「森の中に道があるよ」

「車を運転していけるような？」

「たぶんね」

「では、どれが一番よい道ですか？」

「さあね」

　開け放たれた扉から家の中がみえた。使い物にならないガスストーブの炉にぼろ布がつめてあり、物入れ替わりになっている。隅の石に据えつけたストーブでは、古いやかんの下で少しばかりの薪が燃え、煤の長い筋が壁をつたって上に昇っている。テーブルの脚にもたせてある白いものは、どこかの浴室の壁からひき剥がされた磁器の洗面器で、中にはしなびたキャベツがあった。テーブルのびんには獣脂ろうそくが立っている。ペンキのすっかりはがれた床板は、這いつくばって床板をこすり、木目に染みついた汚れとの戦いに敗れた人間の骨の痛みを視覚化したようなだれた灰色に変色している。

　ぼろ布をまとったその家の子どもたちが、戸口にいる女の後ろに、ものもいわずに一人ずつ集まってきていた。子どもらしい快活な好奇心をみせるでもなく、危険を察知すればたちまち姿を消す野蛮人の構えをして、車をじっとみつめている。

「工場まで何マイルですか？」リアーデンがたずねた。

「十マイル」女がいって、つけたした。「五マイルかもね」

「隣の町までどれくらいですか？」

「隣に町なんかないよ」

「つまり、どこかに別の町があるはずですが、そこまでどれくらいですか？」

「ああ、どっかにね」

　家の傍の空き地に、色あせた布が物干しの紐に干してあったが、紐は電線の切れ端だ。鶏が三羽、貧弱な野菜畑の苗床をつつきまわしている。四羽目は止まり木にいるが、その長い棒は下水道管だ。豚が二匹、泥とごみの中をよたよた歩いている。肥やしの向こうに敷かれた踏み石は、ハイウェイのコンクリートの欠片だ。

　遠くでキイキイいう音がして、公衆井戸からロープ滑車で水を汲み出している男がみえた。男は通りをゆっくりと歩いてきた。バケツを二つ運んでいるが、やせた腕には重すぎるようだ。年齢はわからない。男は近づいて立ちどまり、車を見た。そして射るようによそ者をみると目をそらした。疑り深く胡散臭い目つきだ。

　リアーデンは十ドル紙幣を取り出すと、それを男に差し出しながらたずねた。「工場への道を教えてもらえませんか？」

　男はむっつりと無頓着に金を見て、身動きもせず、それを手にとるでもなく、二つのバケツを握りしめたままだ。欲のかけらもない人間が存在するとすれば、ここにいる、とダグニーはおもった。

「ここらじゃ金はいりゃしねえ」男はいった。

「生活のために働かないのですか？」

「働くよ」

「では、お金のかわりに何を使うのです？」

重りをもって踏ん張ったままでいる必要はないとたったいま気づいたかのように、男はバケツを下ろした。「金は使わねえ」彼はいった。「身内でものを交換するだけさ」

「ほかの町からきた人たちとどうやって取引するのですか？」

「ほかの町へなんか行きゃしねえ」

「生活が楽にはみえませんが」

「それがなにかね？」

「何でもありません。ただ気になりまして。なぜあなたがたはここに居続けるんです？」

「親父がここで食料品屋をやってたからね。工場が閉鎖されただけだ」

「なぜ引っ越さなかったのですか？」

「どこに？」

「どこにでも」

「何のために？」

ダグニーは二つのバケツを見つめていた。ロープ柄のついたスズ製の四角いバケツは、石油缶だったものだ。

「あのですね」リアーデンが言った。「工場に行く道があるのかどうか教えてくれませんか？」

「道はたくさんあるがね」

「車が通れる道はありますか？」

「たぶんね」

「どの道ですか？」

男はしばらく真剣にその問題を考慮していた。「ま、あの校舎で左に曲がって」彼はいった。「それでゆがんだ楢の木までいきゃあ、二週間も雨が降らなきゃ使える道がある」

「最後に雨が降ったのはいつですか?」

「昨日だよ」

「ほかの道はありますか?」

「ま、ハンソンの牧場と森を抜けたら、しっかりしたよい道がある。小川までずっと」

「小川には橋はありますか?」

「いや」

「ほかの道は?」

「ま、車の道が知りたいなら、ミラーの区画の反対側にある。舗装してあって車には一番だが、それなら校舎の角で右に曲がって——」

「ですがその道は工場には行かないのですね?」

「ああ、工場へはいきゃせんよ」

「けっこうです」リアーデンが言った。「自分たちで探すことにしましょう」

彼がエンジンをかけたとき、フロントガラスに石がぶち当たった。ガラスには破砕防止加工がしてあったが、ひび割れがパッと一面に拡がった。ぼろをまとった餓鬼がひとり、甲高い笑い声をあげて隅に隠れた。それに応えて子どもたちがきゃあきゃあ笑う声が窓や家の隙間から聞こえた。

リアーデンは悪態をつきたい気持ちをぐっとこらえた。男は通りの向こうで少し眉をひそめただけで、表情は無気力なままだ。老女は反応せず、ただ傍観していた。興味も目的もなく、感光板の化合物のように、そこにあるすべてを取り込みはしても、目に入る事物に何の評価も下せないまま、女はその光景を黙って見ながら立っていた。

数分間、ダグニーは女を観察していた。その女の体が膨れて形がないのは年齢や怠慢のせいではなさそうで、妊娠しているようにみえる。ありえないことに思えたが、ダグニーが近くでみると、鈍いとび色の髪に白髪はなく、顔にもほとんど皺がない。ただ、空ろな目、猫背、のろのろした動きが老齢の徴候にみえていたのだ。

ダグニーは身を乗り出してたずねた。「あなたはおいくつですか？」

女は憤慨するでもなく、ただ無意味な問いに対するように彼女をみた。「三十七だよ」女は答えた。

そこから五マイル離れたとき、ダグニーが口を開いた。

「ハンク」彼女は怖くなっていった。「あの女の人、私より二つ年上なだけよ！」

「みたいだな」

「ああ、いったいどうしてあんな状態にまでなってしまうの？」

彼は肩をすくめた。「ジョン・ゴールトって誰？」

町をでるとき最後に見たものは看板広告だった。重苦しい灰色に色褪せた絵が、剥がれかけた上紙にいまも見える。洗濯機の広告だ。

遠い平野、町の向こうに、人体の適切な使用を超えた肉体労働のために醜くゆがんだ姿の男がのろのろと動いている。男は手で鋤を押していた。

二マイル先の二十世紀モーター社の工場にかれらが辿りついたのはさらに二時間後だった。探索は無意味だと知りながら、かれらは丘を登っていった。錆びた南京錠が中央入口の扉にかかっていたが、巨大な窓は粉砕され、誰でも入ることができた。マーモットも、うさぎも、吹き溜まる枯葉も。

工場の中はとうに荒らしつくされていた。大型機械はそれなりの道具を使って運び出されたようだ――床のコンクリートに土台の整然とした穴が残っている。ほかのものは早い者勝ちで持ち去られていた。そのあとには、極貧の浮浪者も欲しがらないような、よじれて錆びた屑鉄、板、壁土、ガラスの破片の山といった廃品――そして長持ちするように頑丈に作られた、屋根までの細い鉄のらせん階段があるばかりだ。

天井の隙間から光線が斜めに射しこむ大廊下で立ちどまると、足音があたりでこだまし、空っぽの部屋の列の向こうに消えていった。鋼の垂木の間を鳥が猛烈な速さで通り過ぎ、羽音をたてて空に飛び去った。

「念のため一通り見ておいたほうがいいわ」ダグニーが言った。「あなたは作業場をお願い。私は別館を見てきます。できるだけ早くやっちゃいましょう」

「ひとりでうろうろしてほしくない。あちらの床や階段が安全かわからないぞ」

「取り越し苦労よ！　工場の造りぐらいわかる――解体中でもね。かたづけちゃいましょうよ。ここを早く出たいわ」

静かな庭を通り抜けるとき――頭上にはスチールの橋が空に完璧な幾何学模様を描いていた――願わくはこのどの部分も見ずにすませたかったが、彼女はつとめて見るようにした。それは愛する人の体の検死を行うようなものだった。彼女は歯を食いしばり、サーチライトのように視線を動かした。そして早足で歩いた――立ちどまる必要はなかった。

立ちどまったのは研究室だった部屋だ。注意を惹いたのはワイヤのコイルだった。コイルは廃品の山から突き出ていた。特殊なワイヤの配置を彼女は見たことがなかったが、かすかで遠い記憶のかけらに触れたかのように、どこかで見たことがある気がした。コイルを引っ張ってみたが、屑山に埋もれたものの部品のようであり、動かせなかった。

多くの電気プラグ、重いケーブルの先端、導管、ガラスの管、棚も扉もない備えつけのキャビネットなど、壁から引きちぎられたものの残留物の用途から下した判断が正しいとすれば——部屋は実験室だったようだ。廃品の山にはたくさんのガラス、ゴム、プラスチック、金属、それに黒板だった暗い灰色の砕片がある。床一面で紙きれがかさかさと音を立てている。そしてポップコーンの包み、ウイスキーのボトル、暴露雑誌など、この部屋の主が持ちこんだのではないものの残骸もあった。

コイルを屑の山から救出しようと彼女は試みた。動かない。何か大きなものの部品のようだ。彼女は膝をつき、屑山を掘り始めた。

取り出したものをみようと立ち上がるまでには、彼女は手を切り、埃にまみれていた。それはモーターの模型の壊れた残骸だった。ほとんどの部品は欠落していたが、もとの形と用途をある程度想像するには十分なだけのものが残されていた。

こんなモーターどころか、これに似たものさえ、彼女は見たことがなかった。その部分の特殊なデザインや意図された機能が彼女には理解できなかった。

錆びた管と妙な形の接続形態を彼女は観察した。そして知っている限りの動力機関の型と、それぞれの部品が果たしうるあらゆる機能を頭に思い巡らせ、用途を推測しようとした。どの型も当てはまらない。電気モーターのようにみえたが、燃料がわからない。それは蒸気用でも石油用でもなく、彼女に思いつく燃料のためには設計されていなかった。

やにわに音のない呻きをあげ、彼女は廃品の山に飛びこんだ。手足をつき、ガラクタの上を這いずりまわり、目につく限りの紙きれをつかんで投げ捨てては、別の紙を探した。手は震えていた。残っていればと思ったものの一部が見つかった。それはタイプ書きの薄い冊子――昔に書かれた原稿だ。冒頭と巻末はない。留め金の下に残った紙には、分厚い冊子の頁番号が記してある。紙は黄ばみ、かさかさだ。原稿はモーターの説明書だった。

工場の発電所の空っぽの囲いから、リアーデンは彼女の叫び声をきいた。「ハンク！」それは恐怖の悲鳴にきこえた。

彼は声のする方向に走った。彼女は手から血を流し、ストッキングは破れ、スーツは埃まみれで、紙束を握り締め、部屋の真ん中に立っていた。

「ハンク、これ何にみえる？」足元の奇妙なガラクタを指さして彼女はきいた。彼女の声には現実から切り離され、愕然として、憑かれたような硬い響きがあった。「何にみえる？」

「怪我はないか？　何があったんだ？」

「違うの！……あら、心配しないで、私じゃないの！　私は大丈夫。これをみて。これが何かわかる？」

「君は自分がどういう状態かわかっているのか？」

「これをそこから掘り出さなきゃいけなかったの。大丈夫よ」

「震えているじゃないか」

「あなたもすぐそうなるわ。ハンク！　これを見て。とにかく見て何だと思うか教えて」

彼は目を落とし、注意して見た――そして床に座り、真面目にその物体を吟味した。「モーターを組み立てるにしては変わったやりかただな」顔をしかめて彼はいった。

「これを読んでみて」彼女は原稿を差し出しながらいった。

彼はそれを読み、目をあげた。「まさか！」

彼女は隣で床に座り、しばらく二人とも二の句がつげなかった。

「コイルだったの」彼女はいった。頭がめまぐるしく回転しているように感じ、急激な爆発で視界が開けてみえたすべてを整理できず、言葉同士がわめきあいながらあふれてきた。「はじめに気づいたのはコイルだったの――ああいう設計図、ちょっと違うけどあんなようなのを、何年も前、学生のときに見たから――古い本にあったんだけど、ずうっと前に不可能として諦められていた――だけど私、鉄道のモーターについては手当たり次第に読んでいたから。本にはそれが考案された時代があったって書かれていた――何年も実験を重ねたけれど、解明できずに放棄したって。何世代も忘れられていたの。いま現役の科学者が同じことを考えているなんて。でも誰かが考えていたのね。誰かがいま、この時代に、解明したのよ！……ハンク、わかる？　その人たち、ずっと昔、大気から静電気を導いて、それを変換して、その過程で発電する動力機関を開発しようとしたの。その人たちにはできなかった。あきらめたのよ」彼女は壊れた物体を指さした。「なのにそれがそこにあるわ」

彼はうなずいた。笑ってはいなかった。座ってその残骸を、彼自身考えるところがあるように注意深く吟味していた。それはさほど喜ばしい考えにはみえなかった。

「ハンク！　これがどういう意味かわからないの？　内燃機関の発明以来の動力機関史上最大の革命――それよりすごいわ！　何もかも一掃して――何でも可能にする。ドワイト・サンダースやほかの人たちなんかかまうもんですか！　ディーゼルにこだわっていたい人がいる？　石油や石炭や燃料補給所の心配をしたい人がいる？　何を見ているのかわかる？　ディーゼル一台の半分の大きさで十倍の動力がある真新しい機関車よ。数滴の燃料で無限のエネルギーを生み出せる自家発電よ。

これまで考案されたどの動力機関よりもクリーンで、迅速で、安いわ。これで私たちの輸送システムとこの国がどうなるかわかる?――一年もあれば」

彼の表情に興奮の輝きはない。彼はゆっくりといった。「誰が設計したんだろう? なぜこんなところに残っているんだろう?」

「調べましょう」

考えながら、彼は手で文書の重みをはかった。「ダグニー」彼はきいた。「作った男が見つからなければ、残っているものからモーターを復元できるか?」

彼女は長い間をおいた。そして沈んでいく声で言葉が落ちた。「いいえ」

「誰にもできない。そいつはそれを完成させていた。それは機能した――ここに書いてあることから判断すると。僕が目にした中で最高の発明だ。だった、といったほうがいい。それをまた機能させることはできないよ。欠けているものを補うには、その人物の頭脳と同じくらい傑出した頭脳が必要だろう」

「私がその人を探し出すわ――いまやっていることを全部投げだしても」

「――そしてまだそいつが生きていれば」

彼の声には、あえて口にしない憶測が含まれていた。「なぜそんな言いかたをするの?」

「生きているとは思えないな。生きてれば、これほどの発明を屑山で腐らせておくだろうか? この規模の業績を捨てていくだろうか? いまも生きているなら、何年も前に自家発電の機関車ができていたはずだ。そしてそいつを探す必要などなかったろう。いまごろ世界じゅうに名が知られていたはずだからな」

「この模型が作られたのはそんなに昔じゃないと思うわ」

彼は原稿の紙とモーターの錆をみた。「十年前ってとこだな。もう少し前かもしれん」

「彼か、彼を知っていた人を見つけなきゃ。こちらのほうが大事」

「現在所有されていたり、製造されたりしているどんなものよりもね。発明者が見つかるとは思えないな。見つからなければ、誰も彼のやったことを繰り返すことはできないだろう。モーターは誰にも復元できまい。残っているものだけでは充分じゃない。これはただの糸口、貴重な糸口だが、完成させるには一世紀に一人という頭脳が必要だ。現役のモーター設計者が取り組んでいるところを想像できるかい？」

「いいえ」

「第一級の設計者はもう残っていない。モーター業界では、もう何年も新しいアイデアが生まれていない。死に体の、あるいは既に死んでいる職業だな」

「ハンク、あのモーターが造られていたら、何を意味していたかわかる？」

彼は短く笑った。「そうだな。この国の全員の寿命が十年ずつ延びたろうな――どれほどのことが楽になり、どれほどのものの生産費用が下がり、どれほどの労働時間が解放され、各自の仕事がどれほど余分に見返りを得られたかを考えると。機関車？　こんなモーターつきの自動車や船舶や航空機はどうだ？　それにトラクター。それに発電所。変換器のほんのわずかな作動費用以外、燃費がかからない無限のエネルギー供給源にすべてがつながる。あのモーターは国全体を起動させて火をつけていただろう。すべての家に、あの谷で見たあばら家にさえ、電球を普及させることになっていただろうな」

「なっていた？　そうなるわ。私がそれを製作した男を見つけるわ」

「やってみよう」

彼はいきなり立ち上がったが、壊れた残骸をじっと眺め、小さく笑いながら陽気とは言い難い声でつぶやいた。「ここにジョン・ゴールト線のモーターがあったんだ」

そして、彼はぶっきらぼうな役員口調で話した。「まず、ここの人事部のオフィスが見つかるかどうかあたってみよう。残っていればそこの記録を調べる。研究員と技術者の名前がほしいな。この場所をいま誰が所有しているかわからないし、所有者を見つけ出すのも難しいだろう。さもなくばこんな状態にしてはおかないはずだ。それから研究所にある部屋を一室ずつ調べる。あとで技術者を数人飛行機で送りこんで、残りの場所をしらみつぶしに調査させればいい」

かれらは歩き始めたが、敷居の上で一瞬、彼女が立ちどまった。「ハンク、あのモーターはこの工場の中で何より価値があったものよ」彼女は低い声でいった。「それには工場全部より、そこにあった何よりも値打ちがあった。それなのに見すごされて廃品の中に埋もれていたんだわ。持ち出す労力に値すると誰も思わなかった唯一のものが、あれなのよ」

「こわいのはそこなんだ」彼が答えた。

人事部のオフィスを調べるのに時間はかからなかった。オフィスは扉の表札でそれとわかったが、残されていたのは表札だけだった。中には叩き壊された窓の砕片のほかは、家具も書類も何もなかった。

かれらはモーターの部屋に戻った。四つん這いになり、床に散らかっていたゴミ屑をひとつ残らず吟味した。新しい発見はほとんどなかった。実験メモを含んでいるようにみえる書類を選りわけたが、モーターに言及したものはなく、中に原稿の頁はなかった。ポップコーンの包みとウイスキーボトルが、未知の奈落に破壊の残骸を流しおとす波のように部屋を荒らした略奪者たちの人となりを物語っていた。

モーターの部品だったかもしれぬ金属の欠片をかれらは取りわけたが、どれも小さすぎて用をなさなかった。モーターは、何かの役に立つだろうと思った者に部品をひき剥がされている。残されたのはあまりにも見慣れないもので、誰の関心も惹きつけなかったのだ。

傷む膝をついたまま、手のひらをざらざらの床にぴたりとつけ、冒涜の光景を目にしたやり場のない怒りがふつふつと胸に湧きおこるのを彼女は感じた。モーターに欠落しているワイヤで作った物干し紐に、誰かのオムツが干されているのだろうか――車輪が、共同井戸のロープ滑車になっているのだろうか――シリンダーが、いまではウイスキーボトルを持った男の愛人の窓辺におくゼラニウムの瓶になっているのだろうか。

丘の上には残り日が射していたが、青い霞が谷を覆いはじめ、木の葉の赤と金色が日没の縞模様を描いて空にも広がり始めていた。

作業が終わったときは暗かった。彼女は立ち上がり、ガラスのない窓枠にもたれ、額を冷気にあてた。群青色の空だ。「あれは国全体を動かして火をつけていたでしょうに」彼女はモーターを見下ろした。そして外の田舎の風景に目を移した。唐突に、彼女は長い身震いをして呻き、窓枠についた腕に頭を落とした。

「どうした？」彼がたずねた。

彼女は答えなかった。

彼は外を見た。眼下遠く、深まる夜の谷間で、しみのような弱い光が震えている。それは獣脂ろうそくの光だった。

第十章　ワイアットのトーチ

「勘弁してくださいよ、奥さん」文書館の係員がいった。「あの工場の持ち主は誰にもわかりません。いつまでたってもわからないでしょう」

係員は一階の事務所の机に座っていた。訪問者はめったになく、ファイルには埃が積もっている。窓の外、かつて栄えた地方都市の中心だった広場のぬかるみに停めたぴかぴかの自動車を係員は見やった。そして二人の見知らぬ訪問者をもの珍しげに眺めた。

「なぜですか?」ダグニーがたずねた。

ファイルから取り出した書類の山を係員はやるかたなく指した。「裁判所が所有者を決めなきゃいけないんですが、それができる裁判所があるとは思えません。どこかの裁判所がそこまでこぎつければの話ですが、それもないでしょうね」

「なぜです?　何があったのです?」

「いや、売り切られたんですよ——二十世紀社は。えっと、二十世紀モーター社は、二組の買い手に同時に二度売られたんです。二年前の当時はちょっとした醜聞で、いまはただ」——彼は書類を指した——「裁判の審理を待つ紙束が方々に置いてあるだけ。どんな判事でも、あれだけもつれた財産権の問題を解決できるとは考えられません——何の権利にしても」

「どうか、何があったのかだけ教えてもらえませんか?」

「えっと、工場の最後の法的所有者はウィスコンシン州ロームにある人民抵当社でした。ロームは工場の反対側三十マイル北の町です。面倒な手続きのない融資審査を派手に宣伝していた、ちょっと騒々しい抵当会社でした。社長はマーク・ヨンツ。あの人がどこから現れてどこに消えたのか誰も知らないんですが、人民抵当社が潰れた翌朝、マーク・ヨンツが二十世紀モーターの工場をサウスダコタの大勢のカモに売りつけていて、しかもイリノイの銀行からの借り入れの担保にしていたってことが発覚したんです。しかも工場を査察すると機械類はみな動かされて、ばらばらに売りさばかれていた。どこの誰にか誰も知りません。だからあそこは誰もが所有していて——誰も所有していない。それが現状です——サウスダコタの人間と銀行と人民抵当社の債権者たちの代理人が訴訟しあって、全員が工場の所有権を主張して、誰にも車輪ひとつ動かす権利はない。といっても持ち出せる車輪は一輪も残ってませんが」

「マーク・ヨンツは売却前に工場を運営していたのですか？」

「いやあ、まさか、奥さん！　あの男は何か運営するなんて柄じゃないですよ。金を稼ぎたいわけじゃない。手に入れたいだけ。実際、手に入れたでしょうね——あの工場からじゃ誰にも稼ぎえないような大金を」

　女性と一緒に机の前に座っているこわもての金髪の男が窓の外の車に目を向け、開いたままのトランクに入れてロープできつく縛りつけてある帆布に包んだ大きな物体を、顔をしかめて見たのはなぜだろう、と彼はおもった。

「工場の記録はどうなったのですか？」

「奥さん、どの記録のことです？」

「生産記録です。労働記録。あそこの……人事ファイルです」

「ああ、それならいまでは何も残っちゃいませんよ。略奪が横行していましたから。郡の保安官が扉に南京錠をかけたんですが、あちこちの所有者が運び出せるものは家具も物もひっつかんでいきましたからねえ。書類やなんかは――スターンズビルの連中がみな漁っていったんでしょう。あちらの谷間にある町なんですが、最近じゃ相当生活が苦しくなってきているから。そういう紙はたぶん、点火用にしてしまったんでしょう」

「この辺りに工場で働いていた人はいますか？」リアーデンがたずねた。

「いいえ、旦那。ここらにはいませんよ。みなスターンズビルに住んでいましたから」

「全員？」ダグニーが小声で言った。「そこの……技術者もですか？」

「ええ、奥さん。あそこは工場町だった。あの廃墟が思い浮かんだ。みなとっくに出ていきましたが」

「あそこで働いていた人の名前を思い出すことはできますか？」

「いいえ、奥さん」

「最後にあの工場を運営していた所有者は誰ですか？」リアーデンがたずねた。

「何とも言いかねます。あそこは問題が多すぎて、初代のジェッド・スターンズが亡くなってから幾度となく持ち主が変わっています。彼が工場を建てた人物なんですが。この地域全体を築いたともいえます。十二年前に亡くなったんです」

「彼のあとの所有者全員の名前を教えてもらえませんか？」

「無理です、旦那。裁判所の旧館で三年ほど前に火事がありましてね、記録がすべて消滅してしまったんです。いまどこを探せばいいのやら」

「マーク・ヨンツが工場を買収することになったいきさつを知りませんか？」

「ええ、それならわかります。ロームのバスカム市長から買ったんです。バスカム市長が工場を所有することになったいきさつは知りませんが」

「バスカム市長は現在どこにいるんですか？」

「いまもそこに、ロームにいます」

「どうもありがとう」立ち上がりながらリアーデンが言った。「その人を訪ねてみます」

二人が扉から出ようとすると係員がたずねた。「旦那、何をお探しですか？」

「友人を探しているんです」リアーデンが言った。「あの工場で働いていていなくなった友人を」

＊　＊　＊

ウィスコンシン州ロームのバスカム市長は椅子にもたれていた。薄汚れたシャツの下に西洋梨の形に膨れた胸と腹がみえる。自宅のポーチには、太陽光と埃が入り混じった重苦しい空気がたれこめていた。市長が手を振り、安物の大きなトパーズの指輪がギラリと光った。

「無駄、無駄、お姉さん、絶対無駄」市長はいった。「このあたりの連中から聞きだそうとしても時間の無駄でしょう。工場の人間は誰も残っちゃいないし、かれらのことをよく覚えている者もいませんん。大多数の家族が越してしまって残ってるのはまったくの役立たず、自分で言うのもなんだが、まったくの役立たず、私は能なし軍団の市長ってだけです」

市長は二人の訪問者に椅子をすすめたが、女性がポーチの手すりに立ったままでも気にしなかった。そして背にもたれ、女のすらりとした風貌を観察した。高級な商品だ、と彼はおもった。といっても、この女といる男は見るからに金持ちだ。

ダグニーはロームの道を見ながら立っていた。家が連なり、歩道が敷かれ、街灯の柱が立ち、清涼飲料の看板広告さえある。だがそれらは、この町がスターンズビルと同じ運命を辿るのもいまや時間の問題であるかのような様子を呈している。

「いいや、工場の記録は残っていない」バスコム市長がいった。「探しものってのがそれなら、お姉さん、あきらめなさい。いまじゃ嵐の最中に枯葉を追うようなものだ。ただ嵐の中の枯葉をね。書類なんか誰が気にするものかね？　こんな時勢に人が蓄えておくのは役に立つ、しっかりした形のある物だ。人は現実的じゃなきゃいかん」

埃っぽい窓ガラスから家の中のリビングがみえた。ゆがんだ木の床にはペルシャ製の敷物がおかれ、去年の雨漏りが染みついた壁にはクロムの簡易バー、そして古い灯油ランプを載せた高価なラジオがある。

「ああ、マーク・ヨンツに工場を売ったのはこの私だ。マークはいいやつだった。気のいい元気なやつだったよ。確かに少しはちょろまかしたが、誰でもやることでしょう？　むろん、やつはやりすぎた。あれは私にも予想外だった。合法的な範囲におさめとく程度の頭はあると思っていたよ――何の法律にせよ、いまだに有効なやつはね」

バスカム市長は穏やかな率直さで二人を見ながら微笑を浮かべた。目には知性のないずるさが、微笑には親切心を欠く善良さがある。

「あなたがたが探偵だとは思わんがね」彼はいった。「だとしてもいっこうにかまわんよ。マークの分け前には預かっちゃいない、やつは取引にまったく私をからませなかった。いまどこにいるのやら」彼はため息をついた。「いいやつだった。こちらに残ってくれてればな。日曜の説教じゃない。やつも暮らしていかなきゃいけなかったんだろう。ほかより悪いってわけじゃない。ただ人より頭がきれただけだ。それでつかまる者もいるし、つかまらん者もいる――違いはそれだけ……いや、買収してどうするつもりだったかは知らないね。むろん、あのちゃちな罠にしては充分すぎる金をやつは払ってくれた。むろん、やつが買って私は得をした。だが何か圧力をかけて買わせたわけじゃない。必要なかった。貸しがあったからね。融通のきく法律はたくさんあるし、市長は友人のためにそれをちょっぴりきかせられる立場にあるんだ。なあに、構うもんかね。それがこの世界で金持ちになる唯一のやり方だよ」——市長は黒の高級車をチラリとみた——「ご存じと思うが」

「工場の話をなさっていましたね」自分を抑えつつ、リアーデンが言った。

「我慢ならないのは」バスカム市長がいった。「原則を語る者たちだ。原則が牛乳瓶を満たしたためしはない。人生で大事なのはしっかりした物的資産だけだよ。周りですべてがメチャメチャになりつつあるのに、理屈を並べてる場合じゃない。ま、私——私は破産するつもりはないからね。妄想は人に任せて、私は工場をもらう。妄想はいらん。ただ一日三食しっかり食べたいだけだ」

「なぜあの工場を買収なさったのですか？」

「そもそも人はなぜ会社を買収するかってことですな。そこから搾りとれるだけ搾りとるためだ。見こみがあるときは私にはわかる。破綻売却だったし、あんな古いガラクタの落札を望む者はほとんどいなかった。だから、はした金で手に入ったんだ。長く持っている必要はなかった——二、三ヶ月でマークが持ってってくれたからね。ああ、自分で言うのもなんだが賢い取引だった。どんな実業界の大物もああ上手くはやれなかっただろうな」

「あなたが引き継いだとき工場は稼動していましたか？」

「いいや。閉鎖されていたよ」

「再開しようとされましたか？」

「しないよ。現実的な人間だからね」

「そこで働いていた人の名前を誰か思い出せますか?」

「いや。誰にも会いやしない」

「工場から何か持ち出しましたか?」

「よろしい、教えてあげよう。あたりをざっと見まわして——ジェッドおやじの机が気に入ったんだ、ジェッド・スターンズおやじの。自分の時代にはおやじは本当の大物だった。素晴らしい机、頑丈なマホガニーだ。で、それを家まで運ばせた。それに誰だか知らんが、役員の部屋の浴室に、見たこともないようなシャワー室があった。ガラスの人魚を掘りこんだガラス戸の本物の芸術作品、実にいい、油絵なんかよりずっといい。で、あのシャワーを上げて、ここに持ってこさせた。かまうものか。私のものだったんだからね。あの工場から何か値打ちのあるものを手に入れる権利はあったはずだ」

「工場を買収したときはどこの破綻売却だったのですか?」

「なに、マディソンの共同国民銀行で大規模の破産があってね。まったく、あれはとんでもない破産だった! もう少しでウィスコンシン州全体がやられるところだった——このあたりは確実にやられちまったがね。あの銀行が破綻したのはこの自動車工場のせいだったという者もいるが、水漏れするバケツの最後の一滴に過ぎなかったという者もいる。三、四州にまたがってあぶない融資をしていたらしいからね。頭取はユージン・ローソンだった。心ある銀行家、とか呼ばれていましたな。二、三年前はこの辺ではかなり有名だったものだ」

「ローソンは工場を運営したのですか?」

「いや。おそろしく巨額の融資をしただけだ。あのガラクタからじゃとても回収できないほどね。工場が破産してジーン・ローソンは決定的な一撃をくらった。銀行はその三ヵ月後に破綻したよ」

彼はため息をついた。「この辺の人びとには相当な打撃だった。みな生涯の貯えを共同国民に預けていたからね」

　バスカム市長は、ポーチの手すり越しに無念そうに彼の町を見た。そして親指で通りの向かいの人影を指した。そこでは白髪の掃除婦が、膝をついて大儀そうに動きながら、家の階段をごしごしとこすっていた。

「例えば、あの女性を見なさい。あの人たちも昔は堅実で尊敬される人たちだった。あの女性の夫は服地の店を営んでいてね。生涯、妻の老後のために働いて、実際自分が死ぬまでに十分に貯えた――その金を共同国民銀行に預けてさえいなければ」

「破産したときは誰が工場を運営していたんですか?」

「なに、アマルガメイティッド事業社とかいう即席法人だよ。実体のないバブル。どこからともなく現れて、また消えた」

「社員はどこにいるんですか?」

「バブルがはじけたらどこに飛び散るんだろうね?　アメリカじゅう追いかけてみることですな。試してごらんなさい」

「ユージン・ローソンはどこにいるのです?」

「ああ、あいつ?　あいつならうまくやってますよ。ワシントンで仕事をみつけた。経済企画国家資源局で」

　リアーデンは怒りにわななないて思わず立ち上がった。そして自分を抑えて言った。「教えていただきありがとうございます」

「なあに、きみ、かまわんよ」バスカム市長は穏やかにいった。「何を追いかけてなさるのか知らんが、私を信じなさい。あきらめたがいい。あの工場から得られるものは、もう何もないんだよ」

「友人を探しているのだと言いましたが」

「ま、お好きなように。随分いいお友達に違いありませんな。そこまで苦労して探されているなら。あなたと、奥さんじゃないそちらの素敵な女性が」

リアーデンの顔がさっと青ざめ、唇さえも肌と区別がつかなくなるほど色を失って彫刻のようになるのをダグニーは見た。「きさまのいやらしい――」彼は言いかけたが、彼女が割って入った。

「なぜ私がこの人の妻じゃないと思われるのですか？」彼女は冷静にたずねた。

バスカム市長はリアーデンの反応に驚いた様子だった。彼は悪気はなく、共犯者に自分の鋭敏さをひけらかす詐欺仲間のように意見を述べただけだった。

「お姉さん、私は人生いろいろ見てきているがね」善良そうに彼はいった。「結婚している人たちは、頭に寝室を思い浮かべるように見つめあったりはしませんな。この世界じゃ人は道徳的に生きるか、楽しんで暮らすかだ。両方は無理だよ、お姉さん。両方はね」

「わたしが質問したのよ」リアーデンを制して彼女はいった。「参考になる説明をしてもらったわ」

「ひとつ助言がほしければね、お姉さん」バスカム市長がいった。「雑貨屋で安い結婚指輪を買ってはめることだ。確実ってことはないが、ごまかせることもある」

「ありがとうございます」彼女はいった。「さようなら」

断固として冷静な彼女の振舞いはリアーデンに対する命令であり、彼は車まで黙って従わざるをえなかった。

その町から遠く離れたとき、彼は彼女を見ないまま、やるせなく低い声でいった。「ダグニー、ダグニー、ダグニー……俺はくやしい！」

「私はくやしくなんかないわ」

しばらくして、彼の顔に冷静さが戻ってきたのを見極めて、彼女はいった。「何があっても事実を述べている人に怒ったりしないで」

「あの事実に限っては、やつが首をつっこむ問題じゃなかった」

「あの事実についてのあの人の判断は、あなたや私が気にすることじゃないわ」

答えとしてではなく、あたかも頭を連打するひとつの考えが意に反して声に出てしまったかのように、きつく閉じた歯から彼は言葉を吐き出した。「きみを守れなかった。あの言語に絶するつまらん――」

「守ってもらう必要はなかったわ」

彼は黙ったまま、彼女を見ずにいた。

「ハンク、怒りがおさまったら、明日でも来週でもいい、あの人の説明を思い出して、何か思いあたることがあるか考えてみて」

彼は彼女の方を向いたが、何も言わなかった。

長い時間が経ち、ふたたび口を開いたとき、彼は疲れた声で淡々と「俺はニューヨークに電話して技術者を呼んで工場を調べさせることができない。ここでそいつらと会えない。一緒にモーターを見つけたと知られてはならないんだ……すっかり忘れていた……あそこにいたとき……実験室に」と言っただけだった。

「電話が見つかったらエディーに電話するわ。タッガートの技術者を二人よこしてもらいましょう。私は休暇で一人ここにいる。みなが知るのも知らなきゃならないのもそれだけ」

さらに二百マイル車を走らせると公衆電話が見つかった。彼女がエディー・ウィラーズに電話すると、声をきいて彼は息をのんだ。

「ダグニー！　いったい、いまどこにいるの？」

「ウィスコンシンよ。なぜ？」

「連絡のしようがなかった。すぐ戻ってきたほうがいい。一刻も早く」

「何があったの？」

「何も——まだ。だけど動き始めていることがあって……いますぐにとめたほうがいい。できれば。誰かにできれば」

「何のこと？」

「新聞を読んでないの？」

「ええ」

「電話じゃ言えない。細かいことが言えないよ。ダグニー、僕の頭がおかしいと思うかもしれないけど、やつらはコロラドを潰すつもりなんだ」

「すぐ戻るわ」彼女はいった。

＊　＊　＊

マンハッタンの岩盤を切り開き、タッガート・ターミナルの下に、毎時間その動脈すべてに列車が威勢よく流れていた時代に側線として使われていたトンネルがあった。交通量の減少とともにその空間の必要性も年々減り、側線のトンネルは乾いた川床のように忘れられている。御影石に青い光がぽつぽつと点り、地面で錆びるにまかせたレールを照らしている。

ダグニーはモーターの残骸をそのトンネルの一つにある地下室の中に置いた。地下室にはかつて緊急発電機があったが、随分前に撤去されていた。タッガートの研究員の無能な若者たちを彼女は信頼することができなかった。研究所で発見の真価を理解できる才能ある技術者は二人しかいない。彼女はその二人に秘密をうちあけ、ウィスコンシンの工場の捜索に送った。その後、誰にも見つからない場所にモーターを隠した。

部下がモーターを地下室に運びこんで出ていったとき、後に続いてスチールの扉に錠をおろそうとしたが、鍵を手にして、彼女は立ちどまった。沈黙と孤独が、何日も直面していた問題を突然彼女に投げつけたかのように。これが決断のときであるかのように。

ターミナルのホームでは、数分後に出発するワシントン行きの列車の最後尾に彼女のオフィス車両が待機している。ユージン・ローソンと面会の約束を取りつけておいたものの、ニューヨークに戻って判明したこと、エディーに戦いを請われたことに対処する方法を考え出せるなら、面会の予約を取消して自分の捜索を延期しなければ、と彼女は自分に言いきかせていた。

考えようとしたが、戦い方も戦闘のルールも武器も見つからなかった。無力というのは、奇妙で新しい経験だ。物事に直面して決断を下すのが難しいとおもったことはない。だが扱っているのは事物ではない――これは完全な液体にはならずに半凝結し、姿を現さないうちに固まりかけては移ろう形も定義もない霧――それはまるで正面の視界がなくなり、渦巻きながらこちらに向かって進んでくる災難はぼんやりと感じるのに、視線を動かせず、移動させたり焦点をあわせたりすることもできないかのようだった。

機関士連合はジョン・ゴールト線全便の最高速度を時速六十マイルに下げるべきだと要求していた。鉄道車掌制動手組合はジョン・ゴールト線の貨物列車すべてを全長六十車両以下に削減すべきだと要求していた。

ワイオミング、ニューメキシコ、ユタ、アリゾナ州は、コロラドで運行する列車の便数が近隣各州で運行する列車の便数を上回らないようにすべきだと要求していた。

オルレン・ボイル率いる団体は、リアーデン・メタルの生産量を同様の生産能力の製鉄所の出来高と同じ量に制限するよう定めた『生計維持法』の議会通過を求めていた。

モーウェン氏率いる団体は、リアーデン・メタルを必要とする顧客すべてにリアーデン・メタルを等しく供給するよう定めた『公正分配法』の議会通過を求めていた。

バートラム・スカダー率いる団体は、東海岸の企業の州外移転を禁じた『公共安定法』の議会通過を求めていた。

経済企画国家資源局調整官長のウェスリー・ムーチは、実に多くの声明を発表していた。声明の内容と目的は「緊急権限」と「不均衡経済」という言葉が数行おきに文章に表れるという以外は明らかではなかった。

「ダグニー、何の権利があって?」静かだが泣いているような声でエディー・ウィラーズがたずねた。「やつらは何の権利があってこんなことをやるの? 何の権利があって?」

ジェイムズ・タッガートと彼のオフィスで対面して、彼女はいった。「ジム、これはあなたの戦いよ。私の勝負は戦ったわ。たかり屋との取引はあなたの専門でしょう。やめさせて」

彼女を見ずにタッガートは言った。「君は自分の都合で国家経済を運営しようと思っちゃいけないんだ」

「国家経済を運営したくなんかないわ! 国の経済の運営者に放っておいてほしいの! 私には運営すべき鉄道がある——私の鉄道が崩壊したら、あなたたちの言う国家経済がどうなるかわかるでしょ！」

「パニックに陥る必要はないと思うがね」

「ジム、私たちの破綻を防げるのはリオ・ノルテ線の収益だけっていまさら説明しなきゃいけないの？　その一セント、一人分の運賃、一両の貨物までもが必要だってことを。それもできるだけ早くってことを」彼は答えなかった。「ガタのきたディーゼルをぎりぎりまで活用しなきゃいけないとき、それでもコロラドに必要な輸送手段を提供するには足りないとき――速度を落として列車を短くしたらどうなるの？」

「ま、組合の見地からの言い分もある。これだけ鉄道が閉鎖されてこんなに大勢の鉄道員が失業していれば、君がリオ・ノルテ線でうちたてたあの余計な速度がかれらには不公平に感じられる――それよりも大勢に仕事を分けるために便数を増やすべきだと感じているんだ――あの新しい線路で得するのが我々だけなのは不公平で、自分たちも分け前にあずかりたいと感じているのだろう」

「だれが分け前にあずかりたいって？　何の見返りに？」彼は答えなかった。「一本の列車でできる仕事を二本でやる費用は誰が払うの？」彼は答えなかった。「そのための車両と機関車をどこでみつけるの？」彼は答えなかった。「そいつらはタッガート大陸横断鉄道を抹殺したあと何をするつもり？」

「私はタッガート大陸横断鉄道の利益を精一杯守るつもりだ」

「どうやって？」彼は答えなかった。「コロラドを葬って――どうやって？」

「君は、特定の人びとが大きくなる片棒をかつぐ前に、生存がかかっている人びとに機会を与えることを考えるべきだ」

「コロラドを葬ってしまったら、たかり屋は何に頼って生きていくの？」

君は進歩的な社会政策にことごとく反対してきた。我々が『共食い防止協定』を通過させたとき、君は災難を予想していたと記憶している――だが災難はやってこなかった」

「私が助けてあげたからよ。救いようのないバカね！　今度ばかりは助けてやれないわ！」彼は彼女を見ずに肩をすくめた。「私がやらなきゃ、誰がやるの？」彼は答えなかった。

この地下で、それは現実離れしていた。ここで考えてみれば、ジムの戦いに自分の出番はないとわかる。思考を定めず、動機を明かさず、目的に言及せず、道徳を明示しない者たちに対してとりうる行動はない。言えることなどない――かれらは聞く耳を持たず、応えもしないだろう。理性が武器とならない世界では何を盾に戦えばいいのだろう？　それは彼女には踏みこめない領域だった。ジムにまかせ、彼の利己心に頼らねばならない。利己心はジムの動機ではないという考えに、彼女はどことなくぞっとした。

彼女は目の前の物体を見た。モーターの残骸が入ったガラスの箱だ。このモーターを造った男――彼女は不意に絶叫のようにわきおこる考えに突かれた。一瞬、彼を見つけて寄りかかり、なすべきことを教えてもらいたいというどうしようもない切望を感じた。彼ほどの頭脳があれば、この闘いにどうすれば勝てるのかがわかるのに。

彼女はあたりを見渡した。地下トンネルの明快で合理的な世界にあっては、モーターを造った人間を見つける仕事ほど緊急かつ重要なことはなかった。オルレン・ボイルと論争するためにそれを遅らせていいものなのか？――モーウェン氏を説き伏せるために？――バートラム・スカダーに泣きつくために？　リアーデン・メタルの線路上を時速二百マイルで二百車両を牽引する機関車に据えつけたモーターの完成品を彼女は思い描いた。その夢に手が届きそうなとき、現実になりそうなとき、それをあきらめて時速六十マイルだの六十車両だのの交渉に時間を費やしていいものか？

無能さから遠ざかりすぎぬようおのれを戒める圧力の下で、頭脳が破裂するような存在にまで落ちぶれることなんかできない。おとなしく、控えめに、慎重に、ほどほどに、でしゃばるな、なんて決まりに従って動くことなんかできない！

彼女は意を決したごとく向きを変え、ワシントン行きの列車に乗ろうと地下室を出た。

スチールの扉に鍵をかけたとき、かすかな足音の響きが聞こえた気がした。彼女は目を上げてトンネルの暗いカーブを追った。視界には誰もいない。湿った御影石の壁に連なる青く輝く光のほかには、何もなかった。

＊　＊　＊

リアーデンはその法律を要求している一味と戦うことはできなかった。選択肢はかれらと戦うか、製鉄所を運営しつづけるかだ。鉄鉱石の供給がない。どちらかの戦いを選ばねばならない。両方に割く時間はなかった。

戻ってくると、納入予定の鉱石が届いていないことが判明した。ラルキンからは伝言も説明もない。リアーデンの事務所に呼び出されると、ラルキンは約束の三日後に現れ、一切謝罪をしなかった。そして恨みがましく威張ってみせるように口をきつく結び、リアーデンを見ずに言った。

「とにかく、君は自分の好きなときに自分のオフィスに人を呼びつけたりはできないよ」

リアーデンは慎重に話した。「なぜ鉱石が届いていないんだ？」

「嫌がらせはごめんだ。どうしようもなかったことで嫌がらせなんて絶対お断りだ。僕は君と同じくらいうまく、まったく同じように鉱山を経営できるし、きみのやっていたことは全部やった――

なぜいつも予想外に不具合がおこるのかわからないよ。予想できないことに責任はもてない」

「先月は誰に鉱石を送ったんだ？」

「君の分は送るつもりだった。本当にそのつもりだった。だけどミネソタの北部全域が嵐にみまわれたせいで先月の稼働日が十日減ったんだからどうしようもなかった——送る意図はあったんだから僕のせいじゃない。意図は十分誠実だったんだからね」

「高炉が一基でも止まりかけたら、君の意図を装入することで稼動を続けられるのか？」

「だから誰もきみと取引したり話したりできないんだ——きみは人間的じゃないからね」

「この三ヶ月、君は湖上輸送を使わずに、鉄道で鉱石を運んでいるらしいな。なぜだ？」

「まあ、結局のところ、僕には僕の会社を自分の思うように経営する権利がある」

「なぜあえて余分の金を払うんだ？」

「きみは心配しなくていいだろ？　そっちに請求しているわけじゃない」

「鉄道の歩合が払えないのに湖上輸送を潰してしまったとわかったときにはどうするつもりだ？」

「君には金勘定しかないだろうが、社会と国への責任を考慮にいれる人間もいる」

「何の責任だ？」

「まあ、僕は、タッガート大陸横断のような鉄道は国家の繁栄には不可欠であって、ジムのミネソタの赤字支線を助けるのは公的義務だと思うな」

リアーデンは机越しに身を乗り出した。これまで理解したことがなかった因果関係がみえはじめていた。「先月、誰に鉱石を送ったんだ？」彼は冷静に尋ねた。

「まあ、結局のところ、僕の私有企業なんだから——」

「オルレン・ボイルだな？」

「きみの利己的な利益のために、人が国の鉄鋼産業全体を犠牲にすると思っちゃ――」

「出ていけ」リアーデンは言った。冷静だった。いまや因果関係は明確だった。

「誤解しないでくれ。僕は――」

「出ていけ」

　ラルキンは部屋を出ていった。

　それから、電話で、電信で、飛行機で、大陸中を探し回り、見捨てられた鉱山、あるいはいまにも見捨てられそうな鉱山を視察する日々、いかがわしいレストランの明かりのない隅のテーブルで緊急の会議を重ねる夜が続いた。テーブル越しに頼みごとをするように、相手の正直さに望みをかけねばならないことを憎悪しつつ、一人の人間の顔、話し方、口調という証拠だけでどれほどの投資のリスクを冒せるかを、リアーデンは危険を承知の上で決めねばならなかった。裏書のない契約と引き換えに未知の手に金をつぎこみながら。倒産寸前の鉱山の名義上の所有者へ、署名も記録もなしで金を貸しながら。犯罪者同士の取引のように、匿名で現金で、こそこそと先の見えない契約に金をつぎ込みながら。詐欺の場合は騙した者ではなく騙された者が罰される取引だと双方が知りつつ、高炉に鉱石を装入しつづけたい一心で。白い金属の流れを出鋼させ続けたい一心で。

「社長」工場の調達部長がきいた。「いつまでもこれを続けるとすると、あなたの利益はどこに残るんですか？」

「トン数で埋め合わせるよ」リアーデンは疲れた声で言った。「リアーデン・メタルには無制限の市場がある」

　調達部長は引き締まった冷淡な顔をした白髪交じりの年配の男だったが、一セントから最後の一オンス分の価値まで搾り取る仕事に特別に捧げられた無情な心の持ち主と言われていた。彼はリアーデンの机の前に立ち、それだけ言うと、ただ険しい陰鬱な冷たい目でリアーデンを真直ぐに見ていた。その目には、リアーデンがこれまで見たこともない心からの同情が表れていた。

ほかに道はない。リアーデンは昼夜考えてはおもった。戦う術を知らない。欲しいものに代価を払い、価値あるものに相応の対価を提供し、自らの労力を見返りに差し出すのでなければ。自然からは何も求めず、自らの労力の産物との交換でなければ他人からも何も求めない、という以外の術を。価値あるものがもはや武器にならなければ、何を武器に戦えばいいのだろう？

「社長、無制限の市場とおっしゃいましたか？」調達部長は淡々とたずねた。

リアーデンは彼を見上げた。「このごろ求められているような取引ができるほど俺は頭がよくないようだ」言葉にされず机越しに投げかけられた疑念に答えて、彼はいった。

調達部長は頭を振った。「いや、社長、どちらかですよ。一つの頭で両方はできません。工場の経営に長けるか、ワシントンに駆けこむのに長けるかどちらかです」

「たぶん俺はやつらの方法を学ばなきゃならんのだ」

「あなたには無理だし、やってもいいことなんかないですよ。ああいう取引で勝つことはない。わからないのですか？　奪うべきものを持っているのはあなたなんだ」

ひとりになるとリアーデンは、かつて経験したことがある、電気ショックのように苦しく唐突で盲目的な怒りに揺さぶられるのを感じた――正当な理由を保持も追求もしない、露骨で完全に意識的なまったくの邪悪を相手にすることはできないと悟って爆発した怒りだ。だが自己防衛という正当な大義に闘争心と殺意がわいてきたとき――バスカム市長の太ってにやけた顔がみえ、引きずるように言う声が聞こえた。「……あなたと、奥さんじゃないそちらの素敵な女性が」

すると正当な大義は消え、怒りの痛みが降服の屈辱的な痛みに変わった。自分には人にとやかくいう権利はない、と彼はおもった。何かを非難し、美徳の制裁を下しつつ喜びのうちに戦死する権利はないのだ。破った約束、秘めた欲望、裏切り、虚偽、嘘、詐欺――自分はそのすべてにおいて有罪だ。どんな腐敗を軽蔑できよう？　度合いは関係ない、と彼はおもった。人は悪徳を寸法で取引できない。

彼は知らなかった――机にぐったりと座り、もはや誇れぬ誠実さと失った正義感のことを考えながら――いま彼の手からその唯一の武器を叩き落としつつあるのは、彼の厳しい誠実さと無情な正義感にほかならないことを。自分はたかり屋と戦うだろう。だがもはや怒りと炎が消えている。自分は戦うだろう。だが罪深い恥知らずの一人として同類の者たちと。言葉を発する代わりに、醜い苦痛が告げていた。俺は人に真っ先に石を投げられる人間なのか？

彼は机に倒れこんだ……ダグニー、ダグニー、これが代償なら俺は支払うよ……彼はいまも、望むものに完全な対価を支払う規範しか知らない商人だった。

帰宅して、音もなく急ぎ足で寝室への階段を上がったのは深夜だった。忍ぶまでになりさがった自分が嫌だったが、もう幾月も、たいていの夜はそうしていた。家族の光景は耐え難いものになっていた。なぜかはわからない。自分自身の罪のためにかれらを厭うな、と自分に言い聞かせていたが、憎悪の根源が別にあることはぼんやりとわかっていた。

つかの間の隠れ家を得た逃亡者のように、彼は寝室の扉を閉めた。そして用心深く服を脱いで寝支度をした。音をたてて自分がいると家族に知らせたくない。家族の頭の中においてさえ、彼は接触を持ちたくなかった。

寝衣をきて煙草の火をつけようと立ちどまったとき、寝室の扉が開いた。ノックなしに彼の部屋に入って然るべき唯一の人物が自らやって来たことは一度もなく、彼はしばし呆然とし、ようやく入ってきたのがリリアンだとわかった。

彼女は薄黄緑色（シャルトルーズ）のエンパイアスタイルのドレスをまとっていた。プリーツスカートが高いウエストラインからゆったりと流れている。一見、イヴニングかネグリジェか見分けがつかなかった。それはネグリジェだった。彼女が入口で立ち止まると、体の線が光を背景にして妖しいシルエットを映した。

「知らない人に自己紹介しちゃいけないってわかっていますけれど」彼女は穏やかにいった。「そうしなきゃいけないみたい。わたくしの名前はリアーデン夫人ですの」それが皮肉なのか泣きごとなのか、彼にはわかりかねた。

彼女は部屋に入り、くだけた、横柄な、部屋の主人の仕草でバタンと扉を閉めた。

「リリアン、何だね？」彼は静かにたずねた。

「まあ、あなた、そんな無遠慮にいろんなことを打ち明けちゃだめ」——彼女はゆったりとベッドを通り過ぎて部屋を横切ると、アームチェアに腰かけた——「そんなに正直に。あなたの時間をとるのに私には特別な理由を示す必要があるって認めていることになりますわ。秘書を通して面会の予約をいれましょうか？」

口に煙草をくわえ、彼女を見つめ、自分から応えず、彼は部屋の真ん中に立っていた。

彼女は笑った。「私の理由は尋常じゃないもの、あなたにはきっと想像もつかないでしょうね。孤独よ、あなた。物乞いにあなたの高価な気遣いのおこぼれを少し投げてくださらない？　ちゃんとした理由は全然なしにここにいたら、お邪魔？」

「いや」彼は静かにいった。「そうしたいなら」

「お話しするような重要なことは何もないの——何百万ドルの注文も、大陸横断規模の取引も、レールも、橋も。政治的状況さえ。女の人らしく、まったくどうでもいいことについておしゃべりしたいだけなの」

「すればいい」

「ヘンリー、私を黙らせる一番いいやり方ね」いじらしく胸に訴えかけるひたむきな雰囲気が彼女にはあった。「そのあと何て言えばいいの？　例えばバルフ・ユーバンクが書いている新しい小説のことを話したければ——私に献呈するらしいけど——興味を持ってくれる？」

「君が真実を知りたいなら——少しも」

彼女は笑った。「私が知りたいのが真実じゃなければ？」

「なら何と言えばいいか俺にはわからん」彼は答えた——そして正直さを主張しようと口にした嘘の二重の卑劣さに突然気づき、きつい平手打ちをあびたように、頭に血がのぼるのを感じた。心からの言葉とはいえ、それはもはや主張する権利のない誇りを指していた。「真実じゃないことをなぜ知りたいんだ？」彼はきいた。「何のために？」

「ほらね、それが良心的な人たちの残酷なところ。あなたにはわからないのよ——わかる？——本当の献身は、誰かを幸せにするために喜んで嘘をつき、騙し、偽ることだと私が答えたら——相手が好きになれない現実を、その人が望むように作り変えることだって」

「いや」ゆっくりと彼はいった。「わからないだろう」

「本当にとても簡単なことなの。美しい女性に美しいと言って、その女性に何を与えたことになるかしら？　それは事実以上の何物でもないし、あなたは何の犠牲も払ってないわ。だけど醜い女性に綺麗だと言ってあげれば、あなたは美の概念を堕落させてまで大きな敬意を払ったことになるの。女性を美徳ゆえに愛するのって意味ないわ。女性がそれにふさわしければ愛は対価であって、贈り物じゃないの。だけど悪徳ゆえに愛するっていうのは、女性がそれ相応のことをしたわけでもなく値もしない本当の贈り物。悪徳ゆえに愛するのは、その女性のためにすべての美徳を汚すこと――それこそが愛の本当の証なの。なぜってあなたは、自分の良心と、理性と、誠実さと、かけがえのない自尊心を犠牲にするんですもの」

彼はぼんやりと妻をみていた。こんなことを本気で言いうる人間がいるはずはない、と思えるほど、それは何か恐るべき堕落にきこえた。ただ、それを口にする意味がどこにあるのだろう、と彼はおもった。

「ねえあなた、愛って自己犠牲にほかならないんじゃない?」客間の会話口調で、彼女は軽く続けた。「自分にとって何より大切で重要なものを犠牲にするのじゃなければ、自己犠牲に何の価値があるかしら? だけどあなたにはわからないでしょうね。あなたのようなステンレス製の清教徒には。それが清教徒のとてつもない利己主義なの。完璧なあなた自身を恥ずべきしみで汚すくらいなら、世界が滅びたほうがましだと思っているんだわ」

ゆっくりと、妙に張り詰めた険しい声で彼はいった。「俺は自分が完璧だと主張したことはない」

彼女は笑った。「まさしくそれ。あなたいま、正直に答えているでしょ?」彼女はむき出しの肩をすくめた。「あら、あなた、そんなに真面目に受けとらないで! ただの冗談よ」

彼は灰皿に煙草を押しつけた。彼は答えなかった。

「ねえあなた」彼女はいった。「あたくし本当に、自分には夫がいて、その人がどんな風だったか思い出したいと思ってここに来たのよ」

彼女は部屋越しに夫を観察した。夫は背が高く、真直ぐで引き締まった体が寝衣の紺一色で一層すらりとしてみえる。

「あなたとても魅力的よ」彼女はいった。「前よりずっといい顔をしてる——この三ヶ月。若返ったみたい。幸せそう、といったほうがいい？　前ほど硬くないの。ええ、近頃ますます忙しくなって、空爆前の司令官みたいに振舞ってるわ。だけどそれは表向きだけ。あなたは前ほど硬くないの——内側が」

彼は驚いて妻を見た。その通りだ——自分でわかっていても認めなかったことだ。彼女の観察力に彼は舌を巻いた。ここ数ヶ月、妻はほとんど彼を見ていない。コロラドから帰ってきてから、妻の寝室には入っていない。互いに離れていることは妻も歓迎すると考えていた。いま、彼の変化に妻が敏感になっているわけは何だろう——彼女が経験するとは思っていなかった激しい感情に動かされているのだろうか、と彼はおもった。

「気づかなかった」彼はいった。

「まあ、あなたらしいわ——さすがね。いまとても大変なときですもの」

これは尋問だろうか、と彼はおもった。答えを待つかのように妻は間をおいたが、しつこくは追求せずに明るく続けた。

「工場ではいろんな問題がおこってますわね——政治的にも不穏な状況になりつつあるんじゃない？　審議中の法案が通過すれば、かなりの打撃ね？」

「ああ。そうだ。だがリリアン、それは君には興味のない話題だろう？」

「あら、ありますわ！」妻は頭をあげて彼を真直ぐに見た。前にみたことがある虚ろで不明瞭な目、意図的に謎めかせ、彼にはその謎を解読できはしないという確信にみちた目つきだ。「興味は大有りですわ……金銭的な損失をこうむりそうだからってわけじゃありませんけれど」彼女はそっとつけたした。

妻の意地悪、皮肉、微笑で固めた卑劣な侮辱のしかたは、常々の解釈と反対のものではなかっただろうかと、彼は初めておもった——責め苦を与える手段ではなく屈折した絶望、夫を苦しめたいという願望ではなく妻自身の苦しみの告白、愛されない妻の誇りの防衛、秘めた嘆願——そして理解を請い求める暗示的で曖昧な態度は、あからさまな悪意の表現ではなく、隠された愛なのではないだろうか。それを思い、彼は驚愕した。だとすれば彼の罪は、これまで考えていたよりもよほど重いことになる。

「政治の話ならね、ヘンリー、面白いことを考えていたの。あなたが代表する側——誰もがよく使うスローガン、掲げるべきモットーは何でしたっけ？『契約の神聖さ』——でしたかしら？」

彼女の言葉に始めて敏感に反応して夫の目が動き、眼差しが真剣になったのを見て、彼女は声をたてて笑った。

「続けろ」彼は低い声でいった。声には脅しの響きがあった。

「あなた、何のために？——言いたいことはよくおわかりになったのですから」

「言おうとしたことは何だ？」彼の声は厳密であり、感情的なところはまったくなかった。

「あなたは本当に不平を言う屈辱を私に味わわせたいの？　こんなにありふれた不平を——といっても確かに、自分の夫は低俗な男たちとは一線を画する自負を持っていると思っていたけれど。かつて私の幸福を生涯の目的にするとあなたが誓ったことを思い出させてほしいの？　そして私が幸福か不幸か、心から正直には何とも言えないってことを。だってあなたは私が存在するのかともたずねてくれてはいませんもの」

それは肉体的苦痛だった——滅茶苦茶にいっしょくたにぶつかってくる言葉のすべてが。これは泣きごとだ、と彼はおもった——すると暗く熱い罪悪感が流れていった。妻に憐れみを感じた——

愛情のない冷たく醜い憐れみだ。押し殺した声のような怒りを感じていた。ぞっとする叫び声——なぜこの女の屈折した汚い嘘を相手にしなきゃならんのだ？——なぜ憐憫を理由にして、責め苦を受け入れねばならないのだ？——彼女が自ら認めようとせず、俺には理解もできず想像もつかない感情を救うために、このどうしようもない重荷を、なぜ俺が担がなければならないのだ？——俺を愛しているなら、なぜこの愚かな臆病者はそう言って二人で堂々とその事実と向き合おうとしないんだ？　そして別の大きな声が冷静に言うのが聞こえた。責任転嫁はよせ。臆病者の昔からのやり口だ——おまえが悪い——彼女が何をしたにせよ、おまえの罪に比べれば何でもない——彼女は正しい——不愉快だろ？　彼女が正しいと知るのは——不愉快になれ、おまえのような卑劣な裏切者は——正しいのは彼女だ！

「リリアン、何があれば君は幸福になれるんだ？」抑揚のない声で彼はきいた。

彼の顔を熱心に観察していた彼女は、くつろいで椅子の背にもたれて微笑した。

「まあ、あなた！」ほとほとあきれたように、彼女は目を見張った。「ずるい質問ね。抜け穴。免責条項ね」

肩をすくめて腕を落とし、かよわさをみせつける柔らかく優美な仕草で体を伸ばし、彼女は立ち上がった。

「何があれば幸福になれるかですって？　ヘンリー、それはあなたが教えてくれなくちゃ。あなたが見つけてくれなきゃいけなかったことよ。私にはわからないわ。あなたがそれを作って差し出すはずだったの。それがあなたに課された信託、義務、責任よ。だけど契約を反故にする男はあなたが始めてじゃない。何よりも簡単に逃げられる債務ですもの。そう、あなたは絶対に受け取った鉄鉱石の支払いをないがしろにはしないわ。人生においてだけね」

黄緑色のスカートの波打つ長いひだをひるがえし、彼女はゆったりと部屋を動き回った。

「こういう要求は非現実的よね」彼女はいった。「私にはあなたに差し出す抵当も担保も、銃も鎖もない。引きとめるものは何もないのよ、ヘンリー。あなたの名誉だけ」

妻の顔に目を向け、妻を見続け、その光景に耐えるのに全力を尽くさねばならないかのように彼女を見ながら、彼は立っていた。「何が欲しいんだ?」彼はたずねた。

「あなた、私が欲しいものを本当に知りたいなら、いくらでも想像できるはずよ。例えば、幾月も露骨に私を避けているなら、私がその理由を知りたがるとは思わない?」

「とても忙しかったんだ」

彼女は肩をすくめた。「妻は自分こそ夫の生活の最大の関心事のはずだと思うものよ。あなたがほかのすべてをあきらめると誓ったとき、高炉は別だとは知らなかったわ」

彼女は近寄り、二人ともを見下すようないたずらっぽい微笑を浮かべて、夫の体に腕をからませた。

それは、不本意に売春婦と接触してしまった年若い新郎の、素早く、本能的で、凶暴な仕草だった。彼は妻の腕を体から振りほどき、彼女を脇に投げ飛ばしていた。

自分の反応の凶暴さに衝撃を受けて、彼は身動きできずに立ち尽くしていた。彼女はあからさまに当惑して、謎も、てらいも、防御もなく彼を見つめていた。どのような計算をしていたにせよ、これは彼女が予期しなかったことだ。

「リリアン、すまない……」心から苦しそうに、彼は低い声でいった。

彼女は答えなかった。

「すまない……ただとても疲れているんだ」生気のない声で彼はつけたした。彼は三重の嘘に引き裂かれていた。その一つの不忠行為は、まともに向き合うのも苦しい裏切りだ。そしてそれは、リリアンへの不忠ではなかった。

彼女は短く笑った。「まあ、それが仕事の影響でしたら、私は歓迎ですわ。お許しになって。私は妻のつとめを果たそうとしただけですの。あなたは低俗な動物本能を越えられない官能主義者かと思っていましたから。私はそういう世界に属するあばずれじゃないわ」彼女は淡々と、呆然と、考えずに言葉を放っていた。彼女の頭の中では、ある問いをめぐって、ありとあらゆる答えの可能性が駆けめぐっていた。

突如として、単純に正面から、もはや構えることなく彼を妻に向き合わせたのは、その最後の文句だった。「リリアン、君は何のために生きているんだ？」彼はたずねた。

「なんて無骨な質問かしら！　啓蒙された人なら絶対にそんなこと聞いたりしないわ」

「なら、啓蒙された人たちは人生で何をするんだ？」

「たぶん何もしようとしないのよ。それこそ啓蒙されているということなの」

「そういう人間は自分の時間で何をするんだ？」

「鉛管を作ったりしてないことは確かかね」

「教えてくれ、なぜそれを言い続けるんだ？　君が鉛管を軽蔑しているのは知っている。随分前からはっきりしていることだ。君の軽蔑は俺にとって何の意味もない。なぜ同じことを言い続けるんだ？」

その言葉がなぜ彼女に衝撃を与えたのか、どのようにかはわからなかったが、てきめんだったことだけは明らかだった。それこそ言うべきことだったたと、なぜか彼は確信した。

冷淡な声で、彼女はきいた。「急に尋問なんて、何のおつもり？」

彼は単純に答えた。「君が本当に欲しいものがあるのかどうか知りたい。あるなら、それをあげたい。できることなら」

「それを買いたいっていうの？　あなたにわかるのはそれだけ――ものにお金を払うこと。楽よね？　いいえ、それほど単純なことじゃない。私が欲しいのは非物質的なもの」

「それは何だ？」

「あなた」

「リリアン、どういう意味だ？　低俗な意味じゃないだろう」

「いいえ、低俗な意味じゃないわ」

「では、どういう意味だ？」

戸口にいた彼女は振り向き、頭を上げて彼を見ると冷たく微笑んだ。

「あなたにはわからないわ」そう言い残して、彼女は出ていった。

残った苦痛は、妻は絶対に彼をそっとしておこうとはせず、彼の方から去る権利はないという認識だった。妻に対して、せめてわずかな同情を抱き、理解できず応えることもできない感情を尊重する義務が自分にはあると考えているにもかかわらず、今は憐れみにも、非難にも、彼自身の正義感にも無感覚であり、妻に対して、奇妙で完全な理不尽なまでの軽蔑のほかにはどのような気持ちも抱けないという認識だった。そして何よりも耐え難い、この見下げた女性よりも自分は下劣だと考えろと要求する自らの審判に抗する、彼自身の高慢な反動だった。

そして、何もかもどうでもよくなり、すべては遠い外の世界へ退き、何にでも喜んで耐えようという決意――そして緊張と安らぎの状態だけが残った。なぜなら彼はベッドに横たわり、枕に顔を押しつけ、ダグニーのことを、隣で、彼の指先が触れては震えるすらりとした感じやすい体を思っていたから。ニューヨークに戻っていればいいのに、と彼はおもった。彼女がいれば、そこにいくのに。いますぐ、真夜中に。

＊　＊　＊

ユージン・ローソンは、大陸を見下ろす爆撃機の制御盤を前にするように、机に座っていた。だが時々その意気ごみを忘れ、スーツの内側の筋肉がゆるみ、世界に向かって駄々をこねるように肩をがっくり落とした。彼の口は固く閉じることがなく、細い顔の中で不愉快なほど目立った。話をするとしめった下唇が動いて不自然によじれた。

「僕は恥じてはいません」ユージン・ローソンが言った。「タッガートさん、マディソン共同国民銀行の頭取としての経歴を僕は断じて恥じたりはしていません」

「恥かどうかは申し上げていません」ダグニーは冷ややかに言った。

「銀行の破綻で全財産をなくした僕に道義的な罪はないはずです。むしろあの犠牲を誇る権利があるように思えます」

「私はただ二十世紀モーター社についてお訊きしたかっただけで――」

「どんな質問にも喜んでお答えしましょう。隠すことはありません。やましいところは少しもない。僕を辱めるためにこの件を持ち出されたなら、思い違いをなさっておいでです」

「お訊きしたいのは、あなたが融資をなさった当時の工場の所有者で――」

「じつに善良な人間でした。まったく健全なリスクでした――むろん、あなた方が銀行家に通常期待されるように冷徹に現金に換算するわけじゃなく、僕は人間的な見地から話しているわけですが。

かれらには金が必要だったから、僕はあの工場の買収に融資したのです。人が金を必要としていれば僕には十分だった。必要が僕の基準だったのですよ、タッガートさん。強欲じゃなくて必要が。僕の父と祖父は私腹を肥やすためだけに共同国民銀行を築いた。かれらの富を僕はより高い理想に捧げたのです。金の山にあぐらをかいて、貸付を必要とする貧しい人びとから担保を要求したりはしなかった。心が僕の担保だった。むろん、この唯物主義の国で僕を理解できる人間がいるとは思っていない。僕の見返りはね、タッガートさん、あなたの階級の人たちが受け取って喜ぶようなものではなかったのです。銀行で僕の机の前に座った人たちはね、タッガートさん、あなたのようには座りはしなかった。かれらは謙虚で、不安定で、気苦労で疲れ果てて、話すことすら恐れていた。私の見返りは、かれらの感謝の涙、震える声、祝福、ほかでことごとく門前払いをくらっていた女性に融資して手にもらった口づけです」

「あのモーター工場を所有していた人たちの名前を教えていただけませんか?」

「あの工場は地域にとって不可欠、絶対的に不可欠で、僕が融資したのはまったく妥当でした。ほかに生計の道がない何千人の従業員に雇用を提供したのですから」

「工場の従業員を誰かご存じでしたか?」

「当然です。みな知っていました。僕に興味があったのは人間で、機械じゃありません。僕が気にかけていたのは、事業の人間的な側面です。レジじゃない」

彼女は机越しに身を乗り出した。「工場で働いていた技術者を誰かご存じですか?」

「技術者? いやいや、僕はもっと民主的だった。僕に興味があったのは真の労働者だ。普通の者たち。みな僕の顔を知っていた。現場にいくとみな手を振って『やあ、ジーン』なんて叫んだものだ。そう、そう呼ばれていたんですよ――ジーンってね。だがあなたはこんなことに何の興味もおありにならないでしょう。過ぎたことですから。さあ、あなたがワシントンに来られた目的が、実際はあなたの鉄道について僕と話をすることだったなら」——彼は爆撃機内のパイロットの姿勢に戻って威勢良く背筋をのばした——「国家の利益をあらゆる個人的な特権や利益に優先させなければならない僕に、あなたへの優遇措置をお約束できるかわかりませんが——」

「私の鉄道の話をしに来たわけじゃありません」彼女は当惑して彼をみた。「あなたと鉄道の話をしたいとは少しも思っておりません」

「そうなのですか？」彼は落胆したようだった。

「ええ。私はあのモーター工場についてお訊きするために伺っているのです。あの工場で働いていた技術者の名前を何とか思いだせませんか？」

「名前をたずねたことはなかったように思うね。オフィスや研究室の寄生虫のことは気にしなかった。僕が気にかけていたのは真の労働者——手にたこを作って工場で働く男たちだ。かれらが僕の仲間だった」

「その人たちの名前をいくつか教えていただけませんか？　何の名前でも、そこで働いていた誰の名前でも結構ですから」

「あのねえ、タッガートさん、随分と昔で、何千人といたのです。どうして覚えていられますかね？」

「誰でもいいんです、一人でも思い出せませんか？」

「絶対に無理ですね。私の人生を満たした人間は多すぎて、大海の一滴を思い出すことはできませんよ」

「工場の事業はよくご存じでしたか？　かれらがやっていた仕事や——計画について」

「当然です。僕はすべての投資に個人的興味をもっていました。しょっちゅう工場の視察にいったものだ。実によくやっていた。驚異的な業績をあげていたね。労働者の住宅状況は全米一。窓という窓にはレースのカーテンがかかり、出窓には花が置いてあった。すべての住宅に庭の用地があった。子どもたちのために新しい校舎も建てていたな」

「工場の研究室の仕事については何かご存じでしたか？」

「ああ、そう、実に先進的で、大変活発で、前向きな構想と壮大な計画をもった素晴らしい研究室だった」

「それについて何か……何か計画を……新しいモーターを生産するというような計画を聞いたかどうか覚えていらっしゃいませんか？」

「モーター？　何のモーターかな？　タッガートさん、僕には細部に関わりあっている暇はありません。僕の目的は社会の進歩、世界の繁栄、人間の絆と愛なのです。愛ですよ、タッガートさん。それがすべてを解く鍵です。人が愛しあうことを学べば、問題はすべて解決するのです」

男の口の湿っぽい動きを見ていられず、彼女は目をそむけた。

オフィスの隅の台座には、エジプトの象形文字が刻まれた石塊がある――壁のくぼみに、五本の腕を広げたヒンズーの女神像――壁には、通販会社の売上表に似た目の回るような細かい数式が並んだ巨大なグラフが掛かっている。

「ですから、タッガートさん、あなたの鉄道のことをお考えなら――今後の展開を推測すると、むろんそうでしょうが――とりわけ指摘しておきたいのは、僕は国家の利益のために何人の利益の犠牲も厭わないとはいえ、慈悲を請う人に耳をふさいだことはなく――」

彼を見て、この人物が自分に何を求めていたのか、どのような動機で話を続けていたのかを彼女は理解した。

「鉄道のお話なら結構です」激昂して叫び出したいのを抑えながら、何とか彼女は声を平静に保った。「その件について何かおっしゃりたいことがあれば、どうか兄のジェイムズ・タッガートにおっしゃってください」

「このご時勢で、あなたの事情を訴える絶好の機会を逃されたくはないはずですが――」

「あのモーター工場に関する記録を何かお持ちですか？」彼女は背筋を伸ばし、固く手を握り締めていた。

「何の記録ですかな？　銀行が破綻したときに全財産を失ったと言ったはずだが」彼の体はふたたびゆるみ、興味は失せた。「だが僕は気にしてはおりません。失ったのはただの物質的な富です。理想のために苦しむのは歴史上僕が始めてじゃありません。僕は周囲の人間の利己的な強欲に敗北したのです。利益至上主義者と守銭奴だらけの国の真ん中の小さな州一つの中だけじゃ、兄弟愛の制度を築けなかった。僕の責任じゃない。だが僕は負けない。僕は誰にも止められない。僕は戦っているのです――より大規模に――仲間に奉仕するという特権によって。記録ですと？　タッガートさん、僕が残した記録は、マディソンを出発したときに、これまで一度も機会に恵まれなかった貧しい人びとの心に刻まれているのです」

　不必要な言葉は一言たりとも口にしたくなかったが、彼女は自分を抑えきれなかった。階段をこする老掃除婦の姿が目に浮かんで離れなかったのだ。「その後、あの地区をごらんになったことがありますか？」彼女はたずねた。

「僕のせいじゃない！」彼は叫んだ。「まだ金をもっていたくせに、僕の銀行やウィスコンシンの人びとの救済のためにそれを捧げなかった金持ちのせいだ！　僕のせいじゃない！　僕はすべてを失くしたんだ！」

「ローソンさん」彼女はやっとのことでいった。「もしかして、あの工場を所有していた会社の社長の名前を覚えていらっしゃいませんか？　あなたが融資した法人です。アマルガメイティッド事業社と言いましたね？　社長は誰でしたか？」

「ああ、彼？　彼なら覚えています。リー・ハンサッカーという名前でした。実にりっぱな若い男だが、さんざんな目にあいました」

「その人はいまどこにいるのですか？　住所をご存じですか？」

「さて――オレゴンのどこかだったと思いますが。オレゴンのグレンジビルです。僕の秘書が住所を知っています。だが何の興味があって……タッガートさん、あなたが考えておられるのが、ウェスリー・ムーチ氏にとりつないでほしいってことなら、実はムーチ氏は僕の意見にかなり重きをおいているんですよ。鉄道やそのほかの――」

「ムーチ氏と会いたいとは少しも思っておりません」彼女は立ち上がりながら言った。

「だがそれでは、僕には理解できない……あなたがここへ来た本当の動機は何ですか？」

「私は二十世紀モーター社で働いていたある男の人を見つけようとしているんです」

「なぜその人を見つけたいのです？」

「私の鉄道で仕事をしてほしいからです」

信じられないというように、彼はやや憤慨して両腕を左右に大きく広げた。「このような時期に、重要な諸問題が決定を待つときに、あなたは一人の従業員を探して時間を浪費なさるのですか？　信じてください、あなたの鉄道の運命は、あなたがこれから探すどんな従業員よりも、ムーチ氏にかかっているのですよ」

「ごきげんよう」彼女はいった。

彼女が背を向けて出て行こうとすると、高く震える声で彼がいった。「あなたには僕を軽蔑する権利はないんだ」

彼女は立ち止まって彼を見た。「私は何の意見も申し上げてはおりません」

「僕はまったくの無実だ。自分の金を失った、よい大義のために全財産を失ったんだから。動機は純粋だった。自分のためには何も欲しくなかった。自分のために何か求めたことはありません。タッガートさん、僕は生涯、いまだかつて一度も利益を出したことがないと誇りをもって言えます」

彼女の声は静かで落ち着き、真面目だった。「ローソンさん、人間ができる発言のなかで、それこそ何よりも軽蔑すべきだと私が考える言葉だと申し上げておきましょう」

＊＊＊

「僕にはチャンスがなかったんだ！」リー・ハンサッカーが言った。

台所の真ん中の紙が散乱したテーブルの前に、彼は座っていた。髭はのび放題、シャツは洗濯していない。ぱっと見ただけでは年齢はよくわからない。経験にもまれることなく膨れた顔はのっぺりとして虚ろだ。白髪交じりの髪とかすんだ目はぐったりと疲れている。彼は四十二歳だった。

「誰も僕にチャンスをくれたことがない。僕がこうなって満足だろうな。だが僕がそのことに気づかないと思っちゃいけない。生得権をかすめとられたことくらいわかる。親切な風を装わせちゃいけないぜ。へどがでそうな偽善者ばかりだ」

「誰がですか?」ダグニーが訊いた。

「誰もかれもだ」リー・ハンサッカーが言った。「どいつもこいつも性根が腐っていて、そうじゃないってふりをしてみても無駄だ。正義？　ふん！　このざまだ！」彼は手をぐるりと振りまわした。「僕みたいな男がここまで貶められるなんて！」

窓の向こうには真昼の光が射しているが、田舎ではないが街にもなりえない場所の寒々しい屋根と裸木は夕闇につつまれているようにみえる。埃と湿気が台所の壁に染みついている。流しには朝食の皿が積み重なり、コンロではポットのシチューがぐつぐつ煮え、安い肉の脂ぎった臭いを放つ湯気をたてている。テーブルの上には紙に埋もれて埃をかぶったタイプライターがあった。

「二十世紀モーター社は」リー・ハンサッカーが言った。「アメリカ産業史上、最も輝かしい名前の一つだ。僕がそこの社長だった。あの工場の持ち主ってわけ。だがよいチャンスを与えられなかったんだ」

「あなたは二十世紀モーター社の社長だったわけではないですね？　確かアマルガメイティッド事業社とかいう会社を経営されていたと思うのですが？」

「そうそう、だが同じこと。我々が工場を引き継いだんだ。同じように、さらにうまくやるつもりだった。我々は同じくらい重要だった。いずれにしろ、ジェッド・スターンズが何様だね？　ただの田舎の修理工じゃないか――あの男がそうやって始めたってことはご存じかな？――素性もあったもんじゃない。僕の家族は昔『ニューヨーク名門四百家族』に入っていた。祖父は代議士だったしね。学生のとき、おやじが僕専用の車をかってくれなかったのは僕のせいじゃない。同級生はみんな持っていたけど。家族の名前は全然ひけをとらなかった。大学生のとき――」彼は急に話をやめた。「きみは何新聞の人間だっけ？」

彼女は名乗っていたが、なぜか、彼がそれと気づかなくてよかった、わざわざ言うまいと思った。

「新聞の者ではありません」彼女は答えた。「取材ではなく、個人的にあのモーター会社について情報が必要なのです」

「ああ」彼は落胆したようだった。彼女の故意の侮辱をなじるように、彼はむっつりと続けた。「僕はいま自伝を書いているから、前もって取材にきたのかと思ったんだ」彼はテーブルの紙を指した。「僕が語るつもりにしていることはたくさんある。言いたかったのは――あ、しまった！」突然何かを思い出して彼はいった。

彼はコンロに駆けつけ、ポットの蓋を取ると、出来栄えに何の注意も払わず、シチューをかきまわす身振りだけを行った。そしてガスバーナーに油汁が落ちるのもかまわずに、ぬれたスプーンをコンロに放り出すと、テーブルに戻ってきた。

「そう、誰かがチャンスをくれさえすれば僕は自伝を書くだろう」彼はいった。「こんなことしなきゃいけないときに真面目な仕事に集中できるもんか！」彼はあごでコンロを指した。「友達だと、ふん！　僕を住まわせてやっているからって、あいつら、僕を中国人の日雇いみたいにこき使っていいと思っているんだ！　僕にほかに行き場がないってだけで。楽してるよな、僕の古き良き友は。やつなんて、家の中じゃ指一本あげないで自分の店で一日じゅう座っているだけ。しみったれた安物の文房具屋――僕が執筆中の本の重要さに比べられるか？　それにあの女ときたら、買い物に出かけるからシチューを見ていてくれなんて頼むんだぜ。あの女、作家には静かで集中できる環境が必要だってわかっているくせに、気を遣ってくれたことがあるか？　あいつが今日何したか知っているか？」彼は秘密を打ち明けるようにテーブルに身を乗り出し、流しの皿を指さした。「あの女、朝食の皿を全部放りっぱなしで、後でやるわ、なんて言い残して市場に出かけて行ったんだ。あいつの魂胆はわかっている。僕に洗えってことだよ。なあに、裏をかいてやる。そっくりそのままおいといてやるんだ」

「モーター工場についてお訊きしてもよろしいでしょうか？」

「モーター工場が僕の生涯で唯一のものだったと思ってほしくないな。重要な役職をいくつも経験しているんだ。手術器具、紙容器、男物の帽子、掃除機なんかの製造会社と特によく関わってね。ま、どれもぱっとしなかったけど。だがモーター工場――あれは大きなチャンスだった。ああいうのを待ってたんだ」

「どういったいきさつであの工場を買収されたのですか？」

「あれは僕のためにあったんだ。夢がかなうってやつ。工場は閉鎖――破綻していた。ジェッド・スターンズの跡継ぎがあっというまにだめにしちまっていたからね。はっきりとはわからんが、なにか胡散臭いことがあって、会社は潰れた。鉄道のやつらは支線も廃止した。あそこを欲しがる者も、入札者もいなかった。だがジェッド・スターンズのために何百万ドルも稼ぎ出したこの大工場、設備から機械から何から何まで整ってたんだ。まさしく求めていたような、僕に相応しい機会だった。だから友達を誘ってアマルガメイティッド事業社を結成して金を少しかきあつめた。だが開業資金が足りなくて融資が要った。まったく安全な賭けだった。僕らは未来への熱意と希望にあふれて素晴らしい事業に乗り出す若者たちだったからね。だが誰か励ましてくれたと思うかい？　いいや。強欲なガチガチの特権階級の禿鷹どもときたら！　工場をもらえなきゃ、人生どうやって成功しろっていうんだい？　まるごと工場を相続する小生意気な洟垂れどもに太刀打ちできないだろ？　僕らには同じ扱いをうける資格はないのか？　おい、正義云々は言わせないぜ！　金の工面に僕は犬みたいに駆けずりまわったんだ。だがあのごろつきのマイダス・マリガンにひどい目にあわせられた」

彼女は居ずまいを正した。「マイダス・マリガン？」

「ああ――見かけも態度もトラックの運転手みたいなやつ！」

「マイダス・マリガンをご存じだったのですか？」

「知っていた？　やつを負かしたことがあるのは僕ぐらいだぜ――それで何か得したわけじゃないけど！」

　脈絡なく突如不安に襲われて、彼女は思うことがあった――海上に漂う捨てられた船の話やどこからともなく射す光の出所をふと考えるときのように、マイダス・マリガンの失踪について。それは謎でありえない謎というだけで、その難問を解かねばと感じるべき理由は特にない。そのできごとには理由がなかったはずはないのに、どのような既知の理由も事件を説明しえないのだ。

　マイダス・マリガンはかつて全米一裕福で、その結果、誰よりも目の敵にされた男だった。投資で損をしたことがなく、触れるものはすべて金に変わった。「何に触れればいいか知っているからだ」彼はいった。彼の投資パターンは誰にもつかめなかった。非の打ちどころがなく安全とみなされた取引を拒み、銀行家は誰も扱いたがらないベンチャーに巨額の金を投じた。何年にもわたり彼は、誰も思いもよらなかった事業の目覚ましい成功の弾丸を全米じゅうに撃ち込む引き金だった。リアーデン・スチールの立ち上げ時に出資し、ペンシルベニアの見捨てられた製鉄所買収の実現を後押ししたのは彼だ。経済学者が彼を面の皮の厚いギャンブラーとよんだとき、マリガンは言った。「君が金持ちになれないのは、俺がやることをギャンブルだと思っているからだ」

　マイダス・マリガンと取引するには、ある不文律を守らなければならないと噂されていた。融資依頼中に個人的な都合や感情を一度でも口にすれば、面談は打ち切られ、二度とマリガン氏と話す機会を与えられないということだ。

「勿論できるとも」憐みの心をなくした者以上に邪悪な人間をあげられるかときかれて、マイダス・マリガンは言った。「自分に対する人の憐れみを武器にする人間だ」

長いキャリアのなかで、世論の攻撃に彼は耳を貸さなかったが、一度だけ例外があった。彼の名前はマイケルだった。ある人道主義系の新聞のコラムニストが彼に侮辱をこめたレッテルを貼るつもりで、巨万の富を望み、手に触れるすべてが金にかわるよう神に願った伝説の王にちなんでマイダス・マリガンという仇名をつけたとき、マリガンは裁判所に出廷して名前を法的に「マイダス」に変更する申立てをした。変更は許可された。

同時代人から見て、彼は許しがたい罪を犯した男だった。自分の富を誇りに思っていたのだ。

それらが、ダグニーがマイダス・マリガンについて聞いていたことだった。会ったことはない。

七年前、マイダス・マリガンは消えた。ある朝自宅を出て、消息を絶ったのだ。翌日、シカゴのマリガン銀行の預金者は、銀行が閉鎖するので預金をおろすようにという通知を受け取った。以後の取調べで、マリガンは閉鎖を前もって綿密に計画していたことが明らかになった。従業員は指示通りに動いただけだ。それは米国史上最も秩序ある銀行の閉鎖だった。預金者は全員、利息の最後の端数まで金を受け取った。銀行の資産はすべて雑多な金融機関に売りさばかれていた。帳簿の貸借は最後の一セントまで合い、何も残らなかった。マリガン銀行は完全に消滅したのだ。

マリガンの動機、その後の運命、何百万ドルの個人資産に関する手がかりは何ひとつ見つからなかった。その人物と富が、過去に存在しなかったかのように消え失せたのだ。彼の決定については誰も警告を受けず、それを説明する痕跡も残っていなかった。退職したかったなら、会社を破壊したりせずとも売却で巨額の利益を得られたはずなのに、なぜ彼はそうしなかったのだろう、と人びとはいぶかしくおもった。答えられる者は誰もいなかった。彼には家族も友人もいない。使用人は何も知らなかった。彼はその朝、いつものように自宅をでて帰らなかった。それだけだ。

マリガンの失踪は本質的に起こりえない――ダグニーは落ち着かない気持ちで何年も思っていた。ニューヨークの摩天楼が一夜にして街角の空き地だけを残して跡形もなく消えるとは。マリガンのような男と、彼と共に消えた富を隠し通すことはできない。どのような平野や森に隠しても人目につくはずだ。破壊されたなら、瓦礫の山に誰も気づかないはずはない。だがマリガンは消えた――以来七年間、噂、推測、理論、日曜版の特集が錯綜するなか、世界の至る所で彼を見たと主張する目撃者も少なからずいたが、もっともらしい説明は見つからなかった。

逸話のなかに、彼の性格からはばかばかしいほどかけ離れているが、ダグニーが信じた話があった。それはマリガンの気質からでっちあげられる話ではなかった。彼が消えた春の朝、彼を最後に見たのは、シカゴのマリガン銀行の傍の街角で花を売る老女だったという。老女が語るには、彼は立ちどまり、初物のブルーベルを一束買った。かつてなく満ちたりた顔をしていた。それは遮るもののない素晴らしい人生の展望が目の前に開けているような、苦痛や緊張のしるしが拭われ人生の澱（おり）も洗い流された爽やかな青年の顔で、嬉々とした熱意と安らぎだけが残っていた。そして突然の衝動のように花を手にとり、輝かしい嘘をわかちあうかのように老女にウィンクしてみせて、「私がどれほど愛していたか知っているかい？　生きているってことを」と言ったというのだ。彼女は当惑して彼を見つめ、高価で落ちついたビジネスコートに包まれた真直ぐな彼の姿は、花束を手の中でボールのように投げ上げながら、春の陽光が窓に輝くオフィスビルの垂直な崖の合間に消えていった。

「マイダス・マリガンは心臓にドルマークを押した性悪のろくでなしだった」つんと鼻をつくシチューの蒸気の中で、リー・ハンサッカーが言った。「僕の全人生はたったの五十万ドルにかかっていて、そんなのやつにとっちゃはした金だってのに、融資を頼むとけんもほろろ――ただ僕には担保がないってだけで。誰も大きなチャンスをくれなかったらどうやって担保なんて作れるんだい？　あの男はほかのやつらには金を貸したくせに、なぜ俺には貸してくれなかったんだ？　ただの差別だね。やつは僕の気持ちさえ考えなかった――僕の失敗の経歴からすると、モーター工場どころか野菜の行商車を持つ資格もないなんて言ったんだぜ。何の失敗だって？　食料品屋の頭の悪いおやじどもが紙容器のことで協力しなかったんだからどうしようもなかったんだ。何の権利があって僕の能力を判断するんだ？　なぜ僕の将来の計画が利己的な独占主義者の気まぐれな意見に左右されなきゃいけないんだ？　僕は泣き寝入りする気はなかった。だからあの男に対して訴訟をおこしてやったんだ」

「何をされた、と？」

「ああ、そう」彼は自慢げにいった。「訴えてやったんだ。きみたち旧弊の東海岸の州では妙なことだろうが、イリノイ州はとても人間的で進歩的な法律があって、僕はやつを訴えることができた。それはその類では最初の判例だろうが、実に頭のいいリベラルな弁護士がいて道をつけてくれた。それは誰に対しても、どのような理由でも、人の生計に関わることについての差別を禁ずるという経済緊急法だった。ふつう日雇い労働者なんかに適用されていたんだが、僕とパートナーにもあてはまるだろ？　だから裁判にもちこんで、僕らがそれまで運が悪かったことを証言して、マリガンが僕には野菜の行商車を持つ資格もないと言ったことを引用して、アマルガメイティッド事業社の社員全員には何の名声も、信用も、生計をたてる道もないと――従って、モーター工場の買収は僕たちの生計をたてる唯一のチャンスだと――従って、マイダス・マリガンは僕たちを差別する権利はないと――従って、僕らには法の下に彼からの融資を要求する資格があると証明したんだ。ああ、僕たちには完璧な裁判だったが、訴訟の裁判長がナラガンセット判事、数学者みたいに考えて人間的な側面について何も感じない、頭の固い修道士が判事席にすわったようなやつ。あの男、裁判の間じゅう大理石の像――あの目隠しをした大理石の像みたいにじっと座ってやがった。おしまいに彼はマイダス・マリガンに有利な判決をくだすように陪審員に指示して、僕とパートナーにとても厳しいことをいったんだ。だが僕らは上訴した――高等裁判は判決を覆してマリガンに僕らの条件どおりに融資するよう通告したんだ。やつには三ヶ月の猶予があったが、三ヶ月が過ぎる前に、誰にもわからないことがおこって、銀行もろとも跡形もなく消えちまった。銀行にはびた一文残ってなくて、僕たちの合法的な権利は回収できなかった。やつを探そうと相当な金を使って探偵を雇った――誰だってそうするぜ――けどあきらめたんだ」

違う――ダグニーはおもった――むかむかするこの気持ちは別として、こんな事件はマイダス・マリガンが何年も耐えてきたことよりたちが悪いわけじゃない。似たような正義を掲げる法律の下に、彼は多くを失ってきた。もっと多くの金を奪った規定や布告の下に。それを彼は甘受し、戦い、一層真面目に働いた。この事件で挫折したなんてことはないはずだ。

「ナラガンセット判事はどうなったのですか？」彼女は何気なくたずね、どんな無意識の連想でその質問が浮かんだのだろうと思った。ナラガンセット判事について、彼女はほとんど何も知らなかったが、名前は聞いて覚えていた。それは北米大陸で特別な響きをもつ名前だった。もう幾年も彼のことを耳にしていないと、彼女はふと思い出した。

「ああ、やつは引退した」リー・ハンサッカーが言った。

「そうなのですか？」その問いは呻きに近かった。

「ああ」

「いつです？」

「ま、だいたいその半年後だな」

「引退後どうしたのですか？」

「さあ。あれからやつのことを耳にした者はいないだろう」

彼はなぜ彼女が怯えてみえるのだろうとおもった。彼女が感じた怯えは、彼女にもその理由を明らかにできないことに端を発していた。「モーター工場について話してくださいませんか？」

ようやくのことで彼女はいった。

「なに、マディソン共同国民銀行のユージン・ローソンがとうとう工場買収の金を出してくれた――だがやつはただのけちなしみったれで、最後まで僕らの面倒をみるだけの金がなかった。倒産しそうになっても救済できなかったんだ。僕らのせいじゃない。はじめから逆風だった。鉄道がないのにどうやって工場を経営しろと言うんだい？　僕らには鉄道をもつ資格がなかったのか？　僕はやつらに支線を再開させようとしたのに、あのいまいましいタッガート大陸――」彼は口をつぐんだ。「ねえ、きみはもしかしてあのタッガートの一人かい？」

「私はタッガート大陸横断鉄道の業務副社長です」

一瞬、彼はぽかんと彼女を眺めた。かすんだ目の中に、恐怖と媚と憎悪の葛藤がみえた。そして突然彼は怒鳴りたてた。「きみたちみたいな大物は要らんよ！　きみなんかを怖がると思ったら大間違いだ。仕事をくれなんて頼むと思わないでほしいね。誰の助けも求めてないぜ。こんな風に口を利かれるのには慣れてないだろ？」

「ハンサッカーさん、あの工場のことについて私がお訊きした情報をいただければ非常にありがたいのですが」

「興味をもつのが遅いんだよ。どうしたってんだい？　良心の呵責かい？　きみたちはあの工場でジェッド・スターンズにぼろ儲けさせといて僕らには何一つしてくれなかった。同じ工場だぜ。僕らはやつとまったく同じようにやったんだ。何年も一番のドル箱だった型のモーターを早速作り始めた。すると誰も聞いたことがないニールセン・モーターとかいう新参者がコロラドにちっぽけな工場を開いて、スターンズのモデルと同じクラスの新しいモーターを、半額で生産し始めたんだ！　どうしようもないだろ？　ジェッド・スターンズはよかったぜ。あいつの時代には破壊的な競争者がたまたまいなかったが、僕らはどうすればよかったっていうんだ？　誰も競争力のあるモーターをくれないのに、このニールセンとかいうやつとどうやって戦えっていうんだ？」

「スターンズの研究所は引き継がれましたか？」

「ああ、それもあったよ。何もかもあった」

「スタッフも？」

「一部は。工場が閉鎖されていた間に大勢出てっちまったが」

「研究員は？」

「いなくなっていた」

「ご自分で研究員を雇われましたか？」

「ああ、何人か――だが言わせてもらえば、息をつく間もないほど財政的に逼迫しているのに研究所なんかに使う金はなかった。絶対不可欠な近代化と装飾の支払いもできなかった――あの工場は人間の能率の見地からして不面目なほど時代遅れだった。重役のオフィスの壁がむきだしの漆喰で、洗面所はちっぽけな小さいやつしかなかった。近代の心理学者なら誰でもあんな陰気な環境じゃ力が出ないって言うだろうな。僕にはオフィスの中に、もっと明るい色彩の配合と、シャワー室つきのまともで近代的な浴室が必要だった。それから従業員のために金をかけて新しいカフェテリア、遊技場、それに手洗い所を作った。士気をあげないとだめだろ？　少しでも啓蒙されている人間なら、人は物質的な環境で作られて、人間の頭脳は生産手段によって形成されると知っている。だが人は経済決定論の法則が働くまで待とうとしなかった。僕らはモーター工場を経営したことがなかった。道具が頭脳の働きを整えるだけの時間がいるだろう？　だが誰も時間をくれなかった」

「研究員の仕事について教えていただけますか？」

「ああ、僕らは一流大学出で筋のいい将来有望な若者をそろえた。だがろくなことはなかった。あいつら何をやっていたのかな。だらだら給料を食いつぶしていただけだろう」

「研究室の責任者は誰でしたか？」

「へん、そんなのいまごろになって覚えてるもんか！」

「誰か研究員の名前を覚えていらっしゃいませんか？」

「従業員全員と個人的に知り合いになる時間があったとでも？」

「そのうちの誰かが何かの実験……まったく新しい種類のモーターに関する実験に言及しませんでしたか？」

「何のモーターかね？　言わせてもらうが、僕レベルの重役は実験室をうろついたりしないんだ。資金繰りのためにおおかたニューヨークかシカゴにいたからね」

「工場長は誰でしたか？」

「ロイ・カニングハムとかいう名前の実によくできるやつだった。自動車事故で去年死んだよ。飲酒運転らしいぜ」

「あなたの同僚の名前と住所を教えていただけませんか？　記憶されているかたならどなたでも」

「やつらどうなっちまったことやら。いちいちあとを追ってる気分じゃなかったんだ」

「工場の記録を保存しておかれましたか?」

「もちろんだ」

彼女は熱心に座りなおした。「見せていただけますか?」

「いいとも!」

彼はいそいそと立ちあがり、部屋を飛び出していった。戻ってきた彼が目の前に置いたのは分厚いスクラップブックだった。そこには彼の新聞記事と広報のプレスリリースがあった。

「僕も大物経営者の一人だったんだぜ」彼は誇らしげにいった。「見ればわかるように、全国的に有名だった。僕の人生は人間的含蓄に富む本になる。適当な生産手段さえあればとっくに書いてたのに」彼は怒ってタイプライターをバンと叩いた。「こんなガラクタで仕事なんかできやしない。スペーススキーがきかない。スペースをおけないタイプライターでどうやって着想を得て、ベストセラーが書けるっていうんだ?」

「ありがとうございます、ハンサッカーさん」彼女はいった。「あなたに教えていただけることはこのくらいかと——」彼女は立ち上がった。「スターンズの跡継ぎがどうなったかはご存じありませんか?」

「ああ、工場をめちゃくちゃにしたあと雲隠れしたよ。息子二人と娘一人の三人だ。最後に聞いたところでは、ルイジアナのデュランスに身を隠してたってことだ」

彼女が背を向けて退出しようとしたとき、彼は突然立ち上がってコンロに駆けつけた。そしてポットの蓋をつかみ、床に落とし、指にやけどをして悪態をついた。シチューはこげていた。

＊　＊　＊

スターンズ家の財産はほとんど残っていなかったが、跡継ぎはもっとひどかった。

「あまり見たくない連中ですよ、タッガートさん」ルイジアナ州デュランスの警察署長がいった。彼は慎重で落ち着いた物腰の年配の男で、盲目的な憤りによってではなく、明快な基準に忠実に生きてきたがために顔に苦さが刻まれていた。「世の中にはいろんな人間がいます。殺人犯に犯罪狂。だが、どういうわけか、スターンズのやつらはまっとうな人間が見るべきものじゃないという気がしますな。たちがわるいんですよ、タッガートさん。病的で悪い……ええ、いまもこの町にいますよ――二人だけですが。三人目は死にました。自殺ですよ。四年前でしたか。いやな話ですが。エリック・スターンズは末っ子でした。やつは四十をとうに過ぎても自分の繊細な感情についてぶつぶつ言ってまわるような慢性の若者病でした。僕には愛が必要だってのが得意の台詞だった。年上の女性を見つけられれば、その女たちに囲われていました。それから何の関係もない十六歳の善良な娘を追いかけ始めました。だがその娘は婚約者の青年と結婚しました。するとエリック・スターンズは結婚式の日に新郎新婦の家に侵入して、二人が教会で挙式してかえってくると寝室に死体があった。手首をかききって目も当てられない死体……まあ静かに死を選ぶ男は許されるかもしれません。ひとりがどれほどの苦悩に耐えられるかなんて、誰が判断を下せますかね？　だが誰かを傷つけるために自分の死をみせものにする、悪意のために命を絶つ男――そんなやつには許しも言い訳もない。そんなとことん腐ったやつに相応しいのはそいつが望んだ憐れみや悼みじゃなく、人が自分の記憶に吐きかける唾だ……まあ、それがエリック・スターンズでした。お望みなら、ほかの二人の居場所をお教えしますよ」

ジェラルド・スターンズはどや街の一角にいた。簡易ベッドの上に少し身をくねらせて横たわっている。髪はいまも黒かったが、頬の白い無精ひげは虚ろな顔をぼうぼうに覆う枯れ草のようだ。彼は酔いつぶれていた。そして話の最中に、対象を選ばない悪意の凝り固まった音のような無意味な笑い声を唐突に発しつづけた。

「つぶれたんだよ、あの大工場は。爆発してぶっ飛んだ。お気にさわりますかね、お嬢さま。あの工場は腐ってた。誰もかれも腐ってた。俺は誰かに許しを請わなきゃならんらしいがごめんだね。かまやしない。車も、建物も、魂も、みな真っ黒に腐りきってるときに、躍起になって見栄をはりつづけてようってんだが、なんだって同じ。俺の景気がよかったとき、つまりゼニがあったとき態度をコロリと変えた文化人たちを見せたかったぜ。教授に詩人、知識人、世界の救世主と兄弟愛者だ。とにかく俺は景気がよかった。とことん楽しんでやった。前は良いことをしたかったが、いまは違う。良いことなんぞない。このくそいまいましい宇宙にゃいまいましい良いことなんぞありゃしない。俺は気が乗らなきゃ風呂には入らねえし、それだけの話だ。工場の話がききたけりゃ妹にきくことだね。誰も手がだせない信託基金を持ってた可愛い妹は、今じゃベアネーズソースのフィレミニヨンじゃなくてハンバーガー階級のくせに、一人ことなく逃げおおせたってわけ。だがその金をこれっぽっちでも兄にわけるか？　おじゃんになったあの高貴な計画は俺だけじゃなくあの女の思いつきでもあったはずだが、あいつが一セントでもくれたか？　やれやれ！　あの公爵夫人を見に行ってやるがいい。まあちょっと見てやってくれ。俺の工場がなんだって？　ギトギトのただの機械の山じゃないか。権利も所有権もみな売ってやるよ――酒一杯でね。私がスターンズ家の末裔だ。昔はすごい名前だった――スターンズ。それも売ってやるよ。あんた、俺のこと臭い乞食だと思ってんだろうが、ほかのやつらもあんたみたいな金持ちのご婦人がたもみんな同じだぜ。俺は人類のために良いことがしたかった。ふん！　なにもかも油で燃えちまえ。おもしれえだろな。みんな窒息だ。なんか問題あっか？　なんか問題あるものなんかあっか？」

隣の小屋では、白髪頭でしわくちゃの小さな浮浪者が、呻きながら寝返りをうった。そのぼろ服から五セント硬貨がカチャリと音を立てて床に落ちた。ジェラルド・スターンズはそれを拾い、自分のポケットにすべりこませた。そしてダグニーをちらりと見た。顔には悪意に満ちた笑い皺があらわれた。

「こいつを起こして問題を起こしたいかい？」彼はきいた。「そんなことすりゃ、あんたが嘘ついてるって言うぜ」

ミシシッピ川のほとり、町はずれに建つ、胸のむかつく悪臭が漂うバンガローに、アイビー・スターンズは住んでいた。うっそうと茂る植木は、はびこる苔と蝋のような葉のせいでよだれを垂らしているかのようだ。空気のよどんだ狭い部屋に所狭しとかけられた織物も同じように見えた。悪臭は、埃の積もった部屋の隅と、ねじれた東洋の神の足元で焚かれた銀色の瓶の香から漂ってきていた。アイビー・スターンズは膨れた仏像のように枕の上に座っていた。口はちやほやされたがる子どもがすねてみせるきついへの字型だが、しまりなく青ざめた五十過ぎの女性の顔だちだ。目は二つの澱んだ水溜りで、声は単調にじとじとと降る雨のようだった。

「お嬢ちゃん、そんな質問には答えられないわ。研究室？　技術者？　なぜあたしがそんなこといちいち覚えてなきゃならないの？　そういうことに興味があったのは父親のほう。あたしじゃないわ。あたしの父親は仕事のことしか考えない鬼みたいな人だった。お金がすべて、愛についやす時間はなかったの。兄や私は違う世界に住んでいたわね。あたしたちの目的は機械を生産することじゃなくて、良いことをすること。あたしたち素晴らしい新計画を工場にもちこんだの。十一年前ね。

だけど、人間の強欲と利己心と低俗で動物的な本性に敗北したの。あれは精神と物質、魂と肉体の果てしない闘いだった。あの人たち、どうしても肉体を放棄しようとはしなかった。あたしたちが頼んだのはそれだけだったっていうのに。ああいう人たちのこと、ひとりも思い出せない。思い出したくないわ……技術者？　たしか血友病のはじまりはあの人たちだった……そう、そう言ったの。血友病――じわじわと漏れてく――止まらない出血。とても早く流れて。あの人たちときたら次々にあたしたちを見捨てていった……あたしたちの計画？　歴史の高潔な教訓を実践したの。それぞれの能力に応じて負担し、それぞれの必要に応じて給付するってこと。工場の人たちはみんな、掃除婦から社長まで同じ給料――必要最低限の金額を受け取ったわ。年に二度、総会があって、それぞれ必要だと思うものを申告したの。すべての申告について投票して、多数決ですべての人間の必要とすべての人間の能力を定めたわ。工場の収益はそれをもとに分配された。報酬は必要に、罰金は能力に応じて。必要がもっとも大きいと投票された人が誰よりも多く受け取った。投票で可能とされた生産高を下回った者は罰金を課されて、賃金なしで残業して償わなければならなかった。それがあたしたちの計画。無私の原則通り。人が個人的な利益じゃなくて、兄弟愛に動機づけられるようにしたの」

ダグニーのなかで冷たくなだめがたい声が言うのが聞こえた。覚えていて――よく覚えておいて――完全な邪悪はめったに見られるものじゃない――見ておくの――覚えておくの――いつかその本質をはっきりと言いあらわせる言葉がみつかる……それはどうしようもなく激しく叫ぶ別の声の悲鳴のなかにきこえた。こんなのなんでもない――聞いたことがある――そこらじゅうで――おなじみの聞き飽きた戯言よ――なぜ耐えられないのかしら？――私には耐えられない――耐えられない！

「どうしたの、お嬢ちゃん？　なぜそんなふうに飛びあがるの？　なに震えてるの？……なあに？　もっと大きな声でいってよ。聞こえないわ……どうやってその計画が機能したかって？　話したくないわねえ。実はとても見苦しくなって、年々手に負えなくなっていったのよ。おかげであたし、人間の本性が信じられなくなっちゃったわ。冷たい計算じゃなくて純愛から考えついた計画が、四年で、警察、弁護士が入り乱れて、破産手続きがからんで、あさましい混乱をきたして終わりを告げたの。だけどあたしには自分の過ちがわかったからもう自由。機械とか製造業者とかお金とか、ものの奴隷になる世界はもう超越したわ。インドの大いなる秘儀によって明かされた精神の解放を学んでいるの。肉体の束縛からの解放、物理的な性質への勝利、精神の物質に対する勝利ね」

盲目的な白い怒りの炎に目がくらみ、ダグニーは、亀裂から雑草が伸びている、かつて道だったコンクリートの長い帯と、鋤で背筋がゆがんだ男の姿をみていた。

「だけどお嬢ちゃん、覚えてないっていったでしょう……だけどその人たちの名前も、誰の名前も知らないわ。父があの研究室にどんな冒険家を抱えてたかなんて！……聞こえないの？……そんなふうに尋問されるのに慣れてないし……何度も言わないでちょうだい。『技術者』のほかに言葉を知らないの？　あたしの言うことがちっとも聞こえないの？……あんたどうしたっていうの？　あたし――あたしあんたの顔が嫌い。あんた……ほっといとくれ。あんたなんか知らないし、あんたを傷つけたこともないよ。あたしは年とった女。そんなふうに見ないで！　あたし……離れて！　近寄らないで。じゃないと助けを呼ぶわよ！　あたし……もう、そう、そう、それならわかるわ！　技監。そう。研究室長だった。そう。ウィリアム・ヘイスティングス。それが名前――ウィリアム・ヘイスティングス。思い出したわ。ワイオミングのブランドンに行っちゃった。計画を発表した翌日にやめたの。あたしたちをおいてやめていった二番目の男……いいえ。違うわ。誰が最初だったかなんて覚えてない。たいして重要な人物じゃなかったわ」

＊＊＊

扉を開けた女性は白髪交じりで、上品な落ち着いた服装をしていた。ダグニーにその服がただのシンプルな綿のホームドレスだとわかるまで数秒かかった。

「ウィリアム・ヘイスティングスさんにお目にかかりたいのですが」ダグニーが言った。

その女性はほんの一瞬、彼女を見つめた。それは探るようで沈鬱な奇妙な目つきだった。「どちらさまですか？」

「タッガート大陸横断鉄道のダグニー・タッガートです」

「まあ、どうぞお入りください、タッガートさん。わたくしがウィリアム・ヘイスティングスの妻です」声の一節一節を警告のような重々しさが貫いている。物腰は丁寧だが、彼女は笑みを見せなかった。

工場町の郊外にあるつつましい家だ。家に続く高台の頂上で、明るく冷たい青色の空を裸の木の枝が切り裂いている。リビングの壁は銀灰色だ。白いランプのクリスタルのかさを日光が照らしている。開放した扉から赤い点模様の白い壁紙を貼った朝食室が見えた。

「タッガートさん、主人とはお仕事で？」

「いいえ。ヘイスティングスさんと面識はありません。ですが非常に重要な仕事の件でお話させていただきたいのです」

「タッガートさん、主人は五年前に亡くなりました」

ダグニーは目を閉じた。鈍い沈鬱な衝撃は、言葉にする必要のない結論を導いていた。やはりその人が探していた人物だったのだ。リアーデンは正しかった。だからモーターが手つかずのまま、ガラクタの山に残されていたのだ。

「お気の毒です」ヘイスティングス夫人と自分自身との両方に対して彼女はいった。

ヘイスティングス夫人は微笑に悲しみを湛えていたが、その顔に悲劇の痕跡はなく、ただ堅実さ、受容、そして静謐さだけがあった。

「ヘイスティングス夫人、いくつかお訊きしたいことがあるのですが?」

「もちろんです。どうぞおかけください」

「ご主人の科学研究について何かご存じでしたか?」

「ほとんど何も知りませんでした。本当に何も。主人は家ではまったくそういう話をしませんでしたから」

「ご主人はかつて、二十世紀モーター社の技監をなさっていましたね?」

「ええ。十八年間、あの会社に勤務していました」

「私はヘイスティングスさんにそこでの仕事とそれを中断なさった理由を伺いたかったのです。さしつかえなければ、あの工場で何が起こったか教えていただけませんか」

ヘイスティングス夫人の顔に悲しみとユーモアの微笑がいっぱいに浮かんだ。「それはわたくしも知りたいと思っていることです」彼女はいった。「でもいまではどうやってもわからないのではないかと考えています。主人が工場を辞めた理由は知っています。ジェッド・スターンズの跡継ぎがあそこで打ちたてた突拍子もない計画のせいですわ。主人はあのような条件で、あんな人たちと働くつもりはありませんでした。でもほかにも何かありました。主人が言おうとしなかったことですが、それとは別に、二十世紀モーター社で何かあったような気がいつもしていました」

「いただけるなら、どんな手がかりでもかまいません」

「何の手がかりもありません。いろいろ考えてみましたが、あきらめました。わたくしには理解も説明もできません。ただ何かが起こったことだけは知っております。主人が二十世紀を辞めたとき、私たちはここに引っ越して、主人はアクミ自動車の設計部長の仕事を引き受けました。そこは当時業績のいい成長企業でした。主人が好きな仕事ができました。あの人は内面で煩悶する性格じゃありませんでした。いつも自分の行動に確信を持って、落ち着いておりました。でもウィスコンシンをでて一年後、何かに悩んで、解けない問題とひとり戦っているかのようにふるまっていました。その年の終わり、主人はある朝わたくしのところにやって来て、アクミ自動車を辞めた、今後どこで働くつもりもないって言ったんです。主人は仕事を愛していました。それがあの人の全人生でした。なのに落ち着いていて、自信にあふれて、ここへ来てから初めて幸福そうに見えました。辞めると決めた理由は訊かないでほしいということでした。わたくしは何も訊かず、反対もしませんでした。私たちにはこの家も貯金もあり、残りの人生をつつましく暮らしていくには充分な蓄えがありました。結局理由はわからずじまいでした。ここで、静かにとても幸福に暮らしつづけました。主人は奥深い充足感に満たされているようでした。これまで主人にみたことがない不思議な精神的厳粛さがありました。ふるまいや行動に変なところはどこにもなくて――ただ時折、まれにですが、行く先も会う人も言わずに出かけていくことがありました。最後の二年は、毎年の夏、ひと月の間、行く先を告げずに家を空けておりました。それ以外のときは以前と同じように生活しておりました。主人は非常に勉強熱心で、家の地下室で工学的な研究に没頭していました。ノートや実験モデルがどうなったかはわかりません。亡くなった後は地下室に何も残っていませんでしたから。暫く患っていた心臓の病気で、主人は五年前に亡くなったのです」

ダグニーは絶望してたずねた。「ご主人の実験の内容をご存じでしたか？」

「いいえ。わたくしは技術的なことにうといものですから」

「ご主人の研究の内容を知っていたかもしれない仕事上の友人や同僚をどなたかご存じでしたか？」

「いいえ。主人が二十世紀社におりましたときは、あの人、とても長時間働いておりましたから自分の時間はほとんどなくて、たまの休みは二人で過ごしたんです。社交生活はまったくありませんでした。主人が同僚を家に連れてきたこともありません」

「ご主人が二十世紀社にいらっしゃったとき、ご自分で設計された、あらゆる産業の進路を変えるまったく新しいタイプのモーターについてお話なさいませんでしたか？」

「モーターですか？　ええ。そうですね、主人は何度かそんなことを口にしておりました。とてつもなく重要な発明だと言っておりました。ですがそれを設計したのは主人ではありません。あの人の若い助手でした」

夫人はダグニーの表情をみて、ゆっくりと、冷やかすように、非難めいたところもなく、ただ悲しげに可笑しがってつけ足した。「そういうことでしたか」

「まあ、すみません！」自分の感情がたちまち顔にあらわれて、安堵の叫びのようにあらわな笑みになったことに気づいて、ダグニーは言った。

「かまいませんわ。わかります。興味をもっていらっしゃるのはあのモーターを発明した人なのですね。彼が今も生きているかは知りませんが、少なくともそうじゃないと考える理由はありませんわ」

「それを確かめて――彼を見つけだすためなら私は命を半分投げ出してもいいほどです。ヘイスティングスさん、それほど重要なことなのです。その人は誰でしょうか？」

「わかりません。名前も、彼に関することは何も知りません。主人の部下を私は知りませんでした。主人は、いつか世界をひっくり返す若い技術者がいると教えてくれただけです。主人は部下の能力以外の性格は気に留めませんでした。この人は主人が愛した唯一の人だったと思います。あの人がはっきりそう言ったわけじゃありませんが、この若い助手について話すときの様子でわかりました。わたくし、覚えています――そのモーターが完成したと主人が言った日のこと――あの人が『しかもやつときたらたった二十六歳なんだ！』と言ったときの声の響きを。あれはジェッド・スターンズがなくなるひと月ほど前でした。あれから、モーターのことも若い技術者のことも主人は口にしなくなってしまったのです」

「その若い技術者がどうなったかご存じありませんか？」

「ええ」

「どうすればその人が見つかるかよい考えはありませんか？」

「ありません」

「名前を知る手がかりも糸口も？」

「何も。あの、そのモーターにはとても値打ちがあったのですか？」

「どんなに見積もっても十分じゃないほど値打ちがあります」

「不思議ですね。あの、わたくしも一度思いついて、ウィスコンシンを出て数年後でしたか、あんなに絶賛していた発明はどうなったのか、それをどうするのか主人にたずねたことがあるんです。主人は妙な目でわたくしを見つめて、『どうもしない』と答えました」

「なぜですか？」

「教えてくれませんでした」

「二十世紀で仕事をしていたどなたかを覚えていらっしゃいませんか？　その若い技術者を知っていた方なら誰でも。その人のお友達でも」

「いいえ、わたくし……待って！　お待ちになって。手がかりならさしあげられます。彼のお友達の一人の居場所を。名前は知らないのですが住所ならわかります。変な話ですが。あらましをご説明したほうがよさそうですね。ある晩——こちらへ来て二年ほどたった頃でしたか——主人は外出することになっていたのですが、その晩はわたくしも車が要りましたので、夕食後に駅のレストランに迎えに来てくれと頼まれたのです。誰と食事をするとは言っておりませんでした。駅まで車で迎えに行くと、主人は二人の男性と立っておりました。一人は若くて背が高い人。もう一人は年配で非常に特徴のある方でした。いまどこで見かけてもあの人たちはわかります。忘れられない顔立ちでした。主人は私をみて二人と別れてきました。二人は駅のホームに向かって歩いていきました。列車が来ていましたから。そのとき主人が若い方の人を指して、『彼をみたかい？　あれが僕の言っていた子だよ』と言ったのです。『モーターの素晴らしい作り手っていう人物ね』と申しますと『作り手だった人物だ』って」

「ほかには何もおっしゃらなかったのですか？」

「何も言いませんでした。それが九年前でした。この春、わたくしはシャイアンに住んでいる弟を訪ねました。ある日の午後、彼の家族と長距離のドライブに出掛けたのです。まだ自然のままのロッキー山脈のかなり高い場所まで昇って、道端の食堂で車を停めました。カウンターの向こうには特徴のある白髪の男性がいました。彼がサンドイッチとコーヒーを作る間、わたくし、何度もその人の顔を眺めずにはおれませんでした。顔に見覚えがある気がしたのですが思い出せなくて。ドライブを続けて、その食堂から遠く離れたところにきて、思い出したんです。そこにいらしたほうがいいわ。シャイアンの西、山の中の八十六号線沿い、レノックス銅鋳造所の傍の小さな工場町の近くです。妙な話ですが確かです。その食堂のシェフは主人が絶賛していた青年と一緒に駅にいた人です」

＊　＊　＊

食堂は長く険しい坂の天辺に建っていた。岩棚の起伏の中を下方に夕日まで続く石と松の景色を覆う光沢剤のようにガラスの壁が広がっている。眼下は暗いが、均一に輝く光が、引き潮にとり残された小さな水溜まりのように、いまも食堂を照らしていた。

ダグニーはカウンターの端に座り、ハンバーガーを食べていた。それは彼女がこれまで食したうちで最も美味な、単純な食材と非凡な技能との産物だった。二人の労働者が夕食を終えようとしており、彼女はかれらが出て行くのを待っていた。

カウンターの向こうの男を彼女は観察した。男はすらりと背が高く、中世の城か銀行の中枢部に属する要人めいた雰囲気がある。だがその独特な風格は、彼がその気品をこの名もない食堂のカウンターの後ろに相応しいものにしているという事実からきていた。男はシェフの白いジャケットを礼服のように身につけている。玄人らしく適確に易々と仕事をこなし、動作は知的で無駄がなかった。細い顔と白髪が、青く冷たい目の色調とよくあっている。律儀で厳格な顔は、よくみれば消えてしまいそうなほどかすかなユーモアを帯びていた。

二人の労働者は食事を済ませ、金を払って、チップにそれぞれ十セント硬貨をおいて立ち去った。

男が皿を片付け、硬貨を白いジャケットのポケットに入れ、カウンターを拭く迅速かつ正確な作業を彼女は観察した。その後、男は向きを変えて彼女をみた。感情を交えない目であって、会話を促しているわけではない。だが、彼女のニューヨークスタイルのスーツ、ハイヒール、時間を無駄にしない女性だということに随分前から気づいているのは確かと思われた。男の冷たく鋭い目は、彼女がここに属する人間ではないことを彼は知っており、本当の目的が明らかになるのを待っていると告げるようだった。

「景気はいかが?」彼女はたずねた。

「かなり悪いね。レノックス鋳造所を来週閉鎖するらしい。私も近いうちに店じまいして次に移らないといけないようだ」男の声は明確で淡々として丁重だった。

「どちらに?」

「まだ決めていませんよ」

「どういったことをお考えですか?」

「さあ。どこかの町に適当な場所がみつかれば自動車修理工場を開こうかと考えています」

「まあだめよ! いまの仕事をかえるなんてもったいなすぎるわ。シェフ以外のことをやりたいなんて思っちゃだめよ」

口元に奇妙な微笑が浮かんだ。「だめですかな?」男は礼儀正しくたずねた。

「だめ! ニューヨークでの仕事はいかが?」男は不意を突かれて彼女をみた。「本気。大きな鉄道会社で、食堂車部門の責任者の仕事をあげるわ」

「なぜそんなことをなさりたいか、おたずねしてよろしいかな?」

彼女は紙ナプキンに包んだハンバーガーを持ち上げた。「これが理由のひとつ」

「ありがとう。ほかには？」

「あなたは大都市に住んだことがないでしょうし、どんな仕事にしても、有能な人間をみつけるのがどれほど難しくて惨めかってことをご存じとは思えないわ」

「多少は知っていますよ」

「そう？　では考えていただけるかしら？　ニューヨークで年俸一万ドルの仕事はいかが？」

「けっこうです」

彼女は能力を見いだしてそれに報いる喜びに我を忘れていた。衝撃をうけ、無言で彼女は男を見た。「理解されたとは思えませんが」彼女はいった。

「しましたよ」

「こういう機会を拒否なさるの？」

「ええ」

「でもなぜ？」

「個人的な問題です」

「もっといい仕事につけるのにどうしてこんな風に働くのですか？」

「もっといい仕事を探してはおりません」

「出世してお金を稼ぎたくないのですか？」

「いいえ。なぜそこまで強くおっしゃるんです？」

「だって能力が無駄になるのを見るのが嫌なんですもの！」

おもむろに、真顔で男はいった。「私もだ」

その答えかたの何かが、二人は何か共通の深い感情の絆で結ばれていると彼女に感じさせた。そのことが、これまで助けを呼ぶまいとしてきた彼女の自制心をぐらつかせた。「もううんざり！」彼女は自分の声に驚いた。思いがけない叫びだった。「何でもいいから、自分のやっていることをうまくやる能力がある人の姿が見たくてたまらないわ！」

自らに否定してきた絶望を発散してしまったことを呪おうと、彼女は手の甲を目に押しあてた。これまで彼女は、その絶望の深さも、この旅でどれほど自分の忍耐力が擦りきれていたかということも自覚していなかった。

「お気の毒ですが」男は低い声でいった。それは謝罪というよりは同情の表現にきこえた。

彼女は男を見上げた。男が笑み、彼も感じていた絆を男が断ち切ったことを彼女は悟った。慇懃な笑みのなかに、かすかな嘲りがあった。彼はいった。「しかしロッキー山脈の中まで鉄道のシェフを探すためだけに、あなたがはるばるニューヨークからお越しになったとは思えませんな」

「いいえ。別件です」腕をカウンターでしっかりと支え、落ち着いた気持ちで、厳しい自制心を取り戻し、危険な敵の存在を感じながら彼女は身を乗り出した。「十年ほど前に二十世紀モーター社で働いていた若い技師をご存じでしたか？」

数秒の間があった。男が彼女をみた眼差しの意味は、とりわけ鋭い目つきというほかに、はっきりとわからなかった。

「ええ、知っていましたよ」男は答えた。

「その人の名前と住所を教えていただけませんか？」

「何のために？」

「その人を見つけだすことはきわめて重要なのです」

「あの男？　彼がどう重要だとおっしゃるのです？」

「彼は世界一重要な人物です」

「本当に？　なぜです？」

「彼の仕事について何かご存じでしたか？」

「ええ」

「彼にはとてつもない結果をもたらす着想があったことをご存じですか？」

彼は一瞬間をおいた。「あなたはどなたかおたずねしてよろしいかな？」

「ダグニー・タッガートです。タッガート大陸横断鉄道の業務副――」

「ええ、タッガートさん。あなたのことは存じています」

男は無機質な敬意をこめていった。だが頭の中の特別な疑問への答えを見つけて、もはや驚きが失せたかのように見えた。

「でしたら私が意味もなく興味を持っているわけではないことはおわかりでしょう」彼女はいった。「私は彼に必要な機会を与えられる立場におりますし、要求される金額はどれだけでも支払う用意があります」

「何で彼に興味をもつようになられたのかおたずねしてよろしいかな？」

「彼のモーターです」

「彼のモーターのことをどうしてお知りになったのかな？」

「二十世紀社の工場の廃墟でその残骸を見つけたのです。復元したり仕組みを調べたりできるほどじゃありません。でもそれが正常に機能して、私の鉄道を、国を、全世界の経済を救う発明だと知るには十分でした。そのモーターの後を追って、発明者を見つけようとしてどんな道筋をたどってきたかは訊かないでください。何の重要性もないことです。私の人生や仕事さえもいまは重要じゃありません。その人を見つけなければならないということ以外、重要なことは何もないんです。どうやってあなたを探しあてたかも訊かないでいただきたいのです。あなたが追跡の最終地点です。その人の名前を教えてください」

男は身動きもせず、彼女を真直ぐに見て耳を傾けていた。真剣な目でひと言ひと言をとらえて注意深くしまいこむようでありながら、彼自身の狙いはつかめない。男は長い間身動きしなかった。そしていった。「あきらめなさい、タッガートさん。その人物は見つからんよ」

「その人の名前は何ですか？」

「彼については何も言えません」

「今も生きているんですか？」

「何も言えません」

「あなたのお名前は？」

「ヒュー・アクストンです」

虚ろな数秒間が過ぎて我にかえり、頭がおかしいわ……ばかなこと考えないで……偶然の名前の一致よ、と自分に言いきかせながら——呆然と不可思議な恐怖にとらわれつつ、この人物こそあのヒュー・アクストンだと彼女は確信していた。

「ヒュー・アクストン？」彼女は口ごもった。「哲学者の？……理性の最後の擁護者の？」

「おや、そうですよ」嬉しそうに彼は答えた。「またはその復活の最初」彼女が衝撃を受けていることに彼は驚いたようだが、特にどうとも思わないようだった。正体を隠す必要もなく、それが明らかになったことに何の憤りも感じていないかのように、彼の態度は明快で親しみさえあった。

「いまどきの若い人たちが私の名前を認知したり、それに重要性を認めたりすることはもうないと思っていましたが」彼はいった。

「だけど……ですがここで何をなさっているんですか？」部屋を指して、彼女は腕をぐるりと振りまわした。「こんなの理屈が通りません！」

「確信をもてますか？」

「何なんです？　お芝居？　実験？　秘密の任務？　特別なテーマの研究？」

「いいえ、タッガートさん。私は生活費を稼いでいるんです」言葉と声には真実を語る本物の簡潔さがあった。

「アクストン博士、私……考えられません……あなたは……あなたは哲学者……存命するもっとも偉大な……不滅の名前……なぜあ、な、た、が、こんなことを？」

「哲学者だからですよ、タッガートさん」

確信する力も理解する力も失くしたかのように感じながらも、彼女ははっきりと知っていた。彼が自分を助けてくれることはなく、質問は無意味であり、彼は発明者の行方についても彼自身の行先についても説明しようとはしないだろう。

「あきらめなさい、タッガートさん」彼女もわかっている通り、彼女の考えていることはお見通しだという証拠を与えるかのように、彼は静かにいった。「見こみのない追跡だ。自分のやろうとしていることがどれほど不可能なことか、あなたには少しもわかっていないからなおさらです。情報を私から訊き出そうとして、議論や仕掛けを考えたり、泣きついたりする労力を省いてさしあげたい。私を信じなさい。それは無理だ。あなたは私が追跡の最終地点といった。ここが行き止まりだ、タッガートさん。よくある調査手段でお金や労力を無駄にしないほうがいい。探偵なんかを雇わないことです。何もわからないでしょう。私の忠告をあえて無視してもいいが、あなたは頭がいいから、私がでまかせを言っているわけではないことぐらいわかるでしょう。あきらめなさい。あなたが解こうとしている謎は、大気圏の静電気で動くモーターの発明より遠大なこと――ずっと遠大なことに関わっているのです。私ができる提案は一つだけです。存在の本質によって、矛盾は存在しえない。天才の発明品が廃墟の中に置き去りにされ、哲学者が食堂のシェフとして働くことが考えられないと思うなら――前提を確認しなさい。どちらかが間違っているとわかるでしょう」

彼女は口を開いた。これは聞いたことがある、フランシスコが言っていたことだ。そして、この人はフランシスコの教授の一人だったことを彼女は思い出した。

「アクストン博士、あなたがそうおっしゃるなら」彼女はいった。「それについてもうあなたに質問はいたしません。でもまったく違う件についておたずねしてよろしいですか?」

「もちろんです」

「ロバート・スタッドラー博士は、おふたりがパトリック・ヘンリー大学にいらっしゃったときに、輝かしい将来を思わせる優れた頭脳をもつお気に入りの生徒が三人いた、とおっしゃっていました。その一人がフランシスコ・ダンコニアだった、と」

「そうです。もう一人はラグネル・ダナショールドだ」

「ちなみに――これは私の質問ではありません――三人目は誰ですか?」

「彼の名前はあなたにとって何の意味もないでしょう。有名じゃありません」

「スタッドラー博士はあなたと彼とは、かれらをめぐるライバルだったとおっしゃっていました。おふたりともかれらを自分の息子とみなしていたからと」

「ライバル? 彼はあの子たちを放棄したんだ」

「教えてください。あなたはその三人の成長した姿を誇りに思われますか?」彼は遠くに目をそらし、はるかかなたの岩に落ちる日没の消えゆく炎をみた。それは戦場で血を流す息子を見る父のような顔つきだった。彼は答えた。

「願ってもみなかったほど誇りに思っている」

ほとんど真っ暗だった。彼はさっと向きを変え、ポケットから煙草を取り出して一本抜き取ったが、彼女の存在を急に思い出したかのように、ふと手を止めて箱を差し出した。彼女は煙草を一本抜きとった。彼がマッチを擦り、やがて振り消すと、ガラス張りの部屋の暗闇には二つの小さな火の点と、遠くの山々だけが残った。

彼女は立ちあがり、支払いを済ませて言った。「アクストン博士、ありがとうございました。小細工やお願いであなたの邪魔はしません。探偵は雇いません。でもあきらめないとだけは申し上げておきます。その発明家とモーターは見つけなければならないのです。私は彼を見つけ出します」

「彼があなたを見つけると決めるまでは無理でしょうな――いずれそうなるでしょうが」

彼女が車まで歩く途中、彼は食堂の明かりをつけた。彼女は道端の郵便受けを見て、そこに公然と「ヒュー・アクストン」の名前があるという信じがたい事実に気づいた。

曲がりくねった道をずいぶんと長く運転し、食堂の光がとうに視界から消えてから、彼にもらった煙草がとても美味しいことに彼女は気づいた。これまで吸ったどの煙草とも違う。彼女はそのわずかな吸いさしを計器盤の光にかざしてブランド名を探した。名前はなく、商標があるだけだ。薄く白い紙に金字で刻印されていたのはドルマークだった。

興味をそそられて彼女はそれを調べてみた。聞いたことのないブランドだ。彼女はタッガート・ターミナルのタバコ屋の老人を思い出して微笑み、これは彼のコレクションの標本になると思った。そして煙草の火を消し、吸いさしをハンドバッグの中に落とした。

シャイアンに到着してレンタカーを店に返し、タッガートの駅のホームに踏み出したとき、ワイアット・ジャンクション行きの五十七号列車は線路で待機しており、出発するばかりだった。ニューヨーク行きの本線便が出るまであと三十分ある。彼女はプラットホームの端まで歩き、ぐったりと街灯の柱にもたれかかった。駅の従業員に見られたり、彼女だと知られたりしたくない。誰とも話したくない。休む必要があった。閑散としたホームにはまばらに人だかりがある。活発な会話が交わされており、新聞が普段より多く目についた。

五十七号列車の明かりのついた窓を彼女は見た——誇らしい業績の光景を見て、ひとときの息をつくために。五十七号はジョン・ゴールト線の線路を走り、街を抜け、山のカーブを突き抜け、人々が歓声を送った青信号や、夏空に花火が打ち上げられた谷を通り過ぎていくのだ。列車の屋根の向こうの木の枝に枯葉が揺れ、毛皮やマフラーをまとった人々が乗りこんでいく。長らく当然とみなされているサービスを日常の行事だと思っている様子で安心しきって活動している……私たちはやりとげたんだわ——彼女は思った——少なくとも、これだけは。

彼女の閉ざされた関心を不意に打ち破ったのは、後方でたまたま二人の男が交わしていた会話だった。

「だが法律はあんなふうに、せっかちに通すもんじゃないぜ」

「法律じゃない。政令だ」

「なら違法じゃないか」

「違法じゃない。政令を発布する権限をあいつに与える法律を先月議会が可決したんだ」

「政令ってのはあんな風に国民にふっかけるもんじゃないだろ。出し抜けに、顔面を殴るみたいに」

「ま、国家の緊急事態に、無駄口をきいている時間はない」

「だがそんなの正しくないし、現実にそぐわないぞ。リアーデンはどうするつもりだろうな。ほら、ここを読むと――」

「リアーデンのことなら心配いらないぜ。やつは充分金持ちだ。なんとでもやるだろ」

その瞬間、彼女は最初に視界に入った売店に走って夕刊をつかんだ。

それは第一面にあった。新聞によれば、「不測の措置だったが」経済企画国家資源局調整官長のウェスリー・ムーチは「国家的緊急事態の名の下に」以下の政令を発表した。

国内の鉄道は全便の最高速度を時速六十マイルに――列車の長さを最長六十車両に削減するものとし――近隣五州からなる区域の各州で同じ便数の列車を運行すること。この目的のために全州を区域単位に分割するものとする。

国内の製鉄所はあらゆる合金の最高生産高を、同等の工場生産能力に分類された他の製鉄所による合金の生産と同量に制限すること――どの合金も入手を希望するすべての顧客に公正な割当て分を供給すること。

国内の製造業者には、規模や業種に関わりなく、経済企画国家資源局の特別許可がおりない限り、現在の位置から移転することを禁じる。

国内の鉄道には、この政令により余分に発生する費用を埋め合わせ、「再調整の過程の衝撃を和らげるため」、すべての鉄道社債――保障と転換オプションの有無にかかわらず――の利息と元本の支払いに五年間のモラトリアムを宣言する。

これらの政令を施行する人事資金を提供するために、「より逼迫した州を援助し、国家的緊急事態の矢面に立ちうる州」としてコロラド州に特別税が課され、税はコロラドの企業の総売上高の五パーセントと規定される。

口をついた叫びは、常に自らその回答を出すことを誇ってきた彼女が自分に許さなかった問いだった。だが、数歩先の男をみて、彼がぼろをまとった浮浪者であることもかまわず、それが理性の訴えであり、彼が人間の姿をしていたためにその悲鳴が飛び出した。

「私たちどうすればいいの?」

浮浪者は陰気ににやりと笑い、肩をすくめた。

「ジョン・ゴールトって誰?」

彼女の恐怖の中心を占めていたのはタッガート大陸横断鉄道でも、拷問台に縛られて八つ裂きにされるハンク・リアーデンでもない。それはエリス・ワイアットだった。すべてを一掃し、彼女の意識を埋めつくし、言葉に余地を残さず、考える時間を与えず、彼女がたずねる以前の問いへのめらめら燃える答えとして、二つの光景が浮かんでいた。机の前に立ち、「私を生かすも殺すも今はあんた次第だ。私は潰れるかもしれない。だが潰れるときには、必ずあんたら全員道連れにしてやる」といったエリス・ワイアットの情け容赦のない姿——そしてグラスを壁に叩きつけて粉砕したときの、エリス・ワイアットの体に渦巻いていた暴力的な激しさ。

その光景の後には、想像を絶する災難が近づく予感、そして先まわりしてそれを防がなければというあせりだけが残った。エリス・ワイアットをつかまえて、止めなければ。何を防がねばならないのかはわかっていなかった。ただ、彼を止めなければならないことだけはたしかだった。

そして建物の廃墟の下敷きになったならば、空爆で引き裂かれそうになったならば、感情はどうあれ、命ある限り、行動こそが人間の何よりもの義務だと知っている彼女は、ホームを走り抜け、駅長を見つけた瞬間その顔を見て命令することができた。「五十七号を待たせておいて!」——そして暗闇の中でホームの端の電話ボックスに駆けこみ、電話の交換手にエリス・ワイアットの家の番号を告げた。

電話ボックスの壁に支えられて立ち、目をとじ、どこかで鳴るベルの死んだような金属音の回転を彼女は聞いた。応答はない。ベルは耳と体を貫くドリルのように衝動的に鳴り続けた。応答がなくとも、まるで受話器がいまなお接触を保つ形であるかのように、彼女はそれを握り締めていた。ベルがもっと大きく鳴ればいいのに、と彼女は願った。耳に聞こえるのが彼の家で鳴っているベルの音ではないことは忘れていた。いつのまにか、彼女は「エリス、だめ！　だめ！　だめ！」と叫んでいた――冷たい交換手の声が咎めるように「応答はございません」と告げるまで。

彼女は五十七号列車の二等客室の窓際に座り、リアーデン・メタルの線路上を走る車輪の音を聴いていた。振動に抗する力もなく、彼女は列車に揺られていた。窓の黒い輝きが、彼女が見たくない田舎の風景を隠している。ジョン・ゴールト線に乗るのは二度目だが、彼女は初めて乗ったときのことを考えないようにした。

社債保有者、ジョン・ゴールト線の社債保有者――かれらが幾年もの蓄えと業績である金を託したのは彼女の名誉のためだった。彼女の能力に賭けてそれを提供したのだ。かれらが拠りどころにしたのは彼女とかれら自身の仕事――それを彼女は裏切って、かれらをたかり屋たちのわなに陥れることを余儀なくされた。列車も、貨物という命の血液もない。ジョン・ゴールト線は、ジム・タッガートが取引をして、自分の鉄道からの富を他人に排出することとひきかえに、稼いでもいないかれらの富を着服するための下水管にすぎなかった。今朝まで、その所有者の安定と未来の堂々たる後見役であったジョン・ゴールト線の社債は、一時間の内に買い手もなく、価値も未来も力もない、扉を閉ざしてこの国の最後の望みの綱である車輪を止める力しかないただの紙切れになってしまった。そしてタッガート大陸横断鉄道は、働いて作り出した血液によって糧を得る生きた組織ではなく、偉大さを約束された胎児をむさぼり食う気まぐれな人食い動物なのだ。

　コロラドに課される税金。エリス・ワイアットから徴収され、彼を縛り、命綱を絶ち、監視を仕事にする者たちの生活を賄う税金――自己防衛の権利を剥奪され、声もなく、武器もなく、何よりもひどいことに自己破壊の道具にされ、自分を破壊する者の支援者、その糧と武器の供給者にさせられるエリス・ワイアット――おのれの旺盛な活力を縄とされ、絞殺されるエリス・ワイアット――油母頁岩（オイルシェール）の無尽蔵の泉を作ろうとし、第二期ルネサンスについて語ったエリス・ワイアット……

　彼女は前かがみになり、腕に頭をうずめ、窓の縁に倒れこんだ――青碧色のレールの大きなカーブ、山と谷とコロラドの新しい街とが、見られることもなく、闇の中を通り過ぎるあいだに。

　車輪が突然止まって大きく揺れ、彼女は真直ぐ飛び起きた。予定外の停止だ。小さな駅のプラットホームは人であふれかえり、誰もが同じ方角を見つめていた。周囲の乗客は窓に顔を押しつけて何かを凝視している。彼女は立ちあがり、通路を走り抜け、階段を駆け下り、ホームを吹き抜ける冷たい風の中に出た。

　それを見て彼女の叫び声が群衆の声を引き裂く直前に、彼女はその光景を予期していたことに気づいた。山々の合間、空を照らし、屋根と駅の壁に揺らめく輝きを投げて、ワイアット石油の丘一面に、ぶあつい炎が広がっていた。

　後になって、エリス・ワイアットが丘のふもとのポストに釘でうちつけた板以外に何も残さずに消えたと聞かされて、その板の彼の筆跡をみたとき、彼女はあたかもその言葉までも知っていたかのような気がしていた。

「見つけたまま残していく。好きにしろ。おまえらのものだ」


（第一部に続く）

本書は一九五七年に刊行されたAyn Randの*Atlas Shrugged*を底本として翻訳したものです。

Atlantis

肩をすくめるアトラス

第一部

矛盾律

肩をすくめるアトラス
第一部 矛盾律
二〇一四年十二月十日　印刷
二〇一四年十二月十五日　発行
（定価はカバーに表示してあります）

著者　アイン・ランド
訳者　脇坂あゆみ
発行所　アトランティス
info@atlantis.jp.net

デザイン　中三川 基

Printed in Japan
ISBN 978-4-908222-01-6